U0163910

變動時代的經學與經學家

——民國時期（1912-1949）經學研究

第七冊
經學家研究（二）

林慶彰　總策畫
蔣秋華

張文朝　主編

總序

一　前言

經學史的研究本來是中國文學系的專利，但是一研究到晚清民國時期這一時段，一向擁有專利的中文人卻失去了他們的發言權，由歷史學人來主導，這個時段也被稱為「經學的史學化」，當然研究這個時段的史學家都跑來研究經學，他們用史學的眼光來探究經學，把經學問題都看成史學問題，經學的史學化也是必然的結果，但是我們不禁要問民國時期的經學著作有多少種？這些講經學史學化的學者又讀了多少種？研究經學的人，對這兩個問題沒有正確觀念，要和他談這一時段的經學也就很困難。

從來沒有人對民國時期的經學著作有多少種做過精確的統計，中國國家圖書館所編輯的《民國時期總書目》總計二十冊，其中並沒有經學的類目，經學的著作到處流竄，要統計它的正確數字必須二十本書全部翻完。我粗略翻閱的結果，大概有二百二十種。我所主編的《經學研究論著目錄（1912-1987）》用漢學研究中心所建置的檢索系統加以檢索約有六百六十種。我還是不相信這個時段的經學著作有這麼少，這也是激發我們執行民國以來經學研究計畫的主要原因。

二　執行「民國以來經學研究計畫」

我們不但質疑當時經學著作的總數，對某些圖書館處理民國文獻的方法不夠嚴謹，大陸有不少圖書館是將民國時期的文獻堆積在倉庫或走道，臺灣因為民國時期是屬於日本統治時期，要求臺灣人民皇民化，漢字寫的書看得越少越好，所以有不少民國時期的著作都流入舊書攤。要喚起學界對民國時期文獻的

重視，光是寫寫文章來呼籲，效果相當有限。我們明知要研究這個課題有許多問題亟待解決，但是如果我們不去研究它，還有誰能代我們去研究呢？所以我們經學文獻組的同仁經過幾次討論後，大家同意這六年全心全意執行民國以來經學的研究計畫。此一研究計畫是從二〇〇七年一月起開始執行，二〇一二年十二月結束，前後六年。前四年（2007-2010）執行民國時期經學研究計畫，後兩年（2011-2012）執行新中國的經學研究計畫。

　　民國時期是指民國元年（1912）至民國三十八年（1949）新中國成立前的時段。這一時段就經學這一學科來說，可說是生死存亡的關頭，因此諸事百廢待舉，就連一本反映當時經學實況的書目也沒有，何況其他？為了能有效執行這個研究計畫，我們做了數項基礎工作：

（一）編輯經學家著作目錄

　　要了解一位學者的學說，應從閱讀他的著作入手，要比較全面的了解他的著作，應先有一份完整的著作目錄。民國時期的學者由於時局動盪不安，大都沒有較完整的著作目錄。我挑選出數十位經學家，在東吳大學中國文學系博碩士班講授「中國經學史專題研究」、「經學文獻學」的課程時，以作期末作業的方式完成了數十篇，有部分著作目錄已刊登於《中國文哲研究通訊》、《經學研究集刊》。再要求原作者修訂，然後收入《民國時期經學家著作目錄彙編》中。《彙編》的第一輯，預計二〇一四年十二月底出版。

（二）編輯《民國時期經學叢書》

　　要執行此一研究計畫，第一就是要提供學者這個時期的經學著作，可是民國時期的經學著作從來沒有人整理過，為了順利執行此一計畫，我開始有系統的收集民國時期經學著作。先根據我所主編的《經學研究論著目錄（1912-1987）》找出一九一二到一九四九年的經學專著，計六百六十多種，編成《民國時期經學圖書總目》（初稿），再陸續增補，到目前已經有一千五百多種，根據

這個書目檢查各書典藏的所在，然後設法收集到文本，經過八年的努力，已經編成《民國時期經學叢書》六輯，每輯六十冊，六輯合計三百六十冊，每冊平均收二至三種著作，總計收錄近一千種。約民國時期經學著作的三分之二。

（三）編輯經學家著作集

許多經學家的著作當時刊載在各種報刊雜誌中，有典藏這些報刊雜誌的圖書館少之又少，如果有典藏也因為這些報刊雜誌的紙質脆弱而不准借閱，所以要從報刊雜誌中收集經學家的論文困難重重，為了讓研究計畫順利開展，選定李源澄與張壽林，為他們兩人編輯著作集，由於他們的傳記資料相當有限，要蒐集他們的經學論文有不知如何入手之感，有時只能靠運氣，其間的辛苦可參考我所發表的〈我收集李源澄著作的經過〉一文，經過兩年的努力終於完成《李源澄著作集》四冊、《張壽林著作集》六冊，為民國時期的經學研究添加了不少新的材料。

三　舉辦八次學術研討會

以上所述都是執行此一計畫的基礎工作，執行計畫的重頭戲，還是舉辦學術研討會。研討會可以匯集研究人力，提供學術交流的平臺。民國時期經學研究計畫執行四年，共舉辦八次研討會。發表論文一百四十餘篇，茲將各次研討會的時間、發表論文的篇數，臚列如下：

第一次研討會，二〇〇七年七月十二日，發表論文十三篇。

第二次研討會，二〇〇七年十一月十九至二十日，發表論文二十篇。

第三次研討會，二〇〇八年七月十七至十八日，發表論文十九篇。

第四次研討會，二〇〇八年十一月六至七日，發表論文十八篇。

第五次研討會，二〇〇九年七月十三至十四日，發表論文十六篇。

第六次研討會，二〇〇九年十一月十九至二十日，發表論文二十篇。

第七次研討會，二〇一〇年六月十至十一日，發表論文十八篇。

第八次研討會，二〇一〇年十一月四至五日，發表論文二十一篇。

第八次學術研討會，是此一研究計畫的最後一次研討會，我們安排了兩場別開生面的座談會。第一場座談會「民國經學家後代談親人」，我們邀請了顧頡剛之女顧潮女士，童書業之女童教英女士，張西堂之子張銘洽先生，聞一多之孫聞黎明教授四人。這幾位經學家的後代，對臺灣學術界仍重視他們的親人，相當感動。他們說他們在大陸是相當平凡的人，沒想到在臺灣學術界如此重視他們，可說愛屋及烏，反而有受寵若驚的感覺。第二場座談會是「紀念顧頡剛逝世三十週年」，本來安排中央研究院副院長王汎森院士主持，他臨時有事不能來，由本人代為主持。這場的引言人有丁亞傑、車行健、蔡長林、劉德明等教授，經學家的後代則邀了顧潮女士。

四　出版研討會論文集

近年，各級機關學校由於經費短缺，很多研討會都無法出版論文集。甚至於受理工科學術研討會的影響，認為研討會論文的學術水平不高，所以研討會能出版論文集者，少之又少。我個人覺得理工學界研討會發表的論文，也許僅僅是一個構想，大都未寫成完整的論文。這樣的一點構想，也許有創見，但是要和文史哲學界經過嚴格的審查，然後匯集成論文集的論文相比，恐怕不是對手。但是文史哲學界，尤其是中文學界的學者，往往缺乏自信心，一有風吹草動就棄械投降。即使有出版論文集，也不敢用論文集的名稱。辛辛苦苦撰寫的研究成果，竟無法與世人公開見面。這是中文學界最大的悲哀。我們想重建中文學人的自信心，先前發表的論文，經作者修改後，再送學者嚴格審查，審稿者同意發表的才能刊登出來。八次研討會的論文，分成七大冊，總計收入一百二十五篇。各冊之主編及所收論文篇數如下：

第一冊　周易十篇、尚書七篇。由蔣秋華教授主編
第二冊　詩經十九篇。由楊晉龍教授主編。
第三冊　三禮九篇、小學六篇。由范麗梅教授主編。
第四冊　春秋十七篇、四書八篇。由蔡長林教授主編。

第五冊　經學史二十三篇。由本人主編。

第六冊與第七冊　經學家二十六篇。由張文朝教授主編。

除了各經都有學者撰寫論文外，最重要的是屬於經學家的有二十六篇，其中有不少被遺忘的經學家，例如劉咸炘、王樹榮、唐文治、陳柱、楊筠如、蔣伯潛、龔道耕、陳鼎忠等人，都是以前研究經學的人所忽略的，現在一併把他們表彰出來，就可以知道民國時期的經學並沒有衰亡，也未必邊緣化，這是執行這個計畫最重要的目的。這個研究計畫雖然已經結束，但研究民國經學的風氣正逐漸展開，已形成經學研究最熱門的課題。中央研究院中國文哲研究所經學文獻組執行很多計畫都具有開風氣的作用，這是我們做為中國文哲研究領航者所應盡的責任和義務。

五　結語

中央研究院中國文哲研究所成立於一九八八年，至今二十五年間，執行過的計畫無數。尤其是經學文獻組所執行的計畫，對國內經學界有很深的影響。中國大陸的經學逐漸復甦，國內外學人都以為受文哲所經學文獻組的影響，我們不敢說我們有如此的影響力。但是我們已竭盡全力去執行這些計畫。

這套論文集，由此一計畫的共同主持人蔣秋華教授和本人擔任總策畫。經學文獻組六位研究人員每人負責一冊，靠大家群策群力，才能在極短的時間內，完成編輯工作。當然最辛苦的還是蔡雅如學棣，她一個人獨力完成整套論文集的體例統一與校對工作，我們深深的感謝她。也感謝百忙中撰稿參加研討會的先進朋友。

二〇一四年十月十三日林慶彰誌於
中央研究院中國文哲研究所五〇一研究室

總目次

第一冊

尚書研究

第二冊

詩經研究

第三冊

第四冊

春秋研究

四書研究

第五冊

第六冊

經學家研究

第七冊

本冊目次

經通於史而經非史
——蒙文通經學研究述評

嚴壽澂

上海社會科學院特約研究員

一　敘說：為學宗旨及前後三變

　　鹽亭蒙文通（名爾達）先生，早年就讀於成都尊經書院，師事井研廖季平（平）與儀徵劉左庵（師培），受季平沾溉尤深，以經學與古史知名於時。其論學語有云：「以虛帶實，也是做學問的方法，史料是實，思維是虛。有實無虛，便是死蛇。」又曰：「幾十年來，無論是講學，寫文章，都把歷史當作哲學在講，都試圖通過講述歷史說明一些理論性問題。唐君毅說：『你每篇文章背後總覺另外還有一個道理。』丁山說：『你每篇考據文章都在講哲學。』這雖顯有推崇之意，卻也符合實際。」[1] 由此可見文通治學之所祈嚮，即虛理（哲學）與實證（史學）相濟，不論治經還是治史，目的都是講明事實背後的道理，所以說「每篇考據文章都在講哲學」。然而這並不是強史實以就其哲學，而是從史實中歸納出道理。若非如此，所謂史實便

1　〈治學雜語〉，載其子蒙默所編：《蒙文通學記》（北京市：三聯書店，1993年），頁1、6。篇後蒙默有〈後記〉云：「近年整理先君遺稿，其可以獨立成篇者，皆分別整理編入各集。其短箋札記如《膚淺小書》、論學書翰之類，多無所屬。雖多信手所記，未必定論，然皆治學經驗之談、讀史會心之論，或探究問題之思考過程，咸足以啟迪思路。一九五七年後，默得侍先君講席，時有所記，亦多此類。茲並整理如上。非謂必皆有益，要不願深藏於祕而私之耳。」（頁42）

成了無意義的死物，因此必須以實證虛。要言之，虛自實出，還以運實。如此看法，與中國大陸己丑以後史學界所謂「以論帶史」，相似而實不同。所謂「以論帶史」，乃是以虛（馬克思列寧主義）為首出，為已知，中國歷史的種種事實，只是用以印證「放之四海而皆準」的「規律」而已。此類所謂規律，雖不是從中國史實而來，然而在此輩看來，先知先覺的西方「經典作家」所明白昭示者，豈容有誤？若是與中國的史實有齟齬之處，其過絕不在所謂規律，而在於治史者未能「透過現象看本質」。文通所謂「以虛帶實」，所謂「把歷史當作哲學在講」，與此等見解畢竟殊異，因其所謂道理，乃是從往史中抽繹而得，決非取自泰西某家的成說。

文通本此見解以治經學，別出手眼，與當時以西人史觀為準繩的新派學者（如周予同）以及精研古音統系的乾嘉樸學後勁（章太炎、黃季剛及其弟子），均大為不同。其晚年所作〈孔子和今文學〉一文，論及諸子與儒家的區別時說道，先秦「各家都就其主要思想提綱擷要而製作為『經』……儒家也不例外」，然而儒家與其餘諸子有一大不同處，即：「其他各家重在理論的創樹而忽視傳統文獻，儒家則既重理論又重文獻，諸子以創樹理論為經，儒家則以傳統文獻為經」，唯有於此明瞭，纔能對漢代經學（主要指今文學）有真切的把握。又以為：「漢代經學雖然是繼承先秦儒家（和諸子）而來，但其學術思想的側重點則各不同；先秦重在理論，漢儒詳於制度。只有理論而沒有制度，理論就是空談；只有制度而沒有理論，制度就會失掉意義。」[2]既重理論，又重文獻，而以傳統文獻為經；理論與制度並重，從制度中看出道理；這兩點，正是文通畢生治學的準繩。

民國二十二年，文通在上海商務印書館出版《經學抉原》，附有〈議蜀學〉一文，以為清代經學雖昌明，其弊則不可諱。清儒之弊，在於「每喜以小辨相高，不務守大體，碎辭害義，野言亂德，究歷數，窮地望，卑卑於章句文字之末，於一經之大綱宏旨或昧焉」。雖「矜言師法」，然而「明於條貫，曉其義例」，如惠棟、張惠言之於《易》，孔廣森、莊存與之於《春

2　收入《經史抉原》（成都市：巴蜀書社，1995年），頁211、213。

秋》，金鶚、淩曙之於《禮》，畢竟寥寥。所以說：「三百年間之經術，其本在小學，其要在聲韻，其詳在名物，其道最適於《詩》、《書》」；追溯其源頭，則在顧氏亭林。一往而不返，其道遂窮，「逮其晚季，而浮麗之論張，儒者侈談百家之言，於孔氏之術稍疏」。經術至此，不得不改弦更張了。於是有井研廖氏崛起，一掃「碎末支離之弊」，「發憤於《春秋》」，「得悟於禮制」，成《今古學考》，指出今、古之辨在禮制，於是「昔人說經異同之故紛紜而不決者，至是平分江河，若示諸掌，漢師家法，秩然不紊」，是謂經學上一大發明，與顧亭林之於古音，閻潛邱之於《古文尚書》，鼎足而三。[3]按：此說尚是就經學本身立論。武進呂誠之先生，則從更廣的學術史著眼，認為康長素「昌言孔子改制託古」；「廖氏發明今古文之別，在於其所說之制度」；乃「經學上之兩大發明」。「有康氏之說，而後古勝於今之觀念全破，考究古事，乃一無障礙。有廖氏之說，而後今古文之分野，得以判然分明」。[4]劉左庵「稱廖氏長於《春秋》，善說禮制」，文通則更進一步，指出：廖氏為學之要固在《禮經》，其精則在《春秋》，「不循昔賢之舊軌」，匡正何休、范寧、杜預、服虔諸人之《注》，「以闌傳義」，更推論《公羊》、《穀梁》之文，辨別「孰為先師之故義，孰為後師之演說，本之於經以折中三傳之違異。蓋自五家並馳以來，言《春秋》固未有盛於此日者也」。漢儒治經，雖謹條例，守師法，然而為師法所束縛，「是謂知傳而不知經」。宋儒捨傳言經，然而「於傳猶有所未喻」，更何論於經？「清儒之高者，或能發明漢師之說，是謂知注」；至於其下者，則「視六藝猶《說文》、《漢書》已爾」，更是卑卑不足道。惟有廖季平，「本注以通傳，則執傳以匡經，由傳以明經，則依經以抉傳」，其說禮固是「魏、晉以來未之有也」，而其「考論《春秋》」，則是「秦漢而下，無其偶也」。[5]推崇可謂備至。

依此看法，清儒名為治經，實與經術無涉。文通引述劉左庵之言，謂清

3　同前註，頁101。

4　〈論經學今古文之別〉，《呂思勉讀史札記》（上海市：上海古籍出版社，2005年），中冊，頁725。

5　〈議蜀學〉，頁101、102、103。

世考據學風起於明末楊升庵（慎）、焦弱侯（竑）：

> 楊、焦文章浮華之士，兼雜漫之學，其所述作，皆小說筆記之流，辭
> 人獺祭之習而已。衍其風為樸學，人人以考據自矜，於是攻勘校、究
> 金石，凡地望、天算、律呂、陰陽之儔，皆得號為漢學；其治經者，
> 但能詳名物、通訓故，亦得號經師。故移說經之文以說《漢書》、《文
> 選》也可，移說《漢書》、《文選》之文以說各經也亦可，經術之弊至
> 此，則又何說哉！夫宋明性道義理之學即不必講，而一經之條理義類
> 可不講耶！[6]

總之，「清代三百年來之學，主於考據，尋名物，求訓詁，雖治經而無與於
經。」至廖季平、劉申叔，「今古之真」始得以大明，「上以結兩漢之局，下
以闢晚周之端，然後可依之以求晚周之學」。[7]是謂文通的自我期許。而所謂
晚周之學，根本在於明道以救世。（如近世通儒劉鑑泉所指出，周秦諸子
「生於亂世，故其說多為社會問題」，「於人生社會之問題」，「講之甚詳」，
與「西方古哲學生於閒暇辨論之習」者，根本有異。[8]）文通從弟季甫因此
說：「先兄治經，主張『通經致用』，也就是說不主張純學術的研究。」[9]文
通既以「通經致用」為職志，自然不會滿足於釋經文、說禮制，必然要上溯
先秦，探求人生社會問題的解決之道。一九五七年，文通撰成〈中國歷代農
產量的擴大和賦役制度及學術思想的演變〉一文，篇終說道：「近幾十年
來，在西洋科學的影響下，中國學術界不論是經、史學，或文、哲學，都被
披上了一件科學的外衣，究其實際，仍然不能脫離清代考據學的窠臼，是亟
當予以大力扭轉的。」[10]可見其經世之情的殷切。

6　〈廖季平先生與清代漢學〉，《經史抉原》，頁117。

7　〈井研廖季平師與近代今文學〉，《經史抉原》，頁111，114。

8　見《子疏定本》，收入其《推十書》（成都市：成都古籍書店，1996年影印原刻本），
　　冊1，頁796。

9　〈文通先兄論經學〉，載《蒙文通學記》，頁59。

10　《古史甄微》（成都市：巴蜀書社，1999年），頁380。

文通曾問章太炎曰：

> 六經之道同源，何以末流復有今、古之懸別？井研初說今為孔子改
> 制，古為從周，此一義也；一變而謂今為孔學，古始劉歆，此又一義
> 也；再變說一為大統，一為小統，則又一義也。儀徵雖不似井研明張
> 六變之旨，而義亦屢遷。見於〈明堂考〉、〈西漢周官師說考〉，或以
> 今古之辨為邦鎬、雒邑之異制，或又以為西周、東周之殊科。諸持說
> 雖不同，而於今、古學之內容乃未始有異。要皆究此二學之胡由共樹
> 而分條已耳。凡斯立義，孰為諦解？

太炎「默然久之，乃曰：今、古皆漢代之學，吾輩所應究者，則先秦之學
也」。[11] 主張「通經致用」的文通，想必甚韙其言。由此引發了一個問題：
既然「古今文家，孰不本之先秦以為義」，何以會有今學、古學之紛紜糾
葛？文通於是：

> 比輯秦制，凡數萬言，始恍然於秦之為秦，然後知法家之說為空言，
> 而秦制其行事也；孔孟之說為空言，而周制其行事也；周、秦之政
> 殊，而儒、法之論異。既見乎秦制之所以異於周，遂於今學之所以異
> 於古者，亦了然也。乃見周也，秦也，春秋一王大法也，截然而為
> 三。於是有〈儒家政治思想之發展〉之作，以見秦、漢之際之儒生為
> 與孔孟有別之新儒家，實為戰國以來諸子學術發展之總結。然此篇雖
> 於漢師禮說與西周舊典之異同論之慕詳，而於此新儒家出入百家之故
> 則猶未暇論及。後集《儒學五論》及撰〈孔子與今文學〉時，始略論
> 「儒分為八」即儒家之出入百家者，八儒之書，多存傳記，漢師言法
> 夏、法殷、制備四代即新儒家之有取於諸子（本欲詳論之而未果），
> 故西漢師儒本有歧義，稱制臨決，乃趨一致。至於劉歆，乃創古學，
> 而稱已先立學官者為今學，而今、古之紛爭乃起。於是知廖、劉二師
> 推今、古之歧異至於周、孔皆非情實；章氏言今、古止為漢代之學固

11 〈治學雜語〉，《蒙文通學記》，頁4。

是，然其離漢師於先秦又未必是也。[12]

此乃文通自述為學次第。廖季平之學，凡有六變。按：文通謂廖氏「於《今古學考》以今為改制，古為從周，古為孔子壯年之學，今則晚年素王之制」；此為一說。「繼從宜賓陳昌之言，疑《周官》為劉歆偽書，而今學乃孔子嫡派，作《古學考》」；此為二說。「及尋諸《大戴》、《管子》，與所謂〈刪劉〉之條，皆能符證，則斥為歆偽之論不可安，於是以今古為孔學小統與大統之殊」；此為三說。「三變而後，於《中庸》言誠言道之文，別啟《中庸》天學、《大學》人學之論」；此為四變。「又以象形文字，古之所無，為始自孔氏」；此為五變。「暮歲病風痹，喜醫術，以《素問》所言五運六氣為孔門《詩》、《易》師說」；此為六變。[13]文通之學，亦前後三變。

他撰有〈論經學遺稿三篇〉，其哲嗣蒙默為作〈後記〉，說道：「先君之判今、古雖宗廖氏以禮制為本之說，而其推論今、古所以致異之故，則頗與廖氏不同。廖氏之說先後六變，先君皆以為未安。然先君之說前後亦三變。」文通作《古史甄微》，以為中國古有東（海岱）、北（河洛）、南（江漢）三方民族、文化之互異，於是便有了魯學、齊學、晉學、楚學的差別。儒學的正宗是魯學，齊學則夾雜了諸子百家之言。古文之學源自北方燕、趙，乃孔學而雜以所謂「舊法世傳之史」者。此為其初說。嗣後又覺今、古文所據周秦典籍，各有面目，各有旨意，所謂今、古學，「乃漢師就此諸書不合理之強制組合」。因此主張破棄今、古家法，以求晚周學派之真，「截然將漢代經學與周秦劃分為二」。此乃其二說。最後悟及西周視周人為國人，殷人為野人，田制、兵制等皆由此而異，此「國野異制」，實即「貴賤嚴格之等級制度」，而今文家所提倡的「一王大法」，則是「萬民一律」的平等制度。此等理想見於今文師說所陳禮制，持此理想者乃秦漢之際的新儒家，「與維護貴族世卿制度之孔孟舊儒家偶然有辨」。而此所謂新儒家，乃融合當時諸子之學而成。此為其三說。然而此第三說，尚未竟全功，「於儒家思

---

12 同前註，頁4-5。

13 〈廖季平先生傳〉，《經史抉原》，頁142-143。

想發展之跡，出入異家之故，六藝經傳與諸子相承之源委，則猶未遑言及，蓋擬另文專論之，然以世事擾擾，終未能著手」。[14] 按：己丑以後，中國大陸學術環境丕變，欲擺脫馬列教條而獨抒己見，談何容易。所謂「反右鬥爭」以後，更是形隔勢禁。一九五九年，文通撰〈孔子與今文學〉，雖未能盡量暢所欲言，在當時則可謂諤諤。然而世事之擾擾，日甚一日，「社會主義教育運動」、「文化大革命」接踵而至，凡稍有獨立思想、不願一味曲學以阿世者，遭遇必酷。文通即為遭遇至酷之一人，紅羊劫起，二年後即辭世。[15] 其未竟之業，終「未遑言及」，只能抱長恨於終古了。

文通治學，特重體系，說道：

> 學問貴成體系，但學力不足，才力不夠是達不到的。體系有如幾何學上的點、線、面、體的「體」。清世學者四分之三以上都是餖飣之學，只能是點。其在某些分支上前後貫通自成系統者，如段玉裁之於文字學，可以算是線，還不能成面。如歐陽竟無先生之於佛學、廖季平先生之於經學，自成系統，綱目了然，但也只限於一面。能在整個學術各個方面都卓然有所建樹而構成一個整體者，則數百年來蓋未之見。做真學問者必須有此氣魄。[16]

這一段話，顯然是夫子自道。文通治學，融會經、史，出入佛、道，此物此志也。前後雖有三變，但自有其不變者在，即縱橫上下，構築體系，自立一宗，以期有裨於世道。所謂「做真學問者必須有此氣魄」者，此之謂也。

以下據蒙默教授所概述者，分三部分詳說文通經學研究的前後三變。

---

14 〈論經學遺稿三篇・後記〉，《經史抉原》，頁154。
15 文通遭遇之酷，自下述一事可見。趙儷生教授〈從錚園到綠楊邨，再回到錚園——記我與徐中舒先生的幾次接觸〉一文記載，據徐中舒大弟子唐嘉宏（弘）見告：「有一年，蒙鬍子（按：蒙文通）死了，開了一個鬥爭會代替的『追悼會』，正面懸掛著蒙鬍子的放大像，加兩條黑叉，臺上跪著一個戴高紙帽的，就是徐中舒。」載趙儷生：《籬槿堂自敘》（上海市：上海古籍出版社，1999年），頁157。
16 〈治學雜語〉，《蒙文通學記》，頁2-3。

二　文化三系與周秦學術

　　清學惠（棟定宇）、戴（震東原）並稱，論者大都揚戴而抑惠。文通的
看法則與此相反，說道：「言漢學，必先明其家法，然後乃能明其學說，又
必跳出家法，然後乃能批判其學說。如惠棟是懂家法的，張惠言之於
《易》，莊存與之於《公羊》，都可說是明於漢學家法的。戴東原卻不懂家
法，近世之崇戴者，也多不懂家法，故雖大講漢學，而實多夢囈。」[17] 按：
文通意謂，學術必上有所承，漢人經學尤其如此。若不明傳授源流，便無由
深入了解其學說，講漢學而必須明瞭家法，原因正在於此。然而又不可為家
法所拘；陳陳相因，一仍舊貫，又何來學術的進步。此處所謂「近世之崇東
原者」，顯然是指績溪胡氏（適）一流。在文通心目中，東原、適之，都是
「不懂家法」而「大講漢學」，其說雖間有可取，但就大體而論，終究價值
不高。

　　文通又說：「章太炎頗推重孫詒讓《周禮正義》、黃以周《禮書通故》二
書，然二書路數則不同。孫為漢學路子，純宗鄭玄，然信之太過。黃以周則
不純為漢學，也講宋學，以宋學方法講漢學則時有臆說。然其書又多用林昌
彝《三禮通釋》，而其下結論則較林為精，林書則為《三禮通考》路子。」[18]
（按：此處《三禮通考》，排印有誤，當作《五禮通考》。秦蕙田此書，凡二
百六十二卷，門類七十有五，近人錢子泉（基博）所謂「兼綜博考，不名一
家者」。[19]）文通以為太炎見識頗高，可與廖季平媲美，所不足者，在於未
能了然於家法之故。[20]

17　同前註，頁7。

18　同註16。

19　見所著：《經學通志》（上海市：中華書局，1936年），頁155。按：曾文正甚重《五禮
　　通考》，以為在杜佑《通典》、馬端臨《文獻通考》之間。見其〈聖哲畫像記〉，《曾文
　　正公文集》《四部叢刊》縮印本，卷2，頁95下。

20　〈井研廖季平師與近代今文學〉云：「章太炎雖未必專意說經，其於家法之故，實不

　　民國十二年，文通自費刻印《經學導言》，以為「今文、古文兩個問題」，「引發了最近二十年經學界的爭議」。「最風行一世的，前十年是今文派，後十年便是古文派。什麼教科書、新聞紙，一說到國學，便出不得這兩派的範圍」。兩派的領袖，今文家是康長素，古文家乃章太炎。二十年間，紛紛擾擾，爭執不休，但是康、章二人，都沒有「截斷眾流的手段」。直到廖季平，方始嚴分今、古，「劃若鴻溝」，如劉左庵所謂，「自魏晉以來無此識力」。文通甚至認為，廖氏《今古學考》乃「超前絕後的著作」，自漢世石渠議後，莫可比擬。近來學者，不論是有取於廖氏，還是攻擊廖氏，「都是在《今古學考》的圈圈裏打轉」。而文通自己，則力圖擺脫《今古學考》的羈絆，既明家法又跳出家法。[21]所謂跳出家法，有兩層含義，一是指不可執著於今、古矩矱，入主出奴；二是指打通經、史、子、文的界限，將經學置於學術大勢乃至文化系統之中作綜合的考察，入一爐而冶之。

　　廖季平為學，雖經歷六變，但始終以《周官》、〈王制〉來判別今、古之學，以今學為經學，古學為史學。文通對於這一論斷，終身服膺，譽為「千古定論」。[22]廖氏指出：「齊、魯為今學，燕、趙為古學。魯為今學正宗，齊學則消息於今、古之間。壁中書魯學也，魯學今文也。」劉左庵則以為：「壁中書魯學也，魯學古文也，而齊學為今文。」兩家對齊、魯之學的看法迥然不同，但「捨今、古而談齊、魯」，則並無二致。廖氏又認為：「今學統乎王，古學帥乎霸。」凡此廖、劉之說，導文通以先路，「啟其造說之端」。民國十一年壬戌，當憂患之際（在重慶「身陷匪窟，稽留峽中」），「尋繹舊義，時有所開」。於是撰《經學抉原》，「推本禮數，佐以史文，乃確信今文為齊、魯之學，而古文乃梁、趙之學也」。不僅古文與今文不同，今文中的齊學與魯學亦有差異。魯學是孔門的正宗嫡傳，齊學雖異於魯，但「尚與鄒、魯為近」，至於梁、趙古文，亦即「三晉史說」，則「動與經違」，已很

　　逮左庵，然於《左傳》主杜氏，於費《易》取王弼，以《周官》為孔子所未見之書，學雖遜於左庵，識實比於六譯。」《經史抉原》，頁112。

21　〈經學導言〉，作於民國十二年，載《經史抉原》，頁12-13。

22　〈孔子和今文學〉，《經史抉原》，頁216。

難算是孔學了。五年後,「山居多暇」,乃作《古史甄微》;又一年,成《天問本事》。至此得出結論:晚周之學實有三系,一為北方三晉之學,一為南方吳楚之學,一為東方齊魯之學。[23]

　　這三方不同之學,乃是以三系不同的文化為本。文通指出,「北學言史」,不論派別如何,大體不遠於譙周《古史考》,而「南學言史」,則多同於皇甫謐《帝王世紀》。《楚辭·天問》所陳述者,「皆楚人相傳之史」,與《山海經》頗相符合,此乃「楚人之舊傳」,「既大異於六經,復不同於諸子」。韓非所說,則多與《汲冢書》相合,顯然是出於三晉所傳。「而儒家六經所陳,究皆魯人之說耳」。總之,「魯人宿敦禮義,故說湯、武俱為聖智;晉人宿崇功利,故說堯、舜皆同篡竊;楚人宿好鬼神,故稱虞、夏極其靈怪」。「三方所稱述之史說不同,蓋即原於其思想之異」。思想之所以有異,則因「古民族顯有三系之分,其分布之地域不同,其生活與文化亦異」。六經、《汲冢書》、《山海經》三者,稱道古事各判,因為三系民族所傳之史本來就不同。文通於是「原本邃古,迄於春秋」,除史籍外,「多襲注疏圖緯之成說,間及諸子」,成《古史甄微》一書,曰:「蓋在戰國以前,三方傳說,本自分明,述文者各守所聞,不相淆亂。」《呂氏春秋》乃「糅合眾說,號為雜家」,繼之而起者,有太史公、淮南王、韓嬰、劉向諸家,「先秦舊史系統乃不可理」。兩漢時,先秦舊史雖不可理,今、古二學還是壁壘分明。鄭康成出,「糅合今、古兩學,以意取舍」,於是兩漢師法也不可理了。而欲明瞭周秦學術之真相,三系不同文化的源流本末不可不釐清。[24]

　　廖季平《今古學考》卷下第三一則即以地域文化的差異解釋周秦學術之不同,云:

> 今天下分北、南、中三皿,予取以為今古學。由地而分之,喻古為北皿,魯為南皿,齊為中皿。北人剛強質樸,耐勞食苦,此古派也。南人寬柔敦厚,溫文爾雅,此魯派也。中皿間於二者之間,舟車並用,

---

23 《經學抉原·序》,《經史抉原》,頁46-47。
24 《古史甄微·自序》,《古史甄微》,頁3、4、1、13-15。

　　麥稻交儲，習見習聞，漸染中立，此中皿也。齊學之兼取古今義，正
　　如此。[25]

文通本其師「以《周官》統古學，以〈王制〉統今學之意」，將經術分為
齊、魯、古三學。更由此而及於西漢人的文章，「以為劉向、匡衡、董仲
舒，此出於魯人六經者也；鄒陽、枚乘、王褒，此出於楚人詞賦者也；賈
誼、鼂錯、賈山，陳論政事，此出於三晉縱橫法家者也」。而此「西漢文章
之變」，「亦以此三系文化為本」。又引太史公所謂「三晉多權變之士，夫言
從橫強秦者，大抵皆三晉之人也」，指出縱橫法家本是「三晉北方之學」。而
「道家如老、莊，詞賦家如屈、宋，並是南人，則辭賦道家固南方之學
也」。至於「六經儒墨者流」，則固是「東方鄒、魯之學也」。[26]三系確立之
後，更融會舊學（周秦漢古籍）與新知（當時考古、人類、社會諸學的知
識），以追溯其所由來。

　　文通將中國上古民族分為江漢、河洛、海岱三系，視海岱民族為最古。
其理由是：中國上古文化，乃始於東方，因「彼時之交通，專恃水道」，「而
交通之便，齊、魯為最，故齊、魯於古為軍事政治商業之中心，亦遂為最古
文化之發祥地也」。又指出：

　　邇者旅順發見貝塚，《說文》言古者貨貝而寶龜，凡從貝之字皆義涉
　　財貨。《史記》言：「農工商交易之路通，而貝龜金錢刀布之幣興
　　焉。」知貝固古代之貨幣。而交易之繁，起於海濱，旅順聚貝而藏，
　　尤見泰族之往來行商於營青二州間也。故及於戰國，陶猶以交易有無
　　之路通，而為天下中，蓋自昔而然也。故岱宗、河、海之間，固古代
　　政治、文化、軍事、商業之中心，正以其固交通之中心耳。[27]

---

25 《廖平學術論著選集（一）》（成都市：巴蜀書社，1989年），頁79-80。

26 《古史甄微·自序》，頁14。

27 《古史甄微》，頁39，41。按：呂誠之先生亦持相同見解，謂：「近世史家，論古代文
　　化者，率以為北優於南。惟蒙君文通撰《古史甄微》，頗知東南文化之悠久。」並更
　　舉古書中其他例子以為佐證。見其〈中國文化東南早於西北說〉，《呂思勉遺文集》

此處所謂泰族，即指海岱民族。文通據今存緯書，以為所謂遂人氏，乃風姓
之族，「當即為中國舊來土著之民，自東而西，九州之土，皆其所長」。嗣後
「炎族起於西南，黃族起於西北，而風姓之國，夷滅殆盡」。春秋時的任、
宿、須、句、顓臾，即為風姓之國，「而海、岱之間，實為其根據地。」又
據《爾雅》「齊，中也」，以為「齊州對四極言，謂中州也」；《釋名》「勃，
齊之中也」，是即所謂幼海。又謂：「導沇水東流為濟，濟從齊，亦中央之水
之謂耶！濟固出乎河，而又居鴻溝、九河之間，而入於幼海者也。泰山之陽
則魯，其陰則齊，此固泰族馳驟海陸間之集中地，固文化所由產生之處
也。」古代傳說，「泰山為死者魂神所歸」，亦可證明海、岱之間實為上古時
「政治戰爭之中心」。依據《史記》、《韓非子》、《孟子》、《國策》、《呂氏春
秋》諸書的有關記載，文通以為「泰族與東夷同支，進化或為先耳」，如
「徐偃王之仁而無權而好怪，尤與泰族之國民性合」。至於為何名曰「泰
族」，則引《史記》「泰帝興，神鼎」，「太帝使素女鼓五十絃瑟，悲」，以及
《莊子‧人間世》「有虞氏不及泰氏」，以為所指即太昊，「古又謂之蒼帝」。
因此，「姑名此海岱民族為泰族，亦猶江淮民族以炎帝而姑名為炎族，河洛
民族以黃帝而姑名為黃族也」。總之，黃河入海之區的所謂九河之地，「為泰
族導源之地，及往來海上，日益頻繁，又沿黃河而入上游，而曲阜一隅，遂
處天下之中，為午道，為街路，而漸以南移，是我先民栖息九河者在遂人之
時，扼據曲阜者在伏羲之後也」。[28]

　　上古民族有海岱、江漢、河洛三系，即所謂泰、炎、黃三族。文通認
為：「中國古代之文化，創始於泰族，導源於東方。炎、黃二族後起，自應
多承襲之。然二族固各有其獨擅之文化。黃族固完美也，惟炎族較樸陋，而

　　（上海市：華東師範大學出版社，1997年），頁7-11。又謂：「中國文化，在有史以
　　前，似分東西兩系。東系以黑陶為代表，西系以彩陶為代表，而河南為其交會之
　　地。……代表中國固有文化的，實為黑陶。」並舉五證以明之，如以魚鼈為常食，衣
　　服材料以麻、絲為主，古代人民巢居或湖居，其貨幣多用貝，在宗教上敬畏龍蛇。見
　　《呂著中國通史》（上海市：華東師範大學出版社，1992年），頁311。
28 《古史甄微》，頁41、55-58、61。

亦有其特殊之點可尋。」古時所謂三苗、九黎，正是指炎族。「苗民之不用
政令，共工之久空大官，皆足證其為最缺乏政治組織之民族」，而且「皆率
神農之教，而又專恃刑法，崇神道」，又可見其「放曠浪漫之俗」。「蓋中國
之倡道家言者，老聃、莊周之徒，並是南人，其亦神農之遺教耶！」而黃族
之特點，則「適與炎族相反」。《白虎通義》謂：「黃帝始作制度，得其中
和。」據此可知，「黃族實為善制法度者」。就中國上古文化而言，泰族是
「中國文明之泉源」，炎、黃二族，「繼起而增華之」，而遂人氏則是「泰族
禮教之泉源，東方文化之祖」。「比其同異論之，泰族為長於科學、哲學之民
族，儼然一東方之希臘，炎族為長於明祆祥、崇宗教之民族，頗似印度，黃
族為長於立法度、制器用之民族，頗似羅馬也」。所謂尚忠、尚敬、尚文的
「三統循環」，文通以為，其義「或即本於三族文化之殊」，曰：「尚忠，北
方之質也，此黃族之崇實用、好剛勁之習也。尚敬，南方之惑也，此炎族之
好逸豫、信鬼神之習也。尚文，此東方人之智也，此泰族之重思考、貴理性
之習也。」周秦諸子之所以可分三系，根本原因正在於這習俗文化的差異。
文通以為，北方之學為史學、為法家，南方之學為文學、為道家，東方之學
為六藝、為儒家。儒家之學所以最可貴，在於兼有南北之長而酌得其平：

> 儒家之學以中庸為貴，居於北人注重現實、南人注重神秘之間，蓋
> 齊、魯為中國文化最古之發祥地，又為南北走集之中樞，固能甄陶於
> 兩大民族之間，而文質彬彬矣。是則齊魯之間，儒學出焉，不為無
> 故。蓋夷俗仁，徐偃王仁而無權，此泰族原始之思想也，貴中庸，則
> 後來調和於異族之思想。儒家之學，尚中而貴仁，此固為善保持其原
> 有民族之特殊精神，而又善調和於異民族之兩極端精神，而後產生之
> 新文化也。是鄒、魯者既開化最早，中國文化之泉源，而又中國歷久
> 文化之重心也。[29]

如此見解，正是由打通經史、虛實相濟而來，較之前述廖季平「三皿」之

---

29 《古史甄微》，頁63-68。

說，遠為複雜與周延。文通治學。視野之寬，氣魄之雄，即此可見。

　　文通更以為，上古三族文化各各不同，但都是「紀於遠而聽於神」，此乃初期文化必然之勢。到了夏、商、周三代，文化雖亦各異，但是「紀於近而命以民事則大體不異」，此乃「智識已進於實際之效」。對於所謂墨子法夏、殷人好鬼等古人相傳之說，其解釋是：

> 墨之道即不必出於夏，而夏之道固大同於墨道也。殷之道好鬼而任刑，因乎苗黎之教，近於道家之旨，故伊尹之書在道家，《別錄》在兵權謀，以伊尹之道觀殷之道，亦不中不遠。太公之書亦志在道家而《別錄》在兵權謀，馬遷亦說：「周之陰謀皆宗太公為本謀。」則太公之法於伊尹，在周初為舊派，宗道德，擅權謀；而周公宗仁義，秉禮樂。一守商之成規，一開周之新局。

太公、周公之異，正代表了一新一舊的不同文化。由此可以引申，古道家是「以內聖而兼外王」，而周末老、莊之為道家，則是「有內聖而無外王」。所以後之道家，已非「古道家之全」了。墨子之於禹，孔子之於周公，亦當作如是觀，亦即「殆皆言體則益精，言用則或疏也」。孔子志在「祖述堯、舜，憲章文、武」，欲「為東周」於魯，乃「近從周而遠法唐虞」。荀子所謂「文、武之道同伏戲」，莊子所謂「有虞氏不及泰氏」，可證堯舜文武，乃與伏羲「一系相承」，「此固孔子之所宗也」。而且「孔子刪《書》始於虞、夏，為其為仁義之本，刪《詩》本文、武，贊《易》本伏戲，作《春秋》本魯史」，可見「孔氏之所祖述者，以仁義為本之東方文化也」。「此孔子所以鮮稱炎、黃、夏、商，而特表伏羲、堯、舜、文、武、周公者乎！」[30]

---

30 《古史甄微》，頁126-127。按：所謂古道家以內聖而兼外王，後來道家則偏於內聖，與張孟劬之說有相通之處。孟劬以為「六藝皆史」，史之道則為「君人南面之術」，故六藝「皆古帝王經世之大法」。「周之東遷，天子失官」，於是六藝散為百家。史流而為道家，孔子則是「以儒家思存前聖之業」。「儒家者流，蓋出於司徒之官」，非君人南面之術之全。故儒家不足以盡孔子，「孔子實兼道家也」。道、儒二家之別，在一明天道，一明人道。天道人道之分，即「主道」與「臣道」之別。見所著《史微》（上

　　《古史甄微》撰於民國十六年春，[31]其〈自序〉云：「晚近言學，約有二派：一主六經皆史，一主託古改制。二派根本既殊，故於古史之衡斷自別。數十年來，兩相詆謀嘲讓，若冰炭之不可同刑。」[32]依文通之見，二說皆誤。就學術系統而言，河洛文化的三晉之學，以史學為正宗。文通廣引古書，列舉十四項，以三系不同文化所傳之史相比勘，認為「三晉史文，比於鄒魯六藝，非徒節末之殊，而實根本之異」，其中以「北人所傳」為「近真」。[33]而「六經、〈天問〉所陳，翻不免於理想虛構」。「六經皆史」之說，因此不可信。六經雖不免理想虛構，但這不等於「託古改制」。理由是：《左傳》、《國語》不屬六經，「非祖孔子」，然而其所述，多與六經相符，「則孔子所改制而《左》、《國》能偶同之者何耶？」可見改制之說，亦是難通。然而若是「推本於鄒魯、晉、楚三方傳說之殊」，則諸多疑難，皆可渙然冰釋。[34]

　　改制託古之說雖不可通，但魯學畢竟多理想成分，為孔子精純理論所寄託，乃東方文化之嫡派。〈樂記〉、〈書傳〉、〈繫辭〉、〈中庸〉諸篇，頗多微言大義，可說是「因經以明道」。尤其是《孟子》一書，發揮孔門精義，最為「透徹無遺」。文通因此認為，《孟子》、《穀梁》二書，實是「魯學的根本」。至於齊學，「本以諸子為最盛」，與「言六藝」的魯學不同。圖讖方伎等陰陽五行之說，即所謂內學，亦包含於齊學之中。董仲舒正是齊學宗師，荀子則是三晉派大家。孟、荀、董三人，同講孔子，而面目各異，從中可見魯、齊、今文三派之異。[35]

　　依文通之見，孔子以後的中國學術，雖時時有變動，但「都是循著直線

　　海市：上海書店，2006年），頁1、4、2、54-55、81-82（〈原史〉、〈原儒〉、〈微孔〉）。文通所謂「以內聖而兼外王」的古道家，與孟劬心目中的道家，約略相似。然而二人治學的路數，畢竟大為不同。孟劬不重制度，更不參考近世考古諸學，終究以推論為多，雅近章實齋。

31　見蒙默附註：《古史甄微》，頁127。

32　同前註，頁2。

33　同註31，頁6-13。

34　同註31，頁4。

35　〈經學導言〉，《經史抉原》，頁45；並參〈經學抉原〉，《經史抉原》，頁88-94。

向前發展」。「到了王陽明的時候，可算是闡發得非常透徹」。到王門弟子、
泰州學派的羅近溪（汝芳）和周海門（汝登），「更是說得十分盡致」。然而
物極而反，明末王門多有流入所謂「狂禪」一路者，頗有損於道德的嚴肅
性。於是有了反動，朱學漸趨興盛，「來救王學末流的弊病」。到了清初顧炎
武、張爾岐，一面篤信朱學，一面則對宋明人的經學起了懷疑。因懷疑而加
以考證，便發現了朱子的錯處，於是轉而回溯到漢唐儒者的說經之作。如此
愈返愈古，「從明末直到現在，祇是把從王陽明起直到孔子的時候的學術，
依次的回溯一番便了」。[36]文通治學，既以經世為鵠的，以發揚所謂「中國
文化之泉源」、「中國歷久文化之重心」的鄒魯之學為職志，故其返古，絕非
純為求古之真，而是志在重新把握中國文化源頭處的精神，以開今日經世的
新局。《經學抉原》、《古史甄微》諸作既成之後，文通在學界聲譽鵲起，然
而絕不以此自劃，說道：「然《經學抉原》所據者制也，《古史甄微》所論者
事也，此皆學問之粗跡。制與事既明，則將進而究其義，以闡道術之精微，
考三方思想之異同交午，而衡其得失。」[37]於是進入了他研究經學的第二階
段。

三　兩漢今古學與晚周之學

　　廖季平「以《穀梁》、〈王制〉為今文學正宗，而《周官》為古學正宗，
以《公羊》齊學為消息於今古學之間，就禮制以立言」。在文通看來，此乃
廖氏學說「根荄之所在」。然而世之知廖氏者，「皆在《公羊》，不在《穀
梁》」。文通就此指出：「以禮說經」本是漢代經師的家法，石渠閣、白虎觀
議論之遺規，乃「今古之大限」；而「援緯入經」只是「漢學之旁支」，今、
古兩學皆不免此弊。若以「漢師之家法」為矩矱，《穀梁》魯學當然是大
宗；若以「援緯入經」的漢學旁支作準繩，則《公羊》齊學便成巨擘。《公

---

36 同前註，頁10-11。按：文通此文作於民國十二年。
37 《古史甄微・自序》，頁15。

羊》「多非常可喜之論」，易為「侈者」所樂，「故其說易倡」；言禮制「樸實繁難」，所以漢儒孟卿不以禮經教其子孟喜，而使之學《易》。到了清代，「言今學者皆主於《公羊》，遂以支庶而繼大統」。然而就學脈而論，「則固不如此」。須知「由《穀梁》以禮說今文者」，本是「魯學之遺規」，「由《公羊》以緯說群經者」，則是「齊學之成法」；此為「今文中二派對峙之主幹」。易言之，經學是魯人的嫡傳，緯書乃齊學之大本。齊學不一定「專言經」，「治經其餘事耳」。但是漢代經學既盛之後，「齊人亦起而說六典，遂以陰陽五行之論入之，其學自不必以經為主」。[38]

　　何休作《春秋公羊解詁》，有「改制」、「王魯」之說。文通解釋道：「改制之說推本於王魯，王魯之說推本於隱公元年，以為諸侯不得有元年，魯隱之有元年，實孔子王魯之義，亦即改制之本。」接著指出，《左傳》「稱惠之二十四年，惠之十八年」，《國語·晉語》「自以獻公以下紀年」，可知諸侯可得改元，《春秋》已「著其實」。又說「《白虎通義·爵》篇謂：『王者改元，即事天地，諸侯改元，即事社稷。』則禮家斷其義。」《春秋》與禮家既然皆有改元之義，又如何能說「隱公元年即是王魯」，並引申出改制之說？因此，「改制者實不根之說，非經學之本義也」。而且鄭玄作《起廢疾》，「於歲則三田之說，以為孔子虛改其制而存其說於緯」，可見「康成亦言改制」，又如何能說「改制獨為今文之大義微言」？所謂託古，本由改制而來，「改制之事不實，則託古之說難通」。由此可證，漢代以來《公羊》齊學「託古改制」之說決非經義。齊人之學，實乃「以陰陽五運之義與孔子之經合為一家」。六經有此齊學之後，所謂「端門受命」之說興起，孔子「幾於由人而變為神，儒家幾於由哲學而變為宗教」，孔子本人，則幾乎變為釋迦、耶穌一流。漢代今古文諸家，皆有持此等說法者。幸好有「破其說者」，孔子「乃得仍為人」。文通認為，「此亦中國學術之一大事」。又說，從齊學角度看，《公羊》緯書乃今文正宗，《穀梁》則「居今古之間」。而廖季平「由《穀梁》而兼治《公羊》，故主於禮制而不廢神運，實以魯學而兼治齊學，

38　〈井研廖季平師與近代今文學〉，《經史抉原》，頁106。

其長在《春秋》、禮制」。近人之治經學者，只有淳安邵次公（瑞彭）纔是「齊學一大師」，廖氏「實非齊學之巨擘」。[39]

在文通看來，齊魯、今古，本是紛紜糾葛，其條理節目不予釐清，便不可論漢代經學。「禮文異數，實為今古學一大分限」。廖氏於此，一眼覷定，與「世之徒以文字辨今古文，以義理辨今古文者」，一實一虛，不可同日而語。接下來的問題是：今古學既以禮制而判分，則其「致異之故」又安在？廖氏早期，以古文為「孔子初年之學」，今文為「孔子晚年之定論」。嗣後與南海康有為相見於廣州，康氏本廖之《今古學考》及《古學考》，作《新學偽經考》，又本廖之《知聖篇》，作《孔子改制考》。文通以為，康氏之學，實以龔（自珍）、魏（源）為依歸，與講禮制的廖氏不同。而康、廖相見後，廖亦受康的影響，以為《左傳》、《周官》都是劉歆偽作。然而問題是：劉歆何以能「悉偽諸經」？又為何定要「悉偽諸經」？文通認為，諸偽書，如《孔子家語》，《尚書》孔傳，《論語》、《孝經》孔傳，《孔叢子》，以及出自汲冢而後遭改竄的《竹書紀年》、《周書》，其偽「非一人一時所能為」，而所由作偽之故，則是王肅好賈逵、服虔之學，欲與鄭玄爭勝。因此，「書雖偽而義仍有據，事必有本」，「校鄭、王兩派異同，足知偽書之偽安在，其不偽者又安在」。今本《竹書紀年》、《周書》固是偽書，然而須知其「所據以作偽之材料不必偽」，「其所改竄之書偽，而為其學者所自為書又不必偽，所本之學不必偽」。文通又引李證剛論《大乘起信論》為例，以作參證。李氏以為，梁代所譯《起信論》，其偽由天台宗，唐代所譯者，其偽由賢首宗；「有《起信論》之偽，而後有《釋摩訶衍論》之偽，有《釋摩訶衍論》之偽，而後有《占察經》之偽」。溯其源，「則先有中國道家之學」，天台宗等以之為據依，於是便有偽論、偽經。文通由此指出：「必皆先有偽書之學，而後有偽學之書」；漢代古學，起自劉歆，若說偽古文經是彼所為，則是「古文之起在先，古學之成在後」，「先有偽書而後有偽學」，是謂本末倒置，於理不通，所以切不可以「作偽」二字「抹殺古代之書」。一見《孟

39　同前註，頁106-107。

子》書中有「孟子見梁惠王」語，《孝經》有「仲尼居，曾子侍」語，《管子》書記管子之死，便認定《孟子》、《孝經》、《管子》乃偽書，實是愚不可及。即以「託古」而論，實是「因改制之義，然後有託古之義，因王魯之說，然後有改制之說」。既是如此環環相扣，自須推本溯源。文通因此對「揚託古之波」、張辨偽之幟的近世學術潮流，大不以為然，說道：「有一家之學，然後有一家偽作之書，後則徒激辨偽之流，而不知求學派所據，則康氏流毒所被，又康氏所不及料也。」[40]

如此見解，甚為明通，可與呂誠之、陳寅恪二先生之說相參。呂氏曰：

> 讀古書固宜嚴別真偽，諸子尤甚。……然近人辨諸子真偽之術，吾實有不甚敢信者。近人所持之術，大要有二：(一)，據書中事實立論，事有非本人所能言者，即斷為偽。如胡適之摘《管子‧小稱》篇記管仲之死，又言及毛嬙、西施，〈立政〉篇闢寢兵兼愛之言，為難墨家之論是也。(二)，則就文字立論，如梁任公以《老子》中有偏將軍、上將軍之名，謂為戰國人語；……又或以文字體製之古近，而辨其書之真偽是也。予謂二法皆有可採，而亦皆不可專恃。何則？子為一家之學，與集為一人之書者不同……[41]

陳氏則謂：

> 以中國今日之考據學，已足辨別古書之真偽。然真偽者，不過相對問題，而最要在能審定偽材料之時代及作者，而利用之。……中國古代史之材料，如儒家及諸子等經典，皆非一時代一作者之產物。昔人籠統認為一人一時之作，其誤固不俟論。今人能知其非一人一時之所作，而不知以縱貫之眼光，視為一種學術之叢書，或一宗傳燈之語

---

40 同註38，頁107-109。
41 《經子解題》(上海市：華東師範大學出版社，1995年)，頁101-102。按：此書排印多誤，引文已作訂正。

　　錄，而斷斷置辯於其橫切方面，此亦缺乏史學之通識所致。[42]

文通以文化系統說古史，明學派，不為「徒激辨偽之流」的聲勢所攝，認定經學之派別，猶如諸子，乃「一家之言」，就此深入探討，而卓然有成。其原因正在於具「史學之通識」，有「縱貫之眼光」。

　　廖季平受康南海影響，取劉歆偽群經之說，然亦「久而不自安」，於是「由《大戴》、《管子》上證《周官》之非誣」，因而有大、小統之說，「以今文為小統，孔子所以治中國方三千里之學也，以古文為大統，孔子所以理世界方三萬里之學也。由《小戴》言小統，由《大戴》言大統，小統主《春秋》，大統主《尚書》、《周禮》，推而致之，文字孔作也，《詩》、《易》以治六合也」。對此等「幽妙難知」之說，文通不予置辯，顯然是不信。但又補充說道，廖氏之真本不在此，而在於以禮制為骨幹，「能知其柢蘊者」，劉左庵一人而已。「推本於禮」，「辨析今古」，廖、劉二人所同，「惟其說明今古相異之故乃不同耳」。文通對此評價說：「廖師過重視孔子，以為今古皆一家之言，故以為初年、晚年之異說，又以為大統、小統之殊科。劉氏過重視周室，以為皆一王之治，故說鎬京、洛邑之制不同，西周、東周之宜有別。」[43]按：這段話透露了文通本人對經學的兩個根本看法，即：（一）孔子不足以盡經學，易言之，周秦經學頗有越出孔子思想之藩籬者；（二）周代社會與學術之分歧，以三大系不同文化為本，決非「一王之治」。廖、劉二家，一為孔子所限，一為周制所限，故而未能進一步探究兩漢及周秦學術所以然之故。然而二家以禮制為骨幹之見，則絕不可廢。文通經學研究之有進於乃師者，其在斯乎。

　　文通又申述說，廖季平「唯善說禮制，依之以求漢師家法之變遷同異」，因而對今、古二家之分合，瞭如指掌：王莽居攝以前，「古學仍以〈王制〉為主，以〈王制〉通《周官》」；居攝以後，賈逵、馬融之徒，「獨宗

42　〈馮友蘭中國哲學史上冊審查報告〉，《金明館叢稿二編》（上海市：上海古籍出版社，1982年），頁248。

43　〈井研廖季平師與近代今文學〉，《經史抉原》，頁109-110。

《周官》而不復依傍〈王制〉」。鄭玄以下的古學，則「又以《周官》為主，而以《周官》通〈王制〉」。在廖氏看來，古學以賈逵、馬融為「說禮之正宗」，劉歆、賈逵、服虔說《左傳》，「多牽引《公》、《穀》」，只有杜預《春秋左傳集解》獨宗左氏。總括而言，劉歆之後，鄭玄之前，「言禮則今古之家法分明」，其餘諸經則今古家法混淆，如費直，治《易》取京房、孟喜，治《左傳》取《公》、《穀》，治《毛詩》取齊、魯、韓三家。鄭玄以後，「王弼專於費《易》，王肅專主於《毛詩》，杜預專主於《左傳》」，於是「餘經之今古家法明，而禮之家法混，《周官》為主而〈王制〉為附庸」。因此可以說：王弼、王肅、杜預等「南學之徒」，「未必遽遜於東漢之說」；而「西漢今古之家法，禮與餘經皆混，而古文為今文之附庸」，因此，「東漢之古學未必遽遜於西漢」。廖季平能卓然有見於古學之真，不為東漢、西漢膚淺之論所惑。劉左庵深明廖氏之學，但因篤信西漢古文學，故所著《西漢周官師說考》、《春秋左氏傳略例》，皆意同於劉歆、賈逵，「援今文以為說」，對於《詩》、《書》，亦是如此。因此，「其言西漢之家法則是，而古文之真又未必是」。文通在此，顯然對廖、劉二家之學，皆有所未愜，認為：「蓋今古文家所依據周秦之經籍，一書有一書之面目與地位，漢師組合面目不同之書以為同一面目同一地位，是則為漢人之學，已非周秦之學。」今、古學之別，至廖、劉而大明，「上以結兩漢之局，下以闢晚周之端，然後可依之以求晚周之學，此正數百年來學術轉變之一大界限」。易言之，「清初之學在排宋明，繼則進而排唐與六朝而宗漢，繼則又進而辨東漢以上追西漢，而遠溯周秦」。兩漢經師之家法，至廖氏而最明，「其上溯周秦之意」於是「亦最急」。[44]

　　文通就此說道：「不特今古之學非周秦之學，即兩漢齊魯之學亦非晚周齊魯之舊。」今、古二學，分別以〈王制〉、《周官》為宗，然而此二書所說，「既為二周先後不同之制度」，則持之「以讀先秦之書，自不能盡合」。今、古學既是依此二書而成立，則「欲持之以衡先秦之學，其勢自扞格而難

---

44 同前註，頁111-112、114。

通」。須知晚周之學自有其本身之流別,「非可依兩漢學術之流別」以求得其
條貫。例如:孔子祇說:「質勝文則野,文勝質則史,文質彬彬,然後君
子。」《禮記‧表記》「推文質而言史」,唯曰:「虞夏之質,殷周之文。」復
曰:「虞質夏文,殷質周文。」是謂「文質再而復」之說。「故《禮記》恆言
四代,《春秋》亦言四王。」春秋之末,唯有文質之說而已,並無所謂「三
正」,即「夏尚忠,殷尚敬,周尚文」之說。又如:「戰國之初止言三王,故
六國皆稱王;其後言五帝,而齊因之為東帝,秦為西帝;戰國之末言三皇,
而秦人因之稱皇帝。」而「鄒衍言五德之運從所不勝」,乃是「五而復」,與
「三正之說」的「三而復」,「文質之說」的「再而復」,其義相左。就「五
運一義」而言,「已見兩漢之學遠非周秦之學」;而周秦之學本身,已有諸多
變易與派別,「豈今古兩家之說所能括盡?即在兩漢魏晉,亦異說時生」,所
以「徒執今古家法欲以明周秦之故,殆決不可能也」。如「以漢師齊學九皇
之義,校之鄒衍齊人五德之義」,即可見「漢之齊學非周之齊學也」。又如魯
學家有三皇五帝之說,「既非孔子之文質說,又非孟子之三王說」,可見「漢
師之魯學亦非周人之魯學」。鄒衍以五運為五德相勝,而《禮記‧月令》「以
五帝五行相比」,已涵五德相生之義,劉向、歆父子取之以說五運,便有五
德相生之說,足證「兩漢師法不足以括周秦」,必須「別求周秦之法以說周
秦」。[45]

　　廖季平有鑑於此,於是進而「剖析今古學之內容」,別今學為齊、魯二
家,可見其「求今學本身不得安,從其裏而思破之也」。晚年別今、古為孔
子、劉歆之學,為大統、小統之說,此則「求之今古學之立場又不安,思從
其表而破之也」。總之,「周秦之學一明,而兩漢之壁壘頓破」。是乃廖氏未
竟之業,文通以之自許者也。[46]

　　周秦之學與兩漢之學,其分際究在何處?文通一語道破,即一為儒者之
術,一為經生之業:

45　〈井研廖師與漢代今古文學〉,《經史抉原》,頁130-131、133-134。
46　同前註,頁134-135。

晚周之學重於議政，多與君權不相容，而依託之書遂猥起戰國之季。
始之為託古以立言，名《太公》、《伊尹》之類是也；繼之為依古以傳
義，則孔氏六經之事出焉。託古之事為偽書，依古之事多曲說。然以
學術發展之跡尋之，曲說偽書者，皆於時理想之所寄、而所謂微言大
義者也。此儒家之發展造於極峰。至漢武立學校之官，利祿之路開，
章句起而儒者之術一變而為經生之業。

在文通看來。漢初伏生、韓嬰、賈誼、董仲舒諸人，「殆猶在儒生經師之
間」；劉向之《新序》、《說苑》，「尚有儒生面目於十一」；自從石渠閣、白虎
觀會議統一經義以後，「射策之科」興，「專以解說為事」，儒學便「漸變而
為經學」，於是「洙泗之業，由發展變而為停滯，由哲學而進於宗教，由文
明而進於文化」。先漢經說所據以為典要者，本是「晚周之陳言」，亦即
「孟、荀之道」，其「可貴在陳義而未必在釋經」。其時所謂六經師說，「即
周秦儒生之緒論也，匯集戰國百家之言，舍短取長而以一新儒道者也」。兩
漢經生之業本不足貴，然而周秦「儒者之墜緒」賴此以保存。今文學之所以
猶有可取者，正在於此。東漢時，古文之學興起，「於經師舊說胥加擯斥」，
不視之為「鄒魯縉紳之傳」，僅視之為「舊法世傳之史」，亦即不將經學視為
《莊子・天下》篇所謂「配神明，醇天地，育萬物，和天下，澤及百姓，明
於本數，係於末度，六通四辟，小大精粗，其運無乎不在」的「道術」，而
僅視之為以往歷史的記錄。因此，廖季平「以經學為哲學、古文為史學，誠
不易之論」。若就史學而言，賈逵、馬融諸人，「固無大失」；但若就儒術而
言，則今文經學與孟、荀，相距已遠，更何況古文之學了。然而清代學者，
由唐、宋而東漢，由東漢而西漢，直至「反於周秦，惟以經訓為主」，於史
學誠為有功，然而就儒術而言，則其學「益進而益微茫」，因為周秦以前，
「固無所謂經學也」。[47]

---

47 〈論經學遺稿三篇・甲篇〉，《經史抉原》，頁146-147。按：蒙默教授〈後記〉謂，此
　遺稿三篇，乃文通辭世後，「清理遺物時得之書案屜中者，三稿皆未竟之作，然先君
　長期存之屜中，蓋重之也。稽之文字，驗以楮墨，甲、乙二篇略作於一九四四年前

　　文通認為，「經生之業」至廖季平而登峰造極。然而他自己重讀西漢諸儒之書，纔恍然明白，昔人經說之途太過狹隘，凡「事與經文無關」，但其所陳之義與西漢經說相通者，其實都是「儒家之緒論」。治經學不可僅限於經訓，必須擴大而及於諸子，應「以諸子之學求儒者之旨而合之經生之業」。而且諸子之「精義奧旨」，亦往往存於經說，若「舍經說而言諸子」，亦祇可說是僅涉樊籬而已。[48]其理由是：「周季哲人皆具括囊眾家之意，惟儒亦然。名、墨、道、法之精，畢集於六藝之門」。儒家能在社會上獨尊，原因實在於此一晚周以降綜合百家、匯合於儒的學術大趨勢，而不在人君「一時偶然之好惡」。前期的《呂氏春秋》、《淮南子》、《尸子》、《管子》之倫，「胥主於道家以綜百氏，司馬談父子亦其流也」；嗣後的賈誼、晁錯、董仲舒、劉向，「亦莫不兼取道家之長以匯於儒術。[49]漢武帝以前，「黃、老、申、商、韓非、蘇、張各家學說雖也各有傳授，但從《史記》、《漢書》的材料看來，還是遠不及儒家傳播的廣泛。……從秦漢博士官的情況看，儒家是早已擁有大量信徒，武帝之下令崇儒，只不過是因勢利導而已」。[50]按：此一見解，與呂誠之先生一致。呂氏曰：「自梁任公以周、秦之際，為中國學術最盛之時；謂漢武罷黜百家，表章六藝，實為衰機所由肇；又謂歷代帝王尊崇儒術，乃以儒家有尊君之義，用以便其專權之私。而世之論者，多襲其說，實則不衷情實之談也。儒術之興，乃事勢所必至，漢武特適逢其會耳。」並列舉眾多事實，證明「漢世之隆儒，出於運會之自然，而非必盡由於誰某也。」[51]

　　由此可知，「西漢之儒家為直承晚周之緒，融合百氏而一新之」，為「周秦學脈」之所「畢注」；此即今文學中心之所在。西漢經師之「淵宏博大」，厥因正在於此。所以欲求先秦思想之緒，必須用力於漢代之經說，其根本精

　　後，丙篇略作於一九四九年。」見頁153。
48 〈論經學遺稿三篇・甲篇〉，《經史抉原》，頁147-148。
49 〈論經學遺稿三篇・乙篇〉，《經史抉原》，頁148。
50 〈孔子和今文學〉，《經史抉原》，頁212。
51 《呂思勉讀史札記》（上海市：上海古籍出版社，2005年），中冊，頁696、711。

神，即是徹底的社會改革。惜乎懷抱此等理想的儒者，在漢世「不得竟其用」，手握大權的王莽，則「依之以改革」，其政治措施，凡值得稱道者，「皆今文家之師說也，儒者亦發憤而歸頌之」。然而王莽為政，處置不當，「紛更煩擾而天下不安」，新室終於傾覆。自此以後，「儒者亦嗒焉喪其所主，宏義高論不為世重」，古文經學家於是興起，「惟以訓詁考證為學」，「不為放言高論，謹固之風起而恢宏之致衰，士趨於篤行而減於精思理想」，「孔氏之學於以大晦」。[52] 按：呂誠之先生對今、古文經說的看法有所不同，以為：「王莽雖號稱儒家，而其政策，實已兼該儒法。他所以不肯墨守當時通行的今文經說，而要另創一派古文之學，即由於此。因為古文之學所舉的書，較為廣博。其中有一部分，是時代較後，而其辦法，較適合於當時社會的。」但是對於王莽改革的失敗及其後果，則所見不異，說道：「這不是王莽一個人的失敗，實在是先秦以來談社會改革的人共同的失敗。因為王莽所行的，都是他們所發明的理論，所主張的政策，在王莽不過是實行罷了。從此以後，大家知道社會改革，不是一件容易的事，無人敢作根本改革之想。如其有之，一定是很富於感情，而不甚了解現狀之人，大家視為迂闊之徒，於社會絲毫不佔勢力。『治天下不如安天下，安天下不如與天下安』，遂成為政治上的金科玉律。」[53] 文通論學，不廢篤行（自其〈致酈衡叔書〉及兩篇〈理學札記〉可見[54]），然而更注意於孔門的「精思理想」。其經學研究的第三階段，即是沿此一途而著力者。

四　今文學與秦漢之際新儒家

　　文通以為，「六經原為鄒、魯所保存之古典」，「周秦間學術思想最為發達」，可說是「胚胎孕育於此古文獻」，但不可說「悉萃於此古文獻」。孔、

---

52 〈論經學遺稿三篇・乙篇〉，《經史抉原》，頁148-149。

53 〈大同釋義〉，《呂思勉遺文集》，下冊，頁250、254。參看《呂著中國通史》（上海市：華東師範大學出版社，1992年），頁366-370。

54 《古學甄微》（成都市：巴蜀書社，1987年），頁159-160、103-154。

孟、荀諸家學說，可說與此古文獻有關，然而其「所成就則非此古文獻所能包羅含攝」。儒家學說之根柢固在六經，然而其思想主要保存在傳記之中，決非六經所能囿。此類傳記「為書之多，蘊藏之富，為儒家後來學術之結集」。「儒之為百世所崇」，端在於傳記，而不在經本身，故傳記之價值，實在六經之上。[55]文通從弟季甫對此作了清楚的申述，說道：

> 先兄認為，六經雖然歷來被經學家奉為經典，但它畢竟只是古文獻，所反映的只是歷史陳跡，而經學的精深卓絕處乃在傳記、經說，其價值在六經之上。這些傳記、經說常常借說經之名而實闡發自己的思想，故穿鑿附會、借題發揮之處不少，但就在這些貌似與釋經無甚關係（實際上是相通）的文字中，往往包含著深刻思想的素材，這正是新儒學之繼承諸子百家處。所以他提出要把傳記、經說與先秦諸子聯係起來研究，來考察它的思想脈絡，而不要把研究局限在它與經文的關係上。[56]

文通此說，可歸納為三點：（一）經學之精卓處在傳記、經說而不在經文；（二）這些傳記、經說乃是新儒家融會諸子百家而來；（三）必須將經學與諸子學打通，否則難以深入傳記、經說之堂奧。

　　重視傳記甚於經文，與呂誠之先生桴鼓相應。呂氏以為：「六經皆古籍，而孔子取以立教，則又自有其義。孔子之義，不必盡與古義合，而不能謂其物不本之於古。其物雖本之於古，而孔子自別有其義。儒家所重者，孔子之義，非自古相傳之典籍也。」「故經之本文，並不較與經相輔而行之物為重」，不僅如此，若無此「相輔而行之物」，經文本身「竟成無謂之書矣」。這「與經相輔而行者」，大略有三種，即：傳、說、記。「傳、說二者，實即一物。不過其出較先，久著竹帛者，則謂之傳；其出較後，猶存口耳者，則謂之說耳」。至於記，「與經則為同類之物，二者皆古書也」，其本

55　〈論經學遺稿三篇・丙篇〉，《經史抉原》，頁150-151。

56　〈文通先兄論經學〉，《蒙文通學記》，頁72。

義乃指史籍。總之,「傳說同類,記以補經不備,傳則附麗於經」,因此,「與經相輔而行之書,亦總稱為傳記」。孔門大義則「存於傳,不存於經」。例如《尚書‧堯典》,「究有何義」?然而「試讀《孟子‧萬章上》篇,則禪讓之大義存焉」。[57]看法與文通相似,而更為直截明白。然而文通自有其獨到處,即著眼於秦漢間所謂新儒家及其與諸子百家的關係。

《韓非子‧顯學》謂:「孔、墨之後,儒分為八,墨離為三。」文通就此「詳究之」,以為儒之所以分為八,「正以儒與九流百家之學相盪相激,左右採獲,或取之道,或取之法,或取之墨」。並指出,先秦晚期,各家各派皆有融會綜合、「與他派相出入」的趨向,而且皆以為周制已不合時宜,必須有所損益,故「法家自託於從殷」,「墨家自託於法夏」。儒家亦不例外,故漢代經師有主張從殷者,亦有提倡法夏者。「言法殷者為《春秋》家,實取法家以為義也」;「言法夏者為《禮》家,實取墨家以為義也」。而「儒家原為從周,故孔、孟皆偏於世族政治」,相比之下,法家主張「擴張君權」,墨家則「欲選天子,庶人議政,入於民治思想」。周秦間的儒家既「兼取墨法之義」,於是其「理義之恢宏卓絕為不可企及」;至於其人生哲學,亦「顯有取於道家,而義亦益趨於精致」。凡此皆可於傳記而見之,「是知儒家之尊,其義皆繫於傳記」。[58]

依文通之見,戰國末期,「綜百家之長而去其短者為雜家」,始於《呂氏春秋》,繼以《淮南子》,「惟雜家以道德為中心,故偏於玄言,不切世用」。繼之而興起者,則「為經術,為儒家,推明仁義之說」,其說「固視道家為精,其言政術亦視雜家為備」,故能「取雜家而代之」。[59]此新儒家之特長,

---

57　《先秦學術概論》(昆明市:雲南人民出版社,2005年),頁71-72、75-76。

58　〈論經學遺稿三篇‧丙篇〉,《經史抉原》,頁151。按:錢賓四先生對於戰國秦漢間新儒家之匯合儒、道,亦有類似看法,以為孔孟與老莊,皆主天人合一之說,「大較言之,孔孟乃從人文界發揮天人合一,而老莊則改從自然界發揮。更下逮《易傳》、《中庸》,又匯通老、莊、孔、孟,進一步深闡此天人合一之義蘊」。錢穆,《中庸新義》,收入《中國學術思想史論叢》(合肥市:安徽教育出版社,2004年),卷二,頁39。

59　〈論經學遺稿三篇‧丙篇〉,《經史抉原》,頁152。按:張孟劬對雜家的看法,與此有相通處,以為「道家為天子南面之術,儒、墨、名、法為百官典守之遺」,而雜家則出

在切於世用，「一以制度為中心」。文通以為，儒家的制度，本是有取於墨家，然而墨家「偏於宗教之信仰」，而儒家則「富於哲學之尋求」，「儒盛而墨衰」，厥因在此。儒家要旨，乃仁義之說，本自上古傳統而來，「鄒、魯之間其說尤著」。上古三方文化，對仁義的態度不同。南方的道家，「偏於玄虛，以仁義為小」；北方的法家，「重視現實，以仁義為迂（大也）」。至於墨家，亦出於鄒、魯之間，亦言仁義，為何「與儒家有殊」？文通取章太炎之說，以為墨翟出於孤竹，乃「東夷之族」，其所言之仁，實是所謂「夷俗仁」，即徐偃王之「行仁義」，故終究與儒家有異。[60]

　　文通治經學，獨具手眼，特別注重兩點，即民族文化之分枝別派，與社會政治之革故鼎新。以為東周時正值舊社會崩潰，而當時的儒學「偏於舊社會」，儒家因之而衰；漢初乃新社會長成之時，儒反而大為興盛，原因在於此時的新儒家，既「融合百家有以應新社會之需要」，「又能篤守傳統文化之核心，發揮仁義之說，因時制宜，集長去短」。可見儒之「能壓倒百家，獨尊千載」，乃社會思想大勢之所趨，非依於權勢而偶然弋獲者。在文通看來，六經本是古文獻，「漢人所言者為理想之新制度」，然而這舊文獻竟與新制度「無抵觸」，足證六經已與純粹的古文獻有異，乃「成於新儒家之手」。由此便可得出如下結論：「晚周之諸子入漢一變而為經學，經學固百家言之結論，六經其根柢，而發展之精深卓絕乃在傳記，經其表而傳記為之裏也。」[61]

　　文通因此不取「六經皆史」之說，以為「秦漢間學者言三代事，多美備，不為信據」；此輩學人「必為說若是」，其目的實在於「陳古刺今，以召來世」。古文經學所述「素樸之三代」，實是史蹟。而今文經學所陳「蔚煥之三代」，則為理想，「其頌述三古之隆，正其想望後來之盛」。總之，經之所以有別於史，正在其為理想所寄託，並非素樸之史蹟。明乎此，便可知經學

於「無正官名而又職司議政」的「議官」，「是故雜家無不歸本於道家，又無不兼儒、墨，合名、法」。見所著《史微》，頁36。

60　〈論經學遺稿三篇・丙篇〉，《經史抉原》，頁152。

61　同前註，頁152-153。

正宗不在古文而在今文。[62] 秦漢間新儒家雖融合墨、道、法諸家,越出了孔孟「偏於世族政治」之見,然而其學術的根原,畢竟仍在孔孟。《史記・太史公自序》引董仲舒語,謂孔子在生時,「諸侯害之,大夫壅之」。文通就此指出:「可見在當時反對孔子的正是舊的統治者。」他們對墨家的態度,也是如此。六國的統治者既不喜儒,又不喜墨,但據韓非的記述,儒、墨二家卻是當時的「顯學」。由此可以推論:「這一顯學的地位,自然是後代多數人所抬出來」,而為「新社會新力量所推崇」者。秦始皇對儒生深惡痛絕,人所共知。漢武帝採納了董仲舒的建議,「獨尊儒術」,又當作何解釋?文通認為,秦皇、漢武,其實無多差別,說道:

> 秦是因「人善其所私學,以非上之所建立」,才致焚書之禍。從《說苑》的記載看,鮑白令之(應是鮑丘之誤,即《鹽鐵論》之包丘子,《史記》之浮丘伯,詳〈浮丘伯傳〉)提出「禪讓」理論,面責秦始皇為桀紂,而主張五帝「官天下」,反對「家天下」,然而「禪讓」卻是今文學一大義。儒生就是堅持這一主張來與秦的統治者作鬥爭的,所以始皇必至坑儒。但漢武帝又何嘗不如此呢?趙綰、王臧請立「明堂」,這也是今文學一大義(詳後)。趙、王二人都是武帝的老師,但因此兩人同致殺身之禍。即如武帝以後的眭孟、蓋寬饒,也是請漢帝禪讓而致殺身之禍的。由此可見,凡堅持儒家學說的人,無論是六國之君或秦始皇、漢武帝都是不能容忍的。而儒之為漢代社會上多數人所推崇,正在於此等人物和他們所堅持的大義。[63]

以此「大義」為準繩,文通將漢代儒家分為三類。一類是「曲學阿世」者,如公孫弘。一類以董仲舒為代表,並未全盤放棄儒家大義,但作了妥協,例如變湯武「革命」為三代「改制」,變「井田」為「限田」。另一類則堅守大義,不稍假借者,其中又有兩種:一是「以身殉道」,如趙綰、王臧、眭

62　〈儒家政治思想之發展〉,《古學甄微》,頁165。

63　〈孔子和今文學〉,《經史抉原》,頁158-159。

孟、蓋寬饒諸人；二是「隱蔽起來，秘密傳授」，以免殺身之禍，「公開講的
是表面一套，秘密講的才是真的一套」。此即後來所謂「內學」，「用陰陽五
行為外衣當烟幕」，「成為後代緯書（不是讖記）的來源」。齊《詩》，京房
《易》，齊人甘忠可所造《天官歷》、《包元太平經》等，強調「革命」之義，
皆為其例。而朝廷博士官所從事者，則是「分文析字，煩言碎辭」的章句之
學。今文學於是分而為二，一傳微言大義，一為章句之學。[64]按：所謂「公
開講的是表面一套，秘密講的才是真的一套」，與列奧‧斯特勞斯（Leo
Strauss）著稱於世的解釋經典之法，頗有相通之處。斯氏研讀中世紀猶太以
及伊斯蘭思想家作品之時，發現了所謂「內學」的或「密教」的寫作法
（esoteric writing），認為此類作品有明暗兩面，表面所說的往往是取悅於一
般人的老生常談；其真實思想則是深藏於內，只許少數資稟優異者知曉，非
一般讀者所得與聞，若非好學深思、入乎其內，不為表面言辭所惑，則無由
明其真相，知其底蘊。此一寫作法不限於中世紀，還可上溯到古希臘柏拉
圖、色諾芬（Xenophon）、亞理斯多芬（Aristophanes）、修昔底德
（Thucydides）諸人，其原因正在以蘇格拉底殺身為戒，隱約其辭以避禍。[65]

　　《漢書‧藝文志》開首云：「昔仲尼沒而微言絕，七十子喪而大義
乖。」論《春秋》云：「《春秋》所貶損大人當世君臣，有威權勢力，其事實
皆形於傳，是以隱其書而不宣，所以免時難也。」又謂孔子「有所褒諱貶
損，不可書見，口授弟子，弟子退而異言」。文通即此指出，所謂微言，就
是「微見其義之言」。微言的內容，則是《莊子‧齊物論》所謂「《春秋》經
世」之志，《孟子‧滕文公》所謂「天子之事」，《史記‧太史公自序》引壺
遂所謂「一王大法」，「是新的一套理論，是繼周損益的一套創造性的革新的
制度，這和宋儒所謂性命之道才是微言的意思全然不同」。此一革新的制度

64　同前註，頁159-160；參看〈儒家政治思想之發展〉，《古史甄微》，頁166-171。

65　見所著 *Persecution and the Art of Writing* (Glencoe, Ill: Free Press, 1952), pp. 22-37，及
　　The City and Man (Chicago: University of Chicago Press, 1964), pp. 53-55；並參看 Allan
　　Bloom, 「Leo Strauss: September 20, 1899-October 18, 1973,」載其 *Giants and Dwarfs:
　　Essays 1960-1990* (New York: Simon and Schuster, 1990), pp. 242-46。

乃漢初公羊家所創，「見於禮家如兩戴記之類」，《春秋》家和《公羊》家，「只空言其義」而已。這套理論雖非如公羊家所宣稱者，乃是從孔子的微言口授而來，然而又不能說與孔子絕無關係。文通以為，《論語》一書中有些話「使人不易明白」，然而其中實有深意存焉。如管仲事齊公子糾，子糾為桓公所殺，管仲不能死，又相桓公，子路疑其忘君事讎，子貢謂其「非仁者」。孔子則以其佐桓公「九合諸侯，不以兵車」，而許其仁。又曰：「管仲相桓公，霸諸侯，一匡天下，民到於今受其賜。微管仲，吾其被髮左衽矣。豈若匹夫匹婦之為諒也，自經於溝瀆，而莫之知也。」（〈憲問〉）文通指出，孔子許管仲以仁，正是「從人民利益、民族利益來稱讚管仲，對君臣之義一層，隻字不提」；對於「匹夫匹婦之為諒」，孔子大不以為然，顯然是「重視人民利益而輕視君臣大義」。《論語·陽貨》載：「公山弗擾以費畔，召，子欲往。」又載：「弗肸以中牟畔」，「召，子欲往。」文通即此說道：「這就是弔民革命的思想。」又引《孟子·滕文公》及《荀子·正論》為例，指出孟、荀視桀紂為獨夫，亦同此理。「今文家轅固、翼奉、京房、干寶的思想，也正是導源於此」。《宋元學案》卷五七〈梭山復齋學案〉載，陸象山之兄梭山（九韶）有弟子嚴松（字松年），嘗問梭山：「孟子說諸侯以王道，行王道以崇周室乎？行王道以得天位乎？」梭山答曰：「得天位。」松年又問：「豈教之篡奪乎？」梭山引孟子語曰：「民為貴，社稷次之，君為輕。」象山歎曰：「家兄平日無此議論，曠古以來無此議論。」松年則曰：「伯夷不見此理，武、周見得此理。」文通評論說：「陸象山是佩服這一回答的，但他說曠古無此議論就未必然。從漢到晉，如干寶，如孫盛，大概傳今文學的都懂得這種議論。就在宋代，邵堯夫諸人也有這種議論。」又引《三國志·魏志·文帝紀》裴松之注所載許芝奏曰：「周公反政，尸子以為孔子非之，以為周公不聖，不為兆民也。」文通對此說道：「為兆民這一思想就是要往費，往中牟的主腦，這是孔子思想的根本，是孔子學說的最高原則，……今文學正是從這一原則擴充出去的。」漢代今文學者，「吸取周秦諸子百家之長，卻又以孔子思想為中心」，使之更為豐富，纔能發揮至此地步。今文學思想，則「應當以《齊詩》、《京易》、《公羊春秋》的『革命』、

『素王』學說為其中心，禮家制度為其輔翼」。[66]

　　文通說：「《齊詩》言『五際』、言『四始』，以『改制』、『革命』為依
歸，而原本於孟、荀，舍是則『王魯』、『素王』之說無所謂。」並引漢初轅
固與黃生辯論湯、武是否弒君為例，認為黃生尚守世俗之見，說湯、武誅
桀、紂，「非受命，乃弒也」，而轅固則一秉孟、荀的傳統，以為「桀、紂荒
亂，天下之心皆歸湯、武」，所以湯、武誅桀、紂而得天下，乃順應人心，
「不得已而立」，正是「受命」。文通指出：「轅生傳《齊詩》，其說即本
《詩》義也。」[67]《漢書》卷七五載《齊詩》學者翼奉曰：「《易》有陰陽，
《詩》有五際，《春秋》有災異，皆列終始，推得失，考天心，以言王道之
安危。」《後漢書・郎顗傳》引《詩緯・氾歷樞》曰：「卯酉為革政，午亥為
革命。神在天門，出入候聽。言神在戌亥，司候帝王興衰得失，厥善則昌，
厥惡則亡。」孔穎達《毛詩正義・關雎・序》引《氾歷樞》云：「午亥之際
為革命，卯酉之際為革政。……卯，〈天保〉也；酉，〈祁父〉也；午，〈采
苢〉也；亥，〈大明〉也。」清儒陳喬樅案曰：「郎顗說《詩》，多言五際，
與翼氏同。鄭君《六藝論》，亦據《齊詩》為說。」[68]文通指出，〈大明〉一
詩，言周武王牧野之事，可見「轅固生之義，本於是也」。又引京房《易傳》
（據《三國志・魏志・文帝紀》注引《獻帝傳》，並參唐人趙蕤《長短經・
三國權》互校）曰：「凡為王者，惡者去之，弱者奪之，易姓改代，天命不
常，人謀鬼謀，百姓與能。」並引《尸子・貴言》云：「臣天下，一天下
也，一天下者，令於天下則行，禁焉則止。桀、紂令天下而不行，禁天下而
不止，故不得臣也。」認為京房與尸子之意，「合於孟、荀」。干寶注《易・
坤卦》「上六，龍戰於野」曰：「文王之忠於殷，抑參二之強，以事獨夫之
紂。蓋欲彌縫其闕，而匡救其惡，以祈殷命，以濟生民也。紂遂長惡不悛，
天命殛之。是以至於武王，遂有牧野之事，是其義也。」（見李鼎祚：《周易

66　〈孔子和今文學〉，《經史抉原》，頁162、163、164、166。

67　〈儒家政治思想之發展〉，《古史甄微》，頁166-167。

68　陳喬樅：《齊詩翼氏學疏證》（北京市：學苑出版社，2002年影印《皇清經解續編》
　　本），冊38，頁369（原書卷千百七十七，卷二，頁一-二）。

集解》卷二）干寶正是傳京房《易》學者。文通因此說：「《齊詩》、《京易》同法。」干氏作《晉紀》，中有〈論武帝革命〉一首。《周易集解》卷十七〈雜卦〉引干寶曰：

> 總而觀之，伏羲、黃帝，皆繫世象賢，欲使天下世有常君也。而堯、舜禪代，非黃、農之化，朱、均頑也。湯、武逆取，非唐虞之跡，桀、紂之不君也。伊尹廢立，非從順之節，使太甲思愆也。周公攝政，非湯、武之典，成王幼年也。凡此皆聖賢所遭遇異時者也。夏政尚忠，忠之弊野，故殷自野以教敬。敬之弊鬼，故周自鬼以教文。文之弊薄，故《春秋》閱諸三代而損益之。顏回問為邦，子曰：「行夏之時，乘殷之輅，服周之冕。」弟子問政者數矣，而夫子不與言三代損益，以非其任也。回則備言，王者之佐，伊尹之人也，故夫子及之焉。是以聖人之於天下也，同不是，異不非，百世以俟聖人而不惑，一以貫之矣。

文通以為，此即干寶「〈晉武帝革命論〉之根本義」。[69]

　　干寶此論最後總結說：「各因其運而天下隨時，隨時之義大矣哉。」這「隨時之義」至關重要。文通據此說道，孔子雖說過「吾從周」（《論語・八佾》），「不能不侷限於時代」，然而另有「損益四代的提法」，因此又能不為時代所拘限，此即所謂「權」，為孔子所十分看重（《論語・子罕》引子曰：「可與立，未可與權。」）。[70]今人張祥龍認為，「孔夫子的最大特點就是『不可固定化』」；[71]又說，為「儒、道所共重的《周易》」，持有「原發的天時觀」，易象乃是「時物」，「即原發時間的存在形態或構生形態」，而非「現成的存在形態」，「其中總有正在當場實現之中的流動和化生」。[72]所謂「不

69　〈儒家政治思想之發展〉，《古史甄微》，頁167-169。
70　〈孔子和今文學〉，《經史抉原》，頁165。
71　〈境域中的「無限」──《論語》「學而時習之」章析讀〉，《從現象學到孔夫子》（北京市：商務印書館，2001年），頁242。
72　〈中國古代思想中的天時觀〉，《從現象學到孔夫子》，頁208。

可固定化」，所謂「原發天時觀」，可說是用現代哲學的語言對孔子「權」字
及「隨時之義」的詮釋。蒙文通所謂「權就是變，是打破常規，是不為世俗
格套所拘束」；所謂「孔孟書中本來就有經（常）、有權（變）兩部分言論，
經是同於世俗之儒，是孔子經常談到的，是偏限於時代的一面。權是高出於
世俗之儒，是孔子很少談到的，是不局限於時代的一面」；[73] 與張氏所論，
正可相通。明儒呂新吾（坤）有言曰：「道無津涯，非聖人之言所能限；事
有時勢，非聖人之制所能盡。後世苟有明者出，發聖人所未發，而默契聖人
欲言之心；為聖人所未為，而吻合聖人必為之事；此固聖人之所深幸而拘儒
之所大駭也。」[74]此一論斷，正可用於秦漢間新儒家。

　　聖人既是從「權」，「隨時」，「不可固定化」，則時勢不同，制度自當有
所損益，此即「改制」之義。若是阻力太大，改制不成，窮而不能變，則惟
有更換政權之一途，「革命」之義由是而起矣。若於此不明，則公羊家「素
王」之說便無著落。[75]文通解釋說：

> 素者，空也，「素王」就是只有其德而無其位的「王」。今文學家認為
> 孔子是可以為王的了，但沒有實際的王位，而寓王法於《春秋》，所
> 以稱為「素王」。既是寓王法於《春秋》，所以孔子「素王」又或稱為
> 「《春秋》素王」，都是一個意思。「素王」說是必須以「革命」論作
> 為根據的。《說苑‧君道》引孔子說：「周道不亡，《春秋》不作，《春
> 秋》作而後君子知周道之亡。」這正是說《春秋》是繼周為王，繼周
> 為王正是《公羊》家「素王」說的根據，但若不革去周命，《春秋》
> 何能繼周為王。

並引《墨子‧公孟》篇中公孟子語：「若使孔子當聖王，則豈不以孔子為天
子哉」，由此可見，「『孔子為天子』正是墨家『巨子、儒家『素王』的說

---

73 〈孔子和今文學〉，《經史抉原》，頁165。

74 《呻吟語》卷一〈論道〉，《呻吟語、菜根談》（上海市：上海古籍出版社，2000年），
　　頁49。

75 參看〈儒家政治思想之發展〉，《古史甄微》，頁166-171。

法」。《孟子・萬章》載孟子語云：「《春秋》，天子之事也。」文通指出：「其意正是以《春秋》當『新王』」，孟、墨皆主「素王」說。而若無「素王」的「一王大法」，「『革命』便將無所歸宿」。因此，「『革命』、『素王』二說，如車之兩輪，相依為用，缺一不可。」更須知，今文家所謂革命，其目的決非僅是取得政權，而是「另立一套『一王大法』」，亦即推行徹底的社會政治改革。[76]

據文通的分析，今文家所謂「王法」，所謂「制作」，主要有五個方面，即井田、辟雍、封禪、巡狩、明堂。茲分述於下。

（一）井田

文通根據《孟子・滕文公上》所謂「夏后氏五十而貢，殷人七十而助，周人百畝而徹，其實皆什一也」，認為「三代田制不同，夏是貢法，殷是助法，周是徹法」。又據孟子向滕文公建議的「請野什一而助，國中什一使自賦」，認為此乃「野行助法，國中行徹法，徹助並行」。又據孟子所說「方里而井，井九百畝，其中為公田，八家皆私百畝，同養公田，公事畢，然後敢治私事，所以別野人也」，認為即此可知：「助法是行於野人的，反過來看，就是徹法施行於君子。」更指出，孟子既說「周人百畝而徹」，又說「雖周亦助也」，豈非自相矛盾？他以為，答案可從《周官》中尋得。《周官》有「鄉、遂、鄙」，三者「田制不同」；「孟子既主張從周」，其所建議者正是周制。根據《周官・地官》所記及鄭玄注，可知鄉並不行井田，而遂與都、鄙則行井田（二者之間，亦有差異）。居於六鄉者須當兵，居於六遂與都鄙者則不當兵。古時稱士兵為「君子」，「六鄉所居都是君子，而又不行井田，這就是孟子所說的『國中』」。這種鄉和遂、國和野、君子和野人的區別，春秋時還存在，其起因則在於周滅殷。「周人滅殷以後，在殷人聚居地區（如六遂之類）仍然施行殷的舊制，而在周人聚居的地區（如六鄉）則仍施行其自

公劉以來就實行的『徹田為糧』的徹法。」總之，此一國遂異制乃是「周人
處理被征服部族的辦法」。[77]

六遂既為「殷頑」所居，故稱為「野」，其居民稱為「野人」，無當兵的
權利，亦無受教育的權利。因此，「《孟子》、《周官》所說歷史上的井田制度
絕不是甚麼『王天下』、『致天平』的理想制度，而是征服者統治被征服部族
的極不平等的種族歧視政策的反映而已」，然而「今文學所說的井田制則與
此不同」。文通據《春秋繁露·爵國》篇所載，以為「在這樣的井田制度
下，已是通國皆井，通國皆兵。在理想的教育制度中，又是通國立學」。這
顯然是「一種經濟平等思想的反映，和周的種族歧視及秦的豪強兼併都是迥
然不同的」。[78]

（二）辟雍

辟雍即學校。文通以《周官》所述〈地官·師氏〉、〈保氏〉、〈地官·大
司樂〉「掌成均之法」等為據，說明「師、保、成均都是所謂國學」，其教育
的對象，乃是「國子」，即「國之貴游子弟」。可見此類國學專為貴族子弟而
設，六鄉之民進不了。居於六鄉者雖不能入國學，尚有受教育、作官吏的權
利。《周官》中〈地官·大司徒〉述「六鄉」曰：「令五家為比，使之相保；
五比為閭，使之相受；四閭為族，使之相葬；五族為黨，使之相救；五黨為
州，使之相賙；五州為鄉，使之相賓。……以鄉三物教萬民而賓興之。」又
有鄉大夫、州長、黨正之職，「使民興賢，出使長之，使民興能，入使治
之」；「春秋以禮會民而射於州序」；「以禮屬民而飲酒於序」。所謂序，「一般
釋為鄉校」，州則是「六鄉內的一千五百戶的基層組織」。「州、黨都有序，
說明六鄉的教育還是比較普遍的。」而且還有「賓興賢能」的規定，「其優
秀者可以逐層向王朝推薦，由王朝任用」。至於六遂之民，在《周官》的有

關文字中「找不到設學的痕跡」。[79]

　　然而《禮記‧王制》曰：「命鄉論秀士升之司徒，曰選士，司徒論士之秀者，而升之學，曰俊士。……」何休《公羊傳解詁》宣公十五年曰：「聖人制井田之法，……一夫一婦，受田百畝，……八家共一巷，中里為校室，……八歲者學小學，十五者學大學，其有秀者移於鄉學，鄉學之秀者移於庠，庠之秀者移於國學。諸侯歲貢小學之秀者於天子，學於大學，其有秀者，命曰進士。……士以才能進取，君以考功授官。」與《周官》所述相對照，不同之處顯然，可見：「《周官》所言，為貴族封建之制；〈射義〉、〈王制〉以下所言，為平等之民治，而實儒者之理想，非前代之史跡也。」[80]

（三）封禪

　　《漢書》〈眭孟傳〉與〈蓋寬饒傳〉載：眭孟謂，漢帝當「求索賢人」於天下，禪讓帝位，「而退自封百里」。蓋寬饒上書，引《韓氏易傳》言：「五帝官天下，三王家天下，家以傳子，官以傳賢，若四時之運，功成者去，不得其人，則不居其位。」公然主張漢帝退位，朝議以其為「大逆不道」，遂下吏，寬饒自刎。文通以此二例為證，認為其時責漢帝禪讓者「前僕（仆）後起」，非「末世所能有」，推其所由來，則在〈禮運〉一篇。

　　據〈禮運〉，「天下為公，選賢與能」，是謂大同；「天下為家，大人世及以禮」，是謂小康。其言小康，則曰「禹、湯、文、武、成王、周公，此六君子者」。文通據此說道：「儒者言必曰堯、舜、禹、湯、文、武，此獨不及堯、舜者，正以禹、湯為『家天下』、為『小康』，則『大同』之所謂『選賢與能』者，豈非謂堯、舜為能『官天下』者乎！」此義而推於極，必至於「選天子」，「易姓受命」。《白虎通‧封禪》云：「王者易姓而起，必升封泰山何？報告之義也。始受命之時，改制應天，天下太平，功成封禪。」《禮

79　同註76，頁180-182。

80　〈儒家政治思想之發展〉，《古史甄微》，頁176、177。

記正義‧禮器》疏引《白虎通》曰：「繹繹，無窮之意，禪於有德者而居之無窮已。」又曰：「禪以讓有德也。」文通以為：「蓋封以言始，故曰『始受命之時』，禪以言終，故曰『禪者明已成功相傳也』。」[81]可見封禪所隱含者，正是禪讓之說，亦即廢除「大人世及」之制，「選賢與能」以「官天下」。是為秦漢間今文學家明確主張的新義。

呂誠之對封禪的見解，與文通之說可以互參。呂氏以為，《孟子‧萬章》上篇及《史記‧五帝本紀》所言堯舜事，皆與《尚書大傳》相符，「可決為用《書》說」。可惜《書》說今存者惟有《大傳》，「而亦闕佚已甚」，故祇能依據《孟子》。禪讓說「當時雖莫能行，而國為民有之義，深入人心，卒成二千年後去客帝如振籜之局。儒者之績亦偉矣」。[82]（按：第一次世界大戰爆發之時，全歐洲共和政體惟有法國、瑞士、葡萄牙三國。此一事實正可印證誠之先生的論斷）禪讓說所強調的，在和平移交政權。孟子論伯夷、伊尹、孔子云：「行一不義，殺一不辜，而得天下，皆不為也」（〈公孫丑上〉）。儒者有取於禪讓說，其故可知。[83]

（四）巡狩

文通說：「今文學家既主張禪讓，選天下之賢人而禪以帝位，因而對諸侯也主張選賢。」並據《禮記‧射義》所謂「古之射以選卿、大夫、士。……」一段文字，認為「它把大射解釋為天子用來考察所貢的『士』的德行和技能的制度，合於標準者就可封之為諸侯，貢賢之君也有賞賜」。即此可知：「今文學家不僅主張選賢以為諸侯，同時還有對諸侯的懲獎制度—

---

81 同前註，頁177-178、179。
82 《呂思勉讀史札記》，上冊，頁59-60。
83 按：文通〈孔子和今文學〉一文，發表於一九六一年，其中有「知識分子的軟弱性」之類話頭，於禪讓說有貶辭。須知在當時意識形態的嚴酷管制之下，此類話頭皆為順應當局的不由衷之談。試以此文與內容大體相同的〈儒家政治思想之發展〉（作於抗戰時期）作一比較，便可知端的。

一黜陟。黜陟具體體現在巡狩述職制度中。」[84]

　　《孟子・梁惠王上》引晏子對齊景公云：「天子適諸侯曰巡狩，巡狩者，巡所守也。諸侯朝於天子曰述職，述職者，述所職也。春省耕而補不足，秋省斂而助不給。夏諺曰：『吾王不游，吾何以休，吾王不豫，吾何以助，一游一豫，為諸侯度。』」文通因此以為：「這是把巡狩說成類似檢查工作兼遊樂的制度，根本沒有黜陟諸侯的意義。這應當是巡狩、述職的原始意義。」但是根據《禮記・王制》所說「歲二月，東巡狩，至於岱宗，……」一節，則可見巡狩的主要作用是「黜陟諸侯」；而《白虎通義・巡狩》「又把述職作為黜陟諸侯的制度」。在文通看來，凡此皆無史實為證，「都只是今文學家的理想而已」。總之，「在尚賢思想的支配下，既主張選賢能立以為諸侯」，便不可不有「對諸侯進行黜陟的權力和辦法」，「兩者完全是相依而起」。[85]

　　按：封建既壞之後，漢初人士頗有復主封建者。筆者以為，若深入一層觀察，可知其時封建郡縣紛紛之論，其實是中央集權與地方分權之爭。今文家巡狩新義，大可視為在兩者之間酌得其平。

（五）明堂

　　文通以為，明堂即古時之大學，東漢儒生賈逵、服虔、潁容等皆主此說。蔡邕有〈明堂月令論〉，對之闡釋甚詳。又指出，漢武帝時，「趙綰、王臧以請立明堂而被殺，河間獻王也因暢談明堂制度遭到忌妒而抑鬱以死」。由此可見這制度的政治意義，即明堂議政。今文學家所著眼的，「正在『明堂議政』這一點」。這一思想，「一方面源於太學議政，另方面也源於《周官》的外朝『致萬民而詢焉』的制度」。[86]

　　據《周官》，小司寇之職為：「掌外朝之政，以致萬民而詢焉：一曰詢國危，二曰詢國遷，三曰詢立君。」大司徒之職為：「若國有大政，則致萬民

---

84 〈孔子和今文學〉，《經史抉原》，頁187-188。

85 同前註，頁188-190。

86 同註84，頁190-193。

於王門。」鄉大夫之職為：「大詢於群臣，則各帥其鄉之眾寡而致于朝。」
文通以為：「此所詢之眾即六鄉之人也。」又，小司寇「以三刺斷庶民獄訟
之中，一曰訊群臣，二曰訊群吏，三曰訊萬民，聽民之所刺宥，以施上服下
服之刑。」文通謂：「此三詢之外，用法亦訊之於萬民也，此周之『謀及庶
人』之制也。」又，《左傳》僖公十五年「晉侯使卻乞告瑕呂飴甥」一節、
定公八年「衛侯欲叛晉」一節、哀公元年「吳之入楚」一節，皆有「朝國
人」以詢之事。文通分析此三事，以為春秋時確有「眾議之治」，然而此所
詢者祇是天子六鄉之人，「自六遂以下皆不得與於外朝之事」。[87]

　　今文家「鑒周人之舊典，而別為一王之新法」，對於這一「致萬民而詢
焉」的制度，「不容置之不取」。而他們又主張貴賤平等，廢除鄉、遂的差
別，「不許助、徹之異制」；如此則被詢者的人數勢必大大增加，欲「致四海
之民於外朝而詢焉」，顯然行不通。於是便有了變通之道，亦即：「外朝舊
制，其與議者曰工商兵農，而地限於六鄉。明堂新規，其與議者為鄉學之
秀，為智識分子，所選極於四海。」此外，「外朝之詢者」，只有國危、國
遷、立君三項，而「明堂之聽」，則「凡國之百務」皆在焉。易言之，政治
權利萬民平等，人人有議政資格，被詢者則為經由推選的優秀分子。此乃
「今文家『新王大法』之進於周舊者」。[88]

　　對於以上各項今文家新法，文通從歷史大勢著眼，予以總結，說道：
「周之治為貴族，為封建，而貴賤之級嚴。秦之治為君權，為專制，而貧富
之辨急。『素王革命』之說，為民治，為平等，其於前世貴賤貧富兩階級，
殆一舉而並絕之，是秦、漢之際，儒之為儒，視周、孔之論，倜乎其有辨
也。」又認為，秦、漢之際新儒家所以能臻此境界，乃在有取於法、墨二
家。儒家言法殷者，即是有取於法家；言法夏者，則為有取於墨家。法家擯
斥貴族，《公羊》家亦「因之譏世卿」，然而這本非孔、孟之意。《漢書・藝
文志》謂「墨家者流，蓋出於清廟之守」，文通以為，清廟即明堂，「凡儒者

---

87 〈儒家政治思想之發展〉，《古史甄微》，頁184-187。
88 同前註，頁187。參看〈孔子和今文學〉，《經史抉原》，頁194-195。

言禪讓，言封建，言議政，言選舉學校，莫不歸本於明堂」，顯然是「本墨家以為說」。「墨家民治尚不免宥於神」，新儒家則尚民治而不取神教，其說更為「宏卓深廣」。[89]《漢書‧食貨志》載王莽詔書曰：「夫《周禮》有賒貸，《樂語》有五均，傳記各有幹焉。今開賒貸，張五均，設諸幹者，所以齊眾庶，抑兼并也。」文通以為，其說與〈禮運〉合，乃均富之論，「尤六藝所同歸，雖百家莫能異」。而〈禮運〉的思想，則本於墨家之「餘力相勞，餘財相分」（見〈尚賢下〉、〈尚同上〉）。儒家思想發展至此，「其精其備，幾非孔氏、孟、荀之所能想見」。[90]（按：如此思想，固非孔、孟所原有，然而這正是「為兆民」思想題中應有之義，揆諸前述呂新吾所謂「發聖人所未發，而默契聖人欲言之心；為聖人所未為，而吻合聖人必為之事」，此新說當為孔孟所許）

五　後案

　　蒙文通的經學研究，順乃師廖季平之途而拓開新境，頗有發前人所未發之處。大略而言，可分三端。一曰上古中國文化有三系之異，周秦學術因之而判分。二曰兩漢經學不同於周秦儒學，一為經師之學，一為儒士之業。三曰秦漢之際新儒家最為卓絕，立新法，創新制，旨在民治、平等，試圖將貴賤貧富的懸絕，一舉而夷平，駸駸越出了孔孟「從周」思想的藩籬，然而畢竟並未違背孔孟「為兆民」的精神。文通以為，周制辨貴賤，嚴階級；秦制則重君權，尚專政，貧富懸殊因之而起。秦漢之際今文學家所主張者，非周非秦，而是所謂《春秋》「一王大法」。然而大法不能空言，必須落實於制度（即所謂「禮制」），《春秋》家與《禮》家於是相輔相成，「別起『素王』之制，為一代理想之法」。[91]而清代的今文學家，如陳壽祺、喬樅父子，陳

89　〈儒家政治思想之發展〉，頁190-191。按：呂誠之亦持清廟即明堂之說，見其《先秦學術概論》，頁125-127。

90　〈儒家政治思想之發展〉，《古史甄微》，頁192-193。

91　同前註，頁189-190。

立、皮錫瑞諸人，「能知禮制之略，而未能明制作之原」，因而「質儳無義趣」，亦即不知以虛（《春秋》）運實（《禮》）。王莽代漢，旨在社會改革，與《周官》的封建制度其實是「冰炭難諧」。近世尚今文者，「乃揚波競逐之流，曾不知此，又猥自標置曰超今文學，以虛詭之說相誇煽，誣古人而欺後生」，更是等而下之。為古文之學者，則惟知考究往昔，於古人之「建國宏規、政治理想，體大而思精者」，懵然莫曉。於是「儒之為儒，高者談性命，卑者壞形體」，學與政二者由是俱廢。[92]

易言之，訓詁考據之事固無與乎儒術，無裨於政事；於心性之學身體力行者，足可為人類表率，然而對社會大群終究沾溉不廣。（不過文通對此二者並不絕對排斥：自其學術文章，可見考據功深；至於理學，更是修養有素。）今日治經最切而最要者，實在發揚光大志在經世的秦漢之際今文學（新儒學）。此新儒家的終極目標，在建立平等均富的民治。這一理想，本是上承孔孟「為兆民」之意而來，再推而上之，則可追溯到中國文明源頭的泰族海岱文化，可說是中華之學的正宗。文通有〈儒學五論題辭〉一篇，謂：

> 漢世帝王，既採儒家之經濟思想，以抑商賈；經生亦讓步其政治之主張，而不紃君權。中國歷史亦於此而植其基，遂與歐西之事似若各異。自漢而下，二千餘年，社會經濟無顯著之變動者，求諸經生之說，有固然也；而君主之制遂亦維繫於永久，倘亦基於是耶！蓋儒者固嘗據墨家選天下之義，以明大同之道、天下為公之說，至是乃不得不舍此而思其次。凡漢而下可得而論者，皆儒者之第二義也。……夫通經致用，固今學之遺範，論古之事，原以衡今。是編所論，無事非究古義，亦無事非究將來。先哲之術，豈苟為塗澤耳目之具哉。[93]

文通經學研究之結穴，其在斯乎。

---

92 同註90，頁194-195。

93 《古學甄微》，頁241。

　　筆者於此更進一解：孔孟之為兆民，乃是出於中心惻怛之仁，為實現心目中理想公平社會而陷於不仁不恕，則斷斷乎不可為（所謂「行一不義，殺一不辜，而得天下，皆不為也」）。「行一不義，殺一不辜」而使革命功成，談何容易。儒家之所以醉心於禪讓者，當以此意會之。（若改制不成，禪讓無望，其勢不得不趨於革命，然而這決不是儒者的首選。）此理既明，文通所謂董仲舒「易革命為改制」，始亂儒者之說云云，[94] 似不免有語病。清末民初番禺儒者汪憬吾有〈說仁〉一篇，對儒家以仁為本有透闢的說明，其言曰：

> 仁與不仁，惟對勘於二人之間乃見之。《中庸》：「仁者，人也。」鄭君云：「人讀如『相人偶』之『人』，以人意相存問。」最能形容「仁」字。故朱子以為有意思。……《說文》：「人，天地之性最貴者也。」「仁，親也。」無親愛之心，非人矣。（《朱子語類》卷六：「心之德主乎仁。」）《禮運》：「仁者，義之本也。」無仁，則曰義曰禮曰智，皆不足貴。是以孟子言四端，以仁為首。由是推之，後世假愛民之說以行其權利之見，所為無非害人者，其不仁孰甚焉。不特此也。高談道德而鍥刻寡恩，亦不仁之尤。孔子言志道據德，又必依於仁者，此也。[95]

此義似為文通之說所未及，故不揣淺陋，表而出之，以就教於當世之治經學、談儒術者。

94　〈儒家政治思想之發展〉，《古史甄微》，頁193。
95　載所著《微尚齋雜文》（民國三十一年壬午刻本），卷一，頁五上一下。按：憬吾，名兆鏞，光緒舉人，受業於陳東塾（澧）之門，辛亥後僑居澳門，閉戶著述，潔身自好，與其異母弟兆銘截然異趣。有《晉會要》、《碑傳集三編》等行於世。

學術的長河
——從《黃侃日記》窺其經學的薪傳、
紀錄、整理與承繼[1]

陳金木

慈濟大學東方語文學系教授

一　學術的長河

　　黃季剛先生（1886-1935），二十歲時（清德宗光緒三十一年，1905），因與友人密謀推翻滿清之事，被湖北省文普通學堂除名，後得張之洞的資助，赴日本留學，參加同盟會。次年，在東京結識章太炎，許為「天下奇才」，三十三年秋（先生二十二歲），章太炎語其「君如不即歸，必欲得師，如僕亦可。」，黃季剛隔日即持禮叩頭拜師稱弟子，章太炎稱其學問進益之速如「一日萬里也」。是年，亦與劉師培訂交[2]，三十四歲（民國八年，1919），

1　本篇論文在發表時，原題為〈從《黃侃日記》看黃季剛先生治經學法〉，審查者以應簡單介紹《黃侃日記》而直接切入黃先生閱讀諸經，的治經方法，方為切合題旨。實則本篇論文乃從經學史薪傳的視野，以閱讀《黃侃日記》，著重在文本的觀察黃季剛先生學與思歷程的紀錄，並閱讀黃門師友與弟子的追憶紀錄及後繼者承紹發展，故從一、學術的長河。二、重疊的身影。三、資料的拼圖。四、清晰的圖像。五、治經的可能。以明經學研究者的薪傳、紀錄、整理與承繼，匯集成一條學術的長河。故改篇名為：〈學術的長河：從《黃侃日記》窺其經學的薪傳、紀錄、整理與承繼〉。
2　黃焯：〈黃季剛先生年譜〉記載：「（章太炎）先生見先生所為文，大奇之，即以書約見，遽許為天下奇才。儀徵劉君申叔（師培）時居東京，嘗於章君座上見之，於是三君相與籌商革命，並共論學，交往益密。」詳見黃侃、黃焯撰：《蘄春黃氏文存》（武

拜劉師培為師[3]。

　　其曾對弟子高仲華先生說明其學術「侃從學於餘杭章君，章君從遊於德清俞君，俞君則私淑高郵王氏，溯吾人學統，實出高郵。」[4]。以清代的學術傳統而言，戴震（1723-1777），一生刻苦治學，長於考證，學術研究以經學為中心，推衍而及文字、聲韻、訓詁、天文、曆算、史地、禮制與義理，可稱之為「清代漢學之集大成者」。王念孫（1744-1932）、王引之（1776-1834）父子，世稱「高郵二王」，為戴震的後繼者。兩代撰述《經義述聞》以訓詁考訂經籍，《讀書雜志》考訂史子二部典籍[5]。俞樾（1827-1906），承繼戴震以來的乾嘉樸學考據學風，其著《群經評議》，是持高郵二王「用小學說經，用小學校經」的治經門徑，以校訂經傳文字[6]。更重要者為主持杭州詁經精舍講席長達三十一年，培養出章太炎等一批優秀的學者。章太炎

　　漢市：武漢大學出版社，1993年3月），頁130。

3　黃焯：〈黃季剛先生年譜〉記載劉師培肺疾轉劇，稱劉家四世傳經，無子可傳，門人亦無能繼其志者，遂語先生「安得如吾子而授之，先生蹶然而起，曰：『願受教』，翌日往執贄稱弟子，扶服四拜，劉君立而受之。」，詳見黃侃、黃焯撰：《蘄春黃氏文存》（武漢市：武漢大學出版社，1993年3月），頁150。

4　高明：〈六十自述〉，寫作於「民國六十四年乙卯」，距其生年（清宣統元年閏二月十六日），已六十五足歲有餘。此文收錄於高明：《高明文輯》（臺北市：黎明文化公司，1978年3月），下冊，頁692。

5　詳見吳雁南等編：《中國經學史》（福州市：福建人民出版社，2001年9月），頁530-540。

6　章太炎〈俞先生傳〉稱「（俞樾）年三十八，始讀高郵王氏書。自是說經依王氏律令。五歲，成《群經評議》，以鄰《述聞》，又規《雜志》作《諸子平議》，最後作《古書疑義舉例》。治經，不如《述聞》諦，諸子乃與《雜志》抗衡。及為《古書疑義舉例》，輴察鰓理，疏紾比昔，牙角繾見，紬為科條，五寸之榘，極巧以共，盡天下之方，視《經傳釋詞》益恢郭矣。」，詳見《太炎文錄初編》，收入上海人民出版社編：《章太炎全集》（上海市：上海人民出版社，1985年9月），冊4，頁311。另者田漢雲分析俞樾的學術思想演進軌跡有三個階段：第一階段為三十七歲至四十四歲，承繼乾嘉樸學宗風，著《群經評議》。第二階段為四十五歲至五十八歲，論經義以切時政，著《曲園雜纂》。第三階段為五十九歲至八十六歲，紹述鄭玄，兼綜今古文經說，著《俞樓雜纂》。詳見田漢雲：《中國近代經學史》（西安市：三秦出版社，1996年12月）頁317-329。

（1868-1936），清德宗光緒十六年（1890）進入杭州詁經精舍讀書，在俞樾門下長達八年之久，深得治學之要[7]。此時期著有《膏蘭室札記》、《詁經札記》、《春秋左傳讀》，即以文字學入手，從訓詁、音韻與典章制度等方面，善用乾嘉的考據方法，閱讀儒家經典、先秦諸子之後，所做的詮釋札記。劉師培（1884-1919），出身世代治《左傳》的門第，曾祖父劉文淇、祖父劉毓崧、伯父劉壽曾都是經學名家。一生致力於經學、小學與文學的研究，《劉申叔先生遺書》收錄有七十四種著作，其治經以經古文為宗，但能擷取今文之長，以清代樸學為根基，卻又能吸收新學，論著豐富，論斷宏觀精審[8]。

　　黃季剛先生即在與章太炎、劉師培師友論學，上溯俞樾、王念孫王引之父子之學，承繼清代由顧炎武所開啟，戴震集其大成的這條清代漢學的學術長河，以其五十年的生命，開展了無限學術生命的旅程。

二　重疊的身影

　　黃季剛先生為側室所生，十三歲（清德宗光緒二十四年，1898）喪父，次年，三兄少雲卒，遂以幼子當室。十八歲（清德宗光緒二十九年，1903）娶妻，二十三歲（清德宗光緒三十四年，1908）生母周太孺人往生。早年加入同盟會，鼓吹革命，以為革命成功，端賴數千年來的姬漢學術與聖哲賢豪精神所凝聚的民氣所致。但是在歷經孫中山讓位袁世凱，宋教仁被刺、張勳復辟、章太炎被幽禁等諸多事件，是以在民國三年（1914，先生二十九歲）之後，先生以「繫承父師之業，將欲繼絕學，存國故，植邦本，固種性。」遂不欲與政事，而專心著述。同年，應北京大學教授之聘，入京講授文字、

7　《章太炎年譜長編》有「章氏從俞樾受業事，〈謝本師〉稱：『稍長，事德清俞先生，言稽古之學，未嘗問文辭詩賦。先生為人愷弟，不好聲色，而余喜獨行赴淵之士，出入八年，相得也。』（《民報》第九號）。」詳見湯志鈞：《章太炎年譜長編》（北京市：中華書局，1979年10月），頁10-11。

8　詳見田漢雲：《中國近代經學史》，頁449-470。與吳雁南等主編：《中國經學史》，頁646-651。有關劉師培的論述。

詞章及中國文學史;自此歷任多所大學講席[9],以教學、讀書、批閱、箋識、著述為務。民國二十四年(1935)十月六日半夜,身體大不適,七日晨起,大吐血之際,仍伏案將《唐文粹補編》最後兩卷圈點完畢,適時訂購的《宛委別藏》寄到,又取《桐江集》五冊披覽一過。隔日,醫治無效,與世長辭,享年五十歲[10]。

章太炎〈黃季剛墓志銘〉稱其性雖自負、好酒、衿克,然敏銳勤學、事母至孝,而能下人;以革命行動救國,文筆捍衛民主,卻不肯求仕宦;大學講席二十年,弟子四五傳,謹守師法,不失尺寸,卻不肯輕易著書。最後以「微回也無以胥附,微由也無以禦侮。繫上聖猶恃其人兮,況余之癃腐?嗟五十始知命兮,竟絕命於中身。見險徵而舉翩兮,幸猶免於逋播之民。」[11]。章氏將季剛先生比喻為孔聖門人中的顏回、子路,既能繼承又能捍衛師說,嘆惜其聖年驟逝,志業未成。

綜觀黃季剛先生一生,與劉師培年紀相仿(劉師培大先生兩歲),在日本東京章太炎處從遊,到拜劉師培為師,執弟子禮[12],此事最為文壇所津津樂道者,然而卻有劉師培在彌留之際,叫人找來黃侃,從枕下拿出其畢生研究所得聲韻學的抄本,交給黃侃,黃侃連忙爬在地下磕頭,拜師之後,劉師培掛著一絲笑容而逝的記載[13]。此事相較於黃焯〈黃季剛先生年譜〉記載「劉君肺疾轉劇,一日悽然謂先生曰:『吾家四世傳經,不意及身而斬。』先生傷其無子,強慰之曰:『君今授業於此,勿慮無傳人。』君曰:『諸生何

9　先生歷任北京大學、武昌高等師範學校、武昌師範大學、山西大學、中華大學、中國大學、北京師範大學、東北大學、中央大學、金陵大學等校教授,先後長達二十年之久。

10　詳見黃焯:〈黃季剛先生年譜〉,收錄於黃侃、黃焯撰:《蘄春黃氏文存》(武漢市:武漢大學出版社,1993年3月),頁122-209。

11　章太炎:〈黃季剛墓志銘〉,《太炎文錄續編》,收入上海人民出版社編:《章太炎全集》,冊5,頁261。

12　民國八年十一月二十日劉師培過世,隔年十一月十日,黃侃撰寫〈先師劉君小祥奠文〉,自稱「弟子楚人黃侃,自武昌為文,奠我先師劉君,」,詳見黃侃、黃焯著:《蘄春黃氏文存》,頁52。

13　詳見陶菊隱:《籌安會六君子傳》(北京市:中華書局,1981年),頁246。

足以當此。』曰：『然則誰足繼君之志？』曰『安得如吾子而授之。』先生
蹶然而起，曰：『願受教』，翌日往執贄稱弟子，扶服四拜，劉君立而受
之。」[14]。兩者記載時間、地點、事件經過絕然不同，黃侃拜師之事[15]在民
國八年（1919）一月，劉師培過世的時間是在同年十一月二十日，時間間隔
將近十個月，彌留時，黃侃早已回到武昌[16]。且對於聲韻之學，黃侃在其二
十八歲時（民國二年，1913）二月，即已經定古聲為十九類，古韻為二十八
部[17]。且《劉師培先生遺書》七十二種中，以經學為多，聲韻非其最強項。
是以知黃季剛先生在學術人品與生平記事的身影，是呈現如此的重重疊疊。

三　資料的拼圖

　　黃季剛先生曾對弟子陸宗達說：「記日記是很好的方法，既可留下心
得，又能鍛鍊手筆。」[18]，他的夫人黃菊英也說：「季剛勤學苦思的讀書精神
是驚人的，他每日清晨五時開始看書，從不間斷，晚上堅持寫日記、作札記，
直到十一二點鐘。他看書時，又是圈點，又是批語，真是孜孜不倦，」[19]。

---

14 詳見黃焯〈黃季剛先生年譜〉，此文收錄於黃侃、黃焯撰：《蘄春黃氏文存》，頁150。
15 黃侃拜劉師培為師之事及其拜師的原因，司馬朝軍、王文暉：《黃侃年譜》（武漢市：
　　湖北人民出版社，2005年11月），頁132-135，亦載有黃焯《年譜》、〈記先從父季剛先
　　生師事餘杭儀徵兩先生事〉、溫楚珩〈繫黃侃妹夫〉、梅鶴孫〈青溪舊屋儀徵劉氏五世
　　小記〉、汪東〈題青溪舊屋儀徵劉氏五世小記後〉與司馬朝軍、王文暉訪問黃侃弟子
　　徐復時所面告者、楊樹達《積微居回憶錄》、楊伯峻〈黃季剛先生雜記〉等不同角
　　度、不同觀點的記載。
16 黃侃〈先師劉君小祥奠文〉，內有「吾歸武昌，未及辭別，曾不經時，遂成永訣。」
　　之語。詳見黃侃、黃焯著：《蘄春黃氏文存》，頁52。
17 詳見司馬朝軍、王文暉：《黃侃年譜》，頁72-74，所引潘重規、黃侃《自述》（手
　　稿）、黃焯《年譜》、張世祿《中國古音學》及司馬朝軍、王文暉：《黃侃年譜》所論
　　辯者。
18 陸宗達：〈序〉，收入黃侃：《黃侃文存：黃侃日記》（南京市：江蘇教育出版社，2001
　　年8月），頁3。
19 黃菊英：〈我的丈夫──國學大師黃季剛〉，收入張暉編：《量守廬學記續編：黃侃的
　　生平與學術》（北京市：生活‧讀書‧新知三聯書店，2006年11月），頁16-17。

　　現在保存下來的日記手稿為其女婿潘石禪先生所攜帶來臺灣的《六祝齋日記》一冊、《閱嚴輯全文日記》一冊、《散頁日記》五十三紙[20]。孔仲溫的〈從《黃季剛手寫日記》論黃先生治古文字學〉[21]，即以此材料為文本所進行的研究論著。

　　黃季剛先生的門生集議推舉唐文、許惟賢、王慶元、吳永坤整理先生日記迻錄稿[22]，於一九九六年完成，因故延遲至二〇〇一年八月，才由江蘇教育出版社出版。吳永坤在《黃侃日記》的〈附記之後〉，總結《黃侃日記》的內容是以訪書、訂書、購書、理書、借書、還書、翻書、點書、鈔書、評書、講書、寫書為中心。所用字體除了行楷之外，還使用篆書、說文體、古

---

20 潘重規：《黃季剛先生手寫日記》（臺北市：臺灣學生書局，1977年），此書所輯黃季剛先生的日記共有四個部分《六祝齋日記》一冊（起於一九二二年壬戌正月初九至二十一日）、《閱嚴輯全文日記》一冊（起於一九二八年戊辰三月二十九日至五月二十九日）、《散頁日記》五十三紙（一九三〇年庚午正月十四日至二月初四日六紙、一九三二年壬申十月二十六日至十一月二十六日六紙、一九三五年乙亥二月五日至三月八日九紙、三月二十五日至四月二十八日十紙、五月五日至七月十四日二十二紙。），另有潘先生迻錄的《潘迻錄書眉日記》一冊（起於一九二九年己巳九月二十三日至十二月初十日）。程千帆：〈黃先生遺著目錄補〉稱「先師日記，大部毀於抗日戰爭中，手稿存者，為此而已，彌足珍貴。黃目（按指黃焯：〈黃季剛先生遺著目錄〉）亦著錄傳抄本日記若干冊（按指：《癸丑日記》、《仰山堂日記》、《楚秀庵楚秀庵日記》、《六祝齋日記》、《感鞠廬日記》、《京居日記》、《戊辰日記》、《己巳日記》、《寄勤閒室日記》、《避寇日記》、《壬申日記》、《癸酉日記》、《甲戌日記》、《乙亥日記》）與此相較，似無復重。當可合輯出版，亦先生之碎金也。」（收錄於黃季剛先生誕生一百週年和逝世五十週年紀念委員會編：《量守廬學記：黃侃的生平與學術》（北京市：生活‧讀書‧新知三聯書店，1985年8月），頁217。

21 孔仲溫：〈從《黃季剛手寫日記》論黃先生治古文字學〉，收入鄭遠漢主編：《黃侃學術研究》（武漢市：武漢大學出版社，1997年5月），頁47-67。

22 《癸丑日記》、《六祝齋日記》（卷二一部份、卷三至卷五全部）由唐文負責。《乙丑日記》、《京居日記》《乙卯日記》、《戊辰日記》、《讀專書日記》（兩種）、《日記附錄》（十三種）由許惟賢負責。《己巳治事記》、《讀專書日記》（十四種）由慶元負責。《楚秀庵日記》、《六祝齋日記》（卷一、卷二一部份）、《感鞠廬日記》、《寄勤閒室日記》、《避寇日記》、《量守廬日記》由吳永坤負責。詳見吳永坤：〈附記之後〉，收入黃侃：《黃侃文存：黃侃日記》，頁1157。

今字、通假字。內容還包括大量的人名、地名、書名的異稱與縮稱，古今典籍的錯綜出現，時事歷史的記載，增添了點校的困難，尤其是日記在稿本傳鈔過程中出現的衍脫偽誤，真如「校書如掃落葉」一般[23]。卞孝萱〈讀《黃侃日記》〉、童嶺〈讀《黃侃日記》隨札〉皆據此文本以立論[24]。

　　二〇〇七年七月，北京中華書局出版《黃侃文集》，內有《黃侃日記》[25]上中下三冊。[26]署名「中華書局編輯部」在〈黃侃文集出版說明〉稱：「今黃侃先生哲嗣黃廷祖在武漢大學人文科學基金資助下，組織人力對先生著述進行全面整理，比勘先生手稿，並查閱所引典籍，主持編輯《黃侃文集》，參與工作的有武漢大學文學院研究生和國學班學生。歷時六年，現已告竣。」[27]。

　　這兩本《黃侃日記》是目前整理出來最完整的版本。然兩相比勘，中華書局本雖在版面的編排上，於單數頁的右側邊加註「〇〇〇日記」字樣，雙數頁的左側邊加註該日記撰寫的「年月」（民國〇〇年〇〇月至〇〇年〇〇月）的字樣。也根據黃焯所撰〈黃季剛年譜〉[28]，補入民國八年四月日記，稱「殘葉日記（己未四月）[29]，但是卻將江蘇教育出版社《黃侃日記》所收

---

23 詳見吳永坤：〈附記之後〉，收入黃侃：《黃侃文存：黃侃日記》，頁1156-1157。

24 卞孝萱〈讀《黃侃日記》〉、童嶺〈讀《黃侃日記》隨札〉這兩篇論文，皆收錄於張暉編：《量守廬學記續編：黃侃的生平與學術》，頁262-289；頁290-302。

25 筆者於二〇〇二年間，在臺北書肆中購得江蘇教育出版社出版的《黃侃文存：黃侃日記》，撰寫論文時，亦據此本，然在瀏覽國家圖書館「全國圖書聯合目錄」時，卻發現東吳大學圖書館藏有「中華書局」出版的《黃侃文集：黃侃日記》，因商請大學就讀東吳大學的學棣李強，親至臺北外雙溪借出。稍後又於北上開會之餘，在明目書社購得此書。

26 黃侃著，黃廷組重輯：《黃侃文集：黃侃日記》（北京市：中華書局，2007年7月），共上、中、下三冊。

27 黃侃著，黃廷組重輯：〈黃侃文集出版說明〉，《黃侃文集：黃侃日記》，頁2。

28 黃焯所撰〈黃季剛先生年譜〉見黃侃、黃焯撰：《蘄春黃氏文存》，頁122-209，

29 其末有「重輯注：此日記取自黃焯所撰黃季剛年譜，為民國八年四月日記。」見黃侃著，黃廷組重輯：《黃侃文集：黃侃日記》，上冊，頁29。

錄由黃焯所撰寫的〈黃季剛年譜〉一文[30]，全數刪除。更重要的是中華書局
本的《黃侃日記》，將江蘇教育出版社的《黃侃日記》整理者以及校稿者，
在整理日記時所記錄下來的「校勘案語」時，逕改日記本文，不注出案語
（即將整理者的「校勘案語」全數刪除），甚至偶有誤改的情形[31]。凡此行
徑，一則略人之美。二則不符文獻學校勘的規範。三則有失《黃侃日記》的
原貌。因此，本篇論文所據的文本，仍然採用較符合《黃侃日記》原貌，且
符合學術規範，由江蘇教育出版社所出版的《黃侃文存：黃侃日記》。

　　綜觀黃季剛先生的日記，以現存者觀之，始於一九一三年六月二十日所
撰寫的《癸丑日記》記載著「五月十六日（新六月二十日，金曜）雨。是日
自斜橋餘慶里十號移居法租界打鐵濱路明德里三弄底。」[32]。終筆於《量守
盧日記》「乙亥年九月十日丙辰（國曆為一九三五年十月七日）「十日丙辰，
晴，燠（氣候殊常）。晨起，吐瀉皆作黑色涎塊，乃昨遇毒也。困甚。家人

---

30 江蘇教育出版社出版的《黃侃日記》全文收錄黃焯所撰的〈黃侃年譜〉，見頁1093-
1153。

31 如江蘇教育本《黃侃日記》，頁30，「一時寢，不能熟寐，心征營，蓋另故也。」有
「千帆案：「另字疑誤」。中華書局本《黃侃日記》頁35則於日記原文不改，而將校語
全刪；江蘇教育本《黃侃日記》，頁31，「得成都高師楊校長（若堃，號伯清）『世』
電」，有「千帆案：世原誤冊」。中華書局本《黃侃日記》，頁36，則逕改日記原
文，將校語全刪。江蘇教育本《黃侃日記》，頁42，「豫象辭孔疏云：『無四德者，以
逸豫之事，不可以常行，時有所為也。縱恣寬暇之事，不可長行，以經邦訓俗，故無
元亨也。逸豫非幹正之道，故不云利貞也。』」有「永坤案：以上文字為豫卦卦辭之
孔疏，非象辭疏文，黃先生偶誤。」。中華書局本《黃侃日記》，頁46，則逕改日記原
文「豫象辭孔疏」逕改為「豫卦辭孔疏」，且將校語全刪。江蘇教育本《黃侃日記》，
頁47-48，「余十餘歲，偶從書架翻閱宋明儒錄及六祖壇經」，有「千帆案：錄下疑脫
語字」。中華書局本《黃侃日記》，頁52，則為「余十餘歲，偶從書架翻閱宋明儒文錄
及六祖壇經」，將原先脫文「語」，誤補為「文」，並且把案語全刪。

32 據江蘇教育出版社本的《黃侃日記》，其記時是以農曆在前，年用干支紀元，日則有
用干支有不用者，其後用刮號注出國曆日期，並附記星期（前用日本記星期的金曜、
土曜、日曜、火曜、水曜、木曜。後用「禮拜○」、「星期○」的方式不等）。此處
「癸丑五月十六日是農曆。國曆是一九一三年六月二十日」。詳見黃侃：《黃侃文存：
黃侃日記》，頁1。

喧詬，更煩人心。」[33]。撰寫的日記，前後橫跨二十二個年頭，其中以一九
二八年五月十八日以後，被完整的保存下來，分別稱為「《閱嚴輯全文日
記》、《戊辰日記》、《己巳治事記》、《讀大戴禮記日記》、《讀尚書大傳日
記》、《讀韓詩外傳日記》、《讀春秋繁露日記》、《讀白虎通疏證日記》、《讀通
緯日記》、《讀國語日記》、《讀山海經日記》、《讀穆天子傳日記》、《讀汲冢周
書日記》、《讀戰國策日記》、《讀司馬法日記》、《讀古籀拾遺日記》、《讀古籀
餘論日記》、《寄勤閒室日記》[34]、《避寇日記》、《量守盧日記》[35]。這整整將
近七年五個月的日記，佔其總日記的將近四分之三（百分之七十四點五
四），而且是連續性的日記記載，在如果把《黃侃日記》當成一片「拼圖」
來說，黃季剛先生最後七、八年間的學術生命的這一個「區塊」，無疑是較
為完整的。

四　清晰的圖像

　　民國二十四年（1935），黃季剛先生逝世之後，他所撰寫的日記原稿大
部分毀於對日抗戰，少部分由其女婿潘重規先生攜帶來臺灣，日記的迻錄本
仍然在他的家族與學生當中流傳著。潘先生在民國六十六年（1977），將其
出版，公諸於世；黃先生在大陸的學生及再傳弟子，也在民國九十一年
（2002），將整理的日記出版，依據黃季剛先生日記作為研究的文本，至民
國九十七年六月為止，筆者查詢到的，依時代先後有以下七篇：1.孔仲溫撰
〈從《黃季剛手寫日記》論黃先生治古文字學〉、2.張志強〈《黃侃日記》─
國學大師的心跡流露〉[36]、3.張暉〈性情與學問：讀新版《黃侃日記》〉[37]、

33 黃侃：《黃侃文存：黃侃日記》，頁1092。

34 黃季剛先生自一九三〇年一月十日開始的日記稱「寄勤閒室日記」，到了一九三二年
　　二月一日開始，又改為「避寇日記」，記載到當年的五月二十九日為止，五月三十日
　　開始，又改回來「寄勤閒室日記」，一直到一九三四年二月十四日才以「量守盧日
　　記」稱之，一直寫到過世的前一天為止。

35 詳見黃侃：《黃侃文存：黃侃日記》，頁279-1092，共有814頁。

36 張志強：〈《黃侃日記》──國學大師的心迹流露〉，《中國教育報》，2002年1月17日。

4.袁津琥〈從《黃侃日記》分析其早逝的原因〉[38]、5.卞孝萱〈讀《黃侃日記》〉、6.卞孝萱〈蘄春黃氏與儀徵卞氏聯姻考——利用《卞氏族譜》解讀《黃侃日記》[39]、7.童嶺〈讀《黃侃日記》隨札〉。以下僅就第一、五、七等三篇與經學研究最為相關的論文，加以論述，看看他們的研究，提供給讀者何種清晰的圖像。

孔仲溫撰〈從《黃季剛手寫日記》論黃先生治古文字學〉，孔氏此文，是以以臺灣學生書局出版的《黃季剛先生手寫日記》為研究文本[40]。所得結論有三項、其一：重視傳統文獻，不廢考古文獻：從日記中探得黃季剛先生不似其師章太炎先生一樣，排斥出土文獻（甲骨、金石、陶幣、璽印、竹簡等），反而大量的蒐集、託人購買，共得六十七種，而稱「則龜甲之書，於是乎全。」其二：黃先生治學精勤而紮實：先生以繙書、鈔書、點書、校書、臨書五門為每日必作的功課，下了「札硬寨，打死仗」的工夫。其三：留意與古文字學相關的人事。有述刊物報導王國維死因、評論學者研究考古卻忽略經史的缺失、評論時人因考古而壞人冢墳等記載[41]。

卞孝萱撰〈讀《黃侃日記》〉，卞氏此文，是以江蘇教育出版社出版的《黃侃文存：黃侃日記》為研究文本[42]。所得結論有四項：其一，律己：以國學宣揚民族大義，利用敦煌資料、甲骨文治學，參考海外出版的圖書，借鑒西方自然科學理論。其二，尊師：對於章太炎、劉師培兩位老師，日記記錄回憶昔日師生治學情況，懸掛劉師培墓志銘拓片於書室，讀劉師培所著《左庵集》，為劉師培向端方自首撰文辯釋。其三，敬友：對於陳漢章雖然曾以刀仗相決，但仍能尊重其學術，關係其生活。其四，愛生：以對范文瀾

---

37 張暉：〈性情與學問：讀新版《黃侃日記》〉，《東方文化》2002年第2輯。

38 袁津琥：〈從《黃侃日記》分析其早逝的原因〉，《文匯讀書週報》，2004年10月29日。

39 卞孝萱：〈蘄春黃氏與儀徵卞氏聯姻考——利用《卞氏族譜》解讀《黃侃日記》〉，收入張暉編：《量守盧學記續編：黃侃的生平與學術》，頁247-261。

40 潘重規：《黃季剛先生手寫日記》（臺北市：臺灣學生書局，1977年）。

41 詳見孔仲溫：〈從《黃季剛手寫日記》論黃先生治古文字學〉，收入鄭遠漢主編：《黃侃學術研究》（武漢市：武漢大學出版社，1997年5月），頁47-67。

42 黃侃：《黃侃文存：黃侃日記》（南京市：江蘇教育出版社，2001年8月）。

的關懷為例，說明黃門的師生關係[43]。

　　童嶺撰〈讀《黃侃日記》隨札〉，童氏此文，也是以江蘇教育出版社出版的《黃侃文存：黃侃日記》為研究文本[44]。雖為隨札，然仍得六項結論：其一，尊師：對於江叔海（瀚）、劉師培、章太炎三位老師，皆持恭敬態度與執弟子之禮。其二，對於日本的態度：對日本的軍事行動持「裂血沸，悲憤難宣」的態度。對日本學者則由先前的反感，變成平等的交流。其三，購書之事：整部日記，訂書、購書、讀書為一條主線。其四，與當時學界的關係：先生喜歡評論舊派知名學者，也對新文化人物多所爭鬥。其五，考試出題：先生曾為研究生入學考試出過考題，給的分數不高，可見其不給學生「廉價」的表揚。其六，生活趣事舉隅：日記多有生活趣事、學林雅集的記載，也載有對自然界風、雨、雷的畏懼。[45]

　　民國十九年（1930，先生四十五歲）六月十二日（國曆七月七日），黃季剛先生《寄勤閑室日記》記載：「禺中有倭人倉石武四郎[46]（號士桓）見訪，云在曾謁章君[47]，君令其詣予也。其人為彼京都帝國大學助教授，云以注疏講授，而為狩野、內藤輩門人，居北京二年，故華語尚閑。」[48]，季剛先生日記的記載非常簡約平常，但是造訪的倉石武四郎，卻在其《倉石武四郎

---

43 詳見卞孝萱：〈讀《黃侃日記》〉，收入張暉編：《量守盧學記續編：黃侃的生平與學術》，頁262-289

44 黃侃：《黃侃文存：黃侃日記》。

45 詳見童嶺：〈讀《黃侃日記》隨札〉，收入張暉編：《量守盧學記續編：黃侃的生平與學術》，頁290-302。

46 倉石武四郎（1897-1975），狩野直喜、內藤湖南的學生，專精於研究漢語、漢語教育與辭典編纂。曾創立中國語學會、日中學院，先後擔任京都大學、東京大學教授。曾在一九二八至一九三〇年留學北京。

47 倉石武四郎曾在《倉石武四郎中國留學記》記載著「冒雨訪章太炎先生於同孚路。先生童顏短髮，不飾邊幅，尤見其古怪也。操筆論討，頗初人之意表。其云：『治漢學者補可有好奇心。』寥寥數語，足箴舉世。其論《左傳》，亦掊公羊家神怪之說；《春秋》即魯史，孔子則就魯史寓褒貶之意而已。《周易》所論，不出社會進化之過程，亦無可怪，而況其餘乎？蓋古文家所說，應是而已，過午而辭。」詳見倉石武四郎著，榮新江、朱玉麟輯注：《倉石武四郎中國留學記》，頁195。

48 黃侃：《黃侃文存：黃侃日記》，頁623。

中國留學記》記載著：「訪黃季剛先生於大石橋四號。先生引見，所說侃
侃，真國才也。小學一門特其專門。云：『《古文尚書》作偽無疑矣，而其所
用之字則真。』又云：『余所學不出嘉道間人，先學注疏，而後清人正義可
看也；先熟段注《說文》，而後諸家《說文》可參也。；又云：『讀書不必自
出新義，能解古人之意，於余足矣』叩其所業，則云黃以周之學也。』[49]，
倉石武四郎的這段記載，有五項與治經法相關：其一、治經先從漢唐經注經
疏入手，再求諸於清人正義。其二、讀書以瞭解古人之意為要，不必汲汲於
求一己的新義。其三、論定《古文尚書》雖偽作，但文字為真。其四、治學
先由精熟最重要文本，再博通其他相關論著。其五、此時先生正在批閱黃以
周的《禮書通考故》[50]。

　　民國二十年（1931，先生四十六歲）正月二日（國曆二月十八日），黃
季剛先生《寄勤閒室日記》記載：「日本吉川幸次郎[51]（字善之，兵庫神戶
人，狩野直喜弟子，京都帝國大學文學部生，留學北京數年）來謁。其人華
言頗嫻，自言研治注、疏，因與久……」[52]。四天之後（正月六日，國曆二
月二十二日），吉川幸次郎再次造訪，《寄勤閒室日記》記載：「吉川幸次郎
來，留飯，并約瞿安，又贈以一詩。吉川為予書扇，錄新宮銘。……吉川自
言考訂而不好詞曲，又於瞿氏無所咨問，瞿氏惡之。」[53]季剛先生日記的

---

49 倉石武四郎著，榮新江、朱玉麒輯注：《倉石武四郎中國留學記》，頁195。
50 黃季剛先生在五月四日開始批閱黃以周的《禮書通考故》，到八月三日批閱完畢，共
　費時六十五天。
51 吉川幸次郎（1904-1980），字善之，號宛亭，日本神戶人。一九二六年京都帝國大學
　中國哲學文學科畢業，一九二八至一九三一年留學中國。後任京都大學教授，東方學
　會會長，有《吉川幸次郎》全集二十五卷。
52 此處有吳永坤的案語「永坤案：『抄本此下，空白十九行又十五字。共約三百三十餘
　字。』」，詳見黃侃：《黃侃文存：黃侃日記》，頁668。黃侃著，黃廷組重輯《黃侃文
　集：黃侃日記》於此則僅注「抄本下略」，詳見黃侃著，黃廷組重輯《黃侃文集：黃
　侃日記》，下冊，頁684。
53 此處有吳永坤的案語「永坤案：此條原在八日日記眉上，現移於此。」詳見黃侃：
　《黃侃文存：黃侃日記》，頁668。黃侃著，黃廷組重輯《黃侃文集：黃侃日記》於
　此則將吳永坤的案語全部刪除。詳見黃侃著，黃廷組重輯《黃侃文集：黃侃日記》，

記載著吉川幸次郎的兩次造訪，對其研究取徑與邀約吳梅一起餐敘，文字亦簡約平常。但是吉川幸次郎，卻在《我的中國留學記》，對於此行的兩次造訪，有著以下的感動、觀察與省思的記錄：

（一）到江南要拜見黃季剛先生之前，沒有一位學者願意替他寫介紹信。只孫人和介紹他去拜見胡小石，胡小石再向他說「雖說人們都說黃侃此人非常狷介偏狹，但是我覺得不是，你去見他，他一定肯高興見你。」

（二）黃侃高高的身材，藍色的長袍大概是新年的衣服吧。小小的金絲邊眼鏡下面，是充滿精銳的目光，一副年輕的西凡多郎的風貌。話鋒也如西凡多郎那樣的豪爽、快捷。

（三）他的書桌上放著孫詒讓的《周禮正義》，就是常見的那種活字鉛印的，字體很小，難以閱讀的本子，而全書都施以朱筆句讀，且在空處畫出許多紅色的「○」「×」，「○」是同意作者孫氏的地方，「×」是不同意的地方，我第一次看到讀書如此精細的學者。

（四）我記得他說其他學者的壞話是：「凌虐古人，欺騙今人」，對他的老師章炳麟，也有微辭。現在的學者是「凌虐古人，欺騙今人」他的確是這樣說的。又載「談及北京的諸位學者，不時有辛辣的批評。對乃師章太炎的學風不無微詞。

（五）最受感動、佩服，而認為了不起的學者。提出《經典釋文》中《穀梁傳‧隱公四年》的「弒其」下有「弒舊作殺」的疑問，北京學者沒清楚、滿意的答覆，或不理。見黃季剛先生面時，一提出，不必核對原書，立即回答：「那是竄入的宋人校語」，吉川幸次郎推測先生「可以把整部《廣韻》背下來。」

（六）吉川幸次郎反省道：日本總認為在文獻考證之外，一定要有實物的證據，否則，不能叫考證學。但到中國去一看，並非一定要如此。發覺文獻內在的證據，比什麼多強。與黃侃見面時，我就想：只有這樣的人才能做這樣的考證學。我對他的佩服也正在這一點上。這並非是與他交談了什麼具

體的問題，從氣象來看，他就是一位會思考、會讀書的人，不是注重於書之外的資料，而是在書本之內認真用功的人。這不正是真正的學問嘛。黃侃說過的話有一句是：「中國的學問的方法，不在於發現，而在於發明。」以這句話來看，當時在日本作為權威對待的羅振玉、王國維兩人的學問，從那個方面來看都是發現，換句話說是傾向資料主義的。而發明則是對重要的書踏踏實實地用功細讀，去發掘期中的某種東西，我對這句話有很深的印象。

（七）限於考證學來說：人們認為考證學是只用歸納法的，在日本事實上也是這樣的。但我知道實際上並不完全是這樣。不只是歸納，也用演繹。演繹是非常有難度的，必須對全體有通觀的把握。絕不是誰都有能力這樣做的，於是，就認識中國學問確實是需要功底的。這並不是我當時就這麼去想的，現在被你們一問而誘導出來的[54]。

通過孔仲溫、卞孝萱、童嶺有關以《黃侃日記》為研究文本的三篇論文，再對照倉石武四郎、吉川幸次郎的訪問記錄，黃季剛先生的學術人品、生活記事以及治經學法的圖像是如此的清晰。

五　治經的可能

在中國傳統君主政治的歷史舞臺上，知識份子總是受到「學而優則仕」觀念的影響，經學與文學恆成為學子晉身政治舞臺的敲門磚。「得志則兼善天下，不得志則獨善其身。」。但是，在正史中的〈儒林列傳〉、〈文學傳〉、〈道學傳〉中，處處可見有以傳經、傳道為一生職志者。如東漢鄭玄在遭遇黨錮之禍後，即絕意於仕途，專心講學與著述，九次徵辟皆不改其志；黃巾軍經玄盧，敬拜鄭玄，不擾高密，史添佳話。卻也奪走其年僅二十七歲的獨子益恩，甚至連自己也受到逼迫，客死元城。鄭玄就身處在這樣的政治環境

---

54 此七點是整理自吉川幸次郎著，錢婉約譯：《我的留學記》（北京市：光明日報出版社，1999年）與吉川幸次郎：〈黃侃給我的感動〉與〈南京懷舊絕句〉二文，收錄於張暉編：《量守盧學記續編：黃侃的生平與學術》，頁74-77；78-82。

中，影響著政治，也受到政治的影響[55]。黃季剛先生早期涉入政治，以實際的革命行動來救亡圖存，但在二十九歲之後，決心絕意仕途，專心教學與論述，以五十歲的有限生命，創造出無限的學術生命，也影響著整個的學術界。此為治經之可能之一——創造無限的學術生命。

　　黃季剛先生在教學時，嘗指出：阮元有《經籍纂詁》，雖匯集唐以前古籍的訓詁資料，素為學者推崇，然其缺失有四：一，以《佩文韻府》韻部分編，不利翻檢。二，載字先後，毫無意義。三，蒐輯亦有不備。載音多有漏略。因而倡議「今若能通校一過，暫用字典編制法編之。次為補其遺闕。此業若成，則材料幾於全備矣。」[56]。在黃季剛先生教學時間最久的武漢大學，有先生的再傳弟子宗福邦、陳世鐃、蕭海波等人，繼承太老師的遺願，從一九八五年起，以十八年的時間，收錄先秦至晚清兩百二十八部的經史子集重要典籍的訓詁資料，編纂《故訓匯纂》，以部首編次，以《說文》解形，用《廣韻》注音，按以音領義的原則，分別注項；注項的排列，以義相從；注項之下的引證書例，按時代先後。並附漢語拼音與難檢字筆畫等兩種索引，主要引用書目和引書格式。全書正文共二六五二頁，約一千三百萬字[57]。此治經的可能之一——恪紹師志傳承學術。

　　黃焯生於清德宗光緒二十八年（1902，季剛先生十七歲），七歲喪父，備受從兄欺侮，十九歲至武昌謁見季剛先生，試令作文二篇，以為可教，從

---

55 詳見陳金木：〈經學家傳記的文化意涵：《後漢書‧鄭玄傳》析論〉，《中興大學中文學報》第19期（2006年6月），頁133。

56 黃季剛先生口述，黃焯筆記編輯：《文字聲韻訓詁筆記》（臺北市：木鐸出版社，1983年9月），頁14。

57 詳見宗福邦、陳世鐃、蕭海波編：《故訓匯纂》（北京市：商務印書館，2003年7月）與宗福邦、羅積勇主編：《《故訓匯纂》研究論文集》（北京市：商務印書館，2006年12月）。另吳孟復：《古籍研究整理通論》（臺北市：貫雅文化公司，1991年11月）附錄三：《續經籍纂詁》收詁製卡細則。《續經籍纂詁》字詁編寫程序與條例、《續經籍纂詁》凡例相關條文、字詁編寫細則。見頁245-253。衡諸《故訓匯纂》編校人員名單中的主編、編撰、資料人員、校對人員二十三位的名單中，並沒有吳孟復先生在其列，不知此書編成否？

此跟隨先生讀書治學[58]。民國二十八年（1939）以後，一輩子在武漢大學任教職。黃焯先生從季剛先生一九三五年過世之後，到黃焯先生一九八五年去世為止的五十年期間。他的工作重心有二項。第一項是承繼師門經學志業，獨鍾《經典釋文》《毛詩》，完成《經典釋文彙校》[59]、《毛詩鄭箋評議》[60]、《詩疏評議》[61]等專著，另外《黃焯文集》有學術論文篇十篇[62]。《蘄春黃氏文存》亦有《黃焯雙井文抄》二十三篇，[63]可謂不負師恩教誨。第二項是整理季剛先生的著作。黃季剛先生以時人輕率著述付梓，自許五十歲後當著書，然五十歲時卻齎志而歿，生前已出版或出刊著作，散見各刊物，徐復、黃焯、程千帆等蒐集而成書目[64]。然先生一生致力於四部典籍的批閱，將所作的校語、所得的箋識，一一書寫在書頁上[65]，數量極大，學術價值極高，黃焯因而集中精力，整理先生遺稿。先後將先生手批《說文解字》[66]、《白文十三經》[67]、交付出版社出版；更整理先生在批校時，所施校語與箋識，

---

58 黃焯〈自述〉記錄道：「我從叔父受學，次第是先教《困學紀聞》、《日知錄》等書，以便窺見治學途徑，繼受文字聲韻學大要。黃以周謂學問文章皆宜以章句為始基，研究章句即為研究小學。焯於是始治《毛詩》、《詩經》和《三禮》、《左傳》、《爾雅》，五經都有聯繫，故同時閱讀《三禮》等書先叔父又說：『研治《詩經》萬不可違背《毛傳》，《毛傳》並為一切經學根本。』」，詳見黃焯撰，丁忱編次：《黃焯文集》（武漢市：湖北教育出版社，1989年11月）頁267-268。

59 黃焯：《經典釋文彙校》（北京市：中華書局，1980年9月）。

60 黃焯：《毛詩鄭箋評議》（上海市：上海古籍出版社，1985年6月）。

61 黃焯：《詩疏評議》（上海市：上海古籍出版社，1985年11月）。

62 黃焯著，丁忱編次：《黃焯文集》（武漢市：湖北教育出版社，1989年11月）。

63 黃侃、黃焯著：《蘄春黃氏文存》（武昌市：武漢大學出版社，1993年3月）。

64 徐復有〈黃季剛先生遺著篇目舉要初稿〉、黃焯有〈黃季剛先生遺著目錄〉、程千帆有〈黃先生遺著目錄補〉，此三篇目錄，俱見於黃季剛先生誕生一百週年和逝世五十週年紀念委員會編：《量守廬學記：黃侃的生平與學術》，頁183-218。

65 黃焯稱季剛先生「生平點校之書達數千卷，其施箋識者亦達數百卷。」見黃侃箋識、黃焯編次：〈前言〉，《量守廬群書箋識》（武漢市：武漢大學出版社，1985年6月），頁1。

66 黃侃：《黃侃手批說文解字》：（上海市：上海古籍出版社，1987年7月）內有黃焯所撰〈弁言〉、〈序例〉。見頁1-3；1-6。

67 黃侃：《黃侃手批白文十三經》：（上海市：上海古籍出版社，1983年1月；北京市：中

迻錄編輯而成《量守廬群書箋識》[68]、《說文箋識四種》[69]；更整理季剛先生對於小學的研究，編次成《文字聲韻訓詁筆記》[70]；亦彙整季剛先生的文章，編成《蘄春黃氏文存》[71]。且擬編《黃侃論學雜著續編》[72]。陸宗達稱：「耀先（黃焯之字）的後半生，大部分精力放在整理和出版季剛先生的遺著上。這是一項工作量極大又十分繁雜的工作，因為季剛先生一生中批注校點的資料太多了，而他自己又未及寫出系統的論著而早逝。整理這部分學術遺產，要不失季剛先生的原意，又能有益於今日之學者，整理者需有深厚的功底和百倍的勤奇，耀先在這方面是做出成績的。」[73]此為治經之可能之三——董理師說恢弘師門。

　　華書局，2006年）內有黃焯所撰〈前言〉、〈符識說明〉，頁1-5；1-7。

68　黃侃箋識，黃焯編次：《量守廬群書箋識》。

69　黃侃箋識，黃焯編次：《說文箋識四種》（上海市：上海古籍出版社，1983年4月），其末附有黃焯論文四篇：〈篆文中多古文說〉、〈形聲字借聲說〉、〈說文異義形同舉證〉、〈說文形聲字有相反為義說〉，見頁357-372。

70　黃季剛先生口述，黃焯筆記編輯：《文字聲韻訓詁筆記》（臺北市：木鐸出版社，1983年9月）。

71　黃侃、黃焯著：《蘄春黃氏文存》共收錄先生《黃侃量守廬文選鈔》四十篇文章。

72　黃季剛先生逝世後，中央大學出刊的《文藝叢刊》二卷三期、三卷一期為黃先生遺書專號，刊登其遺著十九種，上海中華書局重刊而刪其書目一種，改題《黃侃論著雜著》。黃焯擬收入《黃侃論著雜著》及專著、詩文集以外的學術論文，編成《黃侃論著雜著續編》，然未見出版。

73　陸宗達：〈《黃焯文集》序〉，收錄於黃焯撰，丁忱編次：《黃焯文集》，頁1。

經史學家楊筠如事迹繫年

何廣棪

香港樹仁大學中國語言文學系教授

　　楊筠如先生乃民國眾多研究經史學之學者之一，早歲攻讀北平清華學校國學研究院，在著名國學大師王國維教授悉心指導下，完成畢業論文《尚書覈詁》，榮獲甲一等級之成績，為該研究院第一屆第一名畢業生。畢業後，先後任教廈門集美學校國學專門部、廣州市國立第一中山大學、上海市暨南大學、青島市青島大學、開封市省立河南大學、成都市國立四川大學、長沙市湖南大學、西安市西北大學。著作頗富，刊行專書除《尚書覈詁》外，尚有《九品中正六朝門閥》、《荀子研究》，及學術論文十餘篇。是故，筠如對民國以來高等教育與學術有一定之貢獻。

　　然有關楊氏生平，學術界知之甚少。余嘗細閱鍾碧容、孫彩霞編《民國人物碑傳集》，卞孝萱、唐文權編《民國人物碑傳集》，劉紹唐編《民國人物小傳》，均未有其資料；又檢索臧勵龢等編《中國人名大辭典》，張撝之、沈起煒、劉德重編《中國歷代人名大辭典》，姜亮夫編、楊本章補編《歷代名人年里碑傳總表》，曹亦冰編《中國當代古籍整理研究學者名錄》，陳玉堂編著《中國近現代人物名號大辭典》、徐友春編《民國人物大辭典》，亦未見其條目。至曰能將楊氏畢生行事予以整理，並撰文作翔實披露者，更未有其人。事不獲已，乃參酌孫敦恆〈清華國學研究院紀事〉、[1]蘇雲峰〈清華國學

1　孫敦恆：〈清華國學研究院紀事〉，《清華漢學研究》（北京市：清華大學出版社，1994年），第一輯，頁267-340。本文以下徵引孫文，不再出註。

研究院述略〉[2]並爬羅其他相關資料，用繫年法，將所得楊氏事跡，排比而整治之。唯倉卒成篇，拙文聊可裨補前人所未及為，僅供後之研究者參酌而已。

一九〇三年（清光緒二十九年　癸卯）一歲

楊筠如，字德昭，湖南省常德縣人。本年生。

> 案：筠如，家世不可考。〈清華國學研究院紀事〉一九二五年七月二十日條記
> 載錄取新生，有「楊筠如（德昭）」之名，因知其人字德昭。又考筠如撰
> 〈尚書覈詁自序〉有云：「吾湘善化皮氏，長沙王氏，網羅異說，亦稱功
> 臣。」[3]知楊氏乃湖南人。王國維〈尚書覈詁序〉又有「門人常德楊筠如近
> 作《尚書覈詁》，博采諸家，文約義盡，亦時出己見，不愧作者」之語，[4]
> 則又知楊氏常德人。[5]

一九一八年（民國七年　戊午）十五歲

考入湖南省立第二中學。

> 案：據《常德縣志》卷二十八、〈人物〉「楊筠如」條所載，筠如本年考入湖南
> 省立第二中學。

---

2 蘇雲峰：〈清華國學研究院述略〉，《清華漢學研究》（北京市：清華大學出版社，1997
　年），第二輯，頁289-337。本文以下徵引蘇文，不再出註。

3 楊筠如：〈尚書覈詁自序〉，見楊筠如著，黃懷信標校：《尚書覈詁》（西安市：陝西人
　民出版社，2005年），頁1-2。本文以下徵引筠如〈自序〉，不再出註。

4 王國維：〈尚書覈詁序〉，同註3，頁1-2。本文以下徵引王〈序〉，不再出註。

5 近得臺灣高雄師範大學經學研究所碩士生梁竇雲提供民國二十六年（1937）國立清華
　大學校長辦公處印行《清華同學錄》，其書「一九二六年國學研究所畢業同學」項下
　載：「楊筠如　德昭一九〇三湖南常德。」因知筠如生年為一九〇三年。《清華同學
　錄》同條又載：「常德前鄉黃州區。」因而筠如籍貫更為詳悉。此條資料乃筠如當年
　自行提供校方者，最為可靠。其後又得復旦大學圖書館古籍部館員王亮文學博士（王
　國維曾孫）提供一九九二年八月常德縣志編纂委員會主編之《常德縣志》，其書卷二
　十八、〈人物〉項下「楊筠如」條載：「楊筠如，名德昭，常德縣黃土店白巖冲人，清
　光緒二十七年（1901）生。」《常德縣志》所記筠如生年為一九〇一年，似不如前者
　可靠，故不采用。

一九二四年（民國十三年　甲子）二十一歲

三月，發表〈評荀孟哲學〉於《國學叢刊》第二卷第一期。[6]

　　案：《國學叢刊》，南京東南大學國學研究會編輯，南京東南大學國學叢刊社
　　　　發行，一九二三年三月創刊。[7]藉可推知筠如考進清華學校國學研究院前乃
　　　　為東南大學國文系畢業生。[8]至其撰〈評荀孟哲學〉，亦可考見筠如其後撰
　　　　作《荀子研究》一書之脈絡。

一九二五年（民國十四年　乙丑）二十二歲

六月，畢業於東南大學。

　　案：筠如應於畢業後，始應考清華學校國學研究院入學試。[9]

七月六日至九日，參加清華學校國學研究院招生考試。

　　案：清華學校國學研究院籌設於一九二四年（民國十三年　甲子）十月二十二
　　　　日，翌年二月十二日成立籌備處，主任為吳宓（吳宓任職清華前，曾於東
　　　　南大學任教，筠如應認識吳宓，並為其學生）。敦聘王國維、梁啟超、趙
　　　　元任、陳寅恪為教授，另聘李濟為專任講師。〈清華國學研究院紀事〉
　　　　載：「七月六日，是日起，清華國學研究院在城內進行招生三日。」是則
　　　　筠如暑假前畢業東南大學，是時參加清華招生考試。

七月二十七日，被錄為正取生。

　　案：〈清華國學研究院紀事〉載：「七月二十七日，研究院錄取新生，正取三
　　　　十名，備取二名。他們是：劉盼遂、吳其昌（子馨）、程憬（仰之）、徐中

6　余秉權：《中國史學論文引得續編——歐美所見中文期刊文史哲論文綜錄》（劍橋市：
　　哈佛燕京圖書館出版社，1970年），頁521。

7　余秉權：《中國史學論文引得》（1902年-1962年）（香港：香港亞東學社，1963年），
　　頁20。

8　《清華同學錄》載筠如自記入讀清華學校國學研究院前學歷為「國文系——（東南大
　　學）」。

9　《常德縣志》卷二十八、〈人物〉「楊筠如」條載：「後去上海，入東南大學。未畢業
　　即考入清華大學研究院，專攻史學。」此條所言筠如未畢業即考入清華，未知可據
　　否？唯《常德縣志》此條載東南大學在上海，則至誤。

舒、余永梁（華牲）、楊鴻烈（憲武）、王庸（以中）、關文瑛、劉紀澤、
周傳儒（書昤）、楊筠如（德昭）、孔德（肖雲）、方壯猷（欣庵）、蔣傳官
（柱筠）、王鏡第（芺生）、高亨（晉生）、裴學海（會川）、李繩熙（念
祖）、杜鋼百、聞惕（惕生）、史椿齡（靜池）、趙邦彥（良翰）、陳拔（曉
嶺）、王競（嘯蘇）、馮德清（永軒）、李鴻樾（玉林）、姚名達（達人）、
黃淬伯（潤松）、謝星朗（明霄）、余戴海（環宇）、何士驥（樂夫）、汪吟
龍（衣雲）。另有舊制留美預備部學生羅倫（輯之）、楊世恩（子惠）、王
國忠（慕韓）三人作特別生，可隨班聽課和研究。」是筠如被錄為正取生
第十一名。其後與高亨、裴學海學術情誼最篤摯。

九月七日，錄取生開始報到。

　　案：〈清華國學研究院紀事〉載：「九月十七日，錄取學生開始報到。唯李繩
　　　　熙（皮膚病）、關文瑛（眼病）、裴學海（眼病和肺病）三人因病不能入
　　　　學，但保留其考取資格。兩週後李繩熙病愈准予入學。」其後裴學海於一
　　　　九二七年（民國十六年）第三屆復學，時筠如已畢業離校。

九月九日，參加開學典禮。

　　案：〈清華國學研究院紀事〉載：「九月九日，研究院舉行開學典禮。吳宓主
　　　　任發表了題為〈清華開辦之旨趣及經過〉的演講。」筠如必出席。

午後三時，參加茶話會。

　　案：〈清華國學研究院紀事〉載：「午後三時，研究院在後工字廳舉行茶話
　　　　會。到會者為研究院全體教授、職員及學生，共三十多人。由主任吳宓主
　　　　持，宣布開會宗旨為聯絡情誼，并介紹相見。次由梁啟超、王國維、趙元
　　　　任、李濟等相繼發言，或明研究院之宗旨，或論治學之方法，或述個人修
　　　　學之經驗，或言觀摩砥礪之有益。後由吳宓主任宣布學生應知事。……最
　　　　後，在學生的要求下，梁啟超講演題為〈舊日書院之情形〉。」梁氏早歲
　　　　修學於學海堂與萬木草堂，其講演內容恐必涉及此二者。

九月十一日，往聽梁啟超「如何選擇研究題目和進行研究」之談話。

案：〈清華國學研究院紀事〉載：「九月十一日，梁啟超在研究院第五研究室向研究院全體學生作如何選擇研究題目和進行研究的談話，以〈梁任公教授談話記〉為題，發表於《清華週刊》第三五二期。」

九月十三日，往聽梁啟超「指導之方針及選擇研究題目商榷」。

案：〈清華國學研究院紀事〉載：「九月十三日，梁啟超再與研究院學生談『指導之方針及選擇研究題目之商榷』。……這次談話內容豐富，篇幅較長，分兩次刊載於《清華週刊》第三五三期和三五四期。」

九月十四日，往聽王國維開講「古史新證」。

案：〈清華國學研究院紀事〉載：「九月十四日，研究院之『普通演講』，是日起始業。王國維開講的第一課是『古史新證』，聽者甚眾，不但研究院學員都來了，留美預備部的一些學生和剛進校不久的大學部第一級的一些學生也都慕名而來。『古史新證』一課，是以其前幾年發表的〈殷卜辭中所見先公先王考〉、〈續考〉、〈殷商制度論〉、〈三代地理小記〉等論著為綱要，講述中注入自己的治學方法。此課從九月講授到寒假，講授了整整一個學期。後來整理成《古史新證》一書石印行世。王國維在〈總論〉中說：『吾輩生於今日，幸於紙上材料之外，更得地下之材料，由此種種材料，我輩因得據以補正紙上之材料，亦得證明古書之某部分為實錄，即百家不雅馴之言，亦不無表示一面之事。此「二重證據法」，惟在今始得為之。』這種以實（即地下出土文物）證史，又以史證實研究古史的『二重證據法』為王國維所首創，不僅使其受業弟子深受教益，培育出一批史學大家，且得到史學界的廣泛采納，一時間成果斐然，極大地推動了史學研究工作。」其後，筠如撰寫《尚書覈詁》，以金、甲文字材料與《今文尚書》之紙上材料互為證發，即此「二重證據法」之實際運用，受教益於其師多矣！〈尚書覈詁自序〉云：「先師海寧王靜安先生講學故京上庠，以此（指《尚書》）循誘後進，博考甲文金銘，所獲遠邁前修。予於此時親炙師說，旁考遜清諸家，間附己見，草成《覈詁》四卷。」即記此事。

九月二十六日前，選定《尚書》為研究題目，並晉謁王國維以求指導。

　　　案：〈清華國學研究院紀事〉載：「本院定於九月十四日正式開業，先將各教
　　　　　授所指導之學科範圍宣布，俾諸生可就其範圍內，與各教授商談研究題
　　　　　目。由教授認定後，即可從事研究。若欲於範圍以外研究，則須得教授之
　　　　　特許。各教授指導之學科範圍如下：王國維先生：經學：（一）書，（二）
　　　　　詩，（三）禮。小學：（一）訓詁，（二）古文字學，（三）古韻。上古史、
　　　　　中國文學。
　　　　　……」又載：「九月二十六日，研究院學生選定研究題目，從本月二十二
　　　　　日開始。各自選定後，須向研究院主任室及授業導師報告註冊。是日，選
　　　　　題截止。受業學生二十九人，外加三名特別生，他們的研究題目是：……
　　　　　楊筠如《尚書》。」王國維指導經學項下（一）為書，楊筠如研究題目為
　　　　　《尚書》，則其授業導師必屬王國維無疑。晉謁之日乃在二十二日至二十
　　　　　六日中之某日。

嗣後，每星期一、三上午九時至十時，往聽王國維授「古史新證」或「說文
練習」。

　　　案：〈清華國學研究院紀事〉載：「本院尚有普通演講，諸生均須往聽；舊制
　　　　　清華學生，得該教授特許者，亦可前去旁聽。茲錄其講題及時間表如下：
　　　　　王國維先生：古史新證—星期一（上午）九時至十時；說文練習—星期三
　　　　　（上午）九時至十時。……」「古史新證」、「說文練習」既規定「諸生均
　　　　　須往聽」，筠如必無例外，況上述二種課程均與其撰作《尚書覈詁》至相
　　　　　關切，而王先生又其導師乎？

九月二十八日，參加第二次師生茶話會。

　　　案：〈清華國學研究院紀事〉載：「九月二十八日，舉行了第二次師生茶話
　　　　　會，到五十多人。《清華週刊》報導說：『該院為聯絡師生情誼，且於平日
　　　　　討論學問外，更進一步使能受教授精神之感化起見，擬於每月舉行一次茶
　　　　　話會，令該院教職員、學生於一堂，或明研究院之宗旨，或討論治學方
　　　　　法，或述個人修學與處世之經驗，或議本院事務與設備之進行，務使各方

有自由聚話之機會，實收觀摩砥礪之效。聞該院第二次茶話會於本星期一（二十八日）下午四時在後工字廳舉行。』」但未報導此次茶話會之實況。蘇雲峰〈清華國學研究院考述〉於「學生之校園生活和學術研究」項下則作較翔實之記述，曰：「第二次茶話會於九月二十八日下午四時在工字廳舉行，盛況空前，除研究院全體教職員和學生外，曹校長、張彭春教務長，和教授余日宣、莊澤宣、陳達、鄭之蕃、圖書館主任戴志騫等五十餘人與會。吳宓表示，此會性質一方面在使學生接受教授精神感化，另一方面讓學生認識本校重要職員，以便溝通。言畢請與會校長及諸位先生致詞，然後逐一介紹與會老師，同學行拜師禮。禮畢，同學作自我介紹，最後是自由交談，至六時半始盡歡而散。」可作補充。

十月三日，事務員衛士生引導研究生參觀古物陳列所與京師圖書館。

案：〈清華國學研究院紀事〉載：「十月三日，研究院全體學生，由衛士生先生引導進城參觀古物陳列所、京師圖書館。在京師圖書館，首先參觀善本室，細觀宋元明清版本；繼觀四庫全書室，室中陳列了由熱河避暑山莊運來的《四庫全書》，凡九千餘函、十六萬餘冊。」此套《四庫全書》乃文津閣本。至衛士生，據〈一九二五年秋研究院教職員表〉載，士生字澳青，職位為事務員。[10] 此事〈清華國學研究院述略〉所載更翔實，曰：「參觀訪問也是研究院學生的一種重要課外活動。一九二五年秋季開學後之十月三日上午九時許，全體院生由事務員衛士生帶領進城參觀古物陳列所、京師圖書館和北大圖書館。他們先在東華門參觀了武英殿、太和殿和文和殿，下午一時於東安市場『四時春』會膳，二時半到方家胡同參觀京師圖書館，在善本室看到了宋元明清版本；在『四庫書室』看到由熱河避暑山莊運來的《四庫全書》（凡九千餘函，十六萬八千餘冊），至下午六時半始結束。由於時間不足，北大圖書館改期參觀。」

十月十五日起，往聽王國維每週五上午九時至十時加授之《尚書》課。

10　同註1，頁278。

案：〈清華國學研究院紀事〉載：「十月十五日，王國維每週加授《尚書》課
一小時。《清華週刊》報導研究院消息說：『茲聞該院新加普通演講一種，
名曰《尚書》，由王靜安先生講授，每星期上課一小時，定於本週起實
行。』但未明載授課日期、時間。檢〈清華國學研究院述略〉「研究院之
課程與諸名教授」項下，則知為每週五上午九時至十時。王國維開授《尚
書》，應以筠如受益最多，蓋其正以《尚書》為研究題目也。其後，吳其
昌撰〈王觀堂先生尚書講授記〉、劉盼遂撰〈觀堂學書記〉，[11]則吳、劉二
人與筠如同傳王氏《尚書》之學。

同月，發表〈伊川學說研究〉於《國學叢刊》第二卷第四期。

案：伊川乃程頤，其學說即宋學也，此文亦為筠如就讀東南大學畢業前所撰就
者。

十一月二十日，往聽梁啟超講演〈讀書示例——荀子〉。

案：〈清華國學研究院紀事〉載：「十一月二十日，梁啟超講演〈讀書示例——
荀子〉，由吳其昌記錄，是日起分四次刊於《清華週刊》第三六○期、三
六二期、三七○期、三七二期。」筠如好《荀子》，大學時已發表〈評荀
孟哲學〉，其後又撰《荀子研究》（一九三一年商務印書館出版），故知其
必會往聽。

一九二六年（民國十五年　丙寅）二十三歲

一月二十九日，參加第五次師生茶話會。

案：〈清華國學研究院紀事〉載：「一月二十九日，研究院師生舉行第五次茶
話會，暢談一學期以來的研究心得。」

一月三十一日，放寒假。

案：〈清華國學研究院紀事〉載：「（一月）三十一日起放寒假。」筠如應會回

---

11 吳其昌：〈王觀堂先生尚書講授記〉，《古史新證——王國維最後的講義》附錄（北京
　市：清華大學出版社，1994年），頁231-258。劉盼遂：〈觀堂學書記〉，同前書，頁
　259-299。

鄉度歲。

二月二十二日，寒假結束，復往聽王國維「古史新證」課。

　　案：〈清華國學研究院紀事〉載：「二月二十二日，寒假結束，新學期開始。
　　　　王國維的『古史新證』一課，上學期已授畢，開學後，撰〈克鼎銘考
　　　　釋〉、〈孟鼎銘考釋〉，并改訂〈毛公鼎考釋〉，合〈散氏盤考釋〉以授諸
　　　　生。繼之其他宗周諸重器亦多寫為釋文，講演之。」是王國維本學期講授
　　　　者為金文，其所撰相關論文，後收入《古史新證——王國維最後的講義》
　　　　中。此課程對筠如撰作《尚書覈詁》，以金文材料與《書經》互證，其獲
　　　　啟發與裨益至大。

四月九日，吳其昌撰〈王靜安先生《古史新證》講授記〉，連載《清華週
刊》。筠如應得而讀之。

　　案：〈清華國學研究院紀事〉載：「四月九日，王國維所講『古史新證』，由吳
　　　　其昌記錄整理後，以〈王靜安先生《古史新證》講授記〉為題，刊於《清
　　　　華週刊》第三七四期。」吳文今見《古史新證——王國維最後的講義》附
　　　　錄。[12]其昌與筠如同門，後撰有《金文曆朔疏證》，刊見《國立武漢大學文
　　　　哲季刊》各期中，最得觀堂金文學真傳。

五月十七日，吳其昌撰〈王靜安先生《尚書》講授記〉，刊《清華週刊》。筠
如應得而讀之。

　　案：〈清華國學研究院紀事〉載：「五月十七日，……王國維講演《尚書》，由
　　　　吳其昌記錄，以〈王靜安先生《尚書》講授記〉為題，連刊於《清華週
　　　　刊》第三七八期至三八三期。」吳文今見《古史新證——王國維最後的講
　　　　義》附錄。

六月十一日，吳其昌撰〈王靜安先生古今文字講授記〉，連載《清華週刊》。

---

12 吳其昌：〈王靜安先生《古史新證》講授記〉，《古史新證——王國維最後的講義》附
　　錄，頁223-225。

筠如應得讀之。

　　案：〈清華國學研究院紀事〉載：「六月十一日，王國維講授『古今文字』，由
　　　　吳其昌記錄，以〈王靜安先生古今文字講授記〉為題，刊於《清華週刊》第
　　　　三八三期。」所謂「古今文字」，乃王國維繼「古史新證」後續講宗周諸重
　　　　器。據吳文記錄，計講：虢叔旅鐘、克鐘、齊侯鎛鐘、王孫遺諸鐘（吳文
　　　　「遺」誤作「遺」）、沇兒鐘、邾公牼鐘、邵鐘、兮用盤、不嬰敦蓋（吳文
　　　　「嬰」作「𡤦」）、師害敦、宗周鐘、𤅊侯馭方鼎、矣卣、小盂鼎、克
　　　　鼎，凡十六器。吳文今見《古史新證——王國維最後的講義》附錄，頁二
　　　　二六至二三〇。

六月二十一日，以成績優良，名列榜首，獲頒發獎學金。

　　案：〈清華國學研究院紀事〉載：「六月二十一日，清華國學研究院舉行第十
　　　　一次教務會議，由梅貽琦主持，王國維、梁啟超、趙元任、李濟到會，評
　　　　定了本年學生成績，議決給成績較優之學生楊筠如、余永梁、程憬、吳其
　　　　昌、劉盼遂、周傳儒、王庸、徐中舒、方壯猷、高亨、王鏡第、劉紀澤、
　　　　何士驥、姚名達、蔣傳官、孔德十六名獎學金，每人一百元。」

六月二十二日，畢業生十五人申請留校研究。筠如未參與。

　　案：〈清華國學研究院紀事〉載：「六月二十二日，有十五位畢業生申請留校
　　　　繼續研究，經教務處會議議決准其繼續研究一年。後來到校註冊繼續研究
　　　　的有劉盼遂、周傳儒、姚名達、吳其昌、何士驥、趙邦彥、黃淬伯七
　　　　人。」筠如因已申請應聘廈門集美學校國學專門部專任教授職，故未擬留
　　　　校研究。可參看本年「九月」條。

六月二十三日，以甲一成績等級畢業。

　　案：〈清華國學研究院紀事〉載：「六月二十三日，研究院辦公室公布『畢業
　　　　生名單及成績等級表』和『畢業生成績一覽表』。
　　　　畢業生名單及成績等級表
　　　　楊筠如甲一，余永梁甲二，程憬甲三，吳其昌甲四，劉盼遂甲五，周傳儒

甲六，王庸甲七，徐中舒甲八，方壯猷甲九，高亨乙一，王鏡第乙二，劉
紀澤乙三，何士驥乙四，姚名達乙五，蔣傳官乙六，孔德乙七，趙邦彥乙
八，黃淬伯乙九，王嘯蘇乙十，聞惕乙十一，汪吟龍乙十二，史椿齡乙十
三，杜鋼百乙十四，李繩熙乙十五，謝星朗丙一，余戴海丙二，李鴻樾丙
三，陳拔丙四，馮德清丙五。

畢業生成績一覽表（共二十九名）

楊筠如　尚書覈詁　媵　春秋時代之男女風紀

余永梁　說文古文疏證　殷虛文字考　金文地名考

程　憬　二程的哲學　先秦哲學史的唯物觀　記魏晉間的哲學

吳其昌　宋代學術史（天文地理金石算學）　謝顯道年譜　朱子著述考
　　　　三統曆簡譜　李延平年譜　程明道年譜　文原兵器篇

劉盼遂　說文漢語疏　百鶴樓叢稿

周傳儒　中日歷代交涉史

王　庸　陸象山學述　四海通考

徐中舒　殷周民族考　徐安淮夷群舒考

方壯猷　儒家的人性論　章實齋先生傳　中國文學史論

高　亨　韓非子集解補正

王鏡第　書院通徵

劉紀澤　書目考　書目舉要補正

何士驥　部曲考

姚名達　邵念魯年譜　章實齋之史學

蔣傳官　曾滌生、胡詠芝之學術思想　春秋時代男女之風紀

孔　德　外族音樂流傳中國史　會意斠解　漢代鮮卑年表

趙邦彥　說文疏證

黃淬伯　說文會意篇

王嘯蘇　說文會意字　兩漢經學史

聞　惕　辜庵叢稿　爾雅釋例匡謬

汪吟龍　文中子考信錄　左傳田邑移轉表

史椿齡　孟荀教育學說

杜鋼百　周秦經學考

李繩熙　唐西域傳之研究

謝星朗　春秋時代婚姻的種類　春秋時代的戀愛問題

　　　　春秋時代親屬間的婚姻關係

余戴海　孟荀學說之比較

李鴻樾　金文地名之研究

陳　拔　顏李四書字義

馮德清　匈奴通史。」

據上二表所載，則清華學校國學研究院第一屆畢業生二十九人，其論文範
圍遍涉四部，而以經學為多。筠如名列榜首，所撰論文三篇，其中《尚書
覈詁》內容最為堅實，後經增訂，一九五九年（民國四十八年）六月陝西
人民出版社全本印行；〈滕〉則一九二七年（民國十六年）六月刊見《國
學論叢》第一卷、第一號；〈春秋時代之男女風紀〉，一九二八年（民國十
七年）三月刊見《國立第一中山大學語言歷史學研究所週刊》第二集第十
九期，此文雖與蔣傳宦所撰同題目，唯蔣文其後未見刊行，二者應各自成
篇，非盡雷同也。

六月二十五日，出席清華學校國學研究院第一屆畢業典禮，領取證書。

　　案：〈清華國學研究院紀事〉載：「六月二十五日，研究院舉行第一屆畢業典
　　　　禮。」又考〈清華國學研究院紀事〉所載「修改後的〈研究院章程提
　　　　要〉」第六條云：「學生研究期滿，其成績經教授考核認為合格者，由本院
　　　　給予證書，其上載明研究時限及題目，并由校長及教授簽字。」則筠如領
　　　　取之證書，其上有曹雲祥校長、王國維教授簽名，及其研究期限與所撰
　　　　《尚書覈詁》等論文題目。

六月二十六日，暑假開始。

　　案：〈清華國學研究院紀事〉載：「六月二十六日，暑假開始。」筠如離校返
　　　　湘，應在此日之後。

七月八日，陳寅恪抵清華。

　　案：〈清華國學研究院紀事〉載：「七月八日，陳寅恪到校，在吳宓陪同下拜
　　　　訪了趙元任、梅貽琦和王國維，並『游觀』了研究院。後住清華南院。」
　　　　筠如恐已離校，無緣晉謁陳寅恪。

九月，受聘廈門集美學校國學專門部為專任教授。

　　案：《集美學校七十年》載：「陳嘉庚先生于一九二一年創辦了廈門大學。四
　　　　月六日，廈門大學在集美學校禮堂舉行開學式，並假集美學校新落成的即
　　　　溫樓為校舍。創辦廈門大學後，他興辦集美學校的第四步規劃是辦大專院
　　　　校。一九二六年九月，他在集美學校開辦了國學專門部，招收舊制中學畢
　　　　業生四十四人，按照專門學校辦法，修業年限定為四年，聘楊筠如（湖南
　　　　人）、余永梁（四川人）、劉紀澤（江蘇人）等人為專任教授。」[13] 是此年
　　　　九月始，筠如與同窗余永梁、劉紀澤同任教於集美學校國學專門部。

九月十四日，研究院討論創辦《國學論叢》。

　　案：〈清華國學研究院紀事〉載：「九月十四日，研究院舉行第三次教務會
　　　　議，由梅貽琦主持，到會者王國維、梁啟超、趙元任、陳寅恪四位教授。
　　　　討論了補考生的補考問題、購置藏文藏經問題和創辦季刊問題。所謂『季
　　　　刊』，即後來創辦的《國學論叢》。『《國學論叢》為本院定期出版品之一，
　　　　內容除各教授著作外，凡本院畢業生成績之佳者，均予刊載。由梁任公先
　　　　生主撰。』（《國學論叢》第一卷第一號）」筠如固屬「畢業生成績之佳
　　　　者」，故所撰〈媵〉一文即刊見《國學論叢》第一卷第一號。

十二月三日，王國維五十生辰，親友、門生均往致賀。

　　案：〈清華國學研究院紀事〉載：「十二月三日，為王國維先生五十生辰，親
　　　　友及門生均往致賀。月中，招其門生茶會於工字廳，出漢、魏、唐、宋石

13　《集美學校七十年》，（福州市：福建人民出版社，1983年）唯《常德縣志》卷28、〈人
　　物〉「楊筠如」條載：「畢業後，由業師梁啟超介紹，在集美中學任教。」二者微有出
　　入，應以《集美學校七十年》所載為準。

經墨本多種，以示諸同學，并講述石經歷史及源流。」筠如理宜往賀，然亦未可知也。

一九二七年（民國十六年　丁卯）二十四歲

四月，王國維所編撰《清華學校研究院講義》油印本出版。

案：〈清華國學研究院紀事〉載：「四月，王國維編撰《清華學校研究院講義》（民國十四年至十六年四月）油印本一冊，其目錄為：古史新證、中國歷代之尺度、莽量釋文、散氏盤考釋、盂鼎銘考釋、克鼎銘考釋、毛公鼎銘考釋、蜀石經殘拓本跋、釋樂次、小盂鼎釋文、兮甲盤釋文（「兮」誤作「弓」，逕改）、虢季子白盤釋文、不𡢁敦釋文（「𡢁」誤作「娶」，逕改）、師𡧃敦釋文（「𡧃」誤作「𡨄」，逕改）、宗周鐘釋文、𩵋𩵋馭方鼎釋文、白犀父卣釋文、彔卣釋文、齊鎛釋文、王孫遺諸鐘釋文、沇兒鐘釋文、邾公牼鐘釋文（「牼」誤作「𤙡」，逕改）、虢叔旅鐘釋文、克鐘釋文、說文今敘篆文合以古籀說、史籀篇疏證序、戰國時秦用籀文六國用古文說、西吳徐氏印譜序。清華研究院辦公室代輯。」此書即一九九四年十二月北京清華大學出版社出版之《古史新證——王國維最後的講義》，惟後者增裘錫圭〈前言〉與季鎮淮〈跋〉，又附錄孫敦恆提供，分別由吳其昌、劉盼遂所撰文章七篇。筠如必購《講義》，以資參研。

五月間函請王國維為《尚書覈詁》賜序。

案：〈尚書覈詁自序〉曰：「爾後南遊閩海，以暇暑復加鑪削，重郵故京，蘄先師詳為指政。承先師錫以序文，加以批語，甫歸予於鷺島，而先師即自沈於鼎湖。從此問字無門，痛心可想矣！」筠如南遊閩海，移居鷺島，指於集美學校國學專門部任教。〈自序〉之「先師」，即王國維；「鷺島」即廈門；「鼎湖」指頤和園昆明湖。國維之〈序〉，末署「丁卯四月」，即陽曆一九二七年五月，〈序〉寄歸廈門集美，未幾而國維殉清，其寄抵日期應在六月二日前。

至王國維所撰〈尚書覈詁序〉，其文曰：「古經多難讀，而《尚書》為最。伏生今文之學，其傳為歐陽、大、小夏侯，各有《章句》。而孔安國本傳

伏生之學，別校以壁中古文，為一家。傳至賈、馬、鄭、王，各有修正。今今古文諸家之學並亡，然傳世之偽《孔傳》，殆可視為集其大成者也。然有今古文之說，而經書之難讀如故也。偽孔之學，經六朝而專行于唐。而宋，而歐陽永叔、劉原父始為新學；而蘇氏之《傳》、王氏之《新義》、林氏之《集解》，皆脫注疏束縛，而以己意說經，朱子草創《書傳》，多採其說。朱《傳》雖未成，而蔡氏《集傳》，可謂集其大成者也。蔡氏之書，立于學官者又數百年，然書之難讀仍如故也。至近世，閻、惠二氏始證明孔本及《傳》之偽，王氏、江氏復蒐輯馬、鄭之說，段氏、孫氏又博之以歐陽、夏侯氏之說，而高郵王氏父子，涵泳經文，求其義例，所得尤多。德清、瑞安，並宗其學，惜尚未有薈萃而畫一之如孔、蔡二《傳》者。惟長沙王氏雖有成書，然網羅眾說，無所折衷，亦頗以繁博為病。門人常德楊筠如近作《尚書覈詁》，博采諸家，文約義盡，亦時出己見，不媿作者。其於近三百年之說，亦如漢、魏諸家之有《孔傳》，宋人之有《蔡傳》，其優于《蔡傳》，亦猶《蔡傳》之優于《孔傳》，皆時為之也。筠如英年力學，異日當加研求，著為定本，使人人聞商、周人之言，如鄉人之相與語，而不苦古書之難讀，則孔、蔡二《傳》，又不足道矣。丁卯四月，海寧王國維。」王氏此〈序〉，歷而評述自漢迄清《尚書》章句學之源流及情狀甚備悉，〈序〉末不惟於《尚書覈詁》推譽頗高，而於筠如其人之期盼，尤為深切也。師恩如海，於斯見之矣！

六月二日，王國維自沉頤和園昆明湖。

案：〈清華國學研究院紀事〉載：「六月二日，清華浙江同鄉會集會歡送研究院畢業之同鄉。會間噩耗傳來，校長曹雲祥向與會同鄉宣布：『頃聞同鄉王靜安先生自沉頤和園昆明湖，蓋先生與清室關係甚深也。』眾人聞訊，不禁歎息。校長曹雲祥、教務長梅貽琦即率研究院教授、助教諸先生及學生三十餘人，乘汽車前往察看遺體，梁漱溟先生亦隨行。及至頤和園，即因時間已至夜間十時左右，門衛只准校長等三人入內，其餘原車返回學校。」王國維殉清後，清華學校國學研究院梁啟超、陳寅恪、吳宓、王

力、姚名達等師生各有挽詩、挽聯以表哀悼；徐中舒、柏生（即劉節）亦
為文以申哀思，筠如時在廈門集美，未見致挽。

同月，所撰〈媵〉刊載《國學論叢》第一卷第一號。

　　　案：〈清華國學研究院紀事〉載：「六月，清華學校研究院季刊《國學論叢》
　　　　　第一卷第一號問世，本期內容，梁啟超〈王陽明知行合一之教〉、王國維
　　　　　〈桐鄉徐氏印譜序〉、吳其昌〈宋代之地理史〉、楊筠如〈媵〉、徐中舒
　　　　　〈從古書中推測之殷周民族〉、王鏡第〈書院通徵〉、劉盼遂〈淮南子許注
　　　　　漢語疏〉、何士驥〈部曲考〉、周傳儒〈中日歷代交涉史〉、余永梁〈殷周
　　　　　文字考〉、衛聚賢〈左傳之研究〉、陳守寔〈明史稿考證〉、鄭宗棨〈鴉片
　　　　　之源流〉、陸侃如〈二南研究〉、謝國楨〈顧亭林先生學侶考序〉、顏虛心
　　　　　〈陳同父生卒年月考〉、陸侃如〈跋古層冰陶靖節年譜〉及〈研究院紀
　　　　　事〉。」〈媵〉，乃筠如畢業所撰論文三篇之一。媵者，妾之謂也。

十一月十五日，王國維〈尚書覈詁序〉刊見《國立第一中山大學語言歷史學
研究所週刊》第一集第三期。

　　　案：刊見《週刊》之王〈序〉，與其後載《尚書覈詁》書首者，文字略有異
　　　　　同，即署年作「丁卯首夏」，亦與作「丁卯四月」稍異。此〈序〉應為筠
　　　　　如送交《週刊》刊載者。其翌年則有「羊城之遊」，是筠如將離廈門集美
　　　　　而任教國立第一中山大學矣。

一九二八年（民國十七年　戊辰）二十五歲
作羊城之遊，執教廣州市國立第一中山大學。

　　　案：〈尚書覈詁自序〉曰：「翌年有羊城之遊，因以此書之一部，刊于中山大
　　　　　學《語言歷史週刊》。」〈自序〉之「翌年」，乃指一九二七年之隔年；「羊
　　　　　城」即廣州。〈自序〉雖未明言任教國立第一中山大學，唯由本年三月
　　　　　起，以迄一九二九年八月，筠如論文屢見載中山大學《週刊》，是其任教
　　　　　該校至少二年之證。如謂王國維〈尚書覈詁序〉一九二七年十一月十五日
　　　　　已見載《週刊》，乃屬筠如送交稿件，則此日期之前後，筠如或已抵達羊

城矣。

三月，發表〈春秋時代之男女風紀〉於《國立第一中山大學語言歷史學研究所週刊》第二集第十九期。

> 案：此文乃筠如畢業論文三篇之一。頗疑筠如任教者乃國立第一中山大學之語言歷史學研究所。

同月，發表〈周代官名略考〉於《國立第一中山大學語言歷史學研究所週刊》第二集第二十期。

同月，發表〈三老考〉於《國立第一中山大學語言歷史學研究所週刊》第二集第二十一期。

> 案：〈媵〉、〈周代官名略考〉、〈三老考〉皆屬古代歷史制度之研究。

八月，清華學校改名國立清華大學。國學研究院定下年度停辦。

> 案：〈清華國學研究院紀事〉載：「八月，南京國民政府決定清華學校改為國立清華大學，任命羅家倫為清華大學校長。清華學校完成向清華大學的過渡。……清華國學研究院下年度停辦已定，校務會議沒有再指定由誰來主持研究院院務！」

十一月，發表《尚書覈詁》（一）於《國立第一中山大學語言歷史學研究所週刊》第五集第五十三、五十四期。

同月，發表《尚書覈詁》（二）於《國立第一中山大學語言歷史學研究所週刊》第五集第五十五期。

十二月，發表《尚書覈詁》（三）於《國立第一中山大學語言歷史學研究所週刊》第五集第五十七、五十八期。

同月，發表《尚書覈詁》（四）於《國立第一中山大學語言歷史學研究所週刊》第五集第五十九、六十期。

> 案：《尚書覈詁》凡分四卷：卷一〈虞夏書〉，卷二〈商書〉，卷三〈周書〉上，卷四〈周書〉下。雖已分四次發表於《國立第一中山大學語言歷史學研究所週刊》，然證以〈尚書覈詁自序〉「因以此書之一部，刊于中山大學

《語言歷史週刊》」之說，則所已發表者猶非全書。

同月，發表〈堯舜的傳說〉（一）於《國立第一中山大學語言歷史學研究所週刊》第五集第五十九、六十期。

同月，發表〈堯舜的傳說〉（二）於《國立第一中山大學語言歷史學研究所週刊》第六集第六十一期。

　　案：〈堯舜的傳說〉屬上古史傳說研究類，與《尚書覈詁》卷一〈虞夏書〉之〈堯典〉第一、〈皋陶謨〉第二頗有關涉。

一九二九（民國十八年　己巳）二十六歲
一月十九日，梁啟超病逝北平協和醫院

　　案：〈清華國學研究院紀事〉載：「一月十九日，梁啟超病逝於北平協和醫院。因政局之變化，喪事頗冷落。吳宓在《空軒詩話》中說：『梁先生為中國近代政治文化史上影響最大之人物。其逝也，反若寂然無聞，未能比於王靜安先生受人哀悼。吁！可怪哉！』」筠如除獲王國維鍾愛，亦為梁任公所激賞，〈尚書覈詁自序〉謂《覈詁》四卷草成，「梁師任公先生亦許以高出江、王、孫、段四家之上」。江指江聲（艮庭），撰《尚書集注音疏》十二卷；王指王鳴盛（西莊），撰《尚書後案》三十卷；孫指孫星衍（淵如），撰《尚書今古文注疏》三十卷；段指段玉裁（若膺），撰《古文尚書撰異》三十二卷。王、梁兩師同聲褒譽其書，無怪筠如畢業為榜首也。

同月，發表〈兩漢賦稅考〉於《國立第一中山大學語言歷史學研究所週刊》第六集第六十六期。

三月，發表〈讀何定生君《尚書文法研究專號》〉於《國立第一中山大學語言歷史學研究所週刊》第六集第七十二期。

五月，發表〈姜姓的民族和姜太公的故事〉於《國立第一中山大學語言歷史學研究所週刊》第七集第八十一期。

六月二日，王國維去世二周年，清華學校國學研究院師生集資建「海寧王靜

安先生紀念碑」。

　　案：〈清華國學研究院紀事〉載：「六月二日，在王國維去世二週年的日子
　　　　裏，清華國學研究院師生集資，於清華園內工字廳東南土坡上建一『海寧
　　　　王靜安先生紀念碑』，紀念碑由梁思成設計，陳寅恪撰文，林志鈞書丹，
　　　　馬衡篆額。碑文是：『海寧王先生自沉二年，清華研究院同人感懷不能自
　　　　已，其弟子受先生陶冶煦育者有二年，尤思有以永其念，僉曰宜銘之貞
　　　　珉，以昭示於無竟，因以刻石之辭命寅恪。數辭不獲已，謹舉先生之志
　　　　事，以普告天下後世。其詞曰：士之讀書治學，蓋將以脫心志于俗諦之桎
　　　　梏，真理得以發揚，思想而不自由，毋寧死耳。斯古今仁聖所同殉之精
　　　　義，夫豈庸鄙之敢望？先生一死見其獨立自由之意志，非所論于一人之恩
　　　　怨，一姓之興亡。嗚呼！樹茲石于講舍，繫哀思而不忘，表哲人之奇節，
　　　　訴真宰之茫茫。來世不可知者也，先生之著述或有時而不章，先生之學說
　　　　或有時而可商，惟此獨立之精神、自由之思想，歷千萬禩，與天壤而同
　　　　久，共三光而永光。』此碑今仍矗立於清華校園內。」筠如固陶冶煦育而
　　　　受師恩於靜安先生最深者也，則是次建碑以永其念，想必樂意參與集資，
　　　　俾竟其功。

六月底，清華學校國學研究院正式結束。

　　案：〈清華國學研究院紀事〉載：「六月底，清華國學研究院正式宣告結
　　　　束。……清華國學研究院結束後，陳寅恪改任清華大學中文、歷史兩系合
　　　　聘教授，趙元任被中央研究院聘為歷史語言研究所研究員兼語言組主任，
　　　　其他教職員也都擔起了新的工作。前後四屆七十多名畢業生，或執教，或
　　　　從事研究，後來大都成為我國在語言學、史學、哲學、古文字學、考古學
　　　　等方面的著名專家學者，為國學的繼往開來做出了貢獻。」筠如亦屬畢業
　　　　生中能傳承師業，而在經史學方面有較大成就與貢獻之專家學者。

七月，發表〈周公事迹的傳疑〉於《國立第一中山大學語言歷史學研究所週
刊》第八集第九十一期。

八月，發表〈春秋初年齊國首稱大國的原因〉於《國立第一中山大學語言歷

史學研究所週刊》第八集第九十二、九十三期。

　　案：筠如任教國立第一中山大學語言歷史學研究所兩年中，發表論文多屬上古

　　　　歷史之探討；如其〈堯舜的傳說〉、〈周公事　的傳疑〉諸篇，所采用研究

　　　　方法，顯受當時古史辨派疑古學風之影響。

一九三〇年（民國十九年　庚午）二十七歲

本年起，將《尚書覈詁》重加訂補，擬付剞劂，而終不果行。

　　案：〈尚書覈詁自序〉云：「翌年有羊城之遊，因以此書之一部，刊于中山大

　　　　學《語言歷史週刊》。又得仲容、益吾二先生之書，知尚有可取者。重加

　　　　訂補，由友人顧頡剛先生介于上海某書肆，疑付諸剞劂，質之大雅，以為

　　　　引玉之資。尋後悔其孟浪，索歸敝簏，決作覆瓿之計矣。」據是，則筠如

　　　　利用仲容、益吾二家書重加訂補其《覈詁》，其事乃在將部分《覈詁》發

　　　　表於《國立第一中山大學語言歷史學研究所週刊》後，亦即一九二九十二

　　　　月以後。〈自序〉所言之仲容，即孫詒讓，撰有《尚書駢枝》一卷；益

　　　　吾，即王先謙，撰有《尚書孔傳參正》三十六卷。筠如知用孫、王二家書

　　　　以作訂補，實受王國維〈序〉所啟示。惟益吾書多至三十六卷，國維責以

　　　　「網羅眾說，無所折衷，亦頗以繁博為病」，所責或非過言也。

四月，旅居日本東京，翻譯桑原騭藏〈由歷史上觀察的中國南北文化〉為漢
文。

　　案：筠如譯文有〈跋〉曰：「此文揭於白馬博士還曆紀念（大正十四年十一月）

　　　　《東洋史論叢》。雖著者自認為粗枝大葉，但此種通論非一般泛論可比，

　　　　自有精到之處，用特譯出，以介紹於邦人。民國十九年四月一日譯於東京

　　　　寓次。」是知筠如通日語，其時客寓於日本首都東京。至其何時赴日，又

　　　　何時返回中國，則不可確知。惟翌年九月，筠如已受聘青島大學，想必之

　　　　前已回國。[14]

---

14 《常德縣志》，卷二十八，〈人物〉「楊筠如」條載：「不久，赴日本留學。」是則留學
　必在此年或之前不遠。

七月，所譯桑原騭藏〈由歷史上觀察的中國南北文化〉，發表於《國立武漢大學文哲季刊》第一卷第二號。[15]

所撰《九品中正與六朝門閥》，由商務印書館出版。

> 案：此書與王伊同《五朝門第》為同類型之專著，王書至一九四三年始由金陵大學中國文化研究所出版，晚於楊書十三年。

一九三一年（民國二十年　辛未）二十八歲

九月，受聘青島大學文學院，為專任講師。

> 案：聞黎明、侯菊坤編《聞一多年譜長編》一九三一年九月條載：「這學年，青島大學文學院新聘講師有趙少侯、游國恩、楊筠如、梁啟勳、沈從文、費鑒照，兼任教師有孫承謨、蘇保志、孫方錫、張金梁、劉崇璣，教員有譚紉就。（據《青島大學一覽・職教員錄》，一九三一年度）」[16]是此年九月起，筠如任教青島大學[17]

所撰《荀子研究》，由商務印書館出版。

> 案：筠如此書對日本學者研究《荀子》頗有影響。佐藤將之二〇〇三年十二月於《國立政治大學學報》第十一期發表〈二十世紀日本荀子研究之回顧〉中云：「當時的中國，尤其是從『古史辨』學派對《荀子》本文的分析來的。其中對日本影響最大的，是胡適以及楊筠如。……楊筠如把胡適對《荀子》的懷疑推衍得更為極端。他注意到，《荀子》一書中與《韓詩外傳》、《大戴禮記》重複的段落甚多，而結論說：現本《荀子》是由《韓詩

---

15 桑原騭藏著，楊筠如譯：〈由歷史上觀察的中國南北文化〉，《國立武漢大學文哲季刊》（臺北市：臺灣學生書局，1970年），第1卷第2號，頁281-360。

16 聞黎明、侯菊坤編：《聞一多年譜長編》（武漢市：湖北人民出版社，1994年），頁415。

17 《常德縣志》，卷28，〈人物〉「楊筠如」條載：「回國後，歷任廈門、中山、暨南、青島、河南、四川、湖南各大學講師、教授。」據是，則筠如任教青島大學前，又曾任教暨南大學，惜未能詳悉其年月。至《常德縣志》此條所載頗有錯誤，蓋筠如任教廈門、中山均在赴日之前，而非從日本回國後。《常德縣志》此條尚載有筠如教學期間「又東渡日本考察教育一年」之說，其確實年月均未詳述，不可考矣。

外傳》、《大戴禮記》等漢代的文獻湊成一本的書，所以其內容自然並不代
表荀子本人的思想。總之，在日本早期的荀子研究，或多或少都意識到胡
適與楊筠如兩人的主要觀點。」[18]由此條所記，則筠如研究《荀子》，亦頗
受胡適及當時「古史辨」學派所影響。

一九三三（民國二十二年　癸酉）三十歲
夏間，任教開封市省立河南大學，以《尚書》授諸生，並取高亨、裴學海、
于省吾三家之說，擇其善者，以改《尚書覈詁》之舊說。

案：〈尚書覈詁自序〉曰：「癸酉之夏，北來中州，與同門高晉生先生相遇，
取予舊稿讀之，勉其完成，以無負先師之意，因復取為中州諸生課之。而
晉生先生於〈堯典〉諸篇，時亦出其新誼。予因觸類旁通，復能間有所
獲。同時若同門裴會川先生有《尚書成語之研究》，海城于省吾氏亦有
《尚書新證》問世。裴書多殫聲韻，略近高郵；于書證以彝鼎，亦法先
師。雖予獲讀二書較遲，未能盡採，但已擇其善者改予舊說，以視皮、王
二氏之輯，似又稍備矣。」〈自序〉所言之「高郵」，即王念孫、引之喬
梓；「高晉生」，即高亨；「裴會川」，即裴學海；而于省吾則字思泊，筠如
或猶之未知者也。「皮、王二氏之輯」一語，乃指皮錫瑞《今文尚書考
證》三十卷，與王先謙《尚書孔傳參正》三十六卷。

一九三四年（民國二十三年　甲戌）三十一歲
四月，撰〈尚書覈詁自序〉。

案：〈尚書覈詁自序〉曰：「《尚書》非一時之作，其中方言非一代可賅。然皆
遠出先秦，詞多雅古，自昔苦其詰屈，續學未能精知。博士馬、鄭而下，
穎達、朱、蔡之儔，詮釋雖多，條達蓋寡。遜清樸學昌明，大師輩出，段
若膺、陳樸園訂其異同，江艮庭、王西莊、孫淵如、簡竹居集其訓詁，而
高郵王氏父子、德清俞氏、瑞安孫氏，抽繹諸經，尤多創獲。吾湘善化皮

18 佐藤將之：〈二十世紀日本荀子研究之回顧〉，《國立政治大學學報》第11期（2003
年），頁43。

氏、長沙王氏，網羅異說，亦稱功臣。但既駢枝後出，為新注所未收，而
又膠柱陳言，即大師亦難免焉。先師海寧王靜安先生講學故京上庠，以此
循誘後進，博考甲文金銘，所獲遠邁前修。予於此時親炙師說，旁考遜清
諸家，間附己見，草成《覈詁》四卷，先師頗獎其勤，而梁師任公先生亦
許以高出江、王、孫、段四家之上。實則此時尚未獲籀仲容、益吾兩先生
之書，其所蒐錄，尚多未備也。爾後南遊閩海，以暇晷復加雠削，重郵故
京，靳先師詳為指政。承先師錫以序文，加以批語，甫歸於鷺島，而先師
即自沉於鼎湖。從此問字無門，痛心可想矣！翌年有羊城之遊，因以此書
之一部，刊于中山大學《語言歷史週刊》。又得仲容、益吾二先生之書，
知尚有可取者。重加訂補，由友人顧頡剛先生介于上海某書肆，擬付諸剞
劂，質之大雅，以為引玉之資。尋後悔其孟浪，索歸敝篋，決作覆瓿之計
矣。癸酉之夏，北來中州，與同門高晉生先生相遇，取予舊稿讀之，勉其
完成，以無負先師之意，因復取為中州諸生課之。而晉生先生於〈堯典〉
諸篇，時亦出其新誼，予因觸類旁通，復能間有所獲。同時若同門裴會川
先生有《尚書成語之研究》，海城于省吾氏亦有《尚書新證》問世。裴書
多彈聲韻，略近高郵；于書證以彝鼎，亦法先師。雖予獲讀二書較遲，未
能盡採，但已擇其善者改予舊說，以視皮、王二氏之輯，似又稍備矣。然
而自信可通者，尚不十之四五，求如先師所謂如鄉人之相與語者，尚未有
可以道里計也。甲戌孟夏，楊筠如自序於河南大學。」讀此〈序〉，可悉
筠如撰寫及訂補其書之辛勤；至其〈序〉評騭古今治《尚書》諸家之優劣
與良窳，所言亦深中肯綮，較之其師〈序〉所述說者，楊文洋洋灑灑處，
似差堪比肩也矣。

同時，又撰〈尚書覈詁凡例〉。

　　案：筠如〈尚書覈詁凡例〉曰：「一、本書對於偽古文《尚書》溢出今文二十
　　　　八篇原文之外者，概行割愛不取，以省讀者之腦力，亦以還原《尚書》之
　　　　本來面目。二、本書分篇，係根據馬、鄭本，參以《史記》諸書，如〈盤
　　　　庚〉分為三篇，史公與鄭本相同，《漢石經》亦空一格，以示不相連屬，

茲亦定為三篇。〈康王之誥〉，大、小夏侯及歐陽本與〈顧命〉合篇，茲仍
馬、鄭本之舊，分『王若曰』以下為〈康王之誥〉，故較今文二十八篇，
溢出三篇，實計三十一篇。三、本書篇次，亦係根據馬、鄭本，故〈金
縢〉次于〈大誥〉之前，與《大傳》之次序不同；〈粊誓〉亦移次〈呂
刑〉之前，不從偽古文本。四、本書既名『覈詁』，故對於各家師說，概
不墨守，惟求與經旨相協，其文字異同，亦不專從一家一本，兼采今古文
以及日本所藏古本、敦煌所出諸隸古定本，以取其長，而求其當。五、本
書為求真起見，對於訓詁，務求有所根據，除甲文、金石文例之外，所用
字義，皆用唐人以前之訓詁。每字上並標明所引原書，冀免鑿空之病。
六、本書僅於每句艱深之字，加以考釋，不復逐字逐句詳為解說，以免卷
帙浩繁，反令讀者忘本經用意所在。惟對於異文，則大致並錄，以備參
考。七、本書為補救簡略之弊，采用新式符號，庶使句讀既明，文義自
顯。」[19]此處所訂凡例共七條：第一條言其書僅采今文，割愛古文；第二
條言書之分篇；第三條言書之篇次；第四條言其書訓詁不墨守師說，而所
用版本亦不專從一家；第五條言其書訓釋字義僅用唐人以前訓詁，並標明
引書出處；第六條言其書僅考釋艱深文字，不逐字逐句解說；第七條言全
書采用新式標點符號。讀〈凡例〉後，固可審悉《尚書覈詁》著作之規例
也。

將《尚書覈詁》前半部，與裴學海《老子正詁》，交北平北強學社合印出
版。

　　案：李學勤〈尚書覈詁新版序〉曰：「我在一九四九年前後見到的《尚書覈
　　　　詁》，又是一種本子。這是《北強月刊》的特輯，有《覈詁》的前半，與
　　　　裴學海的《老子正詁》合印在一起。這個本子我多次閱讀，極多獲益。」
　　　　[20]學勤所見即此本。

其後，北強學社又出版《尚書覈詁》單行本。

　　案：民國二十四年十二月三十一日，《浙江省立圖書館館刊》第四卷第六期發
　　　　表童書業〈評楊筠如著《尚書覈詁》〉，文首注明所據者乃「北強學社印
　　　　本」，童文於文末又云：「復次，尚有一事須提出者，即本書內容雖佳，而
　　　　印刷則劣；且校對疏忽，錯字極多，殊不便於學者。深望再版時能重校正
　　　　也。」足見童氏所得而讀者乃《尚書覈詁》北強學社之單行本，而絕非其
　　　　前所版行之楊、裴二書合印本。唯此單行本多有不如人意處，故童氏特予
　　　　指出，以期改正。

一九三五年（民國二十四年　乙亥）三十二歲

《尚書覈詁》（續），發表於《北強月刊》。

　　案：此文未見，僅據余秉權《中國史學論文引得續編——歐美所見中文期刊文
　　　　史哲論文綜錄》所著錄。[21]

十二月三十一日，童書業〈評楊筠如著《尚書覈詁》〉發表於《浙江省立圖
書館館刊》第四卷第六期。

　　案：童文末尾署年為「二十四、十、二十五，於燕大」，即民國二十四年十月
　　　　二十五日，其時童氏任教燕京大學。童文評《尚書覈詁》曰：「楊著本書
　　　　據〈自序〉完成於民國二十三年（甲戌），而草創於若干年之前，蓋積長
　　　　時間之研究，始成為定本者也。其書一部分曾發表於中山大學《語言歷史
　　　　週刊》，今本則較舊本更勝。書首載王國維先生〈序〉，謂此書『於近三百
　　　　年之說，亦如漢魏諸家之有《孔傳》，宋人之有《蔡傳》；其優於《蔡
　　　　傳》，亦猶《蔡傳》之優於《孔傳》，皆時為之也』。王先生之言，可謂是
　　　　書的評。蓋《尚書》自古即苦難讀，馬、鄭之注尚矣，今不復得見；而
　　　　《孔傳》則庸劣不堪卒讀，《蔡傳》雖遠勝偽孔，然限於時代，則考證未
　　　　周，亦未可謂完善之注；清儒思精學博，其諸經新釋凌漢壓宋，顧多拘泥
　　　　于家法，其說亦時若有難通者。楊君此書折衷諸家，不姝守一先生之言，

21　同註6。

旁通博徵，是其特長（又楊書對於異文大致並錄，亦便學者）；然所注往
往求之過深，反失其解（此病〈堯典〉諸篇尤甚，〈周書〉以下實為全書
最善之部，而〈大誥〉等篇解釋更佳）。而其精斷則固可稱矣。茲舉〈堯
典〉一篇評其得失如次以為例（其〈周書〉各篇解釋之佳，讀者自
知）。……」[22]是童氏以為楊書多精斷處，所注雖往求之過深，而得失互
見，然楊氏全書實瑕不掩瑜也。

一九三六年（民國二十五年　丙子）三十三歲
任教國立四川大學。

　　案：民國二十六年四月，國立清華大學校長辦公室印行之《清華同學錄》「楊
　　　　筠如」條，筠如自署職稱為「成都國立四川大學教授」，則其任此職必在
　　　　民國二十六年前，姑列其任川大教授於此年；因至民國二十六年，筠如已
　　　　邅返常德，則其任教川大，為時甚暫。

一九三七年（民國二十六年　丁丑）三十四歲
抗日戰爭爆發，邅返常德，多有建樹。而任教湖南大學應在此年或稍後。

　　案：《常德縣志》卷二十八、〈人物〉「楊筠如」條載：「民國二十六年，抗日
　　　　戰爭爆發，先後擔任過常德縣立中學校長、移芝中學校長、常德縣參議會
　　　　參議員。……任參議員時，對於地方興革多有建議。」筠如任教湖南大學
　　　　或在此時。據《常德縣志》同條載筠如嘗著《中國通史》，由湖南大學石
　　　　印行世。

一九四〇年（民國二十九年　庚辰）三十七歲
七月十五日，發表〈元代對於西南特區之開發〉於鄂湘川黔邊區綏靖主任公
署印行之《邊聲月刊》第一卷第二期。

一九四六年（民國三十五年　丙戌）四十三歲
七、八月間去世。時或任教西北大學。

---

22 童文又發表於《天津益世報》〈讀書週刊〉，1939年11月14日；後收入童書業著，童教
　英整理：《童書業史籍考證論集》（北京市：中華書局，2005年），頁643-647。

案：楊樹達《積微居回憶錄》一九四六年十二月二十四日條載：「王疏庵告
　　余：楊德昭（筠如）七、八月間逝去。楊著《尚書覈詁》，頗為王靜安所
　　稱賞。時同學數十人，王以楊為首選。近年頹放，酷嗜雀牌，學遂不進。
　　社會無學術環境，誘導之者皆惡事，致令優秀之士不能有大成就而死，個
　　人與社會當分負其責者也。」[23] 據是，則筠如是年七、八月間卒，年僅四
　　十有三耳。王疏庵，即王嶠，湖南長沙人，筠如清華學校國學研究院第一
　　屆同窗，字嘯蘇，號笑疏、疏庵，與楊樹達同鄉里，故所言可信。至筠如
　　卒前任教西北大學、則據李學勤〈尚書覈詁新版序〉，學勤謂筠如「終老
　　於西大」，所說似應有本。

---

23 楊樹達：《積微居回憶錄》（上海市：上海世紀出版公司，2006年），頁250-251。此條
　　承楊逢彬教授（楊樹達裔孫）賜告，特此鳴謝。

譜後

一九五九年（民國四十八年　己亥）

六月，陝西人民出版社印行《尚書覈詁》四卷全本。

> 案：李學勤〈尚書覈詁新版序〉曰：「《尚書覈詁》的一九五九年版是四卷全
> 本，但僅印兩千冊，流傳有限，尤其是大家都知道那時的物質條件，紙墨
> 都不理想，也難免誤植之處。我自己收藏的一部，儘管著意保護，還是有
> 不少地方焦酥裂碎了。」是學勤認為陝西人民出版社印行之《尚書覈
> 詁》，不但印量少，流傳不廣，且紙墨與校讎亦多不理想。

一九六五年（民國五十四年　乙巳）

臺灣商務印書館出版《荀子研究》，乃臺一版。

一九七〇年（民國五十九年　庚戌）

臺灣商務印書館重印《荀子研究》，乃臺二版。

一九七八年（民國六十七年　戊午）

臺北市學海出版社重印《尚書覈詁》。

一九九二年（民國八十一年　壬申）

上海古籍出版社出版《民國叢書》，其第四編收入《荀子研究》。

二〇〇五年（民國九十四年　乙酉）

四月二十二日，北京舉行「清華國學研究院與二十一世紀中國學術討論
會」，李學勤發表開幕詞〈深入探討清華國學研究院的成就和經驗〉。

十二月，陝西人民出版社出版由黃懷信標校之《尚書覈詁》。

> 案：李學勤〈尚書覈詁新版序〉載：「『文革』過後，屢次有朋友或學生詢問怎
> 樣能得到《尚書覈詁》。一次西安會晤陝西人民出版社領導，談到學術界
> 這方面的要求，蒙其慨允重版，並託我協助整理，在當時還很不方便的情
> 況下，提供我一部複印本，以資校改。然而我工作繁多，竟再三拖延，未
> 能著手，內心常覺媿之。前些時候，我把這項工作轉託給黃懷信教授，他

訢然允可，旋即全力投入，終使此書新版順利付梓。」可悉此書得以出新
版之過程。〈新版序〉又曰：「由黃懷信教授負責《覈詁》的整理，是再適
當也沒有的。他多年研究和整理古籍，廣有經驗，對《尚書》更下過很大
工夫，著有《尚書注訓》。同時他是西北大學出身的，而楊筠如先生正終
老於西大，整理《覈詁》可謂對母校傳統的推闡發揚。」李學勤此段話予
吾人一重要訊息，即筠如曾任教西北大學，照時間推算應在一九四六年
（民國三十五年　丙戌）七、八月前。唯其時筠如四十三歲，不應稱「終
老」。是李學勤於筠如事　所知亦未盡精確也。

二〇〇八年（民國九十七年　戊子）

五月十八日，《南方都市報》發表胡文輝〈現代學林點將錄・正榜頭領之五
十一——地強星錦毛虎燕順徐中舒〉。

> 案：胡文中有云：「在民初學術史上，王國維藉古文字而治古史，異軍突起，
> 震動一世。當日親炙教澤，各有所成者甚多，僅王氏在清華大學國學研究
> 院的門下士，即有楊筠如、朱芳圃、劉盼遂、徐中舒、衛聚賢、高亨、劉
> 節、姜亮夫、吳其昌、余永梁、戴家祥諸人，皆現代學林的生力軍。其中
> 最能得王氏氣象者，其惟徐氏乎？」胡氏此文著意表彰徐中舒，惟其文中
> 列示出之王門眾弟子名單，仍不能不以楊筠如為榜首，足證筠如在王門群
> 弟子中猶穩佔其魁星之地位。

　　以上已將所知悉筠如事跡，用繫年法排比資料整理完竣。以下擬就繫年
資料，為筠如撰一小傳，用以結束全篇。

　　楊筠如乃現代較著名之經史學家、教育家，與子學、理學研究者。

　　筠如，字德昭，湖南省常德縣人。生於清光緒二十九年（一九〇三年
癸卯），其家世及早年生活，多不可考。

　　民國七年（一九一八年　戊午），考入湖南省立第二中學。

　　大學時代，就讀南京東南大學國文系，嘗撰〈評荀孟哲學〉、〈孔子仁
說〉、〈伊川學說研究〉，發表於東南大學《國學叢刊》，藉著聲聞，並打下學
術研究之初基。

　　民國十四年（一九二五年）七月，考入清華學校國學研究院，追隨國學大師王國維教授治學，研究《尚書》，撰成畢業論文《尚書覈詁》四卷，深獲王國維、梁啟超褒譽，成績為全研究院之冠，遠出同窗吳其昌、徐中舒、劉盼遂、高亨之上。

　　畢業後，先後執教廈門集美學校國學專門部、廣州國立第一中山大學、暨南大學、青島大學、省立河南大學、國立四川大學、湖南大學、西北大學，桃李滿門，對高等教育卓具貢獻。

　　教學之暇，勤奮著述，所刊行及發表經學論著有《尚書覈詁》，〈讀何定生君《尚書文法研究專號》〉，其《尚書覈詁》一書，尤備受王國維、梁啟超、童書業讚許；史學論著有《中國通史》，另如〈堯舜的傳說〉、〈周公事迹的傳疑〉、〈姜姓的民族和姜太公的故事〉、〈周代官名略考〉、〈媵〉、〈三老考〉、〈春秋時代之男女風紀〉、〈春秋初年齊國首稱大國的原因〉、〈西漢賦稅考〉、《九品中正與六朝門閥》，內容多屬研探古代史事，或考證典制。間亦研治元代邊疆史地，撰有〈元代對於西南特區之開發〉。至其研究方法，則頗受「古史辨派」之影響；子學專著有《荀子研究》。其《荀子研究》，考究出《荀子》一書乃以漢代文獻如《韓詩外傳》、《大戴禮記》等堆湊而成，殊不足以代表荀子本人思想。日本學者於上世紀鑽研《荀子》學術，對楊氏研究成果至為注重，並受其影響。楊氏亦曾留學日本，並將日本漢學家桑原騭藏所撰文化史長文〈由歷史上觀察的中國南北文化〉，翻譯成數萬字之漢文，發表於國立武漢大學《文哲季刊》，是則筠如固深諳日語，而其譯作之刊行，對中日學術交流，殊具貢獻。

　　筠如抗日勝利前後，教學西安市西北大學中文系，民國三十五年（一九四六）七、八月間去世，享年四十三歲。

後記

　　本文草稿初就時，資料尚嫌未足，辱承復旦大學圖書館古籍部副研究員王亮博士、高雄師範大學經學研究所碩士生梁鵷雲君提供《常德縣志》、《清華同學錄》二書中有關楊筠如珍貴史料，因藉之增訂拙文，加補注語。茲全文撰作完竣，內容較前翔贍。王、梁二君百朋之錫，不敢或忘，謹於文末敬致謝忱。

　　又近楊筠如裔孫從長沙來書，對筠如生年及教授西北大學二事提出懷疑，暫不追改。

　　　　　　　　——原載《新亞學報》第二十七卷（2009 年 2 月），頁一九～五二

作聖與宗教情懷
—— 胡適留美時期的孔教觀[*]

江勇振

德堡大學歷史系教授

　　胡適對孔教運動的態度一直是為人所誤解的。由於在一般人的印象裡，留學歸國以後的胡適是跟提倡打倒孔家店的《新青年》是站在同一戰線上的，所以人們總認為胡適一向就是反對孔教運動的。事實上，就像胡適跟基督教有他先親和、後拒斥的一段合離的心路歷程，而且，即使在他對基督教的宗教情懷冷卻以後，胡適雖然終其一生批判、甚至是憎惡作為宗教體制的基督教，但這絲毫都沒有減損他的宗教情懷，更不妨礙他敬佩耶穌的倫理道德教訓。同樣地，胡適對孔子和儒家或儒教的態度，也有幾乎完全雷同的心路歷程以及幾乎完全雷同的分殊。換句話說，胡適對儒教也經過了一段宗教上的探索，儘管它是在智性的層面，而完全沒有牽涉到任何宗教感應的情愫。同樣地，等他對儒教作為一個宗教運動的可取與可行性作出否定的結論以後，胡適對孔子和個別儒學大家的「知其不可為而為之」的宗教情懷、以及「格物致知」的執著，胡適有他的崇敬與頂禮。然而，對儒家體制，特別是與國家政權比附的儒家體制，胡適是睥睨以視之的。

　　胡適對儒家作為思想道德的理念與儒家作為一個權威體制之間所作的分殊，在在地反映在他在一九五九年春天所接受的一個訪問裡。當時在美國華

---

[*]　本論已發表在拙著《舍我其誰：胡適，第一部，璞玉成璧，1891-1917》（臺北市：聯經出版公司，2001年4月）第7章第3節。

盛頓州西雅圖華盛頓大學任教的施友忠，到臺北南港中央研究院，也就是現在「胡適紀念館」所在的「胡適故居」訪問胡適。這篇用英文發表的訪問稿，在約略介紹了胡適的生平思想以後，摘述了胡適對他一生參與的一些重大事件的回顧，其中之一有關儒家。胡適強調他並沒有參加五四時期「打倒孔家店」的運動。相反地，他說他在《中國哲學史大綱》裡，對孔子的邏輯思想給了相當高的評價。他回想起來，覺得他當時實在太抬舉孔子了。他說在那之前，他才剛研究了孔德。施友忠說「孔德的實證主義和人文主義也是胡適信念的一部份。」胡適解釋說他所以支持吳虞，願意替他的文錄寫序，是因為他有意要用平等的眼光來評判先秦諸子。「這個意念，再加上他作為一個人文主義者和實證主義者的態度，使他成為那些歷來被冷落的諸子，特別是墨子，的擁護者，同時也對獨尊孔子的作法予以當頭棒喝。」[1]

胡適在這個訪問裡提到孔德，同時又以實證主義者自居，對習於視胡適為實驗主義者的人而言，固然可以語驚四座。然而，這完全符合我在《舍我其誰：胡適，第一部，璞玉成璧，一九一七》第五章所說的，胡適在哲學思想上有糅雜、調和、挪用的傾向。無論如何，這個訪問的重點在於說明了胡適所批判的，不是儒家的本身，而是儒家與國家、社會、知識權力之間互利共生的關係。胡適在留美時期對儒教的合離過程，就是他這個親和宗教情操、憎惡體制權力的分殊歷程最好的寫照。

胡適第一次在《留學日記》裡談到他在康乃爾大學演講「孔教」是在一九一二年十二月一日的日記：「昨夜二時始就寢，今晨七時已起，作一文為今日演說之用。十二時下山，至車站迎任叔永（鴻雋），同來者楊宏甫（銓），皆中國公學同學也。二君皆為南京政府秘書。叔永嘗主天津《民意報》。然二君志在求學，故乞政府資遣來此邦……下午四時在 Barnes Hall（芭痕院）「演說『孔教』，一時畢，有質問者，復與談半小時……」[2]這很有可能是胡適給他所主持的「傳道班」的學生所作的演講。這是因為胡適為「康乃爾大

1　Vincent Y. C. Shih, "A Talk with Hu Shih," *The China Quarterly*, 10 (April-June, 1962), pp. 158-159.

2　胡適：《胡適日記全集》（臺北市：聯經出版公司，2004年），冊1，頁225。

學基督教青年會」主持了一個「傳道班」。這個「中國傳道班」上課的時間就是在星期天下午四點半，上課的地點就是芭痕院。有趣的是，根據《康乃爾太陽日報》的報導，胡適演講的題目是「儒家與道教」（Confucianism and Taoism）。[3] 當然，報紙的報導經常是錯誤叢出的。所以我們並不能確定胡適當天的演講究竟是只講儒家還是也講了道家。然而，值得注意的是，胡適是把「Confucianism」翻成「孔教」，而不是儒家。我們很可惜不知道胡適這篇演講的內容。然而，擁護孔教的梅光迪在一九一三年二月五日在他給胡適寫的信上說：「讀孔教演稿，傾倒之至。」[4]

我們不知道胡適在一九一二年十二月一日這篇「孔教」的演講的主旨為何。然而，如果他能讓梅光迪「傾倒之至」，則一定不會是梅光迪所不能認可的。梅光迪在此之前已經屢次在信上跟胡適談過孔教的問題。梅光迪一九一二年六月下旬，去參加了「北美中國基督徒留學生協會」在維斯康辛州的日內瓦湖所舉辦的夏令營。跟胡適一樣在基督教夏令營受到震蕩的梅光迪，在回學校以後寫給胡適的信上說：「迪對於此會感觸至深，自此一行頓覺有一千鈞重任置於我肩上，然此重任願與足下共荷之也。蓋今後始知耶教之真可貴，始知耶教與孔教真是一家，於是迪向來崇拜孔教之心，今後更有以自信，於是今後提倡孔教之心更覺不容已，此所謂千鈞重任者也。」梅光迪又接著說：

> 迪自來此邦，益信孔教之有用。前與足下已屢言之：欲得真孔教，非推倒秦漢以來諸儒之腐說不可。此意又足下所素表同情者。然國人知此意者絕少，海外同人更無人提及。此乃最可痛哭者耳。迪謂吾國政治問題已解決，其次急欲待解決者即宗教問題。

梅光迪說：「吾國政治問題已解決。」這不只是他一個人一廂情願的想法。當時的留學生裡有這樣想法的所在多有。在他的理想裡，孔教與基督教

3　"Sunday, December 1," *Cornell Daily Sun*, XXXIII.58, November 30 1912, p. 5.

4　〈梅光迪致胡適，（1913年2月）5日〉，收入《胡適遺稿及秘藏書信》（合肥市：黃山書社，1994年），冊33，頁403。

的結合與互補，將是解決人類宗教問題的鎖鑰。然而，在達到這個目標以前，中國人自己必須先昌明孔教。在教義與制度上，把孔教提昇到與基督教可以不相伯仲的程度。這也就是為什麼梅光迪在從日內瓦湖的基督教夏令營回來以後，會在信上告訴胡適說他有「千鈞重任」之感的原因：

> 吾輩今日之責在昌明真孔教，在昌明孔耶相同之說。一面為使本國人消除仇視耶教之見，一面使外國人消除仇視孔教之見，兩教合一，而後吾國之宗教問題解決矣。今日偶與韓安君談及此事，韓君極贊吾說，並囑迪發起一「孔教研究會」與同志者討論。將來發行書報，中英文並列。迪思此事為莫大之業，且刻不容緩，晚與許肇南、朱達善兩君談及，兩君亦極贊成。故即函商吾子，不知以為何如？若吾子表同情，東來後當與吾子細談此事及商定章程辦法。吾子通人，又熱心復興古學之士，諒必有以教我。迪極信孔、耶一家。孔教興則耶教自興；且孔、耶亦各有缺點，必互相比較，截長補短而後能美滿無憾。將來孔耶兩教干合一，通行世界，非徒吾國之福，亦各國之福也。

梅光迪這封信裡，還有一段非常重要的論點，跟一年半以後，胡適在康乃爾大學的演講有雷同的地方。這個論點是有關中國古代的宗教。梅光迪說：

> 吾國宗教原於古代鬼神卜筮之說。又崇拜偶像起於《傳》（《禮記·祭法》）所謂「以勳死事則祀之」一語。在古人之意不過備其學說之端及崇德報功之意，並無所謂迷信，無所謂因果禍福。後世教育不講，民智日卑，而鬼神禍福之說乘勢以張。又自暴秦坑儒專制體成，誦經之士乃以尊君為學。西漢諸儒咬文嚼字，牽強附會，務以求合時主心理，蓋不如是不足以進身取容也。

最後，梅光迪在這封長信裡提到了陳煥章的書。他說：「近者，陳煥章出一書，名曰 *The Economic Principles of Confucius and His School*（孔子及其學派的經濟原理），乃奇書。迪雖未見之，然觀某報評語，其內容可知。足下曾見此書否？陳君真豪傑之士，不愧為孔教功臣。將來『孔教研究會』

成立，陳君必能為會中盡力也。」[5]

　　胡適的回信可惜現已不存。然而，從梅光迪接著所寫的信看來，他認為胡適是大體贊成他在那封長信裡的論點的：「足下對於迪前函諒表贊成，尚望將所作數百言而中心之書寄下，以觀足下高論之一斑也。」[6]從梅光迪過後又寫的另外一封信，我們可以推測他們之間即使有歧見，至少梅光迪認為他們已經大致有了共識：「吾子匡我甚是，然吾二人所見大致已無異矣。」事實上，梅光迪自己瞭解他跟胡適之間有一個關鍵性的歧見存在，那就在於孔教是否為宗教的問題：「近得見陳煥章之書（藏書樓中有之），推闡孔教真理極多，可謂推倒一世。望足下一讀之也。惟陳君亦以孔教為宗教，若以吾子之說繩之，亦有缺憾，尚望吾子有以告我。」[7]這個歧見是一個關鍵，也可能就是胡適後來會轉為批判孔教的一個重要的原因。這點，請詳見下文。

　　一九一三學年度，「康乃爾大學基督教青年會」舉辦了一個「宗教之比較研究」（Comparative Study of Religions）系列的演講，分一整學年講完。根據胡適在一九一四年一月二十八日《留學日記》的記載，這個系列的演講一共有二十三次。從宗教史、原始宗教、猶太教、印度教、佛教、基督教、孔教、道教、到日本的神道。胡適在日記裡說：

> 主講者多校中大師，或其他校名宿。余亦受招主講三題：一、中國古代之國教；二、孔教；三、道教。余之濫竽其間，殊為榮幸。故頗兢兢自惕，以不稱事為懼。此三題至需四星期之預備始敢發言。第一題尤難，以材料寥落，無從摭拾也。然預備此諸題時，得益殊不少；於第一題尤有心得。蓋吾人向所謂知者，約略領會而已。即如孔教究竟何謂耶？今欲演說，則非將從前所約略知識者一一條析論列之，一一以明白易解之言疏說之不可。向之所模糊領會者，經此一番爐冶，都

5　〈梅光迪致胡適，（1912年）6月25日〉，收入《胡適遺稿及祕藏書信》，冊33，頁373-378。
6　〈梅光迪致胡適，（1912年）7月3日〉，收入《胡適遺稿及祕藏書信》，冊33，頁379。
7　〈梅光迪致胡適，（1912年）7月8日〉，收入《胡適遺稿及祕藏書信》，冊33，頁381。

成有統系的學識矣。余之得益正坐此耳。此演說之大益，所謂教學相
長者是也。[8]

　　胡適的這三個演講是這一系列演講的第四、五、六次的演講，一口氣在
三個星期內講完，演講的日子在星期四。他的〈中國古代之國教〉是在一九
一三年十一月六日下午四點四十五分開講的。根據《康乃爾太陽日報》當天
的報導，胡適的這篇演講會從公元前二十三世紀，也就是胡適所說的中國信
史的開始說起。可惜我們不知道胡適這個中國信史開始的年代的根據是什
麼。這篇報導說，胡適會分析中國古代之國教與儒家的不同，並指出其對後
來的道教的影響。演講的第一個部分將著重於歷史跟宗教的形式；第二部
分，則在分析其哲學及其根本的教條，包括古代中國對來生的看法。[9]

　　胡適演講過後的第二天，《康乃爾太陽日報》又寫了一篇報導。根據這
篇報導，胡適說一般西方人以為中國的國教不是儒、就是釋、再不然就是
道，或者是這三教的混合。胡適說這個瞭解是錯誤的。胡適說中國古代的國
教早在孔子、老子出生以前的十八、二十個世紀以前就已經存在了。不但如
此，這個國教到今天還存在。它跟儒教、道教的關係，很類似猶太教和基督
教之間的關係。古代中國人心目中的上帝雖然不是宇宙的造物者，但他也是
萬能和公正的。古代的中國人所相信的是現世報。他們認為一個人有兩個靈
魂。其中一個是在人死以後，就跟著一起死了；另外一個則昇天。人死了以
後，靈魂的處境如何，並沒有確切的說法。有一派認為人沒有來世。另外有
一派則相信立功的不朽。由於這種哲學的觀點沒有辦法滿足一般人的要求。
所以，當佛教傳入中國的時候，中國人是張開雙臂去迎接的。據報導，中國
國教裡的天壇，可能會變成農業部的農業實驗站。如果這個報導正確，那就
意味著中國的國教終於將隨著帝制的滅亡而走入歷史。[10]

　　胡適在這篇〈中國古代之國教〉演講裡說古代中國人相信一個人有兩個

8　胡適：《胡適日記全集》，冊1，頁264-265。

9　"Lecture on 'State Religion of China,' *Cornell Daily Sun*, XXXIV.40, November 6 1913, p. 6.

10　"State Religion of China Now History," *Cornell Daily Sun*, XXXIV.41, November 7 1913, p.
　　2.

靈魂，一個靈魂隨形之死而死，另一個則昇天。這顯然是根據《禮記‧郊特性》：「魂氣歸於天，形魄歸於地。」隨著形而死的靈魂叫作「魄」，昇天之靈叫作「魂」。孔穎達在《左傳‧昭公七年》的注疏裡說：「人之生也，始變化為形，形之靈者名之曰魄也。既生魄矣，魄內自有陽氣。氣之神者，名之曰魂也。」這一昇一降的原因，孔穎達說是因為：「以魂本附氣，氣必上浮，故言『魂氣歸於天』；魄本歸形，形既入土，故言『形魄歸於地』。」

　　胡適在這篇演講裡又說中國古代沒有來世說，只有現世報，相信立功的不朽。我們記得在上文所引梅光迪一九一二年六月二十五日的那一封長信。梅光迪在那封信裡說：《禮記‧祭法》裡有「以勤死事則祀之」一語，其寓意只不過是在崇德報功，無所謂迷信，無所謂因果禍福的說法。這跟胡適在這篇演講的立論雷同。我們不知道這是他們「英雄所見略同」，還是胡適受了梅光迪的啟發。無論如何，胡適在這篇〈中國古代之國教〉演講裡所作的立論，他在日後會繼續發揮。但這是後話。

　　胡適接著在十一月十三日講「孔教」。根據《康乃爾太陽日報》在演講當天的預告，胡適在演講裡會說明為什麼孔子是人類歷史上最偉大的改革家；而且也會用孔子的人格特性，來說明他為什麼能成為一個偉大的領導者，以及他為什麼與其他改革家不同。[11]在胡適演講的次日，《康乃爾太陽日報》又有一篇報導摘述胡適演講的內容。該報導說：胡適在「孔教」的演講裡說孔子不但是一個偉大的哲學家、老師、政治家，最重要的是，他還是一個偉大的改革家。他說孔子生在亂世。那個亂世，他說用孟子在〈滕文公下〉篇的話來形容，是：「世衰道微，邪說暴行有作。臣弒其君者有之，子弒其父者有之。」孔子認為他的使命就在救世新民。終其一生，胡適說孔子不改其救世新民的初衷。他周遊的列國，凡七十之多。其目的在於尋找機會把他的學說付諸實際以裨益人類。胡適說孔子的執著，引來那些保持著出世哲學的人的嘲諷、嗟嘆、與訕笑。胡適說有一個隱者說得最好，他形容孔子是：「是知其不可為而為之者與？」胡適說孔子常說天下無道。他的志向是

---

11 "Chinese Student to Tell of Confucianism," *Cornell Daily Sun*, XXXIV.46, November 13 1913, p. 3.

要讓這個無道的世界回到有道。胡適說孔子的時代是儒家的黃金時代
（Golden Age），是人間樂土（Heaven on Earth），是人間天堂（Paradise of
Man）。[12]這篇報導的最後這幾句話有點不知所云，即使胡適確實說了這幾
個句子，也可能讓記者給斷章取義了。重點是胡適在這篇演講裡的主旨。從
他說孔子是一個改革家這個論點來看，康有為的影響是呼之欲出。

　　胡適演講「道教」是在十一月二十日。可惜《康乃爾太陽日報》只有當
天演講之前的報導，而沒有演講過後的摘述。根據這篇預告，胡適這個演講
分成兩個部分。在第一個部分裡，胡適會描述老子的生平，說明老子返璞歸
真的道理，然後再詳細地分析他無為、柔弱勝剛強的理論。在演講的第二個
部分，胡適將會討論道教作為宗教的發展。胡適說道教其實只是後來的人把
老子學說穿鑿附會地拿來利用。他會在演講裡描述道教每況愈下，以至於淪
落到當代荒謬不堪的境地。[13]

　　胡適對孔教的問題顯然是用了心神去作思索。他演講孔教是在一九一三
年十一月十三日。到了一九一四年一月二十三日，他仍然還在為這個問題而
困擾著，還是沒找到他的立論的基點。他在當天的《留學日記》裡說：

> 今人多言宗教問題，有倡以孔教為國教者，近來余頗以此事縈心。昨
> 覆許怡蓀書，設問題若干，亦不能自行解決也，錄之供後日研思：
>
> 一、立國究須宗教否？
> 二、中國究須宗教否？
> 三、如須有宗教，則以何教為宜？
>
> 1）孔教耶？2）佛教耶？3）耶教耶？
> 四、如復興孔教，究竟何者是孔教？

---

12 "Confucius A Great Chinese Reformer," *Cornell Daily Sun*, XXXIV.47, November 14 1913,
　　p. 3.
13 "Suh Hu, '13, to Speak on 'Taoism,'" *Cornell Daily Sun*, XXXIV.52, November 20 1913, p. 7.

1）孔教之經典是何書？

（1）《詩》；（2）《書》；（3）《易》；（4）《春秋》；

（5）《禮記》；（6）《論語》；（7）《孟子》；（8）《大學》；

（9）《中庸》；（10）《周禮》；（11）《儀禮》；（12）《孝經》

2）孔教二字所包何物？

（1）專指《五經》、《四書》之精義耶？（2）《三禮》耶？（3）古代之宗教耶（祭祀）？（4）並及宋明理學耶？（5）並及二千五百年來之歷史習慣耶？

五、今日所謂復興孔教者，將為二千五百年來之孔教歟？抑為革新之孔教歟？

六、苟欲革新孔教，其道何由？

1）學說之革新耶？2）禮制之革新耶？3）並二者為一耶？4）何以改之？從何入手？以何者為根據？

七、吾國古代之學說，如管子、墨子、荀子，獨不可與孔、孟並尊耶？

八、如不當有宗教，則將何以易之？

1）倫理學說耶？東方之學說耶？西方之學說耶？

2）法律政治耶？[14]

　　值得注意的是，胡適在這封存錄在他的日記裡的信，都是他所設的問題，而沒有解答。換句話說，胡適在這個時候仍然在掙扎著。立國須不須要

14　胡適：《胡適日記全集》，冊1，頁256-257。

有宗教？中國須不須要有國教？這個國教應該是哪一個宗教：孔教、佛教、還是耶教？如果是孔教，則孔教指的又是什麼？如果孔教須要革新和復興，則革新、復興之道為何？為什麼只獨尊孔孟？其他先秦諸子呢？相反地，如果立國不應當有宗教，則該取代的又是甚麼？這則日記重要的地方，就在告訴我們至遲到一九一四年年初，胡適對所有這些問題，包括孔教的問題，仍然沒有定論。

　　然而，胡適在此處為孔教的問題「縈心」，並不是像邵建所想像的，是因為胡適不懂美國政教分離的立國精神。邵建說胡適提出國教的問題「叫人出冷汗」。胡適會提出國教的問題，他認為是「表明胡適至少不熟悉美國的立國憲法，尤其是它的憲法修正案。」所以他替胡適下了一個蓋棺的論定：「胡適雖然浸泡在以自由為標誌的北美文化中，但這並不等於胡適就吃透了自由。」[15]事實上，美國憲法政教分離的原則是一個常識，這個道理在美國是連小學生都知道的。胡適對美國開國的歷史一直是有著濃厚的興趣。他對美國從邦聯到聯邦的發展歷程有著非常透徹的了解。就舉胡適在《留學日記》裡所記的兩個例子來作說明，他在一九一五年二月二十七日致《新共和》雜誌主編的信裡徵引了費思科（John Fiske）的《美國歷史的轉捩點》（*The Critical Period of American History, 1783-1789*）。[16]這本書所處理的重點就是美國立國的關鍵期，以及美國憲法制定的經過。胡適在一九一六年二月二十九日的日記：〈美國初期的政府的基礎〉裡引了有名的哥倫比亞大學史學教授畢爾德（Charles Beard）論開國元老漢密爾頓（Alexander Hamilton）的一段話。那一段話的出處是畢爾德所著的《傑佛遜派民主的經濟基礎》（*Economic Origins of Jeffersonian Democracy*）。[17]傑佛遜就是美國的開國元勳之一的湯姆斯‧傑佛遜。而所謂的「傑佛遜派的民主」的核心價值之一就

---

15 邵建：《瞧，這人——日記、書信、年譜中的胡適》（桂林市：廣西師範大學出版社，2007），頁142-144。

16 胡適：《胡適日記全集》，冊2，頁57。

17 胡適：《胡適日記全集》，冊2，頁284；Charles Beard, *Economic Origins of Jeffersonian Democracy* (New York: The MacMillan Company, 1915), p. 131.

是政教分離。

　　邵建以胡適的日記來讀胡適,是一個非常具有慧眼的方法。可惜他往往忽略了胡適在日記裡有意為日後替他立傳者所植入的一些關鍵的資料。邵建會以為胡適不瞭解美國立國政教分離這一個常識,完全忘卻了胡適不但是一個以睨國者自詡的人,而且是一個會投身浸淫於當地的政治、社會、文化,暫把他鄉作吾鄉以求深入瞭解的人。就像他在一九一六年十一月九日的《留學日記》裡所說的:

> 余每居一地,輒視其地之政治社會事業如吾鄉吾邑之政治社會事業。以故每逢其地有政治活動,社會改良之事,輒喜與聞之。不獨與聞之也,又將投身其中,研究其利害是非,自附於吾所以為近是之一派,與之同其得失喜懼……若不自認為此社會之一分子,決不能知其中人士之觀察點,即有所見及,終是皮毛耳。若自認為其中之一人,以其人之事業利害,認為吾之事業利害,則觀察之點既同,觀察之結果自更親切矣。且此種閱歷,可養成一種留心公益事業之習慣,今人身居一地,乃視其地之利害得失若不相關,則其人他日回國,豈遽爾便能熱心於其一鄉一邑之利害得失乎?[18]

　　我們把胡適對孔教「縈心」、反復深思的審慎態度,跟當時在中國請願立孔教作為國教的運動相對比,就更有意味了。一九一三年八月十五日,「孔教會」代表陳煥章、嚴復、梁啟超等人向參議院和眾議院請願,請於憲法中明文規定孔教為國教。他們在〈孔教會請願書〉中說:中國「一切典章制度、政治法律,皆以孔子之經義為根據。一切義理學術、禮俗習慣,皆以孔子之教化為依歸。此孔子為國教教主之由來也。」對於宗教自由跟國教的訂立,他們認為兩者可以並行不悖:「信教自由者,消極政策也;特立國教者,積極政策也。二者並行不悖,相資為用……適當新定憲法之時,則不得不明著條文,定孔教為國教,然後世道人心方有所維繫,政治法律方有可施

18　胡適:《胡適日記全集》,冊2,頁438-439。

行。」[19]

　　有趣的是，當「憲法起草委員會」在一九一三年十月十三日審議時，所有三個贊成孔教運動的提案全都沒有得到法定三分之二的贊成票。「立孔教為國教的議案」，在出席者四十人當中，只有八人贊成；「中華民國以孔教為人倫風化之大本」，贊成者十五人；「中華民國以孔教為人倫風化之大本，但其它宗教不害公安，人民得自由信仰」，贊成者十一人。一直要到十月二十八日，《天壇憲草》已二讀通過，汪榮寶又提出在十九條第一項之後加上「國民教育以孔子之道為倫理之大本」，又引起爭議，最後修正為「國民教育以孔子之道為修身之大本」，有三十一人贊成，獲得通過。[20]從這三個提案的表決結果，我們可以看出爭議的關鍵在於孔教究竟是不是宗教，以及中國是否應該在憲法裡訂立國教。

　　同樣的爭議，也出現在中國留美學生之間。「全美中國學生聯合會」所出版的《留美學生月報》的官方立場是反對定孔教為國教。《留美學生月報》一九一三學年度主編魏文彬在十一月號的〈社論〉裡，以美國憲法政教分離規定為例，說定孔教為國教的運動是一個「反動的運動，違反了我國新共和政體的自由精神。」[21]。魏文彬在一九一四年一月號的〈社論〉又再度聲明：「因為我們不願意見到我們的民國把宗教變成政治的問題，我們一向就反對任何形式的國教。我們認為孔教運動的領袖可以對社會作出貢獻的地方不在於把孔教變成國教，因為那樣不好；而是在於用孔教來對儒家注以新生命，賦予它生氣，這對國家、對儒家本身都會有好處。」[22]徐承宗在一九一三年十二月號的《留美學生月報》他所主編的〈時事短評〉欄裡揶揄陳煥

---

19 干春松：〈從康有為到陳煥章——從孔教會看儒教在近代中國的發展之第二部分〉，http://www.reader8.cn/data/2008/0803/article_139957_6.html，2010年3月12日上網。
20 黃克武：〈民國初年孔教問題之爭論〉，《國立臺灣師範大學歷史學報》第12期（1984年），頁206-210。
21 [Wen Pin Wei], "Religion and State," *The Chinese Students' Monthly*, IX.1 (November 10, 1913), p. 4.
22 [Wen Pin Wei], "A Typical Example of Ignorance," *The Chinese Students' Monthly*, IX.3 (January 10, 1914), p. 176.

章。他說：「儒家究竟是倫理、習俗、道德、還是宗教？諸多博士還在爭辯著。但陳煥章博士要你相信儒家是一個宗教。」徐承宗認為儒家要把自己現代化都已經自顧不暇了，遑論其它：「光是重寫《禮記》或是把儒家作品裡多妻的紀錄給剔除掉，本身就是一大工程。」他嗤笑陳煥章一方面要定國教，另一方面有侈言宗教自由：「『確立國教，但准許人民信教自由』這個矛盾，誰也騙不了。」[23]

《留美學生月報》一九一三學年度負責〈文藝欄〉的副主編的哈佛大學的張福運，他後來是一九一六學年度「美東聯合會」的會長、一九一七學年度「全美中國學生聯合會」的會長。張福運也特別寫了一篇〈儒家與國教〉（Confucianism and State Religion）的文章。張福運反對孔教作為國教的運動。他說他瞭解憂時之士會希望透過宗教，來力挽辛亥革命以後中國社會的狂瀾。同時，他也瞭解儒家面臨了空前的挑戰。但把孔教作為國教並不是解決之道。首先，他認為儒家不是宗教，而完全是一個理性的思想系統。其次，他擔心把孔教定為國教在政治上的後遺症。他說外蒙古都已經利用辛亥革命而獨立了。萬一把孔教定為國教，那是否會被西藏、新疆、內蒙古那些不信奉儒家的人找來當藉口而宣佈獨立？因此，張福運認為把孔教定為國教是不智之舉。至於儒家的未來，他認為最好的方法就是從教育入手。他說可以由政府制定政策，規定儒家經典為全國學校的必修課。[24]

當然，不是所有的留學生都反對孔教作為國教運動。當時在哥倫比亞大學念書的鄧宗瀛，就在讀了徐承宗揶揄的文章以後，寫了一篇長文支持孔教國教運動。他說雖然其它國家的經驗說明了一個國家有國教可能會帶來弊病，但中國社會從辛亥革命以後所產生的「心靈亂象」（mental chaos）已經到了無法讓人忍受的地步。他認為只有靠國教的訂立，才可能把人民從這個亂象之中帶領出來。他說只有孔教才可能扮演這個國教的角色，因為它自古

---

23 [Zuntsoon Zee], "Dr. Chen's New Confucianism," *The Chinese Students' Monthly*, IX.2 〈December 10, 1913〉, p. 111.

24 F. Chang, "Confucianism and State Religion," *The Chinese Students' Monthly*, IX.3 (January 10, 1914), pp. 224-227.

就是士紳與庶民的宗教。為了表明他不是一個狹隘的文化民族主義者，他還特別徵引了西方學者的詮釋來作註腳。他說連美國的畢海瀾（Harlan Beach, 1854-1933）都承認「孔子是占全人類四分之一的人口兩千五百年來心目中的『素王』。」當然，他也認為孔教須要現代化；須要修正、須要重新詮釋；不合當代社會的，應該被淘汰；留下來的，也必須要更新；有不足的地方，還須要從外引進。[25]

作為《留美學生月報》副主編的徐承宗當然反駁。鄧宗瀛既然夾洋自重，徐承宗也不甘示弱。他徵引了《中國評論》（China Review）（可能是倫敦出版的傳教士的刊物）裡「一個飽學的作者」的說法，說「儒家壓根兒……就不是一個宗教。儒家的本質不是倫理，而是一種對傳統禮儀酸腐（antiquarian）的執著；不是宗教，而是對人與神之間的關係採取一種存疑的否定；鼓勵人去祭祀人中英傑，然後再配合上專制的政治理論。」即使是牛津大學的學術權威理雅各（James Legge, 1815-1897），也只是在限定的意義之下稱儒家為宗教，這也就是說，儒家是孔聖的學說加上孔子以前的一神教的組合。[26]

《留美學生月報》上的這些爭論引來了胡適的一篇文章：〈中國的孔教運動：其歷史與批判〉（The Confucianist Movement in China: An Historical Account and Criticism）。這篇文章的珍貴，在於它表露了當時的胡適對孔教運動極為正面的看法。胡適在這篇文章裡先用歷史的眼光，把孔教運動追溯到一八八〇年代的康有為。他說康有為用「變」或進步的眼光，也就是《春秋》〈公羊傳〉「三世」之義——「據亂世」、「昇平世」、「太平世」——以及《禮記》裡的「小康」、「大同」的概念去重新詮釋儒家。胡適說，以康有為為代表的這些人：「不但稱孔子為『素王』，而且說孟子是中國的盧梭。孟子的學說在從前是被用來提倡專制仁政（benevolent despotism）的誡訓

---

25 T. I. Dunn, "A Reply to 'Dr. Chen's New Confucianism,'" *The Chinese Students' Monthly*, IX.4 (February 10, 1914), pp. 331-337.

26 Zuntsoon Zee, "Dr. Chen's New Confucianism: A Rejoinder," *The Chinese Students' Monthly*, IX.4 (February 10, 1914), pp. 338-341.

（precepts），現在則搖身一變成為人民至上論（Supremacy of the People）。在這種新的詮釋之下，孔教就具有了現代和國際的意義。」

胡適說這個孔教運動震動士林，上從內閣大臣，下到舉人、秀才，支持者所在多有。他們對政治、社會改革的理想促成了「百日維新」。雖然「戊戌政變」使這個運動頓挫，但儒教學者一直就沒有停止用這個新的觀點來詮釋孔子的學說。最重要的是，中國思想界變化的速率遠遠超過了政治上的變化。胡適說：

> 戊戌以後的十五年之間，中國經歷了一場鉅大的思想革命。在戊戌年間，誰敢談君主立憲，誰就會被迫害或斬首。然而，到了這個階段的尾聲，也就是一九一三年，沒有人敢再談君主立憲了；因為那太保守、太過時了。人們所談的是婦女參政和〔亨利・喬治的〕土地單一稅！由於篇幅所限，本文不可能分析造成這個鉅變的因素。簡言之，思想的革命既然已經進行了那麼多年，辛亥的政治革命就是不可避免的了。一七七六年〔的美國革命〕以及一七八九年〔的法國革命〕所代表的理想徹底地戰勝了東方的保守主義。傳統的迷信破產了，取代的是以新的道德面貌出現的新迷信。這個新道德是甚麼呢？那就是：要自由，但不尊重其他人的自由；爭平等，但不計個人的才能與貢獻；說民主，但實際是暴民的統治！以愛國為名，軍人可以我行我素；以自由為口實，而為放蕩淫縱之行！暗殺已經成為常見的復仇手段！

在這樣的社會情況之下，胡適說憂時之士很自然地認為他們必須力挽狂瀾，以免整個社會的沉淪：

> 上述這些情況使年齡稍長與有心之士感到憂心。他們體會到中國的「全盤」破壞（iconoclasm）之路走過了頭。他們認為這個國家如果沒有一個高遠、穩重的道德，就會不保。就是在這種憂國憂時的心態之下，才會出現為中國找一個國教的想法。這個至重至要的問題的解決之道，有兩個最為人所接受的作法：一個是孔教的復興；另一個則

是基督教的引介。但基督教有很多問題。在現階段把基督教拿來作為國教，就意味著另外一個破壞的災難。因此，復興孔教的運動逐漸地獲得了人民的支持。

以上是胡適對孔教運動的歷史敘述。他說西方人對這個孔教運動存在了太多先入為主的偏見。他要特別指出兩點來作指正。首先，孔教運動不是一個反動：

> 在西方，特別是在美國，把這個運動看成是中國在進步當中的一個倒退的例子。這是一個帶有偏見的看法。孔教運動不算退步，就好像袁世凱先生請基督教會為中國祈福不等於進步一樣。後者，比諸〔袁世凱〕後來的咨文，也許可以說只是一個外交上的手腕（hypocrisy）而已。然而，目前的孔教運動是由真正進步的人士在領導著。舉個例來說，〈孔教公會宣言〉的作者是嚴復，他所翻譯的亞當‧斯密、孟德斯鳩、穆勒、與史賓塞的書都已經成了中國的經典。孔教公會的創始人當中，還有梁啟超。他是「戊戌政變」的流亡者之一，他用他極其有力清晰的文筆把西方的觀念與理想介紹傳播給中國人。我們只須要指出這兩個人的名字，就可以很清楚地證明這個運動絕對不是一個退步的運動。

其次，孔教運動一點都不會妨礙基督教在中國的傳播。相反地，孔教的復興將會為基督教在中國作深耕的工作，從而給予基督教一個沃壤，讓基督教更適合於中國的環境，從而得以在中國扎根：

> 另外一個誤解，是把這個運動視為是對其它宗教，特別是在中國新興的基督教的威脅。這是無稽之談。我的信念是：如果基督教要在中國有任何的影響力，它必須要把基督的觀念移植到儒家倫理思想的土壤裡。因此，孔教的改造與復興，其實是先在本土的土壤上從事耕犁、施肥的工作，以便準備培植外國的種子。而且，我認為基督教須要有一個對手，至少在中國是如此。在西方，基督教已經有了科學這個勁

敵；科學已經強迫基督教修正了它的教義與儀式以適應於當代的思潮。在東方，基督教還沒有遇到任何有組織的對手。我認為一個改革了的孔教在不久的將來可以是基督教一個有用的模仿對象，可以促使基督教去修正它的一些教義與儀式，讓它能更適合於東方的環境。

當然，在胡適的眼光裡，孔教運動還有很長的一段路要走，才能作到能與基督教抗衡的地位。從胡適對基督教歷史的瞭解，從胡適的宗教情懷以及他對宗教的興趣來說，這意味著說，孔教運動必須經過類似基督教的宗教改革運動方才能有復興的可能。胡適說：

> 這個運動在目前當然仍然是有很多瑕疵的。它最大的問題是，我們與其說它是一個「改革」運動，不如說它只是孔教「復興」的運動。那些真正能對新儒教從事詮釋的人只占少數，對整個思想體系的全盤改造很難有多大的影響力。其他的人附和這個運動，只不過是因為它高舉著孔教的旗幟。真正的「孔教改革」還沒有發生。孔教運動者所必須去面臨的重要、攸關其存亡的問題很多，跟那些問題相比，去獲得政府承認其為國教其實只是末節。

這些重要、攸關其存亡的問題是什麼問題？就是他在一九一四年一月二十三日的《留學日記》裡摘錄下來的，他寫給許怡蓀的信裡所設定的問題。唯一的不同，而且也是關鍵性的不同，就是他這時對國教的問題已經有了定論。所以，他原先在日記裡所問的立國是否須要宗教的問題，也就自然地被他剔除了：

> 一、「孔教」指的是甚麼呢？它只包括儒家的經典嗎？還是它也應該包括那在孔子之前就已經存在，而經常被大家與儒家思想裡的宗教成分籠統地混在一起看的中國古代的國教？或者它是否也應該包括宋明的理學？
> 二、哪些才可以算是孔教真正的經籍呢？我們是接受現有的經典呢？還是我們應該先用現代歷史研究與批判所發展出來的科學方法去整理

它們，以便確定哪些是可信的？

三、這新的孔教究竟是應該是中國傳統意義之下的宗教——這也就是說，「教」，亦即最寬廣的教育的意義？還是西方宗教的意義？換句話說，我們是止於重新詮釋儒家的倫理政治思想？還是去改造孔子對「天」以及生死的看法，以便使儒家既是一個超自然、超越現世的靈糧，又是一個在日常生活與人倫關係裡的嚮導？

四、我們應該用甚麼樣的方法、透過甚麼樣的管道去傳播儒家的思想呢？我們應該如何把儒家的思想教育給民眾呢？我們如何能把儒家的思想適合與當代的需要與變遷呢？

　　胡適說這些問題，每一個都是難題。解決之道也各自不同，有的須要集合學者從事篳路藍縷、皓首窮經的工作，有的則須要有宗教革命的領袖，絕對不是一蹴可幾的，而且也絕對沒有近路可走的：

> 這些問題，例如，用歷史研究和批判的方法來研究儒家的經典，就須要好幾十年，甚至是幾個世紀的工夫。其它的問題則須要像馬丁・路德或喬治・福克斯（George Fox, 1624-1691）〔匱克派的創始人〕那種具有宗教的信念與感應（inspiration）的人。但這些都是真實、關鍵性的問題，是值得每一個中國學生，不管他相信不相信孔教，都必須去仔細嚴肅地探討的。否則，不管是用政府的力量去制定祭祀之法也好，或是用憲法或法規的制定也好，或者是在學校裡重新讀經的方法也好，孔教都永遠不可能復興。因此，我認為我們沒有必要浪費精力去爭論孔教是否應該成為國教。大家難道不覺得我們好好地坐下來研究，仔細地去推敲我以上所提出來的問題，要遠比去徵引理雅各、畢海瀾、以及《中國評論》裡的「飽學的作者」贊成或反對孔教的文

章要更有裨益嗎？[27]

　　胡適的這段結論有四個值得注意的地方。第一，就是他後來所一再強調的歷史的眼光。所以他才會說要「用歷史研究和批判的方法來研究儒家的經典。」從這個角度來看，胡適這篇〈中國的孔教運動：其歷史與批判〉仿佛就是他一生的歷史研究的計劃書。第二，孔教的問題不在復興，而是在改革。除了必須要用歷史的眼光去作研究以外，孔教須要有像馬丁・路德或喬治・福克斯那種具有宗教的信念與感應的領袖來作孔教的「宗教革命」。胡適曾否私心以馬丁・路德或喬治・福克斯自任，「以期作聖」？我們雖然沒有答案，但這是一個耐人尋味的問題。第三，胡適對孔教運動的看法於焉底定。孔教運動如果要有前途，根本之道就是用科學的、歷史的、批判的方法去作研究整理的工作。不只如此，孔教如果要成就為一個真正的宗教，它須要經過它自己的「宗教革命」。所有其它的作法都是末節。孔教運動想用憲法定孔教為國教，固然是捨本逐末。哈佛大學的留學生張福運在〈儒家與國教〉裡主張在學校裡讀經的方法，胡適同樣認為是末節。當然，胡適抨擊得最為嚴厲的還是袁世凱。他說「用政府的力量去制定祭祀之法」指的就是他在一九一四年二月四日的日記裡所說的：「報載『政治會議』通過大總統郊天祀孔法案。此種政策，可謂捨本逐末，天下本無事，庸人自擾之耳。」[28]

　　胡適在一九一四年十一月十六日的日記裡批判〈袁氏尊孔令〉。邵建批評胡適，說他打蛇無方，不知直擊其「七寸」之所在。他批評胡適「視而不見」〈袁氏尊孔令〉的「七寸」就在於袁世凱想借用宗教的力量來擴張他的權力。邵建認為胡適的「不察」，證明了他「當時的眼力」不夠。[29]其實，所謂的袁世凱的這個「七寸」，何止是「輿薪」！根本就是「司馬昭之心，路人皆知。」用胡適在另外一則日記裡的話來形容，是：「不打自招之供

27 Suh Hu, "The Confucianist Movement in China: An Historical Account and Criticism," *The Chinese Students' Monthly*, IX.7 (May 10, 1914), pp. 533-536.

28 胡適：《胡適日記全集》，冊1，頁283。

29 邵建：《瞧，這人——日記、書信、年譜中的胡適》，頁146。

狀，不須駁也。」如果明察秋毫如胡適者，會看不出這個「七寸」，也未免枉費邵建花費心思用胡適的日記來作尼采式的「瞧，這人」了！胡適在這則日記裡的批判完全是從學理、從歷史的眼光著眼。所以他才會不憚其煩地指出它的七大謬誤：

> 此令有大誤之處七事。如言吾國政俗「無一非先聖學說發皇流衍」，不知孔子之前之文教、孔子之後之學說（老、佛、楊、墨），皆有關於吾國政俗者也。其謬一。今日之「綱常淪斁，人欲橫流」，非一朝一夕之故，豈可盡以歸咎於國體變更以後二三年中之自由平等之流禍乎？其謬二。「政體雖取革新，禮俗要當保守」。禮俗獨不當革新耶？（此言大足代表今日之守舊派）其謬三。一面說立國精神，忽作結語曰「故尊崇至聖」云云，不合論理。其謬四。明是提倡宗教，而必為之辭曰絕非提倡宗教。其謬五。「孔子之道，亙古常新，與天無極。」滿口大言，毫無歷史觀念。「與天無極」尤不通。其謬六。「位天地，育萬物。為往聖繼絕學，為萬世開太平，苟有心知血氣之倫，胥在範圍曲成之內。」一片空言，全無意義。口頭讕言，可笑可嘆。其謬七。嗟夫！此國家法令也，執筆一嘆！[30]

用胡適一九一九年所寫的〈新思潮的意義〉的話來說，所謂孔教的問題其實就是一個用評判的態度來重新為孔教估價的問題：「我以為現在所謂『新思潮』，無論怎樣不一致，根本上同有這公共的一點：評判的態度。孔教的討論只是要重新估定孔教的價值。」從事孔教運動的人不懂得胡適所說的根本之道，無怪乎孔教運動終究只成為一個迷夢：

> 例如孔教的問題，向來不成什麼問題；後來東方文化與西方文化接近，孔教的勢力漸漸衰微，於是有一班信仰孔教的人妄想要用政府法令的勢力來恢復孔教的尊嚴；卻不知道這種高壓的手段恰好挑起一種懷疑的反動。因此。民國四、五年的時候，孔教會的活動最大，反對

30 胡適：《胡適日記全集》，冊1，頁550。

孔教的人也最多。孔教成為問題就在這個時候。現在大多數明白事理的人，已打破了孔教的迷夢，這個問題又漸漸的不成問題，故安福部的議員通過孔教為修身大本的議案時，國內竟沒有人睬他們了！[31]

胡適這篇〈中國的孔教運動：其歷史與批判〉的結論第四個值得注意的地方，就在於他奉勸中國留學生自己坐下來作研究、推敲，而不是動輒徵引西方的「飽學的作者」。這就是胡適日後叫大家不要被東西聖人、權威牽著鼻子走的那句名言的先聲。我們記得胡適在〈介紹我自己的思想〉裡說：

> 少年的朋友們，用這個方法來做學問，可以無大差失；用這種態度來做人處事，可以不至於被人蒙著眼睛牽著鼻子走。從前禪宗和尚曾說：「菩提達摩東來，只要尋一個不受人惑的人。」我這裡千言萬語，也只要教人一個不受人惑的方法。被孔丘、朱熹牽著鼻子走，固然不算高明；被馬克思、列寧、斯大林牽著鼻子走，也算不得好漢。我自己決不想牽著誰的鼻子走。我只希望盡我的微薄的能力，教我的少年朋友們學一點防身的本領，努力做一個不受人惑的人。[32]

結語

胡適這篇〈中國的孔教運動〉的文章，是他對儒家作為一個宗教運動最後的沉思。他在離開美國以前所寫的一篇書評，就充分地顯示出他對儒家作為宗教已經完全不再措意。這篇書評所評的是道森（Miles Dawson）所著的《孔子的倫理：孔子及其弟子論「君子」》（*The Ethics of Confucius: The Sayings of the Master and His Disciples upon the Conduct of the "Superior Man"*），發表在一九一七年一月號的《一元論者》（*The Monist*）的雜誌上。

31　胡適：〈新思潮的意義〉，《胡適全集》（合肥市：安徽教育出版社，2003年），卷1，頁693、694。

32　胡適：〈介紹我自己的思想〉，《胡適全集》，卷4，頁673。

胡適稱讚道森的這本書是自理雅各翻譯四書以來，第一本用客觀的態度詮釋
儒家思想的著作。他認為道森這本書最成功的地方是第一和第二章：前者討
論君子，後者分析修身。胡適說在古典儒家的定義裡，君子「迥異於希臘的
智者；也不希冀佛教的涅槃；更不像基督教的理想一樣，企盼與上帝結
合。」他說：「孔子的理想僅止於如何使人生更善、更美（richer）。而其入
手之道是透過個人的沉毅（reticence），以及身體力行社會上的道德規範，
也就是『禮』——或用黑格爾的話來說，『德行』（*Sittlichkeit*）。」[33]當然，道
森的這本書所討論的是孔子的倫理。胡適在書評裡所著眼的自然只及於倫
理。然而，從我們所引的這段話看來，胡適說得很明白，孔子不同與佛家、
基督教、或任何宗教，他的學說與理想是入世的。

　　孔教最終只成為一個迷夢。這不但是因為胡適最終決定要作一個學者，
而不是以馬丁‧路德或喬治‧福克斯自任，「以期作聖」。孔教運動的不幸，
也正因為它最終還是沒有出現像胡適所說的馬丁‧路德或喬治‧福克斯那樣
的人物，來從事儒教的「宗教改革」。

　　　　　　　　——原載《舍我其誰：胡適，第一部，璞玉成璧，1891-1917》，
　　　　　　　　　　　　　　　　　　　　　頁五一二～五三一

---

33 Suh Hu, "Classical Confucianism," *The Monist*, XXVII.1 (January, 1917), p. 158.

鄭振鐸新文學思想下的經學研究[*]

黃偉豪

香港浸會大學文學院語文中心講師

一　緒論

民國（1912-1949）初期的「整理國故運動」，大多以批判精神，甚至新文學觀念，重估國故價值。胡適（1891-1962）固然是舉足輕重的代表之一，鄭振鐸（1898-1958）也是不可或缺的其中一員。鄭氏曾經夫子自道，主張對國故予以「整理」、「掃除」，[1]目的有二：第一，推翻舊的文藝觀念，以便建立新的文學；[2]第二，檢視舊的文藝作品，以便重估、發掘傳統文學

---

[*]　本文為臺灣中央研究院中國文哲研究所經學研究所主辦「變動時代的經學和經學家（1912-1949）」第七次學術研討會，（2010年6月10-11日）宣讀論文。另外，就筆者考察，鄭氏雖然將經學置於現代學術的文學與史學範疇，然而拙文題目仍稱作〈鄭振鐸新文學思想下的經學研究〉為宜。蓋傳統以經史子集此一「四部分類法」看待經籍，鄭氏則以文學、史學視之，其實建基於現代學術文史哲的分類法。無論以四部分類法，抑或文史哲分類法，對象都是傳統經籍，在本質上都屬於經學，故鄭氏之論經籍，拙文稱作「經學研究」。

[1]　鄭氏指「我主張在新文學運動的熱潮中，應有整理國故的一種舉動」，詳見〈新文學之建設與國故之新研究〉，原載1923年1月10日《小說月報》第14卷第1號，收入鄭振鐸：《鄭振鐸全集》（石家莊市：花山文藝出版社，1998年），冊3，頁437；「我這篇文章（筆者案，〈讀毛詩序〉）意思極為淺近，且多前人已經說過的話，只可算是這種掃除運動裏的小小的清道夫的先鋒而已」（〈讀毛詩序〉，原載1927年《小說月報·中國文學研究專號》，收入《鄭振鐸全集》，冊4，頁22）。

[2]　「我覺得新文學的運動，不僅要在創作與翻譯方面努力，而對於一般社會的文藝觀念，尤須徹底的把他們改革過。因為舊的文藝觀念不打翻，則他們對於新的文學，必

的價值。[3]

　　筆者認為，在鄭氏的「整理國故」舉動中，值得注視的是經學方面的整理。在中國現代文學史上成就蜚然、同時是新文學推動者之一的鄭振鐸，曾經參與創辦《新社會》（1919）、成立文學研究會（1921）、編輯《中國新文學大系》（1934）等，但與此同時，對傳統經籍也有相當多的論述：

　　就經學理念而言，「無徵不信」的批判精神，可說是貫串鄭氏經學研究的其中一條主要思路。誠如鄭氏所指：

> 我的整理國故的新精神便是「無徵不信」，以科學的方法，來研究前
> 人未開發的文學園地。我們懷疑，我們超出一切傳統的觀念——漢宋
> 儒乃至孔子及其同時人——但我們的言論，必須立在極穩固的根據地
> 上。[4]

這種「無徵不信」的批判精神，其確切意思，借用鄭振鐸的話便是「固不可

定要持反對的態度，或是竟把新文學誤解了」、「但我們要打翻這種舊的文藝觀念，一方面固然要把什麼是文學，什麼是詩，以及其它等等的文學原理介紹進來，一方面卻更要指出舊的文學的真面目與弊病之所在，把他們所崇信的傳統的信條，都一個個的打翻了。譬如他們相信《毛詩序》的美刺主義，把蘇東坡的『缺月掛疏桐』一詞，也句句都解成『刺明微也』，『幽人不得志也』；又相信『文以載道』的主張，以為文章不能離經義以獨存，把所謂周漢經師的傳授表也都列入文學史裏。我們拿了抽象的幾個文學定義和他們說，是決說不通的；必須根本的把《毛詩序》打倒，或把漢儒傳經的性質辯白出來，使他們失了根據地，他們的主張才會搖動，他們的舊觀念才會破除」。〈新文學之建設與國故之新研究〉，原載1923年1月10日《小說月報》第14卷第1號，收入《鄭振鐸全集》，冊3，頁437-438。

3　「我以為我們所謂新文學運動，並不是要完全推翻一切中國的故有的文藝作品。這種運動的真意義，一方面在建設我們的新文學觀，創作新的作品，一方面卻要重新估定或發現中國文學的價值，把金石從瓦礫堆中搜找出來，把傳統的灰塵，從光潤的鏡子上拂拭下去」、「又如《水滸傳》、《西遊記》、《鏡花緣》、《紅樓夢》諸書，也是被所謂正統派的文人所不齒的，而它們的真價值，也遠在無聊的經解及子部雜家小說家及史部各書以上。又如向來無人知道方玉潤，他的《詩經原始》，見解極為超卓，其價值也遠在朱熹、魏源、毛奇齡之上。而知者卻極少。這都是我們所不能不把他們從瓦礫堆中找出來的」。〈新文學之建設與國故之新研究〉，《鄭振鐸全集》，冊3，頁438。

4　〈新文學之建設與國故之新研究〉，收入《鄭振鐸全集》，冊3，頁439。

盡信為真實，但也不可單憑直覺的理智，去抹殺古代的事實」。[5]我們可以看到鄭氏對傳統經籍，既不是全盤接受，也不是完全摒棄。

就治經方法而論，鄭氏一方面以現代的科學方法，對傳統經籍予以質疑、推翻，甚至建構，另一方面以傳統的校讎學，對民國以前的經學著作，能夠辨章學術、考鏡源流。

可以說，鄭氏的經學研究，在民國初期的「整理國故運動」中，十分突出。本文特此對鄭振鐸的經學研究加以析述，除能揭櫫鄭氏經學研究的全豹外，相信也能由點到面，窺見民國初期「整理國故運動」面目的一斑。[6]

二　鄭振鐸的經學研究範圍

鄭振鐸的友人周予同（1898-1981），曾經就鄭氏的治學範圍作出總結，指「振鐸兄治學的範圍是遼廣的，也是多變的」；[7]筆者認為，同樣地，鄭氏的治經範圍也頗為「遼廣」。鄭氏的經學研究對象，涉及儒家文化，以及儒

5　詳見〈湯禱篇〉。此文撰於民國二十一年（1932）十二月二日。收入《鄭振鐸全集》，冊3，頁577。

6　鄭振鐸的經學研究的相關論著，就筆者所見，有學者林慶彰先生的〈民國初年的反《詩序》運動〉（《貴州文史叢刊》，1997年第5期）、〈鄭振鐸論《詩序》〉（詳見《中華國學研究》創刊號）、佘小云先生的〈論鄭振鐸的《毛詩序》研究〉（《南京理工大學學報（社會科學版）》，2005年第2期）。另有章原先生〈鄭振鐸的《詩經》學研究〉（《古典文學知識》，2011年第1期）上述四文，大部分就鄭氏〈讀毛詩序〉一文展開論述。筆者翻閱《鄭振鐸全集》，發現鄭氏尚有不少經學思想散見於其他篇章，包括〈整理中國文學的提議〉（1922）、〈雜談〉（1922）、〈新文學之建設與國故之新研究〉（1923）、〈中國文學研究的重要書籍介紹〉（1924）、〈讀毛詩序〉（1927）、〈關於詩經研究的重要書籍介紹〉（1927）、〈經書的效用〉（1928）、《插圖本中國文學史》（1932）、《民族文話》（1938）、〈劫中得書記〉（1941）、〈劫中得書續記〉（1941）、〈黃鳥篇〉（1946）、〈伐檀篇〉（1946）、〈中國古典文學中的詩歌傳統〉（1953）、〈為做好古典文學的普及工作而努力〉（1953）、〈整理古書的建議〉（1957），以及序跋、日記等。如是者，本文在四文的基礎上，作進一步的考察。

7　周予同《湯禱篇》序，撰於一九五七年四月五日，詳見《鄭振鐸全集》，冊3，頁573。

家經籍《尚書》、《孟子》、《左傳》、《詩經》。無論如何，鄭氏治經的大前提是「無徵不信」。[8]

　　鄭氏認為，儒家典籍有關上古的記載，未必真有其事，甚至是由先秦或漢代以後時人所捏造。例如指《尚書》的〈牧誓〉、〈泰誓〉，記載商紂失敗的必然性，緣於孟子等儒家的誇飾；[9]又如單就孔子而言，自漢以來的孔子形象，以及孔子之道，已經變質，並非原來面目，這源於叔孫通等人所利用。[10]進一步說，儒家文化與儒家典籍之所以受到「誇飾」、「變質」，歸根結柢，無非因為「大眾既相信聖人是具有無限權威的，既相信他們是一位神、一位宗教主、一位神祕的救世主，對於他所手訂或編著『經書』便也會

8　鄭氏此種「無徵不信」的批判精神，可能與友人顧頡剛（1893-1980）及同行郭沫若（1892-1978）略有關係。鄭氏曾借用顧氏資料，甚至佩服其「為真理而求真理」的治學精神，他說「本文裏第四節所引的幾首詩的三個比較表，都是我的朋友顧頡剛先生制的」。（〈讀毛詩序〉，收入《鄭振鐸全集》，冊4，頁22）、「他（筆者案，顧頡剛）的『為真理而求真理』的熱忱，是為我們友人們所共佩的。〔……〕他告訴他們（筆者案，青年讀者），古書是不可盡信的；同時須加以謹慎的選擇。他以為古代的聖人的以及其他的故事，都是累而成的，即愈到後來，那故事附會成分愈多。他的意見是很值得注意的。也有不少的跟從者曾做了同類的工作」（《湯禱篇·湯禱篇》，《鄭振鐸全集》，冊3，頁576）；又如鄭氏友人周予同指鄭氏「他對郭沫若先生的《中國古代社會研究》有好感，他對顧頡剛先生主編的《古史辨》以為是中國式的疑古求真的結束，他對自己發表的〈湯禱篇〉加上『古史新辨』的副題，都是從這一觀點出發的」。（周予同《湯禱篇·序》，《鄭振鐸全集》，冊3，頁574-575）。筆者認為，比較鄭振鐸、顧頡剛及郭沫若三人之經學思想，值得另文專題探討。

9　「因為像孟子們的儒家的誇飾，紂的失敗，遂益成為必然的。因了他的暴虐無道，臣民離心，武王之師一到了牧野，浩浩蕩蕩的七十萬的紂兵便倒戈叛紂，奔潰而散」、「後來（筆者案，〈牧誓〉）的三篇〈泰誓〉及《史記》的記載，便硬替紂添做了許多罪惡，好像武王之討伐真是仁德之主，替天行道，吊民伐罪似的。殷商已滅，紂已失敗，還有誰來辨正這些歪曲的記載呢？」，《民族文話》，收入《鄭振鐸全集》，冊4，頁46-47。

10　「孔子和孔子之『道』，自漢以來，便為民賊們（像叔孫通們）所利用，所襲取，所變質，根本上並不是他的真面目」、「把孔子成為一個宗教主，一個『巫師』般的人物，把許多怪誕的傳說和神話塗附於孔子的身上，全都是漢以來的胡鬧的把戲。在那裏的孔子，是被利用了，被變質了的」。《民族文話》，收入《鄭振鐸全集》，冊4，頁81及83-84。

自然而然的生出一種神秘的敬仰來了」。[11]鄭氏這種疑古精神，與一九二六
年顧頡剛（1893-1980）《古史辨・自序》「上古史靠不住的觀念」等古史辨
派的思想是相通的。[12]考鄭氏曾借用顧氏資料，甚至佩服其「為真理而求真
理」的治學精神，他說「本文裏第四節所引的幾首詩的三個比較表，都是我
的朋友顧頡剛先生制的」、[13]「他的『為真理而求真理』的熱忱，是為我們
友人們所共佩的。〔……〕他告訴他們（筆者案，青年讀者），古書是不可盡
信的；同時須加以謹慎的選擇。他以為古代的聖人的以及其他的故事，都是
累而成的，即愈到後來，那故事附會成分愈多。他的意見是很值得注意的。
也有不少的跟從者曾做了同類的工作」。[14]鄭氏友人周予同指鄭氏「他對郭
沫若先生的《中國古代社會研究》有好感，他對顧頡剛先生主編的《古史
辨》以為是中國式的疑古求真的結束，他對自己發表的〈湯禱篇〉加上『古
史新辨』的副題，都是從這一觀點出發的」。[15]當然，對於儒家典籍有關上
古記載的批判，鄭氏主要從文學來立論，顧氏則是從史學方面立論。應當說
明，鄭氏質疑上古記載的同時，有兩點卻是肯定的：一是認為《書》、
《禮》、《詩》、《易》、《春秋》五經是孔子編定下來，[16]二是孔子的言行生
平，畢竟以《論語》為最可靠。[17]

　　鄭氏對《尚書》、《孟子》、《左傳》、《詩經》也有相關的論述。

　　先就《尚書》而言。

　　對於鄭氏來說，《尚書》有不少地方值得懷疑。鄭氏十分著重「史料

11　〈經書的效用〉，收入《鄭振鐸全集》，冊5，頁354。

12　顧頡剛：《古史辨・自序》（上海市：上海古籍出版社，1982），冊1，上編，頁80。

13　〈讀毛詩序〉，收入《鄭振鐸全集》，冊4，頁22。

14　《湯禱篇・湯禱篇》，收入《鄭振鐸全集》，冊3，頁576。

15　周予同：《湯禱篇・序》，收入《鄭振鐸全集》，冊3，頁574-575。

16　「他（筆者案，孔子）的能夠把貴族文化集合了攏來，把《書》、《禮》、《詩》、
　　《易》、《春秋》，都編定了下來，正是他艱苦從學的結果」，《民族文話》，收入《鄭振
　　鐸全集》，冊4，頁83。

17　「關於孔子的言行生平，《論語》是最可靠的；但已有一部分為後人所增飾」，《民族
　　文話》，收入《鄭振鐸全集》，冊4，頁84。

的辨偽」問題，[18]並指《尚書》若干內容並非出於一人一時之作，而是經過後人擅改加工。譬如對於〈堯典〉、〈禹貢〉、〈甘誓〉，他說「即《尚書》裏的文章，像〈堯典〉、〈禹貢〉之類，也不會是堯、禹時代的真實的著作。又像〈甘誓〉之類，就其性質及文體上說來，比較的有成為最早的記載的可能性，惟也頗為後人所懷疑；至少是曾經過後人的若干次的改寫與潤飾的」、[19]「即〈堯典〉中所載的君臣賡和之作也都是後人的記載」。[20]

　　考其理據有二：一是從內容與文筆的矛盾來推斷。例如指〈堯典〉內容不通和〈甘誓〉有後寫痕跡：

> 〈堯典〉卻明明不是堯舜時所作；它記的是堯舜時代的事，且篇首即大書曰：「若稽古帝堯」，可見作此文者尚為離堯舜時代很遠的人。（舊釋：「若，順；稽，考也。能順考古道而行之者帝堯。」完全是不通的。）最可信的最古的一篇文字乃是〈甘誓〉，但就其明白曉暢的一點看來，至少有後人改寫的痕跡。[21]

二是從目錄版本源流來推斷，例如認為只有秦博士伏生的《今文尚書》二十八編可信：

> 編集《尚書》者相傳為孔子。據說全書原有一百篇，今存五十八篇。然此五十八篇卻非原本，其中多有偽作。可信為原作者僅由伏生傳下的二十八篇而已。其餘三十篇，有五篇係由舊本分出，有二十五篇則為偽作。[22]

那末，究竟《尚書》撰於何時？性質如何？鄭氏認為，《尚書》若干篇章，

---

18 鄭氏曾謂「還有一件事我們不能不注意，那便是史料的辨偽」，《插圖本中國文學史‧緒論》，收入《鄭振鐸全集》，冊8，頁10。

19 《插圖本中國文學史》第3章〈最古的記載〉，收入《鄭振鐸全集》，冊8，頁27。

20 《插圖本中國文學史‧緒論》，收入《鄭振鐸全集》，冊8，頁10。

21 《插圖本中國文學史》第3章〈最古的記載〉，收入《鄭振鐸全集》，冊8，頁32。

22 同前註，頁29。

未必撰於夏代，反而是後人的追記文字：

〈禹貢〉亦是後人所追記。〈甘誓〉若果為夏啟時代的作品，則此文之作，蓋在公元前二千一百九十六年，即離今約四千年。四千年前，中國之有那樣簡樸的文字，並不是不可能的事。〔……〕惟甲骨文以前的文字，即夏代的文字，迄未被我們發現，我們只能將這篇文字作為後人的記述而已。《尚書》中最後的一篇文字〈秦誓〉，則寫於公元前六百二十七年。[23]

至於《尚書》的性質，則認為不止紀言，正如鄭氏所指「《尚書》的性質與內容是很不一致的。舊說《春秋》是紀事的，《尚書》是紀言的，《尚書》又何嘗止是紀言而已」。[24]

次就《孟子》、《左傳》而論。

在目錄學史上，北宋以來的官修或私修目錄，對於《孟子》是否屬於經部，取向各有不同。北宋《崇文總目》、南宋晁公武（1105-1180）《郡齋讀書志》、《宋史・藝文志》沒有把《孟子》納入經部，而南宋尤袤（約1127-約 1194）《遂初堂書目》、陳振孫（？-約 1262）《直齋書錄解題》、《文獻通考・經籍考》、《明史・藝文志》、《四庫全書總目》則把《孟子》納入經部。那末，究竟《孟子》屬於四部中的經部，抑或子部？鄭氏並沒有明言，而且對《孟子》只有片言隻辭的論述。他認為，《孟子》既非孟軻自著，也非後人偽作，反而是弟子對孟子的記述文字，正如鄭氏所指「有的人頗疑《孟子》，以為係後人所偽作，有的人則以為《孟子》一書未必為軻所自著，而是弟子所記述的。大約以後說為較可靠」。[25]筆者認為，當中比較弔詭的是：此段文字是鄭氏《插圖本中國文學史》第五章〈先秦的散文〉的論述文字，似乎反映他並沒有從傳統「四部分類法」來衡量《孟子》的性質，反而是用現代學術下的文史哲等學科分類方式，來界定

---

23 同註21，頁32。

24 同註21，頁31。

25 《插圖本中國文學史》，第五章〈先秦的散文〉，收入《鄭振鐸全集》，冊8，頁71。

《孟子》的類屬。

　　《春秋》的情況也是一樣，鄭氏以現代學術分類方法，僅將《春秋》當作「歷史書籍」或「文學趣味的歷史」。他說「先秦的歷史書籍，有被稱為『斷爛朝服』的《春秋》」[26]、「惟《春秋左氏傳》較為進步，常有許多著意的描狀，足稱為一部有文學趣味的歷史」。[27]

　　群經當中，《詩經》是鄭氏論述最為詳細的經籍。

　　《詩經》在鄭氏經學研究中佔主體部分。鄭氏甚至對《詩經》可謂頂禮膜拜，認為「《詩經》的研究是一生的工作」。[28]同樣地，鄭氏沒有以傳統「四部分類法」來界定《詩經》屬性，反而從文學的角度，將《詩經》的內容，歸納為三類：一是詩人的創作；二是民間歌謠，包括戀歌、結婚歌、悼歌及頌賀歌、農歌；三是貴族樂歌，分為宗廟樂歌、頌神樂歌或禱歌、宴會歌、田獵歌、戰事歌。[29]在此三類內容中，尤以「民間歌謠」至為寶貴，他說：

> 《詩經》中主要的是民間歌謠，它是無窮的最可寶貴的材料，把我們初期封建社會的祖先在黃河流域所歌唱的，所反對的，所希望的，所要求的，以及快樂憂傷與不幸等感情都表現出來。在《詩經》中還有佔很大成分的戀歌，寫得很好（不下於現在好的情歌），是非常活潑新鮮的東西。其中更重要的一種是反映農民生活的歌曲，很明確地表現了農民和地主的關係，反映了地主的殘酷剝削以及農民的痛苦，把農民的憎恨與反抗，表現得非常深刻。[30]

鄭氏認為，「民間歌謠」中的「戀歌」，則是整部《詩經》中「最晶瑩的圓珠圭璧」，並毫不避諱地說：如果一如部分宋儒、清儒所主張一併刪去的話，

26　《插圖本中國文學史》，第五章〈先秦的散文〉，收入《鄭振鐸全集》，冊8，頁75。
27　同前註。
28　〈研究中國文學的新途徑〉，收入《鄭振鐸全集》，冊5，頁308。
29　《插圖本中國文學史》，第四章〈詩經與楚辭〉，收入《鄭振鐸全集》，冊8，頁39。
30　〈中國古典文學中的詩歌傳統〉，收入《鄭振鐸全集》，冊6，頁98。

《詩經》未必再能成為一部最動人的古代詩歌選集。[31]當然，鄭氏也認為，《詩經》有些悲憤詩、諷刺詩，確實撰於平王東遷時代。[32]但無論如何，有一點鄭氏斬釘截鐵地提出的是：《詩經》雖為孔子編，但並非每首都含有宣傳他的主義的意義在內。[33]

　　《詩經》既然分風、雅、頌三大部，究竟這種分部原意為何？鄭氏認為，這個問題十分複雜，也難以說清。但另一方面，鄭氏可以肯定的是，所謂「〈小雅〉是諷刺，〈大雅〉是歌頌」之說，根本是說不通的。他指：

> 「雅」分〈大雅〉、〈小雅〉兩個部分，據說〈小雅〉是諷刺，〈大雅〉是歌頌，但實際上〈大雅〉也有諷刺的，揭發當時社會的黑暗情況的。這些作者雖出身於統治階級，但他們站出了自己的階級，不滿意貴族的統治，深刻地揭發了當時貴族階級的黑暗腐化。[34]

換言之，由於風、雅、頌三大部有很多詩的內容都是同類，我們不應以放諸四海皆準的唯一準則，限定三大部只有劃一的一種原意。鄭氏就此舉了若干例子：

> 「風」「雅」之中，更有許多同類之詩，足以證明「風」與「雅」原非截然相異的二類。至於「頌」，則其性質也不十分明白。〈商頌〉的五篇，完全是祭祀樂歌，一小部分卻與「雅」中的多數詩篇，未必有多大分別（如〈小毖〉）。〈魯頌〉則只有〈閟宮〉可算是祭祀樂歌，其他〈泮水〉諸篇皆非是。又〈大雅〉中也有祭祀樂歌，如〈雲漢〉之類是。[35]

31　《插圖本中國文學史》，第四章〈詩經與楚辭〉，收入《鄭振鐸全集》，冊8，頁47-48。
32　《民族文話》，收入《鄭振鐸全集》，冊4，頁59。
33　鄭氏指「其實孔子選詩的本意，豈是每首都含有宣傳他的主義的意義在內麼？」，〈整理中國文學的提議〉，收入《鄭振鐸全集》，冊6，頁6。
34　〈中國古典文學中的詩歌傳統〉，收入《鄭振鐸全集》，冊6，頁98。
35　《插圖本中國文學史》，第四章〈詩經與楚辭〉，收入《鄭振鐸全集》，冊8，頁38。

就風、雅、頌三大部的內容傾向而言，比較能夠確定的是「頌」。他認為「『頌』是祭祀文章」、「反映了我國古代初期農業社會生活」。[36]

　　何以風、雅、頌三大部的內容如此複雜？據鄭氏所指，其中一個原因是今本《詩經》已非原來版本，當中的篇章次列已為後人竄亂：

> 當初的分別風、雅、頌三大部的原意，已不為後人所知；而今本的《詩經》的次列又為後人所竄亂，更不能與原來之意旨相契合。蓋以今本的《詩經》而論，則風、雅、頌三者之分，任用如何的巧說，皆不能將其抵牾不合之處，彌縫起來。[37]

而另一個因素則是漢代以後的經學家，以政治教化寓意的角度，對《詩經》作品作了許多無謂的曲解強釋。例如鄭氏指置於國風之始的〈周南‧關雎〉被經學家的經解複雜化了：

> 便是古代許多很好的純文學，也被儒家解釋得死板的無一毫生氣。《詩經》裏很好的一首抒情詩〔……〕被漢儒解釋，便變成「后妃之德也，風之始也，所以風天下而正夫婦也」了。雖然朱熹能夠打破這種解釋，而仍把他加上儒家的桎梏，說什麼「蓋此人此德，世不常有。求之不得，則無以配君子而成其內治之美」。[38]

　　既然如此，我們應該如何界定《詩經》的內容？如何界定風、雅、頌三者的分別所在？既然《詩經》的內容如此複雜，風、雅、頌之分又決不能放諸四海皆準，加上風、雅、頌之間的分別充滿矛盾。準此，鄭氏主張，我們不妨退一步來從另一個角度解決問題：「我們似不必拘泥於已竄亂了的次第而勉強去加以解釋，附會，甚至誤解」、「我們且放開了舊說，而在現存的三百〇五篇古詩的自身，找出他們的真實的性質與本相來」。[39]正因為《詩

36　〈中國古典文學中的詩歌傳統〉，收入《鄭振鐸全集》，冊6，頁98。

37　《插圖本中國文學史》，第四章〈詩經與楚辭〉，收入《鄭振鐸全集》，冊8，頁38。

38　〈整理中國文學的提議〉，收入《鄭振鐸全集》，冊6，頁5-6。

39　《插圖本中國文學史》，第四章〈詩經與楚辭〉，收入《鄭振鐸全集》，冊8，頁39。

經》的風、雅、頌三者如此複雜,鄭氏才以折衷的方法,重新界定《詩經》的內容,將之歸類為前文所述的「詩人的創作」、「民間歌謠」及「貴族樂歌」三大類。前人一般循著風、雅、頌三分的思路,用了邏輯上所謂的「循環論證」方式,即踵事增華、疊床架屋地加以解釋,而沒有跳出這種窠臼來看問題。例如《毛詩序》循著《詩經》風、雅、頌三分的思路,指「風,風也,教也。風以動之,教以化之」、「上以風化下,下以風刺上,主文而譎諫,言之者無罪,聞之者足以戒,故曰風」、「是以一國之事,系一人之本,謂之風」、「言天下之事,形四方之風,謂之雅」、「雅者,正也,言王政之所由廢興也。政有小大,故有小雅焉,有大雅焉」、「頌者,美盛德之形容,以其成功告于神明者也」;又如朱熹(1130-1200)《詩集傳》也指「凡詩之所謂風者,多出於里巷歌謠之作,所謂男女相與詠歌,各言其情者也」、「雅者,正也,正樂之歌也」、「正小雅,燕饗之樂也。正大雅,會朝之樂,受釐陳戒之辭也」、「頌者,宗廟之樂歌」。反觀鄭振鐸對《詩經》內容的界定,與《毛詩序》、《詩集傳》等傳統分類,可謂南轅北轍。

那末,鄭氏對漢代以後的經解,尤其是漢代以後的《詩經》極力否定,我們閱讀《詩經》是否單看《詩經》文本,將所有經解束之高閣即可?《詩經》的研究既然好像鄭氏所指是「一生的工作」,我們該如何研究《詩經》?鄭氏為此指出《詩經》的研究重心所在,並且開列《詩經》的若干論著目錄,提供《詩經》的閱讀步驟:

第一,研究重心方面,應該以詩文為本,注疏為輔,甚至廢《毛詩序》說詩。因為注疏,尤其《毛詩序》是解釋《詩經》,當中的解釋與詩意或有相合,或有相背,我們不應本末倒置,甚至捨本逐末,將注疏或《毛詩序》凌駕於《詩經》詩文之上:

> 《詩序》是解釋《詩經》的,我們自當以詩文為主,不能據序以誤
> 詩。《詩序》如與詩意相合,我們便當遵他;如大背詩意,則不問其
> 古不古,不問其作者之為孔子抑他人,皆非排斥不可。何況《詩序》
> 之決非古呢?且《詩經》本甚明白。廢序而說詩,較據序以言詩且更

明了。[40]

除此之外,《毛詩序》還有不少根本性的問題,包括「不顧詩文,隨意亂說」[41]等。因此,鄭氏提出「我們要研究《詩經》,便非先使這一切壓蓋在《詩經》上面的重重疊疊的注疏、集傳的瓦礫,爬掃開來,而另起爐灶不可。這種傳襲的《詩經》注疏如不爬掃乾淨,《詩經》的真相便永不能顯露」,[42]甚至說「我們現在研究《詩經》,正如開始向大沙漠中旅行去一樣,什麼東西都要自己預備」。[43]即是說:治《詩經》要有獨立思考、「無徵不信」的批判精神。

第二,閱讀步驟方面,先看《詩經》,繼而參照齊、魯、韓三家詩,以及《毛詩正義》與《詩集傳》,以至鄭樵(1104-1162)、姚際恆(1647-約1715)、方玉潤(1811-1883)諸家之書及清代漢學家的訓詁之書。一九二四年一月,鄭振鐸在《小說月報》發表〈中國文學研究的重要書籍介紹〉一文,指出由於《詩經》注釋本子極多,可先看其中三種,即《毛詩正義》、宋人朱熹《詩集傳》及清人方玉潤《詩經原始》;[44]一九二七年在《小說月報‧中國文學研究專號》刊發〈關於詩經研究的重要書籍介紹〉一文,更加詳細地分四大類、開列一系列的論著目錄,當中包括「《詩經》的注釋及見解的書」、「《詩經》的音韻名物的研究及異文的校勘的」、「《詩經》書籍的輯佚的」及「附錄」四類;[45]一九五三年在《人民日報》刊載〈為做好古典文學的普及工作而努力〉一文,則清晰地重申:

40　〈讀毛詩序〉,收入《鄭振鐸全集》,冊4,頁18。

41　同前註,頁17。

42　同註40,頁5-6。

43　〈關於詩經研究的重要書籍介紹〉,收入《鄭振鐸全集》,冊4,頁24。

44　〈中國文學研究的重要書籍介紹〉,收入《鄭振鐸全集》,冊6,頁12。此外,鄭氏早在一九二三年一月十日發表於《小說月報》的〈新文學之建設與國故之新研究〉中,甚至指其中《詩經原始》的見解極為超卓,價值甚至遠在朱熹、毛奇齡、魏源之上(〈新文學之建設與國故之新研究〉,收入《鄭振鐸全集》,冊3,頁438)。

45　〈關於詩經研究的重要書籍介紹〉,收入《鄭振鐸全集》,冊4,頁24。

> 像研究《詩經》，如只抱著《毛詩》一本，必會越看越糊塗。至少還
> 要讀三家詩，還要讀朱熹注，還要讀鄭樵、姚際恆、方玉潤諸家之
> 書，還要仔細研究清代漢學家的訓詁之學，才能融會貫通，不至曲解
> 或誤解。[46]

筆者認為，結合前文「以詩文為本，注疏為輔，甚至廢《毛詩序》說詩」的
觀點，鄭振鐸所提倡的治經方法，簡而要之：先讀《詩經》原文，朱熹注次
之，方玉潤等經解再次之。這是第一個步驟；如果「行有餘力」，才再涉獵
三家詩，鄭樵、姚際恆等諸家之書，以及研究清代漢學家的訓詁之學。這是
第二個步驟。總的來說，《毛詩序》在治《詩經》的過程中，是極不重要
的，甚至可以將之廢掉。

三　主張剷除《毛詩序》的背後原因

至此，或許我們會有個疑問：在鄭振鐸的經學研究中，何以《詩經》會
佔了如此主要的部分？何以鄭氏對《毛詩序》予以極力的貶斥，彷彿非要把
《毛詩序》剷除不可？

筆者認為，表面來看，這緣於《詩經》受《毛詩序》的長期影響以及餘
波所及，以致《詩經》的本來面目被蒙蔽。因為在經學史上，《毛詩序》佔
有主導的位置，連朱熹的《詩集傳》也受其影響，誠如鄭氏所指：

> 《毛詩序》算是一堆最沉重，最難掃除，而又必須最先掃除的瓦礫
> 〔……〕三家詩的勢力究竟不大〔……〕朱熹的《詩集傳》，雖然也
> 是一堆很沉重，很不容易掃除，而又必須掃除的瓦礫，然而在他的許
> 多壞處裏，最大的壞處，便是因襲《毛詩序》的地方太多。[47]

---

46 〈為做好古典文學的普及工作而努力〉，收入《鄭振鐸全集》，冊6，頁67。

47 〈讀毛詩序〉，收入《鄭振鐸全集》，冊4，頁6-7。鄭氏對此在不同地方反覆強調，例
　如又指「當讀毛鄭的傳箋的《詩經》時，覺得他們的曲說附會，愈讀而愈茫然，不知
　詩意之所在，再把朱熹的《詩集傳》翻出來看，解說雖異，而其曲說附會，讀之不

就算是《詩集傳》以後的《詩經》經解，鄭氏也認為或多或少地受到《毛詩序》曲解巧說的餘波所影響：

> 像這種的解釋，幾乎在任何種的《詩經》注釋裏都可遇到，如照他們的注釋去讀《詩經》，則《詩經》真是一部含義最深奧，最不容易懂的古書了。雖然姚際恆、崔述、方玉潤的幾部書，能夠自抒見解，不為傳襲的傳疏學說所範圍，然而究竟還有所蔽。《詩經》的本來面目，在他們那裏也還不容易找得到。[48]

換言之，清代以前的《詩經》思想，主要建基於《毛詩序》。既然清代以前的《詩經》經解有問題，如果要「肅清」這些經解問題，必須切中肯綮，首先根除《毛詩序》。[49]如果割斷了《毛詩序》與《詩經》的關係，《詩經》的真面目便得以重現。[50]換句話說，鄭氏以較多的篇幅論述《詩經》，以至《毛詩序》，是為了重現《詩經》的真面目。

筆者認為，其實鄭氏另一深層的真正目的是：發掘傳統文學的價值，甚至建立新文學。鄭氏認為，《毛詩序》不僅主宰清代以前的《詩經》經解，就連中國古代文學批評也受到《毛詩序》的「諷諫觀」與「托物見志」觀念影響。清代常州詞派的張惠言（1761-1802）「比興寄托」說，便是其中一個例子。刊載於一九二三年元月十日《小說月報》的〈新文學之建設與國故之新研究〉一文中，鄭氏有以下的一席話：

> 一方面卻更要指出舊的文學的真面目與弊病之所在，把他們所崇信的傳統的信條，都一個個的打翻了。譬如他們相信《毛詩序》的美刺主

懂，解之不通的地方也同傳箋差不多」，詳見〈讀毛詩序〉，收入《鄭振鐸全集》，冊4，頁5。

48　〈讀毛詩序〉，收入《鄭振鐸全集》，冊4，頁5。

49　例如鄭氏指「所以我們要攻擊《詩集傳》仍然須先攻擊《毛詩序》」。〈讀毛詩序〉，收入《鄭振鐸全集》，冊4，頁6-7。

50　「所以我們十分確信的說：《詩序》之說如不掃除，《詩經》之真面目，便永不可得見」。〈讀毛詩序〉，收入《鄭振鐸全集》，冊4，頁10。

義，把蘇東坡的「缺月掛疏桐」一詞，也句句都解成「刺明微也」，「幽人不得志也」；又相信「文以載道」的主張，以為文章不能離經義以獨存，把所謂周漢經師的傳授表也都列入文學史裏。我們拿了抽象的幾個文學定義和他們說，是決說不通的；必須根本的把《毛詩序》打倒，或把漢儒傳經的性質辯白出來，使他們失了根據地，他們的主張才會搖動，他們的舊觀念才會破除。[51]

到了一九二七年刊登在《小說月報・中國文學研究專號》的〈讀毛詩序〉一文中，鄭氏除了重複強調張惠言受《毛詩序》影響之外，更進一步指連唐代詩人白居易（772-846）〈新樂府〉詩五十首，每篇自序都是摹彷《詩序》做的：

　　《毛詩序》除了對於《詩經》的影響以外，對於一般文學上的影響，也是很大的。〔……〕白居易作《新樂府》五十篇，每篇有自序，而其序便是摹彷〈詩序〉做的。〔……〕蘇東坡的《卜算子》〔……〕本是一首很美麗的詞，被張惠言選入他的《詞選》裏，便引了銅陽居士的話，把他逐句解釋起來〔……〕而他們因受《詩序》的影響太深，便不知不覺的戴上了藍眼鏡，把一切文藝品的顏色也都看成藍的了。這是《詩序》給與中國文藝界的最壞的影響之一。[52]

---

51 張惠言《詞選序》曾提出詞體與「詩之比興，變風之義，騷人之歌」相近。筆者認為，張惠言，以至清代常州詞派，推崇比興，以「比興寄托」說詞，似乎具有更深層次的背後目的：為了推尊詞體，塞其下流。另外，鄭氏的正文引文，詳見〈新文學之建設與國故之新研究〉，收入《鄭振鐸全集》，冊3，頁437-438。

52 據白居易〈新樂府並序〉「序曰：凡九千二百五十二言，斷為五十篇。篇無定句，句無定字，繫於意不繫於文。首句標其目，卒章顯其志，《詩》三百之義也。其辭質而徑，欲見之者易諭也。其言直而切，欲聞之者深誡也。其事覈而實，使采之者傳信也。其體順而肆，可以播於樂章歌曲也。總而言之，為君、為臣、為民、為物、為事而作，不為文而作也」。詳見朱金城箋注：《白居易集箋校》（上海市：上海古籍出版社，2008年），冊1，卷3，頁136。可見鄭氏所言確鑿。筆者認同不少中國古代文學作品，以至中國古代文學批評，受《毛詩序》影響，然而也有部分中國古代文學作品，以至中國古代文學批評似乎沒有受《毛詩序》多大影響。我們可以舉兩個反例：第

鄭氏由此證明中國古代文學作品和文學批評，受到《毛詩序》的影響很大。如果剷除《毛詩序》，我們就可以發掘傳統文學作品中「諷諫觀」與「托物見志」以外的價值。

　　如果我們進一步去追查，便會發現：鄭氏主張根除《毛詩序》，原來與新文學的建設大有關係。刊載於一九二二年十一月二十一日《文學旬刊》的〈雜談〉第三十三則「無題」，鄭氏坦言：

> 又如我們研究《詩經》，一方面以新的方法，打破《詩序》的謬見，把《詩經》的真價值發見出來，一方面即可以把傳統的詩的諷諫觀與托物見志的觀念掃除掉。這種工作，與新文學的建設上正大有關係。[53]

《毛詩序》一旦根除，長期主宰中國文學的「諷諫觀」與「托物見志」觀念便會隨之根除，這種觀念再也不會羈絆新文學的發展，這便意味新文學可以「多元」地順利發展、建設。筆者相信，這才是鄭氏專論《詩經》，以至主張廢除《毛詩序》的另一真正原因。

四　《毛詩序》的兩個根本性問題

　　總而言之，對於鄭氏來說，《詩經》後來雖然一方面地位得到提高，但另一方面卻為漢儒，尤其《毛詩序》的曲解胡說所蒙蔽，這是《詩經》「不可避免的厄運」。因此，剷除《毛詩序》是首要、必須的步驟。[54]

一，筆者遍讀整部清人王文誥（1764-？）註《蘇軾詩集》，並沒有發現蘇軾（1037-1101）受《毛詩序》影響；第二，明末清初的金聖嘆（1608-1661），以及徐增（1612-？）的形式批評，並沒有受到《毛詩序》多大的影響。準此，鄭氏有否誇大《毛詩序》的影響，或者說是誇大《毛詩序》的負面影響？可俟斟酌。但無論如何，筆者認為，鄭氏強調《毛詩序》的負面影響，旨在提出足夠理據，證明根除《毛詩序》的重要性與必要性而已。另外，鄭氏正文引文，詳見〈讀毛詩序〉，收入《鄭振鐸全集》，冊4，頁7-8。

53　〈雜談〉第三十三則「無題」，收入《鄭振鐸全集》，冊3，頁511-512。

54　《插圖本中國文學史》，第四章〈詩經與楚辭〉，收入《鄭振鐸全集》，冊8，頁37。

　　《毛詩序》最根本的毛病，據鄭氏所指，在於「附會詩意，穿鑿不通」。[55]這主要表現於以下兩方面：

　　第一，強以「美刺說」解詩，扭曲詩意。

　　就《詩經》的本質來說，鄭氏認為「文辭俱極樸質，更不會包括什麼啞謎在裏面」。[56]反觀《毛詩序》，則有一個錯誤的前設，這便是以美刺說詩。此種先入為主的說詩方式，鄭氏是極之不滿的：

> 大概做《詩序》的人，誤認《詩經》是一部諫書，誤認《詩經》裏許多詩，都是對帝王而發的，所以他所解說的詩意，不是美某王，便是刺某公。又誤認詩歌是貴族的專有品，所以他便把許多詩都歸為某夫人或某公、某大夫所做；又誤認一國的風俗美惡，與王公的舉動極有關係，所以他又把許多詩都解說是受某王之化，是受某公之化。因他有了這幾個成見在心，於是一部很好的搜集古代詩歌很完備的《詩經》，被他一解釋便變成一部毫無意義，而難深若盤、誥的懸戒之書了。[57]

《毛詩序》前設了《詩經》必有寓意。由於有了此一前設，於是根據詩篇所繫出處，來判定詩歌的寓意所在。例如鄭氏所指「〈草蟲〉是在〈召南〉裡，所以便以為是美」、「〈風雨〉是在〈鄭風〉裏，所以不得不硬派他一個刺」、「〈隰桑〉、〈裳裳者華〉因為已派定是幽王時詩，所以便也不得不以他為刺詩」、「其他如〈關雎〉之為美，〈月出〉、〈澤陂〉之為刺，也是如此」、「〈關雎〉幸而在〈周南〉，遂被附會成『后妃之德也』」、「〈月出〉、〈澤陂〉不幸在〈陳風〉，遂不得不被說成刺好色，刺淫亂了」。[58]

　　筆者認為，《毛詩序》釋詩主要有兩個方向：一是根據詩篇所繫出處說

---

55 「《毛詩序》最大的壞處，就在於他的附會詩意，穿鑿不通」，〈讀毛詩序〉，收入《鄭振鐸全集》，冊4，頁8。

56 〈讀毛詩序〉，收入《鄭振鐸全集》，冊4，頁17-18。

57 同前註，頁10。

58 同註56，頁16-17。

詩，二是將詩中的「君子」之類詞語作為家國的象徵。《毛詩序》前設詩歌
具有美刺寓意，未必能夠放諸四海皆準，究其根本問題，或許誠如鄭氏所言
是「成見在心」。可見鄭氏所言合理。

　　第二，說詩標準矛盾。

　　《毛詩序》以美刺說詩，但美刺說本身沒有一定的標準。同一意思的兩
首詩歌，可以有截然不同的所謂「寓意」。如此矛盾，反映了《毛詩序》的
立足點根本並不紮實。鄭氏曾就此提出批評：

> 就《詩序》的本身而論，他的矛盾之處，也盡足以使他的立足點站得
> 不穩。〔……〕《詩序》之所美所刺，是沒有一定的標準的。譬如有兩
> 篇同樣意思，甚至於詞句也很相似的詩，在〈周南〉裏是美，在〈鄭
> 風〉裏卻會變成是刺。或是有兩篇同在〈衛風〉或〈小雅〉裏的同樣
> 的詩，歸之武公或宣王則為美，歸之幽王、厲王則為刺。而我們讀這
> 些詩的本文時卻決不見他們有什麼不同的地方。[59]

為了證明《毛詩序》的說詩標準矛盾，鄭氏舉了內容相似，卻又繫於不同出
處的兩首詩歌為例，即〈小雅·楚茨〉與〈大雅·鳧鷖〉作比較說明：

篇名	〈小雅·楚茨〉	〈大雅·鳧鷖〉
原文節錄	絜爾牛羊，以往烝嘗〔……〕報以介福，萬壽無疆。	爾酒既清，爾肴既馨〔……〕福祿來成〔……〕福祿來為
《毛詩序》的解釋	〈楚茨〉，刺幽王也。政煩賦重，田萊多荒，飢饉降喪，民卒流亡，祭祀不饗，故君子思古焉。	〈鳧鷖〉，守成也。太平之君子，能持盈守成，神祇祖考安樂之也。

鄭氏先讀《詩經》文本，再讀《毛詩序》經解，發現「〈楚茨〉的辭意很雍

59　同註56，頁10-11。

容堂皇，〈鳧鷖〉的辭意也是如此，毫無不同之處」，於是提出質疑，謂「我不知〈楚茨〉的詩裏，有哪一句是說『祭祀不敬』的？『絜爾牛羊，以往烝嘗』與『爾酒既清，爾肴既馨』有什麼不同？『報以介福，萬壽無疆』與『福祿來成』、『福祿來為』又有什麼分別？為什麼〈楚茨〉便是刺，〈鳧鷖〉便是美呢？這種矛盾之處，真令人索解無從」。[60] 基於這個原因，鄭氏曾一而再，再而三地批評《毛詩序》，例如一九二二年發表的〈整理中國文學的提議〉指「《詩經》裏很好的一首抒情詩」、「被漢儒解釋，便變成『后妃之德也，風之始也，所以風天下而正夫婦也』了」，[61] 一九二七年的〈讀毛詩序〉又指「《詩序》的精神在美刺。而不料他的美刺，卻是如此的無標準，如此的互相矛盾，如此的不顧詩文，隨意亂說」、「《詩序》的釋詩是沒有一首可通的，他的美刺，又是自相矛盾的」，[62] 一九三二年的《插圖本中國文學史》亦指「《詩大敘》之說，完全是不可通的。漢人說經，往往以若可解若不可解之文句，闡說模糊影響之意思」。[63]

五　《詩經》內容與作者問題：鄭振鐸與《毛詩序》以至傳統經解的不同看法

　　對於《詩經》內容與作者問題，鄭氏有不少看法與《毛詩序》，以至其他若干經解大相逕庭。

　　先說《詩經》內容。

　　考《詩經》以「四始」來分類。《毛詩序》指：

　　　是以一國之事，系一人之本，謂之風；言天下之事，形四方之風，謂之雅。雅者，正也，言王政之所由廢興也。政有大小，故有小雅焉，

60　同註56，頁12。

61　〈整理中國文學的提議〉收入《鄭振鐸全集》，冊6，頁5-6。

62　〈讀毛詩序〉，收入《鄭振鐸全集》，冊4，頁17及21。

63　《插圖本中國文學史》，第四章〈詩經與楚辭〉，收入《鄭振鐸全集》，冊8，頁37。

有大雅焉。頌者，美盛德之形容，以其成功告於神明者也。是謂四
始，詩之至也。

其中風、大雅、小雅、頌是以創作對象來判斷。反觀鄭氏，則從內容主題來
劃分。筆者根據《鄭振鐸全集》，現將傳統經解與鄭氏詮釋，排比如下：

篇名	傳統經解	鄭氏詮釋
〈周南・關雎〉	《毛詩序》：「〈關雎〉，后妃之德也，風之始也，所以風天下而正夫婦也」、「是以〈關雎〉樂得淑女以配君子，憂在進賢，不淫其色；哀窈窕，思賢才，而無傷善之心焉。」	情詩、抒情詩[64]
〈召南・鵲巢〉	《毛詩序》：「夫人之德也，國君積行累功，以致爵位，夫人起家而居有之，德如鳲鳩，乃可以配焉」；鄭玄：「鵲之作巢，冬至架之，至春乃成，猶國君積行累功，故以興焉。興者，鳲鳩因鵲成巢而居有之，而有均壹之德，猶國君夫人來嫁，居君子之室，德亦然。室，燕寢也」；朱熹：「南國諸侯，被文王之化，能正心修身，以齊其家。其女子亦被后妃之化，而有專靜純一之德，故嫁於諸侯，而其家人美之曰，維鵲有巢，則鳩來居之。是以之子于歸，而百兩迎之也。」	與夫人之德無關[65]
〈召南・草蟲〉	《毛詩序》：「〈草蟲〉，大夫妻能以	妻子思念行役丈夫[66]

---

64 詳見〈讀毛詩序〉，收入《鄭振鐸全集》，冊4，頁12-14；〈整理中國文學的提議〉，收入《鄭振鐸全集》，冊6，頁5。

65 〈讀毛詩序〉，收入《鄭振鐸全集》，冊4，頁5。

	禮自防也。」	
〈邶風・燕燕〉	《毛詩序》：「衛莊姜送歸妾也。」	感情深摯的送別詩，與衛莊姜無關[67]
〈王風・采葛〉	《毛詩序》：「〈采葛〉，懼讒也。」	描寫不見君子時想望之情[68]
〈鄭風・風雨〉	《毛詩序》：「〈風雨〉，思君子也。亂世則思君子不改其度焉。」	描寫既見君子時愉快之感[69]
〈魏風・伐檀〉	《毛詩序》：「〈伐檀〉，刺貪也。在位貪鄙，無功而受祿，君子不得進仕爾。」；朱熹《詩集傳》：「然其志則自以為不耕則不可以得禾，不獵則不可以得獸，是以甘心窮餓而不悔也。詩人述其事而嘆之，以為是真能不空食者。後世若徐穉之流，非其力則不食，其屬志蓋如此。」	農民諷刺地主[70]
〈秦風・晨風〉	《毛詩序》：「〈晨風〉，刺康公也。忘穆公之業，始棄其賢臣焉。」	描寫不見君子時想望之情[71]

---

66 鄭氏對此詩與朱熹意見一致：「描寫未見君子與既見君子時的心理」（〈讀毛詩序〉，《鄭振鐸全集》，冊4，頁15-16）、「這一首詩，明明是『諸侯大夫行役在外。其妻獨居，感時物之數，而思其君子如此』（朱熹的話）之意」參見〈整理中國文學的提議〉，收入《鄭振鐸全集》，冊6，頁6。

67 《插圖本中國文學史》，收入《鄭振鐸全集》，冊8，頁40。

68 〈讀毛詩序〉，收入《鄭振鐸全集》，冊4，頁15-16。

69 同前註。

70 鄭氏指「其實，只要把『君子』一語解釋作『地主』或『宦紳』之流，則全詩便能豁然貫通，毫無窒礙了。這位詩人口中的『君子』，全是譏刺之意。此『君子』並非若後人之所謂『君子』也」、「這實是一首絕好的農民的諷刺詩」（〈伐檀篇〉，《鄭振鐸全集》，冊3，頁652-654）、「就是農民很尖銳地諷刺地主」。參見〈中國古典文學中的詩歌傳統〉，收入《鄭振鐸全集》，冊6，頁98）。

71 〈讀毛詩序〉，收入《鄭振鐸全集》，冊4，頁15-16。

〈陳風・月出〉	《毛詩序》：「〈月出〉，刺好色也。在位不好德，而說美色焉。」	情詩[72]
〈陳風・澤陂〉	《毛詩序》：「〈澤陂〉，刺時也。言靈公君臣淫於其國，男女相說，憂思感傷焉。」	情詩[73]
〈豳風・七月〉	歌頌功德，「風俗之厚」、「不敢忘君」之作	農民控訴不平[74]
〈豳風・東山〉	與周公東征之事有關	情詩[75]
〈小雅・南有嘉魚之什・菁菁者莪〉	《毛詩序》：「〈菁菁者莪〉，樂育材也。君子能長育人材，則天下喜樂之矣。」	描寫既見君子時愉快之感[76]
〈小雅・鴻雁之什・黃鳥〉	《毛詩》：「刺宣王也」；鄭《箋》：「刺其以陰禮教親而不至，聯兄弟而不固」；孔穎達《正義》：「《箋》	表現古代農村生活的悲慘面，是贅婿之歌[77]

---

72 同前註，頁12-14。

73 同註71，頁12-14。

74 「這詩裏所謂『公子』，也就是〈伐檀〉裏的所謂『君子』，其實，也便是地主，或田主，或公、侯、大夫之有采田者。農人們辛辛苦苦的養了蠶，收割了麻，織成了絲與布，染好漂亮的顏色，卻是給地主們做了衣裳」、「細讀著〈七月〉，在這以詩寫出的『農曆』中，見出農夫們的一年的苦辛的經過。全篇純然是一片嗟嘆之聲。他們一年到頭的力作著，還不是為田主們忙碌著麼！連田主的屋漏也還要他們去修補呢。這是一個老農夫的詩」、「他心裏充滿了不平；為他的一家，為他的鄰里們，為他的同階級的農夫們不平」（〈伐檀篇〉，《鄭振鐸全集》，冊3，頁654-655及660-661）、「這完全是一首農歌，蘊著極沉摯的情緒，與刻骨銘心的悲怨」（《插圖本中國文學史》，收入《鄭振鐸全集》，冊8，頁41）

75 鄭氏指「這是行役之夫遠征於外，懷念室家，恨不得奔馳而歸。然而在三年不見之後，卻見到他的『人』嫁給了別一家。這首美好的詩篇，恐怕不見得與周公東征之事有關」〈民族文話〉，《鄭振鐸全集》，冊4，頁50。

76 〈讀毛詩序〉，收入《鄭振鐸全集》，冊4，頁15-16。

77 據鄭氏解釋，所謂「贅婿」，指「在中國農村社會裏，所謂『贅婿』，其地位是很低的。農家贅了一個女婿，即等於得到了一個無報酬的終身的長工。其在家庭中的地位恐怕較之童養媳還要不被人重視。稍有身份的人，絕對的不肯為別人家的贅婿。做贅

	解婦人自為夫所出，而以刺王之由。刺其以陰禮教男女之親而不至篤，聯結其兄弟夫婦之道而不能堅固，令使夫婦相棄，是王之失教，故舉以刺之也」；朱熹云：「民適異國，不得其所，故作此詩，托為呼其黃鳥而告之曰：爾無集於谷，而啄我之粟。苟此邦之人，不以善道相與，則我亦不久於此而將歸矣」，又引東萊呂氏的話：「宣王之末，民有失所者。意他國之可居也。及其至彼，則又不若故鄉焉，故思而故歸。使民如此，亦異於還定安集之時矣。今按《詩》文，未見其為宣王之世」	
〈小雅‧鴻雁之什‧我行其野〉	《毛詩》：「刺宣王」；鄭《箋》：「刺其不正嫁取之數，而有荒政，多淫昏之俗。」；朱熹：「民適異	贅婿之歌[78]

婿的人，大都是窮無所歸之輩。他們沒有了自己的家，沒有了自己的親屬，又結不起婚，所以只好把自己『贅』給別人家，作為『入門女婿』。所以，名義上是女婿，實際上卻是終身的『奴隸』，終身的長工。有了『女婿』的名義，便不怕他逃去，不怕他離此他去，到別家去做工。」，詳見〈黃鳥篇〉，收入《鄭振鐸全集》，冊3，頁628。另外，鄭氏指此詩為贅婿之歌：「乃是夫為婦家所『出』，或為婦家所虐待」、「便是一個受了虐待的苦作的贅婿所寫的『哀吟』」、「〈黃鳥〉的作者是自動的，因受了虐待，做盡了苦工，而食還不能飽，所以浩然有歸志」參見〈黃鳥篇〉，《鄭振鐸全集》，冊3，頁624-625及627）、「反映入門女婿之苦」〈中國古典文學中的詩歌傳統〉，收入《鄭振鐸全集》，冊6，頁98。

78 鄭氏指「〈我行其野〉的作者卻是一個被遺棄的贅婿；他被婦家驅逐了出來，茫茫無所歸，在呼吁著，在田野裏漫步着，到底向什麼地方去呢，還是回到自己的家鄉吧」、「他是為其『婦』所棄的。此婦的贅得女婿，原來是為了幫助她耕種的。不知為了什麼原故，或是為了他的不肯力作，不合其意，或者為了『喜新厭舊』，他便被她所驅逐。他既被驅逐出去，只好在那田野裏茫茫無所歸的漫步著，悲吟著，他會有家可歸麼？」，詳見〈黃鳥篇〉，收入《鄭振鐸全集》，冊3，頁627-628。

	國，依其昏姻而不見收恤，故作此詩。言我行於野中，依惡木以自蔽。於是思昏姻之故而就爾居，而爾不我畜也，則將復我之邦家矣」	
〈小雅·節南山之什·節南山〉	《毛詩序》：「刺幽王」	諷刺執政者[79]
〈小雅·節南山之什·何人斯〉	《毛詩序》：「蘇公刺暴公」	纏綿悱惻的情詩[80]
〈小雅·谷風之什·楚茨〉	《毛詩序》：「〈楚茨〉，刺幽王也。政煩賦重，田萊多荒，飢饉降喪，民卒流亡，祭祀不絭，故君子思古焉。」	祭祝的歌[81]
〈小雅·谷風之什·信南山〉	《毛詩序》：「刺幽王也。不能修成王之業，疆理天下，以奉禹功，故君子思古焉。」	村社祭神的樂歌[82]
〈小雅·甫田之什·甫田〉	《毛詩序》「刺幽王也。君子傷今而思古焉。」	農詩、祭神歌，農夫對田畯以嘲笑和不滿[83]
〈小雅·甫田之什·大田〉	《毛詩序》「刺幽王也。言矜寡不能自存焉。」	農詩[84]
〈小雅·甫田之什·裳裳者華〉	《毛詩序》：「〈裳裳者華〉，刺幽王也。古之仕者世祿，小人在位則讒諂並進，棄賢者之類，絕功臣之世	描寫既見君子時愉快之感[85]

---

79 《插圖本中國文學史》，收入《鄭振鐸全集》，冊8，頁44。

80 鄭氏又指此詩「是一個情人『作此好歌，以極反側』」。同上註。

81 〈讀毛詩序〉，收入《鄭振鐸全集》，冊4，頁11-12。

82 《插圖本中國文學史》，收入《鄭振鐸全集》，冊8，頁41。

83 〈伐檀篇〉，收入《鄭振鐸全集》，冊3，頁663-665。

84 同前註，頁662-663。

85 〈讀毛詩序〉，收入《鄭振鐸全集》，冊4，頁15-16。

	焉。」	
〈小雅・甫田之什・頍弁〉	《毛詩序》：「諸公刺幽王」	當筵寫作之歌，帶著明顯的「今朝有酒今朝醉」的悲淒的享樂主義[86]
〈小雅・甫田之什・賓之初筵〉	《毛詩序》：「衛武公刺時也」	詠宴飲之事，決沒有刺什麼人之意[87]
〈小雅・魚藻之什・都人士〉	《毛詩序》：「〈都人士〉，周人刺衣服無常也。古者長民，衣服不貳，從容有常，以齊其，則民德歸壹，傷今不復見古人也。」	描寫不見君子時想望之情[88]
〈大雅・生民之什・鳧鷖〉	《毛詩序》：「〈鳧鷖〉，守成也。太平之君子，能持盈守成，神祇祖考安樂之也。」	祭祝的歌[89]
〈大雅・生民之什・公劉〉	《毛詩序》：「召康公戒成王也。」	歌詠周先祖公劉的故事詩[90]
〈大雅・生民之什・泂酌〉	《毛詩序》：「召康公戒成王也。」	公宴時的樂歌[91]
〈大雅・生民之什・卷阿〉	《毛詩序》：「召康公戒成王也。」	歡迎賓客的宴會樂歌[92]
〈大雅・生民之什・民勞〉	《毛詩序》：「刺厲王」	從士大夫的憂憤與傷心中寫出的文字[93]

86　《插圖本中國文學史》，收入《鄭振鐸全集》，冊8，頁44。

87　同前註，頁43。

88　〈讀毛詩序〉，收入《鄭振鐸全集》，冊4，頁15-16。

89　同前註，頁11-12。

90　《插圖本中國文學史》，收入《鄭振鐸全集》，冊8，頁41。

91　同前註。

92　同註90。

93　《插圖本中國文學史》，收入《鄭振鐸全集》，冊8，頁42。

〈大雅・蕩之什・蕩〉	《毛詩序》：「美宣王」、「召穆公傷周室大壞也」	似為歌述文王告殷的一段故事詩[94]
〈大雅・蕩之什・桑柔〉	《毛詩序》：「刺厲王」	似為大亂時所作，憂亂怨時之意十分顯露，並無顧忌[95]
〈大雅・蕩之什・抑〉	《毛詩序》：「刺厲王，亦以自警也」	作者抒發悲苦心情，此詩是作者在幽王時所作[96]
〈大雅・蕩之什・雲漢〉	《毛詩序》：「美宣王」	一篇皇帝或官吏或民眾禱告神道，以求止旱的禱文[97]
〈魯頌・駉之什・駉〉	《毛詩序》：「史克作頌以頌魯僖公」	無頌人意，只是禱神的樂歌[98]

歸納來說，以上鄭氏與傳統經解的不同之處，表現於三方面：第一，鄭氏偏向認為，《詩經》詩篇大多純粹是上古社會生活的反映，內容或是詩人的創作，或是民間歌謠，或是貴族樂歌；第二，《詩經》詩篇因而沒有「美刺」寓意；第三，《詩經》詩篇內容主題與所繫出處，並無直接關係，即是說，詩篇繫於風、雅或頌，本身與詩篇的內容主題沒有關係。

次論《詩經》作者問題。

《毛詩序》曾經指出，《詩經》若干詩篇為某人所作，但鄭氏對此不敢完全苟同。[99]兩者的看法大致如下：

---

94 鄭氏又指此詩「模擬文王的語氣是又嚴正，又懇切」。同前註。

95 《插圖本中國文學史》，收入《鄭振鐸全集》，冊8，頁43。

96 同前註。

97 同註95。

98 鄭氏指「民間常有禱祝牛馬，以求其繁殖者，〈駉〉當是這一類的樂歌」。《插圖本中國文學史》，收入《鄭振鐸全集》，冊8，頁45。

99 同前註，頁44-45。

篇名	作者（鄭氏轉引《毛詩序》）	作者（鄭氏見解）
〈邶風・綠衣〉	衛莊姜	不認同
〈邶風・燕燕〉	衛莊姜	不認同
〈邶風・日月〉	衛莊姜	不認同
〈邶風・式微〉	黎侯之臣	不認同
〈邶風・旄丘〉	黎侯之臣	不認同
〈邶風・泉水〉	衛女	沒有意見
〈鄘風・柏舟〉	共姜	未必為共姜之作
〈鄘風・載馳〉	許穆夫人	不認同，只是一般懷人之作
〈衛風・竹竿〉	衛女	不認同，不會是衛女思歸之作，只是一般戀歌
〈衛風・河廣〉	宋襄公母	不認同，不會是宋襄公母思宋之作，只是一般戀歌
〈秦風・渭陽〉	秦康公	不認同，只是一般送人之詩
〈豳風・七月〉	周公	不認同
〈豳風・鴟鴞〉	周公	沒有意見
〈小雅・節南山之什・節南山〉	周家父	沒有意見
〈小雅・節南山之什・何人斯〉	蘇公	沒有意見
〈小雅・甫田之什・頍弁〉	諸公	沒有意見
〈小雅・甫田之什・賓之初筵〉	衛武公	存疑，鄭氏指「《詩序》所說的『衛武公』作，也許未免要加上一個疑問號」
〈大雅・生民之什・公劉〉	召康公	沒有意見

〈大雅・生民之什・泂酌〉	召康公	沒有意見
〈大雅・生民之什・卷阿〉	召康公	沒有意見
〈大雅・生民之什・民勞〉	召穆公	沒有意見
〈大雅・生民之什・板〉	凡伯	沒有意見
〈大雅・蕩之什・蕩〉	召穆公	沒有意見
〈大雅・蕩之什・抑〉	衛武公	沒有意見
〈大雅・蕩之什・桑柔〉	芮伯	沒有意見
〈大雅・蕩之什・雲漢〉	仍叔	沒有意見
〈大雅・蕩之什・崧高〉	尹吉甫	沒有意見
〈大雅・蕩之什・烝民〉	尹吉甫	沒有意見
〈大雅・蕩之什・韓奕〉	尹吉甫	沒有意見
〈大雅・蕩之什・江漢〉	尹吉甫	沒有意見
〈大雅・蕩之什・常武〉	召穆公	沒有意見
〈大雅・蕩之什・瞻卬〉	凡伯	沒有意見
〈大雅・蕩之什・召旻〉	凡伯	沒有意見
〈魯頌・駉之什・駉〉	史克	沒有意見
〈商頌〉五篇	微子至於戴公，其間禮樂廢壞。有正考甫者，得〈商頌〉十二篇於周之大師	似當是周時所作，或至少是改作

我們由此可以看到，鄭氏還對《毛詩序》有關《詩經》作者的看法，存有「無徵不信」的批判精神。鄭氏認為「大約《詩序》將民歌附會為詩人創作者十之六，將無名之作附會為某人所作亦十之五六」、「此外尚有許多篇，《詩序》以為是『國人』作、『大夫』作、『士大夫』作、『君子』作的」。[100] 總之，《毛詩序》所說的三十幾篇有作家主名的詩篇，大多數是靠不住的，

---

100 《插圖本中國文學史》，第四章〈詩經與楚辭〉，收入《鄭振鐸全集》，冊8，頁41及40。

因為《毛詩序》「充滿了臆度與誤解」。[101]那麼,《詩經》可以確信的作家有那些人?鄭氏指只有尹吉甫、前凡伯、後凡伯、家父、寺人孟子等寥寥數人而已。[102]

六　鄭振鐸的治經方法

誠如前文所指,鄭振鐸治《詩經》,以至群經的研究方法,頗為特別,這也是值得我們注意的地方之一。鄭氏曾指「如果從今以後,要想走上另一條更近真理的路,那只有別去開闢門戶」。[103]據筆者考察,就治經思路而論,鄭氏可謂兼用現代與傳統的研究路數。

現代研究方法方面,鄭氏宣稱要求接受西方科學,[104]並提出兩種方法研究,一種叫「歸納的考察」,另一種叫「進化的觀念」。[105]所謂「歸納的

---

101 同前註,頁40及45。

102 同註100,頁45。

103 《湯禱篇‧湯禱篇》,收入《鄭振鐸全集》,冊3,頁577。

104 例如說「我們如要求中國的生存,建設與發展,則除了全盤的輸入與容納西方的文化之外,簡直沒有第二條路可走。在思想上是如此,在文藝上是如此,在社會上也是如此,我們要求生存,要求新的生活,要求新的生命力,我們便應當毫不遲疑的去接受西方的文化與思想,便應當毫不遲疑的拋棄中古期的迷戀心理與古代的書本,而去取得西方的科學與文明」。(〈且慢談所謂「國學」〉,收入《鄭振鐸全集》,冊3,頁87)、「我的整理國故的新精神便是『無徵不信』,以科學的方法,來研究前人未開發的文學園地」(〈新文學之建設與國故之新研究〉,收入《鄭振鐸全集》,冊3,頁439)。鄭氏甚至提出讓人費解的見解,指「凡這一切工作,都必須是在馬克思列寧主義、毛澤東思想的光輝照耀之下才能做得好,做得成功的。故古典文學研究者,首先必須刻苦用功的學習馬克思列寧主義和毛澤東思想。否則,一切研究便都要走彎路甚至誤入歧途的」。(〈為做好古典文學的普及工作而努力〉,收入《鄭振鐸全集》,冊6,頁68)。

105 鄭氏指「我們要走新路,先要經過接連著的兩段大路;一段叫做『歸納的考察』,一段路叫做『進化的觀念』。這兩段大路是無論什麼人,只要他是一個研究者都要走的『必由之路』,沒有捷徑,也沒有旁道、支徑可以跨越過它們的」、「原來這兩個主要的觀念,歸納的考察與進化,乃是近代思想發達之主因,雖然以前文學上很少的應用到他們,然而現在卻已成為文學研究者所必須具有的觀念了」。〈研究中國文學的

考察」，他有以下解釋：

> 自歸納的考察方法創立後，「無徵不信」便成了諸種學者的一個信
> 條。他們懷疑，他們虛心的去考察，直等到有了種種的證據，充分的
> 足以證明某一個東西的真相是如此時，他們才肯宣言道：某件東西的
> 真相是如此如此。〔……〕有了這樣的研究方法與觀念，便再不能逞
> 臆的漫談，不能使性的評論了，凡要下一個定論，凡要研究到一個結
> 果，在其前，必先要在心中千回百折的自喊道：「拿證據來！」等到
> 證據搜羅得完備了，等到把這些證據或材料歸納得有一個結果了，於
> 是他的定論才可告成立，他的研究才可告終結。所以他們不輕信，他
> 們信的便是真實的證據；他們不輕下定論，他們下的定論便是集合了
> 許多證據的歸納的結果。[106]

簡而要之，「歸納的考察」意謂「無徵不信」。他認為「『歸納的觀察』，是研
究一切學問的初步」；[107] 至於「進化的觀念」的意思，鄭氏則有以下解釋：

> 所謂「進化的觀念」，便是把「進化論」應用到文學上來。〔……〕
> 「進化」二字，並不是作「後者必勝於前」的解釋。不過說明某事物
> 一時期一時期的有機的演進或蛻變而已。[108]

言下之意，「進化的觀念」指不要盲目崇古，正如鄭氏所指「在中國，進化
論更可幫助我們廓清了許多傳統的謬誤見解。這些謬誤見解之最大的一個，
便是說：古是最好的，凡近代的東西總是不如古代的」。[109] 筆者認為，無論
「歸納的考察」，抑或「進化的觀念」，只不過是指：以理性批判、不盲目從
古的角度治學而已。

　　新途徑〉，收入《鄭振鐸全集》，冊5，頁290-291。

106 同前註。

107 〈整理中國文學的提議〉，收入《鄭振鐸全集》，冊6，頁8-9。

108 同前註，頁9。

109 〈研究中國文學的新途徑〉，收入《鄭振鐸全集》，冊5，頁294。

　　具體來說，鄭氏利用的治經方法是「排他法」及「演繹法」。[110]這種論證方法，指在論證過程中，抽絲剝繭，排除不合理的資料，並有系統地鋪陳論點，最終推出結論。例如鄭氏推論《詩序》的作者問題，有以下步驟：

　　第一，釐清前人對《詩序》作者的看法：「《詩序》作者之為何人，自漢迄宋已眾論紛紜，莫衷一是」、「其比較的有根據的，共有三說：（一）是子夏作；（二）是衛宏作；（三）是子夏、毛公、衛宏合作」。[111]

　　第二，利用排他法，指出「子夏作」、「是衛宏作」、「是子夏、毛公、衛宏合作」三說中最不合理者。先指「是子夏、毛公、衛宏合作」一說不當：「第三說只是《隋志》折衷眾說而來的，本不大可靠」；[112]繼而指「子夏作」一說不合理：「第一說則韓愈與成伯瑜都懷疑他」、「《論語》上曾記子夏與孔子論詩之語，孔子雖許其知詩，但並不曾說到敘詩，決不能便以此為子夏敘詩的根據」、「然而《毛詩序》之釋詩，與魯韓俱不相同」、「《詩序》而果出子夏或孔門，決不會與他們相差得如此之遠」、「是知指《詩序》為子夏作者，實亦無據之談，與詩人所自作及孔子或國史所作之說，同樣的靠不住」。[113]

　　第三，有系統地鋪陳論點，論證「是衛宏作」之所以合理。鄭氏首先指出，此說確實有文獻史料的支持：「最可靠者還是第二說。因為《後漢書・儒林傳》裏，明明白白的說：『衛宏從謝曼卿受學，作《毛詩序》，善得風雅之旨，至今傳於世』」、「且即使說《詩序》不是衛宏作，而其作者也決不會在毛公、衛宏以前」。[114]在這個大前提下，進一步加以論證，他指「第一，我們知道《詩序》是決非出於秦以前的」、「第二，我們知道《詩序》是決非出於毛公作《故訓傳》以前的。《詩序》之出，如在毛公以前，則毛公之

110 學者林慶彰先生〈鄭振鐸論《詩序》〉曾指鄭氏利用的是「類比歸納研究方法」（詳見《中華國學研究》創刊號），與筆者所指的「排他法」及「演繹法」應該是相同的概念。

111 〈讀毛詩序〉，收入《鄭振鐸全集》，冊4，頁18。

112 同前註，頁19。

113 同註112。

114 〈讀毛詩序〉，收入《鄭振鐸全集》，冊4，頁19-20。

傳，不應不釋序。尤可怪的是，序與傳往往有絕不相合之處」、「如以序之出
為在毛公前，或以序為毛公所作，或潤色，都不應與傳相歧如此之遠。所以
我們知道《詩序》決是出於毛公之後」、「我們知道《詩序》之出，是在《左
傳》、《國語》諸書流行以後的。為《毛詩序》辯護的，都以為其與史相證，
事實明白，決非後人之作，而不知其所舉事實，乃皆鈔襲諸書，強合經文，
絕無根據」、「凡《詩序》與《左傳》諸書相合的地方，正是《詩序》從他們
那裏剽竊得來的證據」、「如《詩序》出在諸書以前，則不應諸書所言者，序
亦言之，諸書所不言者，序即缺之」、「第四，我們且可以證明，《詩序》是
出於劉歆以後的」、「第五，還有一層，我們也可以引之為《詩序》後出之
證。葉夢得說：『漢世文章，未有引《詩序》者。惟黃初四年有共公遠君
子，近小人之說。蓋魏後於漢，宏之《詩序》，至此始行也』」。[115]

　　第四，最後推出「《詩序》是後漢的產物」的結論：「有了以上的幾個證
據，我們便可以很決斷的判定《詩序》是後漢的產物，是非古的。漢人傳
經，其說本靠不住，一方面抱殘守缺死守師說，而不肯看看經文，一方面又
希望立於學官，堅學者之信仰，不得不多方假托，多方引證，以明自己的淵
源有自」。[116]

　　筆者認為，這種論證方法，近似西方現代的邏輯推理，確實具有極強的
思辨能力。

　　另一方面，比較有趣的是，鄭氏亦以傳統的「校讎學」治經。據程千帆
（1913-2000）《校讎廣義》所指，傳統的「校讎學」包括目錄、版本、典藏
及校勘。[117]其中的目錄、版本、典藏，為鄭氏治經時所採用。

　　「目錄學」作為治學方法，其應用的存在價值，是鄭氏所強調的。雖然
鄭氏一方面曾批評「近來『目錄學』云云的一門學問，似甚流行；名人們開

---

115 同前註，頁20-21。
116 同註114，頁21。
117 詳見程千帆《校讎廣義》敍錄部分，程千帆、徐有富：《校讎廣義》（濟南市：齊魯
　　書社，2007）。宋人洪邁（1123-1202）、清人繆荃孫（1844-1919）、近人葉德輝
　　（1864-1927）、近人汪辟疆（1887-1966）的看法略有不同，但大致離不開此四者。

示『書目』的傾向，也已成為風尚。但個人的嗜好不同，研究的學問各有專
門，要他熟讀《四庫書目》，是無所用的，要他知道經史子集諸書的不同的
版本，也是頗無謂的舉動。故所謂『目錄學』云云，是頗可置疑的一個中國
式樣的東西」；然而，另一方面，鄭氏終究認為「目錄學」作為「讀書的指
導，卻不是絕對不可能的事。關於每個專門問題，每件專門學問的參考書目
的列示，乃是今日很需要的東西」。[118]周予同總結鄭氏的治學方法時，也提
及鄭氏以目錄版本為研究方法之一，周氏說「他只要對這一門學問感到興
趣，便開始閱讀原著，大量收集資料，從目錄版本的路線鑽進去、推開
去」。[119]

其中〈關於詩經研究的重要書籍介紹〉一文，足以反映鄭氏以目錄學為
治經方法。傳統「目錄學」的特點，在於將研究論著分門別類，然後按時代
序，羅列書目，從中窺見論著的發展源流，反映一代學術思想的嬗變，達到
「辨章學術，考鏡源流」的治學目的。鄭氏在該文所採用的，正是這種「辨
章學術，考鏡源流」的目錄學治經方法。該文先將民國以前的《詩經》研究
論著，分為「《詩經》的注釋及見解的書」、「《詩經》的音韻名物的研究及異
文的校勘的」、「《詩經》書籍的輯佚的」及「附錄」四類，再進一步按時代
序，羅列前人的《詩經》論著，並在每一朝代中的書目最後，加以總結。例
如在「《詩經》的注釋及見解的書」部分中，歸納「宋人關於《詩經》的著
作」的特點：

> 傳詩者漢時本有四家，其後三家之書皆佚。毛傳得鄭玄輩之力，獨傳
> 於世。宋以前，無對毛傳致疑者。韓愈、成伯璵雖略有辯詰，而無甚
> 影響。到了北宋，歐陽修、蘇轍才對他發生疑義。鄭樵、程大昌、王
> 質、朱熹、楊簡、王柏繼之，大倡廢序說詩之論，而所收的結果始
> 大。在《詩經》研究上，竟開闢了一條光明之路。同時，呂祖謙、范
> 處義、戴溪、段昌武、嚴粲諸人，則出而為擁護《詩序》的運動。但

118 《插圖本中國文學史》例言，收入《鄭振鐸全集》，冊8，頁3。
119 周予同：《湯禱篇・序》，收入《鄭振鐸全集》，冊3，頁573。

他們的聲勢，終不如廢序派的浩大。[120]

又如對「元人的關於《詩經》的著作」提出以下看法：

> 我們看了他們的書，覺得很可驚異！因為除了許傋的一部書外，其餘
> 的許多書竟完全是疏釋朱熹的《詩集傳》的。宋時，尚有呂祖謙派與
> 朱熹相抗，不料到了元代，朱熹的勢力變成如此的浩大！說詩者幾乎
> 除朱說外，竟不知有他書了！[121]

再如對「明人的《詩經》注釋」作以下總結：

> 大抵無甚新解。所有的見解，都不能超出於毛序、朱序之外。只有異
> 軍突起的豐坊，能稍跳出他們的範圍。豐坊的影響也頗大。如凌濛
> 初，如張以誠，都是相信他的話的。當時的刻書家且競傳其書。這可
> 以算是明代《詩經》研究中的一支別派。[122]

他對清初到民國重要的《詩經》研究著作，也曾評述：

> 清人的《詩經》研究，多宗漢儒之說。〔……〕大概他們的漢學研究
> 的進化，可分三級：第一級是拿了毛、鄭的學說以攻朱熹。朱熹打倒
> 了，便進而做第二級的運動，拿了毛公的傳來攻鄭玄的箋。鄭玄打破
> 了，便又進而做第三級的運動，拿了齊、魯、韓的遺說，來攻毛公的
> 傳。當時的說詩者，差不多都是不能自外於這個潮流的。只有最可注
> 意的姚際恆、崔述和方玉潤三人未被卷入漩渦。但在這個潮流中，他
> 們的見解，卻是沒有人肯注意的。[123]

120　〈關於詩經研究的重要書籍介紹〉，收入《鄭振鐸全集》，冊4，頁27。

121　筆者認為，元世祖（字兒只斤忽必烈，1260-1294在位）曾與姚樞（1201-1278），謀
　　　建「太極書院」，而且元初推尊朱子，當時側重「朱學」，朱說因而聲勢浩大，元代
　　　《詩經》不出朱子範圍，是有其歷史背景的。鄭氏並沒有顧及。正文引文，同上
　　　註，頁28。

122　同前註，頁29-30。

123　同註121，頁33。

我們從以上可以看到，鄭氏利用目錄學治經，的確能夠達到「辨章學術，考鏡源流」的治學目的。還有一點值得注意的是：鄭氏通過目錄學，能夠發掘鮮為人知，卻又經學價值極高的清人姚際恆、崔述（1740-1816）和方玉潤的經學論著，洵然能夠實踐鄭氏所說的「重新估定或發現中國文學的價值，把金石從瓦礫堆中搜找出來，把傳統的灰塵，從光潤的鏡子上拂拭下去」之治學理念。[124]

　　尚有一點我們不得不提的是：鄭氏大力蒐求、弆藏久已散佚的珍貴經籍。應當說明，經籍只是他蒐求、典藏的其中一種典籍而已，例如撰於一九五六年的〈劫中得書記‧新序〉一文中，鄭氏曾回顧自己「實際上，我的確是，對於古人、今人的著作，凡稍有可取、或可用的，都是『兼收博愛』的。而在我的中年時代，對於文獻的確是十分熱中於搜羅、保護的」[125]；但進一步說：（一）據〈劫中得書記〉、〈劫中得書續記〉，鄭氏搜羅、弆藏了不少經學論著，包括元陳澔《禮記集說》、[126]明沈萬鈳輯《詩經類考》、[127]《新刻金陵原板易經開心正解》；[128]（二）據鄭氏書信，在致張壽鏞（1887-

---

124 〈新文學之建設與國故之新研究〉，收入《鄭振鐸全集》，冊3，頁438。

125 〈劫中得書記‧新序〉，收入《鄭振鐸全集》，冊6，頁776-777。該書原本撰於中國民國三十年（1941）三月前。據〈劫中得書續記〉序「余於三月前輯劫中所得書諸題跋為〈劫中得書記〉，實未盡所得之十一也」，〈劫中得書續記〉文末跋「中華民國三十年五月十八日西諦跋」（詳見《鄭振鐸全集》，冊6，頁842、888），可知〈劫中得書記〉著於中國民國三十年三月前。

126 「十卷八冊，明萬曆間書林新賢堂張閩岳校梓本」、「余本疑其為『高頭講章』本」。〈劫中得書記〉，收入《鄭振鐸全集》，冊6，頁832。

127 「三十卷十二冊，存十一冊，明萬曆三十七年刊本」、「余嘗搜集宋元以來說《詩》之書近三百種」、「本無意於復收此書。以其廉，且明人說《詩》之作本不多，故遂收得之。在明人著述中，此書編例，實甚謹嚴。蓋《詩》考之長篇也」。〈劫中得書記〉，收入《鄭振鐸全集》，冊6，頁795。

128 「《新刻金陵原板易經開心正解》，四卷四冊，明萬曆間閩建書林熊成冶刊本」、「余則以其圖而取之，斯類童蒙讀物，最易散佚。余收購二十載，所得亦不過二十餘種耳。諸藏家殆皆未見，即見，亦必收。然收之，於論述近古童蒙教育者，或不為無用也」。〈劫中得書續記〉，收入《鄭振鐸全集》，冊6，頁883-884。

1945）函件中，鄭氏購得《詩經圖譜》，[129]鄧氏書《春秋繁露》，王氏書、
張紹仁校本《春秋繁露》，王氏書、宣德本（明宣宗時期，1426-1435）《周
易參同契發揮》，[130]明刊本《詩經世本古義》，[131]焦理堂《孟子正義》抄
本；[132]又致梁思永（1904-1954）私函中，指蒐得宋刊本《尚書正義》[133]
等；[134]（三）據鄭氏日記，搜得陳仲奐校《古文論語》，黃唐本《尚書》、

---

129 「中國書店又交來《詩經圖譜》一部，計十二冊，繪畫甚佳，是『美術』品，非僅
『著作』也。初索價甚昂，經數日之接洽，大約可以八百元收之。如嫌過昂，則還
之可也」（民國二十九〔1940〕年五月一日）、「《詩經圖譜》請即暫藏先生處。此書
不易錄副，以無好繪手也；誠不如付之石印。當與商務一商之」（民國二十九年五月
三日）、「又《詩經圖譜》八百元，共二千三百元支票一張，乞於加蓋後交下」（民國
二十九年五月六日）、「前送上之《詩經圖譜》，忘著者姓氏，乞便中示知為荷」（民
國二十九年五月二十四日）。〈致友人信〉，《鄭振鐸全集》，冊16，頁55、57、58、
67。

130 「茲奉上：鄧氏書，春秋繁露，四冊；王氏書，張紹仁校本春秋繁露一冊（甚佳，
曾略校，大半與《大典》合）；王氏書，宣德本《周易參同契發揮》三冊（惜有抄
配）」（民國二十九年六月二十四日）。〈致友人信〉，收入《鄭振鐸全集》，冊16，頁
77-78。

131 「頃得明刊本《詩經世本古義》十六冊，價三百二十元，尚佳」（民國三十年〔
1941〕十月八日第二函）。〈致友人信〉，收入《鄭振鐸全集》，冊16，頁182。

132 「又有友人某君托中國書店送來焦氏《孟子正義》一部，孫稿本；此書極重要，與
刻本頗有不同。略加校讀，已有若干處可增補刊本。某君初索千二百元，經再三商
酌，已允讓至九百元」（民國二十九年十一月二十六日）、「前日奉上信一件，書一包
（內為焦理堂《孟子正義》等抄本），想已收到，甚念」（民國二十九年十二月二
日）、「《孟子正義》刻在《焦氏叢書》中，當托晴湖先生奉上」（民國二十九年十二
月三日）。〈致友人信〉，收入《鄭振鐸全集》，冊16，頁112、113、114。

133 「宋刊本《尚書正義》亦是最精之本，均已得到」（一九五一年五月三十一日）。〈致
友人信〉，收入《鄭振鐸全集》，冊16，頁459。

134 鄭氏致友人書信中，有不少經籍存目的相關記載，此等極之重要。據〈致友人信〉
（《鄭振鐸全集》，冊16）：例如致張壽鏞信中記載「《金石例》及《詩譜》二書，張
君如不欲減售，是否不購，乞示」（頁8）、「《孟子叢說》雖殘而極佳，似均可留」
（頁11）、「《誠齋易傳》及歸集最佳。或可選購」（頁21）、「袁氏書正在接洽中，有
宋本白文五經（《左傳》在內，最罕見，各家目皆無之）」（頁23）、「春秋繁露，明刻
本孔葒谷校，鄧跋並校，四冊，三百元〔……〕爾雅正義，榜紙初印，八冊，四十
元〔……〕公羊傳，汪刻本開花紙，十二冊，一百二十元〔……〕周易精義，黎

《經義雜記》等；[135]（四）據〈西諦題跋〉，鄭氏藏有明萬曆三十二年（明

刊，三冊〔……〕爾雅，黎刊，一冊〔……〕論語集解，黎刊，二冊〔……〕尚書
釋音，黎刊，一冊」（頁31、43、45、46）、「又瞿氏交來書十五種，均佳；《毛詩注
疏》尤為上品。（宋板）價共二千四百二十元。但可以二千元成交」（頁52）、「今
晨，鳳起先生來敝寓，經與細商，已允以二千元成交。其中《毛詩注疏》及《宋
書》均佳。至《春秋經傳集解》原亦作宋刊，但鳳起明言，實為明翻本。可見其誠
篤」（頁52-53）、「瞿氏書以宋板《毛詩》為最佳，次為《宋書》，及《左傳》，餘皆
『湊數』者耳。有此數種，二千之數，已不為昂也」（頁53）、「《春秋大全》首冊稍
破，可修補，餘皆完整，價約一百餘元」。（頁54）、「漢文淵林賈又送來明清板書六
七種〔……〕所謂宋本《說文五音韻譜》係明板染色冒充」（頁60）、「《詩義矜式》」
（頁61）、「又來青閣藏有宋板《禮記》一部，實是宋板之『甲』，全無毛病，茲附上
『書影』（即彼所影印者）二函，乞鑒閱。索八千元，當尚可讓減若干」（頁66）、
「其勞氏校之《尚書故實》一冊，則始終云：遍尋不獲，未知是否實情」（頁67）、
「以《易經識餘》一書如打八折，則為一百四十四元，不及一百四十元也」（頁
71）、「又平賈孔某在蘇州得萬曆刊本（北監本）《十三經》全部，甚佳！且有人以宋
本校過。惜校者無大名耳。此書似可購，以其為基本書也。初索八百元，後乃落至
六百元。茲奉上二冊，可購否？乞裁決」（頁73）、「傳新書店送來之《尚書日記》及
《春秋標題》，經商談，已減至六十五元（較先生所給價為廉）」（頁77）、「而單刊之
清儒著述，若包世榮之《詩禮徵文》，苗夔之《毛書韻訂》，宋綿初之《韓詩內傳徵》
〔……〕亦均有可遇而不可求〔……〕然此類要籍，卻又以備齊為上策。蓋皆讀書
者不可少之書也。假以時日，或當不難購得」（頁92）、「（第一單）宋刊本，毛詩注
疏（殘存十八卷）〔……〕（第二單）《春秋屬辭》等三種（趙方）實非元刊本如有屬
辭，但仍可取」（頁102）、「又昨日李賈紫東來云：有宋刊十行本《十三經注疏》全
部，為阮文達刊注疏時所未見者，擬出售。此事實可疑？然如果有其事，實一大好
消息。已囑其送書來看」（頁119）、「尚可考慮者為：（一）周易兼義」（頁123）、
「《夏小正經傳考》俟檢出，即奉上」（頁161）、「來青閣之宋余仁仲本《禮記》，經
商斟再三，該肆定實價一萬二千元。接此時市價，尚不為昂。此書森公在滬時已見
過，確極佳，一無毛病。在芹、瞿貨中，亦可算為上上品。敝意：徐積余處既無消
息，似不妨移該款購此書」（頁174）；又如致劉啟民（1908-1992）函中，曾記載
「韓世保處《孔子列傳》書款三百二十萬元，請於版稅中支取出交給他為荷」（頁
421）、「《續皇清經解》，我已有，可不要。我所要者乃《皇清經解》（正編）也。不
知有書否？〔……〕古籍書店有汲古閣的《十三經》〔……〕，價甚廉」（頁428）。

[135] 據〈鄭振鐸四十年代日記〉（《鄭振鐸全集》，冊17）：「至各書肆，得陳仲奐校《古文
論語》一本，價一千六百元」（頁275）、「至各書肆，無所得，聞陳、謝等在天津得
黃唐本《尚書》，擬售聯鈔十萬元」（頁285）、「上午，〔……〕又購得《經義雜記》

神宗時期，1604）自刊本《韻譜本義》、[136] 清吉金樂石山房抄本《齊魯韓三家詩釋》、[137] 清明善堂刊本《四書集注》。[138] 再進一步說，鄭氏曾以極度焦急的心情竭力蒐求經籍的，例如蒐求宋余仲仁本《禮記》有以下自我剖白：

> 近日連遭失敗，心中至為憤懣！〔……〕前日所談之宋余仲仁本《禮記》（余本極佳而少見，僅芹伯處有左傳，然殘闕甚多，十不存三），來青閣亦已變卦，不以一萬二千元出售，（本來已說妥書價）蓋王賈又以一萬六千元欲購之也。奈何？！奈何？！終夜彷徨，深覺未能盡責，對不住國家！思之，殊覺難堪！殘覺灰心！反省：我輩失敗之原因，一在對市價估計太低，每以為此種價錢，無人肯出，而不知近來市面上之書價，實在飛漲得極多極快，囤貨者之流，一萬二萬付出，直不算一回事。而我輩則每每堅持低價，不易成交，反為囤貨者造成絕好之還價機會。誠堪痛心！二在我輩購書，每不能當機立斷，不能眼明手快。每每遲疑不決。而不知，每在此千鈞一髮之際，便為賈人輩所奪矣！亦緣我輩不敢過於負責之故。往者已矣，不必再談矣！談

一部」（頁295）。此外，鄭氏還有很多經籍存目的相關記錄，例如「在富晉書社見到《汪克寬春秋胡傳纂注附言》殘本一冊，元刊本也。首有莫友芝跋。為建安劉○○日新堂刊本，鐵琴銅劍樓有全書。是日為陰曆壬午年大除夕，他肆一無所有。大是慘事。富晉又有明刊本《六書□□》（筆者案，註腳指『二字不清，前一字依稀是「纂」字』），首有翰林院印，為馬氏叢書堂舊藏」（頁164-165）、「見彼等正在以殘書及《經策通纂》等不售書，作廢紙售予紙廠估人；僅六七扎，得價六七百金，似不較售出為廉」（頁184）、「並欲得予《春秋國華》，蓋以趙元放欲之也」（頁221）、「聞有活字本《春秋繁露》，售十三萬，〔……〕予均未見」（頁336-337）。

136　「韻譜本義十卷，明茅溱輯，明萬曆三十二年自刊本，十冊。〔……〕諸家書目都未見著錄。予得之修綆堂。初破爛不堪着手，經裝修一過，乃完好可展閱矣」。〈西諦題跋〉，《鄭振鐸全集》，冊17，頁597-598）。

137　「齊魯韓三家詩釋十六卷，清朱士端撰，清吉金樂石山房抄本，四冊。〔……〕此是朱士端未刊稿本，我購自北京琉璃廠通學齋，價六十元。〔……〕此吉金樂石山房（朱氏齋名）藍格本子，更宜珍惜之」。同前註，頁597。

138　「四書集注存三卷，宋朱熹撰，清明善堂刊本，一冊，存學庸三卷。怡府所刻書最不多見」。〈西諦題跋〉，收入《鄭振鐸全集》，冊17，頁597。

之，徒惹傷心！將來，當有以自警、自勵矣！（有許多書，若非先生
主持者，亦必已失去矣。）想先生必有同感也！日來悲憤無已，只好
向先生一傾吐之。[139]

更進一步說，鄭氏甚至曾遠赴海外經眼查找海外經籍，例如一九五七年於前
蘇聯列寧格勒的東方研究所，親自目睹善本《孝經》二卷、《論語・子路第
十三》一卷、《左傳》二殘卷，手不停鈔。[140]

　　不必諱言，鄭氏對整理經籍確曾有很明顯的轉變。如果以四十年代為分
水嶺：（一）四十年代前，鄭氏似乎不太強調搜求經籍，以至古籍。例如他
說「古書少了幾個人談談，並不是什麼損失。古書不於現在加以整理，研
究，也不算什麼一回事。現在我們不去研究，不去整理，等到一百年一千年
後再加以整理，研究，也並沒有什麼關係。宋版元版的精本，流入異國，由
他們代為保存，也並不是什麼可嘆息的事。在今日的中國而不去獲得世界的
知識，研究現代的科學，做一個現代的人，有工作能力的人，那才是可嘆息
的事。在今日的中國而不去盡力設法輸入採用西方的文化與思想，以期徹底
的掃蕩了我們的中古期的迷霧與山瘴，那才是可嘆息的事」、「我們不妨拋棄
了對於古書的研究，我們不妨高叫著：打倒『國故』『國學』，不知道『國
故』『國學』並不是可羞恥的事；沒有一種專門的學問，沒有一種專門的工

---

139 〈致張壽鏞〉，〈致友人信〉，收入《鄭振鐸全集》，冊16，頁175。此外，鄭氏在其他
　　地方也表現了蒐求經籍的困難，例如致張壽鏞信指「諸肆皆有惡習，某家還何折
　　扣，彼等便將書價如何開法」，又如致唐弢（1913-1992）信指「頃與郭若愚兄談
　　過，並看過所帶來的書。《周禮》〔……〕均是偽本，非宋板也。殊失望！」（詳見
　　〈致友人信〉，《鄭振鐸全集》，冊16，頁71、219）；據鄭氏日記，鄭氏曾說「下午，
　　慰堂來談，說起孫某的《尚書正義》事；此事費口舌已多，只好不再過問了！以
　　後，讓他們去吧。閒事少管，竟不管！落得清淨些！」（一九四五年十一月二十五日
　　日記）。〈鄭振鐸四十年代日記〉，收入《鄭振鐸全集》，冊17，頁477）。
140 據致徐鴻寶（1881-1971）「今天上午，又到了東方研究所，〔……〕就這幾百卷東
　　西，已有不少十分驚人的，〔……〕孝經二卷，論語子路第十三一卷，左傳二殘卷，
　　〔……〕目不暇給（接），手不停鈔。〔……〕此行誠不虛也！〔……〕一九五七年
　　十一月十八日燈下於列寧格勒」。〈致友人信〉，收入《鄭振鐸全集》，冊16，頁244-
　　245。

作能力，那才是可羞恥的事。科學家，工程師，本不應去讀什麼浩翰的《九
通》、《十三經》、《二十四史》，這對於他們是毫無用處的」[141]；（二）四十
年代以後，反而強調整理經籍。除在一九四七年發表〈保存古物芻議〉外，
還曾於一九五七年《政協會刊》第三期發表〈整理古書的建議〉一文，指
「我們提倡民族文化遺產已有好幾年了。但對於最重要的古代文化的寶庫，
像《十三經》、《二十四史》之類，曾經加以整理了沒有呢？要知道能讀『古
書』的人越來越少了。讀不斷句的人，在專家們裏面也不見得沒有。整理古
書，便是一件對專家們做的功德無量的事」、「我以為，今天整理『古書』，
必須分三個階段進行。第一，選擇最好的，即最正確、最可靠的本子，加以
標點（或句讀），並分別章節，加以必要的校勘，附以索引。這工作不太簡
單，必須專家來做。雖是『章句之儒』的事業，卻非大師們親自出馬不可。
像《十三經》，阮元刻本，本來可用。但親出現的『石經』、單疏、古寫本、
古刻本等等，可資以校勘的，還有不少。如果把《十三經》再加以一番整
理，一定會後來居上的」、「第二，把那些重要的古書，凡是有『注』的，或
別的書裏注釋或說明它的一篇一章、一節一語的，或批評到它的某一篇、某
一句的文章，全部搜集在一起，作為『集注』」、「第三，然後進一步才可以
談到『新注』，即新的解釋和研究。這是十分必要的，但不是一步即可辦
到，需要很長的過程。在這三個整理階段，均可以由若干位專家，各自負責
一部『書』，分別先後緩急，依次進行」、「第一階段工作是最需要的，完成
之後，便可以進入第二、三階段的工作了」。[142]但筆者認為，無論鄭氏有意
或無意典藏經籍，他畢竟保留了一定數量的經籍。須知一切經解建基於經
典，經典則建基於文獻之保存，此即文獻學的問題，而文獻學是一切治學的
根本，故蒐求、典藏經籍，並非沒有意義。若從此一角度看，鄭氏在經學上
的貢獻，確實不容抹煞。

141　〈且慢談所謂「國學」〉，原載1929年1月《小說月報》第20卷第1號，後收入《海燕》
　　一書，《鄭振鐸全集》，冊3，頁86-87
142　〈整理古書的建議〉，收入《鄭振鐸全集》，冊3，頁363-365。

七　餘論

我們從鄭振鐸對經籍的分析、詮釋、評論，以至蒐集、弆藏，可以發現鄭氏的經學思想或經學研究，有以下幾個特點：

第一，具「無徵不信」的批判精神；

第二，認為經學研究不斷進化；

第三，輕視漢儒，以及漢代，甚至清代以前的經解；[143]

第四，《詩經》研究，以及反《毛詩序》的經學思想貫串鄭氏一生的經學研究；

第五，推翻傳統經學，以便發掘鮮為人知、價值殊高的經學論著，甚至建立新的文學；

第六，傳統經籍屬於文學或史學範疇。[144]

---

143 筆者有兩點說明：（一）鄭氏主要反對的是經解。至於經學，尤其《詩經》方面的音韻、訓詁、名物、校勘的研究論著，則沒有多大意見。例如他說「在音韻、訓詁、名物、校勘一方面，情形雖然比較的稍為好些，但也無一種集大成的完備的書」（〈關於詩經研究的重要書籍介紹〉，收入《鄭振鐸全集》，冊4，頁24）；（二）鄭氏並非完全否定漢儒。他曾肯定劉歆的經學貢獻：「劉向子歆亦為當時一個極重要的學者〔……〕他又極力與當時以利祿為目的，門戶之見極重的經生們奮鬥，欲爭立《古文尚書》、《左傳》、《毛詩》於學官。〔……〕他又極力表彰了一部絕代的理想政治的模式的《周禮》。後人每以《左傳》、《周禮》為他的偽作。但那實是不近人情的一個偏見」（《插圖本中國文學史》第九章〈漢代的歷史家與哲學家〉，收入《鄭振鐸全集》，冊8，頁118）；（三）鄭氏並非完全否定清儒，至少他曾說「大致清儒所著之『經』『史』『子』三部分尤為重要」（〈致友人信〉《鄭振鐸全集》，冊16，頁161）。

144 鄭氏此種觀念，可以從兩方面看出：（一）指出若干經籍是文學或史學論著。例如他說「如果我們說《詩經》是文學〔……〕，那是誰也不會反對的」（〈整理中國文學的提議〉，收入《鄭振鐸全集》，冊6，頁2）、「《詩經》裏很好的一首抒情詩」（〈整理中國文學的提議〉，收入《鄭振鐸全集》，冊6，頁6）、「至於史書，則《左傳》〔……〕都是有很高的文學價值的」（〈整理中國文學的提議〉，收入《鄭振鐸全集》，冊6，頁3-4）；（二）將若干經籍列入特定的文學類別之下。例如「〔……〕開闢的研究的新途徑，便是中國文學的整理。〔……〕這種『書目』，其分類當然不能如《四庫總目

此六點可說是鄭氏比較核心的經學思想。至於治經方法，則是用兩條腿走路：一是現代科學的理性分析方法，一是傳統的校讎學。

　　誠然，我們可能會有個疑問：究竟在鄭氏的經學研究中，有否不當之處？筆者認為，鄭氏治經較大的盲點之一是：忽視從小學，尤其是訓詁方面入手。鄭氏有時甚至具有「矯枉必須過正」的思想，盡量採取與傳統經解背道而馳的詮釋方法治經。筆者試舉兩個例子說明：

　　例子一是《詩經·豳風·七月》一詩的「七月流火」、「春日遲遲」之句。對於這兩句，鄭氏與傳統經解不同：

原文	傳統經解	鄭氏語譯及案語
七月流火	毛《傳》：「火，大火也，流下也」；鄭《箋》云：「大火者，寒暑之候也。火星中而寒暑退，故將言寒，先著火所在」；朱熹《詩集傳》：「流，下也；火，大火心星也。以六月之昏，加於地之南方，至七月之昏，則下而西流矣。」	在七月的夜裏，望著天空，有流星飛過〔……〕「流火」甚難解〔……〕直捷的以流星解之[145]
春日遲遲	毛《傳》：「遲遲，舒緩也」	春天為何那末遲遲的來到呢？只是採著許許多多的白蒿[146]

筆者認為，「七月流火」中的「流火」，鄭氏作「流星」解，那末，詩中出現三次的「七月流火」，便都解作「流星」，這與詩歌語境是否相合？是否能夠解釋得通？不禁讓人存疑。何況鄭氏指自己因「『流火』甚難解」、「直捷解

　　提要》似的。〔……〕把中國文學分為九大類別〔……〕第二類是『詩歌』〔……〕
　　（甲）總集及選集《詩經》」（〈研究中國文學的新途徑〉，收入《鄭振鐸全集》，冊
　　5，頁303）、「現在憑我個人的臆斷，姑且把他分為九類如下〔……〕（六）史書、傳
　　記，長篇傳記，中國極少。至於史書，則《左傳》〔……〕都是有很高的文學價值
　　的」（〈整理中國文學的提議〉，收入《鄭振鐸全集》，冊6，頁3-4）。
145　〈伐檀篇〉，收入《鄭振鐸全集》，冊3，頁654-655。
146　同前註，頁658。

之」，他的根據何在？鄭氏卻又沒有明言；至於「春日遲遲」中的「遲遲」，解作「遲遲的來到」，但根據該詩語境，描寫的是舒徐不迫的意境，毛《傳》的解釋，似乎較為合理。

　　例子二是《小雅・甫田之什・大田》的「雨我公田，遂及我私」一語。鄭《箋》解釋「令天主雨于公田，因及私田」；鄭氏反而質疑指：

> 所謂「公田」，是否便指的是井田制度裏的公田呢？古代果有所謂「公田」制度麼？這是需要更詳盡的探討的。在古代，寡婦們大約是農村裏的一類應該公共矜恤著的人物，所以收割的時候，留在田地上的餘穀，全都要歸她們所有。[147]

然而，筆者認為，據《孟子・滕文公》，曾載「方里而井，井九百畝，其中為公田，八家皆私百畝，同養公田，公事畢，然後敢治私事，所以別野人也」，孟子（約 372-289 B.C.）離《詩經》年代不遠，所言理應貼近事實。換言之，進一步說，「雨我公田，遂及我私」很有可能指涉公田與私田；退一步說，古代確實存在「公田」制度。因此，鄭氏所言，難免貽人詬病。

　　鄭氏曾經指「我自認我的研究是很粗率的。但如果因此而引起了學者們的注意，使他們有了更重要、更精密的成績出來，我的願望便滿足了」，[148]筆者認為，無論鄭氏經學研究存在某些糟粕，但從正面來說，這或許能夠起到拋磚引玉的作用，能引起當時的研究者注意，以致以理性批判的角度，重估傳統經籍的價值。這正是身為「整理國故運動」成員之一的鄭振鐸的旨趣所在，而且是鄭振鐸之所以為「整理國故運動」重要一員的原因所在。

---

147 同註145，頁663。

148 〈湯禱篇〉，收入《鄭振鐸全集》，冊3，頁577。

蔣伯潛經學平議

陳東輝

浙江大學漢語史研究中心副教授

　　蔣伯潛（1892-1956），名起龍，又名尹耕，以字行，浙江省富陽縣新關鄉（今富陽市大源鎮）人。出身書香門第，少受庭訓，從母習《孝經》，從父習《論語》、《孟子》、《詩經》、《尚書》、《左傳》以及《儀禮》、《爾雅》。十三歲時出就外傅，師從李問渠，學習《周易》、《周禮》、《禮記》、《公羊傳》、《穀梁傳》。蔣伯潛於清光緒三十三年（1907）考入杭州府中學堂，先後受業於壽梅溪、鍾郁雲。壽氏自編《春秋》講義，雖以《左傳》為主，而參以《公羊》、《穀梁》，旁及「胡傳」；鍾氏授《周禮》，以孫詒讓《正義》為主，而時引秦漢以後之政制為論佐。足見蔣伯潛在年少求學時即在經學領域打下了良好基礎。畢業後，蔣伯潛先後在故鄉富陽閬苑小學、美新小學任教四年。一九一五年，蔣伯潛考入北京高等師範國文系深造，以為不通音韻訓詁，不足以治經，故決定先致力於此，從錢玄同受語言文字學。在此期間，蔣伯潛以錢玄同、馬幼漁之介，得謁章太炎於北京城南某寺。因章太炎與蔣氏伯父為同學，故蔣伯潛「以世誼，得參末座，聞餘論」[1]。此外，蔣伯潛還通過胡適的介紹，專程拜見了今文大師康有為之大弟子梁啟超。數年之後，蔣伯潛又在杭州西子湖畔的丁家山，見到了康有為本人。筆者認為，蔣伯潛的這段經歷，對於他的學術觀點的形成與發展，尤其是以持平的態度對待今古文經學之爭等學術問題產生了重要影響。蔣伯潛精於經學、文學和

---

[1] 蔣伯潛：〈十三經概論・自序〉，《十三經概論》（上海市：上海古籍出版社，1993年），頁3。

諸子學，同時對文獻學、文字學等亦頗有研究，成果甚豐，有《十三經概論》、《經與經學》、《經學纂要》、《諸子通考》、《諸子學纂要》、《諸子與理學》、《理學纂要》、《四書讀本》、《駢文與散文》、《詩》、《詞曲》、《小說與戲劇》、《詩歌文學纂要》、《體裁與風格》、《中國國文教學法》、《校讎目錄學纂要》、《文字學纂要》、《字和詞》等著作。[2]

　　令人遺憾的是，蔣伯潛雖然功力深厚，著述宏富，尤其在經學研究領域成績卓著，但至今仍未受到應有的重視。在臺灣〈中央研究院中國文哲研究所所內重點研究計畫申請書〉第七頁所列的民國時期（1912-1949）受忽略的于省吾、方孝岳、王伯祥、朱東潤、牟潤孫、吳承仕、黃焯、張西堂、李鏡池、楊筠如、張壽林、呂思勉、尚秉和、周予同、胡樸安、胡念貽、俞平伯、馬衡、陸侃如、陳柱、陳登原、童書業、楊樹達、蔣伯潛、劉節等二十五位經學家[3]中，僅就經學領域而言，蔣伯潛的成就應該說是名列前茅的，尤其在經學史研究方面貢獻突出。同時，在該計畫申請書第十至四十二頁所列的「重要參考文獻」中，關於章炳麟、王國維、劉師培、熊十力、黃侃、錢玄同等的相關論著較多，而關於蔣伯潛的則連一篇論文也沒有。筆者遍查海峽兩岸的相關文獻資料及數據庫，僅搜索到一篇探討蔣伯潛學術成就的論文，即余訓培的〈蔣伯潛先生及其文獻學成就〉[4]。該文約七千字，主要介紹了蔣伯潛在文獻學方面的貢獻，對其經學成就涉及甚少。此外，張豈之主

2　其中《經與經學》、《諸子與理學》、《駢文與散文》、《詩》、《詞曲》、《小說與戲劇》，係蔣伯潛、蔣祖怡父子合著。上述著作曾作爲《國文自學輔導叢書》中的六個分冊，由世界書局於一九四一至一九四二年出版，上海書店出版社列入《古典文史基本知識叢書》於一九九七年重版。

3　林慶彰先生在〈研究民國時期經學的檢索困難及應對之道〉（《河南社會科學》2007年第1期，頁21-24）一文中有云：民國時期「大多數經學家不但傳記數據闕如，也從來沒有人爲他們編輯較完整的著作目錄，更遑論有文集或著作集等。例如吳闓生、吳承仕（1884-1939）、張壽林、張西堂（1901-1960）、李源澄（1907-1958）、李鏡池（1902-1975）、蔣伯潛等，他們研究經學都有相當的成就，可惜都未受到應有的注意」。蔣伯潛的名字後面未注明生卒年月，說明他的生平介紹較難找到。

4　《圖書情報工作》2006年第2期。

編的《民國學案》[5]第三卷收有《蔣伯潛學案》，對蔣氏的經學成就同樣涉及很少。與此同時，筆者在檢索中發現，原來學術界相對關注較少的蒙文通等經學家，近年來也逐漸受到人們的重視，已有不少研究論著問世。這從另一個方面說明了對蔣伯潛進行深入研究的重要性和迫切性。

鑒於上述狀況，再加上蔣伯潛係浙江富陽（目前屬於筆者所居住的杭州市管轄）人，與我的外祖父是同鄉；蔣伯潛之子蔣祖怡乃原杭州大學中文系教授，是筆者的師輩；蔣伯潛之孫蔣紹愚乃北京大學中文系教授，在古漢語詞彙、語法等研究領域成績卓著，同時也是目前筆者供職的浙江大學漢語史研究中心學術委員會主任和兼職教授。本文擬就蔣伯潛在經學領域的成就以及不足之處略述管見，以作拋磚之試。

首先需要說明的是，有不少學者認為，《經與經學》和《經學纂要》帶有普及的性質，乃通俗性著作，而《十三經概論》更能代表蔣伯潛經學研究水平。其實不然，筆者認為《經與經學》和《經學纂要》具有很強的學術性，在許多方面可以與《十三經概論》互補。其區別在於《十三經概論》的行文較為古奧，而《經與經學》和《經學纂要》則深入淺出。《經與經學》和《經學纂要》雅俗共賞，從某種意義上說更適合當代學者閱讀。本文所引用的例證即有不少來自《經與經學》和《經學纂要》。

筆者細細拜讀蔣伯潛的相關論著，並與同時代的其他經學家進行比較後，深感蔣氏的經學研究頗具特色：

首先，蔣伯潛以持平的態度對待今古文經學之爭等學術問題。誠如錢伯城在《經與經學》的〈前言〉中對蔣伯潛的有關學術論著所作的評價：「立論公允，不偏不倚。對學術上的今古文、漢學宋學等學派門戶之爭，不任意偏袒或貶低，據實論述，讀者可據此得到完整的概念，並作出自己的判斷。」[6]今古文之爭堪稱經學研究中無法迴避的重要問題，許多學者常常為此爭得面紅耳赤，大有水火不相容之勢。蔣伯潛「忽經、忽子，忽漢、忽

5　張豈之編：《民國學案》（長沙市：湖南教育出版社，2005年）。

6　錢伯城：〈經與經學‧自序〉，蔣伯潛：《經與經學》（上海市：上海書店出版社，1997年），頁2。

宋，忽今、忽古，忽程朱、忽陸王」[7]的獨特學術經歷，使其能以相對平和、公正的心態來看待今古文經學之爭等學術問題。他曾曰：

> 故就焚書之事實言，就對於六經孔子之主張言，古文說不如今文說之可信；就及於學術研究之影響言，古文說不如今文說之良好。雖今文說亦有流弊，如援引緯書之誕妄，則涉迷信；臆度孔子之主張，則近武斷；然舍其短而取其長，終覺瑕不掩瑜。治經者其亦知所擇歟？[8]

應該說今文家和古文家對經學的發展各有貢獻。如果沒有古文家，那麼傳統的經學無法延續；而如果沒有今文家，經學無法適應社會發展的需要，會被現實拋棄。二者相互依存，相持而長，共同促進了經學的發展。誠如朱劍芒所云：「書當辨其真偽，不必紛紜於古今之爭也。」[9]

其次，蔣伯潛身為著名經學家，但並不盲目崇經。這一點是非常難能可貴的。他曾明確指出：

> 弟子纂述其師說以成專書，始於《論語》，《論語》一書，如不別立書名，則亦可題曰《孔子》矣。……其實，私人聚徒講學，私人纂修官書以述為作，亦以孔子為最早。孔子者，我國教育史、學術史上劃時代之學者，周秦諸子之開祖也。孔子以前，有官學，無私人之著述。……故諸子以孔子為第一人，諸子之書以《論語》為第一部。[10]

可見在蔣伯潛的心目中，孔子與其他諸子的地位是平等的。他認為《論語》最初歸屬於諸子著作，它作為「經」的地位是逐漸形成的。這應該說是符合歷史事實的。由此我們也可以看出蔣伯潛經學研究的一個重要特點，就是「經」、「子」互動。蔣伯潛在諸子學領域的成就不亞於經學，有《諸子通

7　蔣伯潛：〈十三經概論・自序〉，《十三經概論》，頁3。
8　蔣伯潛：《十三經概論》，頁31。
9　朱劍芒：《經學提要》，收入蔣伯潛、朱劍芒：《經學纂要　經學提要》（長沙市：嶽麓書社，1990年），頁257。
10　蔣伯潛：《諸子通考》（杭州市：浙江古籍出版社，1985年），頁5-6。

考》、《諸子學纂要》、《諸子與理學》等著作，從而在研究中能夠做到
「經」、「子」結合並互動。

　　受到近代知識分類的影響，蔣伯潛認為：「就五經的性質，按之經、
史、子、集四類的分法，它們簡直可分入子、史、集三部。……所謂『經』
實在沒有特立一部的必要。」[11]雖然從目錄學角度而言，四部分類法將古代
典籍分為經、史、子、集四部，自有其合理性，但是蔣氏認為五經可以分入
子、史、集三部，等於把經書從神聖的地位上拉了下來，其意義類似於章學
誠的「六經皆史」說。同時蔣氏也指出：

> 可是這一類書乃是我國古代文化的寶庫，而且數千年來相傳不絕，不
> 但是許多文章材料的來源，其影響亦已普遍地深入於人心。要瞭解我
> 國固有的文化，要就我國的文化風俗、學術思想獲得基本的常識，甚
> 至重新估計它的價值，非對於所謂「經」有相當的認識不可。我固然
> 不贊成叫現代的大中學生讀經，以致耗有用的精力時間於不必要的古
> 典的記誦，但是對於所謂「經」的大概情形總得有一個概括的印象。[12]

　　蔣伯潛的上述觀點是很有道理的。

　　關於一般學校是否應該開設經學課程，學生是否應該讀經，讀多少，怎
樣讀，蔣伯潛均提出了明確的意見。近現代經學教育的地位和情形，隨著局
勢的變化而時有沉浮。清末廢科舉、興學校之際，承科舉餘風，中小學即有
讀經之科目，大學亦特設經科。辛亥革命後，廢止讀經，大為老師宿儒所不
滿。及至袁世凱當政，竭力提倡讀經。袁氏帝制未成而殂，讀經之制，不久
又廢。當時對於學生是否應該讀經，爭論頗多。蔣伯潛指出：

> 平心論之，謂經為專制思想之淵藪，讀經足以釀成帝制者，是懲羹而
> 吹齏，因噎以廢食也；謂學校教育科目繁多，吾國科學落後，尤當側
> 重，無暇遍讀群經，則為時勢所趨之事實。謂經為天經地義，天不

11　蔣伯潛：《經與經學》，頁132。
12　蔣伯潛：《經與經學》，頁10。

變，道亦不變，故雖萬世之後，亦必人人讀經，固足盲從傳統的尊經
之說；謂經為古代文學哲理政俗所匯萃，固有文化之精華，不當完全
屏棄，則又合於事理之談也。[13]

　　筆者認為，蔣氏的觀點在今天仍然基本適用。一九四九年後，經學教育
和研究在大陸基本上停止了，甚至「經學」這一名稱也消失了，顯然不利於
中國傳統文化的繼承與弘揚。近十餘年來，經學教育和研究在大陸逐步得到
恢復與發展。中國人民大學、復旦大學等名校開辦了國學院或國學班，招收
本科生，其課程設置與經學關係密切。此外，不少大學中的古典文獻、哲
學、歷史學、漢語言文學等本科專業也開設一些與經學有關的課程。已故當
代經學大師、原浙江大學古籍研究所沈文倬教授曾招收經學研究方向的博士
生，並講授「經學研究」、「群經泛讀」、「三禮精讀」、「《儀禮》研究」、「《左
傳》研究」等課程。北京清華大學經學研究中心主任彭林教授還帶領學生讀
《儀禮》。同時，近年來出現了傳統文化普及熱潮，于丹《《論語》心得》的
銷量已經達到三百多萬冊。這些現象應該說是值得慶幸並提倡的。而曾有學
者在全國人大開會時提案，建議在北京師範大學附小開設國學班，招進來的
學生從小讀四書五經，少學甚至不學數學等其他課程。這就不妥當了，可謂
過猶不及。

　　蔣伯潛還說：「經學固為我國特有的一種學術，但亦僅為我國學術中之
一支。……我們論各時代學術的盛衰，不當但以經學為標準，不當對於宋、
元、明經學的衰落，甚而至於漸滅，抱過分的悲觀。」[14]經學雖然是中國傳
統文化的重要組成部分，但並非全部。浩如煙海的中國古籍分為經、史、
子、集四部，經部圖書只占其中的一小部分；絢麗多彩的中國文化包括文
學、史學、經學等諸多學科。有了這樣的認識，才能正確評價和研究經學。

　　除了上述兩點之外，非常值得一提的是，蔣伯潛論著中的精闢、獨到見
解甚多。他在《經與經學》中認為，十三經並非都是正式的經，《周易》、

13　蔣伯潛：〈十三經概論・自序〉，《十三經概論》，頁4。
14　蔣伯潛：《經與經學》，頁188-189。

《尚書》、《詩》、《周禮》、《儀禮》、《春秋》固然是「經」,《禮記》便是
「記」,《左傳》、《公羊傳》、《穀梁傳》都是「傳」,《論語》也是「記」,《孝
經》、《爾雅》的性質也和《禮記》差不多,《孟子》一書,宋以前和《荀
子》同列於諸子類的儒家中,並沒有算它是一部「經」。《春秋經傳集解》
曰:「傳者,傳也,博釋經志,傳示後人。」《禮記・曲禮》疏曰:「傳謂傳
述經義,或親承聖旨,或師儒相傳,故謂之傳。」《論語・學而》篇載曾子
的話說:「傳不習乎。」「傳」字魯《論》作「專」,《說文解字》曰:「專,
六寸簿也。」《春秋》之簡二尺四寸,《孝經》一尺二寸,《論語》八寸,而
傳只六寸者,取其便於攜帶,用以札錄,正和現在學生聽講時用的札記簿一
樣。所以經傳之「傳」,原是解釋經文的,《公羊傳》和《穀梁傳》是解釋
《春秋》經的義例的,《左傳》是詳敘《春秋》經所記之事實以解經的,嚴
格地說只能名之曰「傳」,不能稱之為「經」。至於「記」,則是孔子弟子及
七十子後學所記,顯然並非出於孔子。例如《論語》一書,便是纂輯弟子門
人的記錄而成;《禮記》所輯,更及於漢代諸儒所記;《爾雅》一書,也明明
有漢初叔孫通以後所增益的,所以都只能稱之為「記」,而不當尊之曰
「經」。《孝經》一書,尤其可疑,六經尚且無以「經」為書名者(名之曰
「經」,是後人所稱),何以孔子獨於答曾子問孝道而錄成之書逕自稱曰
「經」?總之,這些書只能目之為六經的附庸,而不應逕名之為『經』」。[15]
　　關於十三經中各經之等級,蔣伯潛在《經學纂要》中表述得更為明確:

　　　其中《易》、《書》、《詩》、《禮》、《春秋》是一等,為正式的「經」;
　　而《周禮》則是王莽時方與《儀禮》並列為《禮》經的。《左傳》、
　　《公羊傳》、《穀梁傳》是《春秋》經的「傳」,又是一等。《論語》是
　　孔子弟子所記,門人所撰,故又次之。《孝經》的地位,當又次於
　　《禮記》。至於《爾雅》,則是說經之書,漢人所輯,僅能附於十三經
　　之末而已。[16]

---

15 參見蔣伯潛:《經與經學》,頁8-9。
16 蔣伯潛:《經學纂要》,蔣伯潛、朱劍芒:《經學纂要　經學提要》,頁13。

蔣氏的見解言之成理，至少可備一說。

蔣伯潛關於今文經學對文字學影響的論述，對我們進一步認識近現代文字學尤其是甲骨文字學的發展頗有啟發。蔣氏在《十三經概論》和《經與經學》兩部書中均談到了這個問題，並非簡單的重複，而是可以相互補充，並且筆者認為《經與經學》中的論述更加言簡意賅，茲分別引用如下，《十三經概論》云：

> 文字學由經學之附庸蔚成大國，不可謂非清代正統派學者之功。自顧炎武以下，至章炳麟、黃侃，文字之形、音、義，皆有特殊的研究之成績；清儒之以文字學著者，皆非今文家也。然其研究文字形義之對象，幾完全集中於《爾雅》與《說文》。……然《爾雅》、《說文》二書，則清代研究文字者殆莫不奉為金科玉律焉；此二書固皆古文說也。故金文之研究，雖早起於宋代，至清而更甚，足為研究古代文字者之資；但以篤信古文說之故，於凡鐘鼎文字之不合《說文》者，亦皆屏而不取。至德宗光緒時，發現於南陽之甲骨文字，可以是正《說文》之誤者不少，而章炳麟諸人則直斥之為贗鼎，不值一顧；此無他，以其不合於《說文》而已。然由今文學之立場觀之，則許慎《說文》之言，不盡可信。如謂古文變為籀文，籀文變為小篆，籀文筆劃往往多於古文，不合文字由繁而簡之原則；以隸書為施於徒隸之文字，亦為崇古文者輕蔑今文之譌言；而蒼頡之造字，史籀之作大篆，程邈之作隸書，似乎古代各體文字皆由一人創造，頒行全國者，亦非事實；「六書」一名，除《周禮》外，不見他書；條理雖完善，特亦後人就古代文字歸納而得之大綱，決非古人造字時即有之者；凡此種種，不可謂非較進步之見解。蓋自今文學復興以後，《爾雅》、《說文》，已不復成為文字學之最高的權威，足以束縛研究者之思想，於是文字學之研究，一擴而及於鐘鼎彝器之考古，再擴而及於甲骨文字之考古；範圍擴大，研究自由，繼長增高，遂得放一異彩。此亦今文

學說之影響也。[17]

《經與經學》曰：

今文家治經重在微言大義，不重在文字訓詁，文字學的研究本不如古
文家之視為極重要的工作，又因其來源，其要籍都與古文有關，所以
盡力攻擊的。這種攻擊消極方面，固足以阻礙正在發展中的文字學之
研究；但積極方面，卻又給予文字學以解放的機會。古文家之長於文
字學如章炳麟者，尚且為《說文》所拘束，認為鐘鼎是不屑研究的、
甲骨是偽造的。經今文家一番攻擊後，《說文》的地位已發生動搖，
又自甲骨文於光緒時在安陽發現後，學者以其與鐘鼎文字同有研究的
價值，文字學乃得解脫了《說文》的束縛而別辟一新的蹊徑。[18]

　　清末以降，由於甲骨文等古文字資料的大量發現和西方語言學思想的傳
入，文字學研究確實取得了重要進展，水平有了很大提高，視野更為開闊。
其中的原因是多方面的，蔣伯潛能夠從今文經學對於文字學研究的影響來思
考問題，對我們研究相關問題頗有啟發意義。章炳麟等學者不相信甲骨文，
確實與其篤信古文經學有直接關係，從而在一定程度上阻礙了他們在文字學
等領域取得更大的成績，令人遺憾！

　　蔣伯潛對於經學之盛衰進行了精闢的論述。他認為我國經學，自孔子制
定六經，孔門傳經之儒傳授六經，以及秦火之後、西漢之初諸老儒之傳經，
為經學之「啟蒙期」。漢武以後迄元、成之間，今文之經傳授不絕，十四博
士立於學官，為經學之「全盛期」。西漢末劉歆發現古文經，於是經學分化
為今文、古文二派，至東漢末而始合於鄭玄，此為第一次；鄭玄之後復有王
肅，雖同為混合今古而故意與鄭立異，至南北朝遂隨政局之分裂而分裂，北
鄭、南王，學者各有所宗，至隋始隨政局而統一，此為第二次，故自西漢末
以迄於隋為經學之「蛻分期」。唐人雖承六朝義疏之學而有注疏，但其經學已

---

17 蔣伯潛：《十三經概論》，頁30-31。
18 蔣伯潛：《經與經學》，頁206。

遠不如前，宋則變唐而不及唐，元則承宋而不及宋，降至明代《大全》之修，又襲元而並不及元了。經學至此衰落已極，故自唐至明為經學之「衰落期」。直至清初，經學始呈復活之象，迄乾隆之世，乃為經學之「中興期」。[19] 中國經學史錯綜複雜，而蔣伯潛高屋建瓴，厚積薄發，僅用寥寥數語，便勾勒出經學發展的概貌，並將經學分為啟蒙、全盛、蛻分、中興四期，言簡意賅，脈絡清晰。

又如蔣伯潛對「素王」之稱頗有見地。昔賢多稱孔子為「素王」。《孔子家語》稱齊太史子餘美孔子曰：「天其素王之乎？」董仲舒《對策》曰：「孔子作《春秋》，先正王而繫以萬事，見素王之法焉。」賈逵〈春秋序〉曰：「孔子覽史記，就是非之說，立素王之法。」盧欽〈公羊傳序〉曰：「孔子自因魯史而修春秋，制素王之法。」蔣氏曰：

> 素，空也；謂空設一王之法，即孟子「有王者起，必來取法」之意，非孔子自稱王，亦非真稱魯為王也。（此清人皮錫瑞說，見《經學通論》。）而鄭玄《六藝論》謂「孔子自號素王」，杜預〈春秋左傳序〉又以孔子為素王，左丘明為素臣；其說泥矣！《論語》記孔子答顏淵問為邦，有「行夏之時，乘殷之輅，服周之冕，樂則韶舞」之語，損益四代，以立新王之制；又贊「雍也可使南面」；孔子非妄人，豈真欲及身見其弟子顏淵仲弓王天下哉？觀於此，可以悟《春秋》之當新王，不過「借事明義」，藉以見其理想的政治主張；「託之空言，不如見之行事」，故借魯史所記之事，作《春秋》以見其義而已。[20]

這段文字充分顯示出蔣伯潛的深厚學術功底。同時，蔣氏在文中注明有的說法來自於皮錫瑞，以示不掠人之美。

又如關於《論語》、《孟子》之異同，蔣伯潛認為，《孟子》與《論語》體裁相似，而文章風格則大不相同。《孟子》中雖也有記片言單辭之短章，

---

19 參見蔣伯潛：《經與經學》，頁188。

20 蔣伯潛：《十三經概論》，頁457-458。

同《論語》極為相似；但也有許多長篇大論，波瀾翻騰。所以《論語》之長
在於「簡樸」；《孟子》之長則在「宏肆」。《論語》所記孔子之言，以含蓄者
居多；《孟子》則光芒萬丈，圭角嶒巆。這固然同孔、孟個性不同有關，而
春秋與戰國的文章之變，亦由此可見。[21]評論著墨不多，但起到了畫龍點睛
之效，顯示出蔣伯潛敏銳的學術眼光和思維機制。

　　除了經學和諸子學之外，蔣伯潛在文學、文獻學等領域亦成績頗大。他
的深厚的經學功底在其他論著中也有所體現。如蔣伯潛在《校讎目錄學纂
要》之〈附論：目錄學與學術史〉中，在充分肯定《漢書・藝文志・六藝
略》之「小序」的價值的基礎上，表達了自己的觀點：小序「溯源方面，如
說孔子作《易》底〈十翼〉；作《書序》百篇；刪《詩》存三百五篇；與左
丘明同觀《魯史》而作《春秋》，左丘明作《春秋左氏傳》，勝於口說的《公
羊》、《穀梁》二傳；孔子為曾子陳孝道而作《孝經》，『孝』為天經地義，故
名《孝經》；據歷來學者底考證，都是不可靠的。」[22]當然，筆者並不完全
贊同蔣伯潛的觀點，但如果蔣氏對經學缺乏深入的研究，是很難作出上述評
論的。另一方面，經學研究是需要有文獻學基礎的，經學與文獻學研究常常
是互為促進、互為補充的關係。[23]而蔣伯潛在文獻學領域的學識，對他從事
經學研究頗有助益。

　　當然，蔣伯潛的經學研究也存在一些不足之處，某些觀點值得商榷。如
他對《爾雅》的評價不甚妥當。蔣氏認為：

---

21 蔣伯潛：《經學纂要》，收入蔣伯潛、朱劍芒：《經學纂要　經學提要》，頁139。

22 蔣伯潛：《校讎目錄學纂要》（北京市：北京大學出版社，1990年），頁173。

23 關於這一點，已有不少學者論及，如李學勤：〈談經學與文獻學的關係〉，《河南師範
　　大學學報》（哲學社會科學版）2005年第2期，頁118-119；朱傑人：〈經學應是文獻學
　　專業的一門基礎課〉，《河南師範大學學報》（哲學社會科學版）2005年第2期，頁120-
　　121；徐有富：〈經學研究應以文獻學為基礎〉，《河南師範大學學報》（哲學社會科學
　　版）2005年第2期，頁122-125；趙生群：〈談談經學與古文獻研究的關係〉，《河南師
　　範大學學報》（哲學社會科學版）2005年第2期，頁125-126；呂友仁：〈學好經學是搞
　　好文獻學的前提〉，《河南師範大學學報》（哲學社會科學版）2005年第2期，頁128-
　　129。

《爾雅》原是一部備查的書，我們如果要細讀它，必致閱未終篇便昏昏欲睡，如果要熟讀它，也是事實上不可能的；即使有人能熟讀，也是徒耗腦力，難能而不可貴的。為求時間、精力的經濟計，此書簡直不值得一讀。但是我們如能略加翻閱，懂得它分類的大概、檢查的方法，則於閱讀古書時卻可以得些幫助。[24]

魏張揖有《廣雅》、宋陸佃有《埤雅》，都是摹仿《爾雅》作的，論其價值，卻都是後來居上呢！……《孝經》和《爾雅》都只能說是六經的附庸，《漢志》著錄於六藝略中，也是附錄之意。後來因此列為十三經之二，地位就抬高了。以它們本身的價值說，還不及《論語》哩！[25]

蔣伯潛在《經學纂要》中也說：「《爾雅》則是研究經學的工具書，除對於文字訓詁之學特具興趣並有志深造者外，簡直可以不必讀它。」[26]基於上述觀點，蔣伯潛將《孝經》、《爾雅》附於《十三經概論》第五編〈儀禮禮記概論〉進行論述，僅作為該編八章中的一章，即第八章〈孝經爾雅述要〉。《經學纂要》則將《孝經》、《爾雅》附於該書第九章〈禮記述要〉進行評介。[27]筆者非常困惑，蔣伯潛為何對《爾雅》評價如此之低？《爾雅》在中國語言學史乃至整部中國學術史上的重要地位是不言而喻的。研究經學，離不開儒家經典，而要讀懂儒家經典，首先要弄明白經典中字詞的含義，《爾雅》是因此而產生的，也是因此而受到重視的。漢代經學興盛，訓詁學發達，這是一種相輔相成、互為促進的互動關係，《爾雅》在其中起到了十分重要的作用。早在宋代，林光朝的《艾軒詩說》就說：「《爾雅》，六籍之戶牖，學者之要津也。古人之學，必先通《爾雅》，則六籍百家之言皆可以類

---

24 蔣伯潛：《經與經學》，頁132。
25 蔣伯潛：《經與經學》，頁136。
26 蔣伯潛：《經學纂要》，頁105。
27 嶽麓書社曾於一九九〇年將《經學纂要》與同為民國時期刊行的朱劍芒的《經學提要》合為一書重版，而後者將《爾雅》、《孝經》單獨列章進行評述。

求矣。」[28]《四庫全書總目》曰:「特說經之家,多資以證古義,故從其所重,列入經部耳。」[29]需要說明的是,《爾雅》的重要性並不僅僅侷限在訓詁方面。誠如已故著名學者殷孟倫所云:「從社會發展的史實觀察,先秦時代的思想意識和物質生活的具體情況,概括反映在《爾雅》裏的,並非過於簡略,不切實際,書中所記錄的詞語,恰是當時社會現實所經常需用的,除了《爾雅》,在它的同一時代,還沒有第二部詞書可據,這就是《爾雅》難能可貴之處,因而要溝通古今,也非依靠它不可。」[30]又云:「如果不從歷史觀點出發給予《爾雅》應有的歷史地位,那決不是研究問題的實事求是的認真態度。」[31]要說「昏昏欲睡」,如果對《十三經》之類的書不感興趣,缺乏相關的基礎知識,那麼不但是《爾雅》,而且讀三禮、三傳、《周易》乃至《詩經》、《論語》都會昏昏欲睡的。根據筆者以及其他許多學者的切身體會,對《爾雅》僅僅停留在「略加翻閱,懂得它分類的大概、檢查的方法」,是很難真正讀懂《十三經》的。至於價值,蔣伯潛認為《爾雅》還不及《論語》,言外之意是更不及《周易》、《尚書》、《詩》、《周禮》、《儀禮》和《春秋》這樣的「正宗」經書。筆者認為,《爾雅》與上述諸書性質不同,很難比較其價值之高低。另外,《廣雅》和《埤雅》較之《爾雅》確有不少後出轉精之處,但就此論定其價值在《爾雅》之上則欠妥,至少是不全面的。蔣伯潛作為一位著名學者,並且對傳統語言文字學進行過專門研究,[32]作出上述評價似乎欠妥。

　　同時代的朱劍芒的《經學提要》是與《經學纂要》、《經與經學》性質相近之著作,內中有云:

---

28 轉引自〔清〕謝啟昆:《小學考》(上海市:漢語大詞典出版社,1997年),頁30。

29 〔清〕永瑢等:《四庫全書總目》,(北京市:中華書局,1965年),頁339。

30 殷孟倫:〈從《爾雅》看古漢語詞彙研究〉,《子雲鄉人類稿》(濟南市:齊魯書社,1985年),頁61。

31 殷孟倫:〈從《爾雅》看古漢語詞彙研究〉,《子雲鄉人類稿》,頁65。

32 蔣伯潛除了撰有《文字學纂要》等著作之外,還在《經與經學》中專列一章,即第二十章〈經學的附庸——文字學〉,足見他對傳統語言文字學頗為重視。

《爾雅》一書，其首列一篇，相傳為周公所作；其餘各篇，或謂孔子所增，或謂子夏所作；更有稱為西漢叔孫通所益者，亦有稱梁文所補者。先儒所述，竟無定論。據清經學家邵晉涵（字與桐，一字二雲，餘姚人）多方考證，始決其為孔子門人所作。大抵始於周公，成於孔門諸子，而又經漢儒綴輯增益，非成於一時間，非出於一人之手，則所可斷言也。[33]

筆者認為，作為一部帶有教材性質的著作，朱氏之論述是洽當的，並且與史實基本相符。

此外，關於《孟子》何時列入經部這一問題，蔣伯潛指出：

彼時[34]所謂「經」者，僅指《詩》、《書》、《禮》、《樂》、《易》、《春秋》六經。……五代時蜀主孟昶石刻十一經，去《孝經》、《爾雅》，而入《孟子》，此孟子入經部之始。及朱子取《禮記》中之《大學》、《中庸》，與《論語》、《孟子》，定為四書，以為孔、曾、思、孟四子道統之傳，於此可見。《孟子》在經類中之地位，於以確定；經部唯一大叢書「十三經」，亦至是始完成焉。此十三經，宋以前已各有注；其疏，則亦至南宋時始告完全。清高宗乾隆時，既刻十三經經文於石，立之太學，而阮元又合刻《十三經注疏》，且附以校勘記。此十三經完成之經過也。[35]

蔣伯潛在《經學纂要》中亦云：「五代時蜀主孟昶石刻十一經，不列《孝經》《爾雅》而加入《孟子》，《孟子》已列於『經』了。及清高宗刻十三經於太學，於是『十三經』這部叢書，乃成定本。」[36]按照蔣伯潛的敘述，五代孟蜀所刻石經有十一部，其中包括《孟子》，而無《孝經》和《爾

---

33 朱劍芒：《經學提要》，收入蔣伯潛、朱劍芒：《經學纂要　經學提要》，頁251。
34 此處指漢代。
35 蔣伯潛：《十三經概論》，頁7-8。
36 蔣伯潛：《經學纂要》，頁6。

雅》,《孟子》在此時已正式列入經部。根據《郡齋讀書志》等史料記載,五
代孟蜀時所刻的石經共有十種,包括《易》、《書》、《詩》、《周禮》、《禮
記》、《左傳》、《論語》《儀禮》、《孝經》和《爾雅》。《公羊傳》和《穀梁
傳》刻成於宋仁宗皇祐年間,《孟子》則補刻於徽宗宣和年間。至此,「十三
經」的匯刻過程也完成了。由此可見,蔣伯潛所說的《孟子》於五代孟蜀時
即入於經部是不準確的,關於「十三經」完成經過之論述也與史實不甚相
符。

蔣伯潛謂:

> 梁啟超認為,《爾雅》本為《禮記》百三十一篇中的一篇或數篇,因
> 為張揖〈廣雅表〉有「《爾雅》一篇,……叔孫通撰置《禮記》,文不
> 違古」的話。清臧庸輯有《爾雅漢注》,其序中曾列舉漢人引《爾雅》
> 之文而稱《禮記》的實例,如班固《白虎通·三綱六紀》篇引《禮·
> 親屬記》,其文見於《爾雅·釋親》篇;應劭《風俗通·聲音》篇引
> 《禮記·樂記》,其文亦見於《爾雅·釋樂》篇;何休《公羊解詁》
> 宣公十二年注引《禮記》,其文亦見於《爾雅·釋水》篇,諸如此
> 類,不一而足。這又是《爾雅》本在《禮記》中的明證。后來劉歆欲
> 立古文學,尚徵募能為《爾雅》者千餘人,講論庭中(見《漢書·楚
> 元王傳》),於是《爾雅》一書聲價陡增,也躋於經書之列了。[37]

蔣伯潛又曰:「梁啟超《二戴禮記解題》附論《爾雅》,以為『不過秦漢
間經師詁經之文,好事者輯為類書,以便參檢』云云,並不是臆度之詞,比
較地可以相信。」[38]關於這一問題,蔣伯潛完全照搬梁啟超的觀點,並且某
些話說得比梁氏更為絕對。梁啟超的主要依據,一是張揖〈上廣雅表〉中所
謂的「《爾雅》一篇,叔孫通撰置《禮記》,文不違古」;二是臧庸列舉漢人
引《爾雅》稱《禮記》之文。梁氏的原文如下:

---

37 蔣伯潛:《經與經學》,頁132。
38 蔣伯潛:《經與經學》,頁131。

《爾雅》今列於《十三經》，陋儒競相推挹，指為周公所作，甚可
笑。其實不過秦、漢間經師詁經之文，好事者編為類書以便參檢耳。
其書蓋本為「記百三十一篇」中之一篇或數篇，而《大戴》曾採錄
之。張揖〈進廣雅疏〉所謂「《爾雅》一篇，叔孫通撰置《禮記》，文
不違古」也。臧庸列舉漢人引《爾雅》稱《禮記》之文，如《白虎
通・三綱六紀》篇引《禮・親屬記》，文見今《爾雅・釋親》；《孟子》
「帝館甥於貳室」，趙岐注引《禮記》，亦《釋親》文；《風俗通・聲
音》篇引《禮・樂記》，乃《爾雅・釋樂》文；《公羊》宣十二年何休
注引《禮記》，乃《爾雅・釋水》文。此尤《爾雅》本在《禮記》中
之明證也。自劉歆欲立古文學，徵募能為《爾雅》者千餘人講論庭
中，自此《禮記》中之《爾雅》篇，不知受幾許撏扯附益，乃始彪然
為大國，駸駸與「六藝」爭席矣。[39]

可見梁啟超只是說「臧庸列舉漢人引《爾雅》稱《禮記》之文」，並未
說「清臧庸輯有《爾雅漢注》，其序中曾列舉漢人引《爾雅》之文而稱《禮
記》的實例」。筆者仔細復核了臧庸的〈爾雅漢注・序〉以及盧文弨所撰的
〈爾雅漢注・序〉[40]，發現兩篇「序」中均未列舉「《白虎通・三綱六紀》
篇引《禮・親屬記》，文見今《爾雅・釋親》」等實例。通過進一步考證，終
於在臧庸的《拜經日記》中找到了相關的內容：

> 《公羊・宣十二年》注：「禮，天子造舟，諸侯維舟，卿大夫方舟，
> 士特舟。」疏云：「《釋水》文也。」案：何邵公引《爾雅・釋水》而
> 偁禮者，魏張揖〈上廣雅表〉言「《爾雅》，叔孫通撰置《禮記》」，此

---

39 梁啟超：《要籍解題及其讀法・附論《爾雅》》，陳引馳編校：《梁啟超國學講錄二種》
　　（北京市：中國社會科學出版社，1997年），頁96。此外，梁啟超在《古書真偽及其
　　年代》卷三中也有關於這一問題的論述（參見陳引馳編校：《梁啟超國學講錄二種》，
　　頁256-257）。
40 盧文弨的《抱經堂文集》卷六中也有〈爾雅漢注・序〉，內容與《爾雅漢注》中的
　　「序」一致。

蓋漢初之事，《大戴禮記》中當有《爾雅》數篇為叔孫氏所取入，故
班孟堅《白虎通》引《爾雅・釋親》文偁為《禮・親屬記》。……應
仲援《風俗通・聲音》篇引《釋樂》「大者謂之產，其中謂之仲，小
者謂之約」，為《禮・樂記》，則《禮記》中之有《爾雅》信矣。或疑
《漢藝文志》禮家不及叔孫通，張氏之言恐未得實，蓋未考之班氏諸
書也。[41]

　　清人陳壽祺沿襲了臧庸之說，云：「魏張揖〈上廣雅表〉曰：『周公著
《爾雅》一篇，爰暨帝劉。魯人叔孫通撰置《禮記》，文不違古。』通撰輯
《禮記》，此其顯證。稚讓之言，必有所據。《爾雅》為通所採，當在《大戴
記》中。」[42]陳氏在文中還引用臧庸所言作為依據。筆者認為，臧庸所言理
由並不充分。《爾雅》作為一部解釋詞義的書，當時廣為許多典籍所徵引，
既有注明出處的，也有許多不注明的。因而僅僅根據「班孟堅《白虎通》引
《爾雅・釋親》文偁為《禮・親屬記》」等情況，並不能就此得出「《爾雅》
本為《禮記》百三十一篇中的一篇或數篇」的結論。關於「叔孫通撰置《禮
記》」，王念孫曰：「《後漢書・曹襃傳》有班固所上叔孫通《漢儀》十二
篇。」[43]《漢書・叔孫通列傳》詳細記載了叔孫通撰寫《漢儀》之經過，至
班固時，尚存《漢儀》十二篇。有些學者據此判定，〈上廣雅表〉中張揖所
言叔孫通撰置之《禮記》即其《漢儀》，而非戴聖編選的《禮記》四十九
篇。[44]張舜徽則指出：

　　　臧氏但據張揖〈上廣雅表〉中有「叔孫通撰置《禮記》」一語，遽謂
　　《大戴禮記》中有《爾雅》。不悟彼文所謂「通撰置《禮記》」者，謂

41　〔清〕臧庸：《拜經日記》卷2〈大戴禮有爾雅〉，《續修四庫全書》（上海市：上海古
　　籍出版社，1995-2002年），冊1158，頁69。

42　〔清〕陳壽祺：《左海經辨》卷上《大小戴禮記考》，《續修四庫全書》，冊175，頁
　　417。

43　〔清〕王念孫：《廣雅疏證》（北京市：中華書局，2004年），頁3。

44　參見王鍔：《《禮記》成書考》（北京市：中華書局，2007年），頁318；張能甫編注：
　　《歷代語言學文獻讀本》（成都市：巴蜀書社，2003年），頁93。

撰集古《禮記》遺文置之《爾雅》中也。下文所云「或言叔孫通所
補」，即指此耳。細審上下文意，至為明白。何、班、應三家之書所
引用者，皆有關禮制之文。叔孫通雖已自《禮記》中取之以增入《爾
雅》，然在漢世，蓋猶有單篇別行之本，分題《樂記》、《親屬記》諸
目者。故引用時，仍標原書，而不云出自《爾雅》也。臧氏自信太
過，漫加論斷，誤矣。[45]

筆者認為，張舜徽的分析更有道理。徐德明顯然也採用了張氏之結論，
指出：《拜經日記》「間有失當，如卷二《大戴禮有爾雅》條，但據張揖〈上
廣雅表〉中『叔孫通撰置《禮記》』一語，即斷定《大戴禮記》中有《爾
雅》。」[46]此外，梁啟超的理解，與臧庸之原意也不完全相合。臧庸認為
「《大戴禮記》中當有《爾雅》數篇為叔孫氏所取入」，而不是梁氏所說的
「臧庸列舉漢人引《爾雅》稱《禮記》之文」。細細品味，兩者之涵義是有
所不同的。如果按照梁啟超的結論，那麼《爾雅》研究中的許多問題便解釋
不通了。看來在這一問題上，張揖、臧庸、梁啟超、蔣伯潛之間依次影響並
進一步發揮（有時還存在曲解）的脈絡關係是較為清晰的。已故著名學者洪
誠對《爾雅》和三禮都非常熟悉，他曾經指出：

> 梁氏根據臧庸《大戴禮有爾雅》和《漢書‧平帝紀》、《王莽傳》，加
> 以附會，作此謬誤之推斷。《禮記》中有《爾雅》，只能證明張揖所說
> 叔孫通曾經採《爾雅》入《禮記》是事實，不能排斥《爾雅》原書繼
> 續獨立通行。班固《漢書‧王莽傳》上篇：「征天下通一藝教授十一
> 人以上，及有逸《禮》、古《書》、《毛詩》、《周官》、《爾雅》、天文、
> 圖讖、鍾律、月令、兵法、《史篇》文字，通知其意者，皆詣公
> 車。……至者前後千數，皆令記說廷中。將令正乖繆，壹異說云。」
> （梁誤謂通《爾雅》者千餘人）關於《爾雅》，全部《漢書》只有一
> 直獨立通行的事實，沒有劉歆擴展篇幅的事實。……許慎引《爾雅》

45 張舜徽：《清人筆記條辨》（武漢市：華中師範大學出版社，2004年），頁166-167。
46 徐德明：《清人學術筆記提要》（北京市：學苑出版社，2004年），頁122。

更多。《白虎通·四時》章引《爾雅》，不標《禮記》。王充《論衡·是應》篇屢引《爾雅》文破漢世儒者天人感應之說，並稱：「《爾雅》之書，五經之訓故，儒者所共觀察也。」應劭〈風俗通序〉論《方言》云：「其所發明，猶未若《爾雅》之閎麗也。」今本《爾雅》在兩漢流傳之事實如此，梁氏論斷之謬誤可見。[47]

洪氏所言說服力極強。何九盈也認為梁啟超之說不可信，云：

> 《爾雅》書中的材料，其時代肯定不同，有的材料相當古老。如《釋魚》的「魚枕謂之丁，魚腸謂之乙，魚尾謂之丙」，「左倪不類，右倪不若」，這恐怕都是殷商和西周早期的材料，這些材料一代一代傳下來，在《爾雅》成書之前，可能已有這種性質的著作了，但《爾雅》一經編定之後，在基本面貌方面不會有太大的變化，絕不可能像梁啟超說的那樣：「東漢時代今《爾雅》尚未通行，尚未獨立……篇幅一定沒有今本那麼多。今本之多，由於劉歆，劉歆才特別提出這書來，有一回徵募了千餘能通《爾雅》的人，令各記字廷中，也許就因這回，《爾雅》才變成龐然大物。」這是捕風捉影，言之無據。[48]

幼英則指出：「任公此說不能說沒有一定的道理。但是從史學和哲理上看，《爾雅》較之《禮記》諸篇似略遜一籌，其價值則更在《大學》、《中庸》之下，若說《爾雅》出於《禮記》作者一人之手，如《大學》、《中庸》等篇然，似屬可疑。」[49]從蔣氏的有關著作中可以明顯看出，蔣伯潛在學術思想方面受梁啟超的影響頗深。上文中提及蔣伯潛對《爾雅》的評價不甚妥當，其實在一定程度也受了梁啟超的影響。梁氏曰：「《爾雅》是漢儒把過去和同時的人對於古書的訓詁抄錄下來，以便檢查的書。換句話說，不過一部

---

47 洪誠：《訓詁學》（南京市：江蘇古籍出版社，1984年），頁22-23。

48 何九盈：《中國古代語言學史（新增訂本）》（北京市：北京大學出版社，2006年），頁38-39。

49 幼英：〈梁任公關於《爾雅》出處一說〉，《華中師院學報》（哲學社會科學版）1984年第2期，頁128。

很粗淺的字典而已。……古來字典很少，西漢的《爾雅》自然比不上東漢的
《說文》。《說文》較有系統，《爾雅》特為雜湊。」[50]梁啟超固然是一代大
師，但個別觀點也有些偏頗，也存在疏誤之處。

　　蔣伯潛的著述還具有一個重要特點，就是其中大部分是為教學服務的，
包括大家普遍認為學術性極強的《十三經概論》。他善於將非常艱深的學術
問題用通俗易懂的語言表達出來，效果甚佳。需要說明的是，蔣氏之通俗並
非淺顯，而是深入淺出，雅俗共賞。此乃治學的一種高妙境界。自一九三八
年起，蔣伯潛先後任教於大夏大學、無錫國學專修學校，開設「群經概論」
等課程。為了配合教學，蔣伯潛開始編寫講義。他認為，既然是「概論」，
限於時間，若舉十三經一一講讀，非僅為勢所不能，抑亦為理所不必。有鑒
於此，蔣伯潛編著了《十三經概論》一書，「就所謂《十三經》者，首錄解
題，次述內容，俾教者可省編纂之勞，學者可得誦習之資，有志深造者亦可
先獲一概念焉」[51]。基於這樣一種認識，《十三經概論》在編排上也有不少
與眾不同的地方。如在《論語》和《孟子》中，同一主題的內容有時分佈在
不同的篇章中，給初學者帶來一定困難。而《十三經概論》則將《論語》和
《孟子》作分類敘述，其中的第七編〈論語概論〉包括〈論語論道德〉、〈論
語論修養〉、〈論語論教學〉、〈論語論政治〉、〈論語記孔子〉等章，第八編
〈孟子概論〉包括〈論性〉、〈論政〉、〈論修養與教學〉、〈論處世〉、〈論古與
闢異〉等章，顯示出教材的獨特作用。《經與經學》和《經學纂要》兼具學
術性、知識性及資料性，既可作為教材，也可供一般讀者閱讀，不僅簡明扼
要地闡述了十三經的基本內容以及經學發展流變史，而且告述我們應該如何
看待並閱讀這些經籍，對於普及經學基礎知識頗有助益。

　　蔣伯潛在其論著中多次明確指出，經書中哪些非讀不可，哪些只需大體
瞭解。如他認為《大學》是《禮記》中非讀不可的一篇，[52]而《禮記》中的

50　梁啟超：《古書真偽及其年代》卷三〈《論語》《孝經》《爾雅》《孟子》〉，收入陳引馳
　　編校：《梁啟超國學講錄二種》，頁256-257。

51　蔣伯潛：〈十三經概論·自序〉，《十三經概論》，頁4-5。

52　參見蔣伯潛：《經與經學》，頁74。

〈禮運〉實在也有一讀的必要。[53] 讀了〈樂記〉，方懂得孔子論政禮、樂並重的道理。所以，〈樂記〉我們也得仔細地讀它一遍。〈學記〉可以說是我國古代儒家的教育學說，研究教育原理和教育史的人們都得細讀。[54] 又說，《周禮》可供我們閱讀的價值，反在《儀禮》之上。[55] 還指出，《禮記》四十九篇，當選讀；除通論類中最重要的五篇必須精讀以外，可視讀者的需要定之；而其中有許多篇，當與《儀禮》同讀，以為參證之資。《孝經》可略讀，且與《禮記》中論孝道的幾篇互相印證，作為孔子以後重孝道的一派儒家的學術史料。[56] 此外還說，《周禮》、《儀禮》二書，所記既異，文章風格亦各不同。《周禮》的優點在系統分明，《儀禮》的優點在委曲詳盡；《周禮》多排比的文句，《儀禮》則為散文；典制記敘之文，二書蓋各有所長，可以給我們作為學做文章的模範。[57] 關於《詩經》之讀法，他說：「我們讀《詩》，除字句的訓釋，有時不能不求之注釋外，當直接探求本文的意思，不可為舊說所囿；而孟子所說『不以文害辭，不以辭害志，以意逆志，是為得之』，卻是讀《詩》的訣竅。」[58] 這些說明起到了導讀的作用，對初學者幫助尤大。同時，蔣伯潛在《經學纂要》之「附錄」〈十三經注本舉要〉中，較為系統地介紹了十三經的主要注本，共計近萬字，甚便讀者。他指出：我們現在讀經，和從前的讀法不同。從前的讀經，不管它的價值如何，性質如何，只要是「經」，便須熟讀；即使不能懂得意義，不能感到興趣，也得熟讀；但求熟讀，不求深思，只是死讀而已。現在則須選讀，何者宜精讀，何者只須略讀，何者宜先讀，何者可以緩讀，何者竟可不必讀，看完了本書，已可得其大概。但如要閱讀原書，有許多地方，不能不靠注解的幫助，所以把十三經的注本，擇要介紹，使讀者便於選擇。十三經原是一部經

53 參見蔣伯潛：《經與經學》，頁76。

54 參見蔣伯潛：《經與經學》，頁77。

55 參見蔣伯潛：《經與經學》，頁67。

56 參見蔣伯潛：《經學纂要》，頁105。

57 蔣伯潛：《經學纂要》，頁94。

58 蔣伯潛：《經學纂要》，頁81。

類的叢書，它的注本，最現成的，當然要推所謂《十三經注疏》了。[59]

　　另外，上文已經指出，對於蔣伯潛的經學成就一直缺乏深入的研究，但這並不等於說，蔣伯潛的經學成就從未受到重視。筆者注意到，早在民國時期，著名學者梁漱溟就對《十三經概論》給予了高度關注和評價：

> 從同學王星賢借得蔣伯潛著《十三經概論》翻閱至再，獲益良多。我少時未曾誦習四書五經，由小學而中學，所學者一些教科書而已，唯《春秋》、《左氏傳》，有少許在中學時曾聞講授。若舊日讀書人所必讀之《論語》、《孟子》，在我只自己數取來閱覽之，幸其間少艱僻文字，自己可以大致通曉，遇有某些文字雖不曉其音讀，而貫串上下文亦可曉其意旨。然既未上口成誦，自己行文欲加徵引恆須檢索之勞。至若《詩經》、《書經》則更安於不求甚解，未曾用心尋繹。我之譾陋如此，世人不知也。今得蔣著填補了我所必需的某些知識，自爾欣喜不勝。我更須指出，蔣著實有極好極大貢獻於現時的絕大多數知識分子。現時除極少數專治古籍的學者外，一般知識份子的精力要用於學外語和各科常識，其中少數或且進修某一專科學問，固皆不暇一讀古書，但我以為其他古書盡可置之不讀，而作為一個中國知識份子卻於《論語》決不可不讀，然而通用之《論語》版本又存在許多錯誤乃至極其荒謬處。蔣著於此，既資借前人研究，又出於他自己卓識，加以判別抉擇，多有昭示，俾我們避免陷於錯誤，不自覺知；亦或節省了我們許多思辨之勞。我贊其為功非小者在此。[60]

　　綜上所述，蔣伯潛的經學研究雖然也存在一些不足之處，但就總體而言，他在這一領域取得了重要成就，尤其在經學史研究方面貢獻突出，應該屬於近現代著名經學家之一。相比較而言，蔣伯潛對於今文經學更有研究，

---

59 參見蔣伯潛：〈十三經注本舉要〉，蔣伯潛：《經學纂要》，蔣伯潛、朱劍芒：《經學纂要、經學提要》，頁165。

60 梁漱溟：〈蔣著《十三經概論》讀後特志〉，《勉仁齋讀書錄》（北京市：人民日報出版社，1988年），頁66-67。

如《經與經學》第十八章〈經學的中興〉的論述主要是參考梁啟超等人的，第十九章〈經今文學的復活〉則頗具特色。同時，雖然從總體而言，蔣伯潛以持平的態度對待今古文之爭，但是在感情上似乎更偏向於今文經學。如他曾說：「為什麼經古文家言和今文家言不同？為什麼有《周禮》、《左傳》等古文經呢？我認為今文家所說古文經出於劉歆偽造的話，比較的可以相信。」[61]

　　蔣伯潛的著作至今仍有重要參考價值。他的《十三經概論》等書在海峽兩岸曾多次重版，澤溉甚廣。劉起釪、王鍾翰等著的《經史說略——十三經說略、二十五史說略》[62]，附有〈《十三經》《二十五史》基本參考書目一百種〉，其中包括蔣伯潛的《經學纂要》和《十三經概論》。臺灣師範大學國文學系林素英教授給碩博士班開設的「經學史研討」課程的〈參考書目〉中，就包括蔣氏的《十三經概論》和《經與經學》。臺灣著名學者林慶彰先生主編的《民國時期經學叢書》[63]對蔣伯潛的相關著作十分重視，其中的第一輯之第二冊為《十三經概論》，第三冊為《經學纂要》和《經與經學》。類似的例子還有許多，不一一列舉了。此外，有關論著中引用蔣伯潛的觀點亦甚多。如姜淑紅的《近代董子學研究》[64]之第八章〈民國經學史整理中的董子學〉的第三部分為〈蔣伯潛經學研究與董子學〉。

　　最後需要指出的是，蔣伯潛在經學領域主要有三部著作，即《十三經概論》（上海市：世界書局，一九四四年）、《經與經學》（上海市：世界書局，一九四一年）和《經學纂要》（上海市：正中書局，一九四六年），其中有許多內容是大體相同的，但作為教材有時也是難以避免的。就篇幅而言，《十三經概論》（約四十萬字）較多，《經與經學》（約十五萬字）和《經學纂要》（約十四萬字）較少。

---

61 蔣伯潛：《經與經學》，頁21。

62 劉起釪、王鍾翰等著：《經史說略——十三經說略、二十五史說略》（北京市：北京燕山出版社，2002年）。

63 林慶彰編：《民國時期經學叢書》（臺中市：文听閣圖書公司，2008年）。

64 姜淑紅：《近代董子學研究》（濟南市：山東師範大學中國近現代史專業碩士論文，2009年）。

一位不該遺忘的經學家
——龔道耕經學成就述評

舒大剛

四川大學古籍所教授兼《儒藏》主編

近代「蜀學」曾經給中國儒學帶來新氣象，引入新階段，值得人們好好研究，仔細品味。在近代史上，引領和促成近代「蜀學」形成的中心機構，是當時的「三院一堂」（即錦江書院、尊經書院、中西學堂和國學院）以及後來由「三院一堂」發展而成的四川大學。「三院一堂」分別代表了近代學校的三種類型：即為科舉而設的舊式學校（錦江書院）；為通經學古而設的傳統書院、專門學校（尊經書院、國學院）；為傳授近代科學而設的新式學堂（中西學堂）。[1]它們基本因應了當時社會變革和轉型的需求，培養和聚集了大批傑出人才。而在此基礎上組合的四川大學，更是兼得傳統與新學之精神，兼有義理、考據、辭章和科學四長。近代四川的傑出人士大多由「三院一堂」及四川大學所培養，如駱成驤、楊銳、劉光第、廖平、宋育仁、吳之英、張森楷、吳玉章、郭沫若、蒙文通、李源澄、向宗魯等等[2]，就是其中的佼佼者。「三院一堂」及四川大學就是近代「蜀學」的中心和策源地。

不過，在「三院一堂」和四川大學之外，還有一批「蜀學」人士也相當出色，不可小覷。他們或出於縣級「學校」，或出自鄉間「書塾」，雖然門閥不高、出身不顯，但在學術上的貢獻卻不小，也產生過重要影響，他們無疑

---

1 舒大剛：〈晚清蜀學的地位和影響〉，《社會科學研究》2007年第3期，頁165-170。

2 即使主要活躍在科學、音樂、文學等領域的周太玄、王光祈、李劼人、魏時珍等人，也有極深的舊學功底，深受「蜀學」的薰陶。

也是近代「蜀學」的組成部分，有的甚至是不可或缺的重要組成部分。如天才早慧，學貫四部，旁及道佛，著書二百三十五部的著名學者劉咸炘（1896-1932）；學識廣博，精熟《倉》、《雅》，雅意經史，著述達一百四十餘種的龔道耕（1876-1941）；精熟文獻校勘，詩文書法俱佳的龐石帚（1895-1968），都出身書塾或蒙館，其學術造詣並不亞於「三院一堂」所造就的人物。內中堪稱「蜀學」重鎮人物的龔道耕，曾任四川成都多所中學、大學校長和四川大學、華西大學教授，人稱「著述行天下，弟子遍蜀中」，是近代四川不可多得的教育家和學問家。其人學問淵博，樸實謹厚，不趨新而炫世，亦不隨眾而媚俗，在以廖平為代表的「今文經學」大張赤幟、大行其道之時，龔先生卻注重小學、力標「鄭君」，在「今文」學派之外獨標一幟，形成與廖氏學術互異而又互補的氣象，從而構成了近代「蜀學」的完整概念。研究近代四川「蜀學」，當然少不了對龔道耕其人其學的研究。然而，在近世的所有研究中，他確確實實被人們忽略了，至今不見有關於他的專門論文發表。故現擬對其生平及學術聊作探討，冀以見近代四川不拘一格造成人才之一斑。

一　龔道耕生平述略

關於龔道耕生平的記載，其初也有其長孫龔讀籀（師古）撰〈行述〉[3]、友人龐石帚（龐俊）撰〈墓誌銘〉[4]及〈記〉[5]；繼之又有門人潘慈光[6]、姜

3　龔讀籀：〈先王父向農府君學行述略〉，《志學》第6期（1942年），頁15-16。按，據龔師古（即龔讀籀）先生親告筆者，該文係殷孟倫先生代撰，其中所論多當時之公言，並非一家之私情。

4　龐石帚：〈成都龔向農先生墓誌銘〉，《成都大學學報》（社會科學版）1987年第4期，頁60。

5　龐俊：〈記龔向農先生〉，《國文月刊》第58期（1947年），頁31-33。按，初稿曾載《志學》第6期，頁12-14。

6　潘慈光：〈龔向農先生傳〉，《國史館館刊》第1卷第3號（1948年8月）。

亮夫[7]、外侄唐振常[8]及周積厚[9]、朱旭[10]、吳曉鳴[11]等所撰回憶文章和志傳。
現以龔讀籀〈行述〉為主，而以諸氏文參之，略述龔氏生平於次。

　　龔道耕（1876-1941），字向農（一作相農），一字君迪、悲庵，別署蛛
隱，晚因重聽，又自號聤翁。龔氏原籍浙江會稽，「家牒傳承，蔚為士族」
（〈墓誌〉）。清乾隆年間，七世祖名貽經（號「受易公」）者，官四川長壽縣
典史；八世祖德（號「湘浦公」），「耆儒不仕，就養入蜀」（〈墓誌〉）。時值
貴州黔西李世傑總督四川，湘浦公素與之交，應招入幕，於是始來成都，樂
其土風，遂定居焉，[12]為成都人。祖玉彬，官廣西平南知縣；父藩侯，清候
補知縣。龔氏家世業儒，薄於宦情，而精於學術。其祖在平南知縣任，雖
「治行卓異」，卻「遂高止足，棄官而歸」（〈墓誌〉）；其父雖有候補資格，
卻不汲汲仕進，而「博學開敏」（〈墓誌〉）。這是一個十足的書香之家，為造
就一代大儒具備了充分條件。

　　龔藩侯生有七子，道耕居其長。其幼而聰慧，三歲即由母「口授唐賢絕

7　姜亮夫：〈學兼漢宋的教育家龔向農〉，《四川近現代文化人物》（成都市：四川人民出
　　版社，1989年），頁117-125。
8　唐振常：〈記一代經學大師龔向農先生〉，《文史雜誌》1990年第4期，頁8-10。又題
　　〈憶舅父──記一代經學大師龔向農先生〉，載《往事如煙懷逝者》（上海市：上海人
　　民出版社，1990年）。下稱《憶舅父》。
9　周積厚：〈龔向農先生生平事略〉，《金牛文史資料選輯》，第4輯，頁18-24。
10　收入四川省地方誌編纂委員會：《四川近現代人物傳》（成都市：四川大學出版社，
　　1987年），第4輯，頁227-230。
11　載《墨光百載紀華年：成都七中校友回憶錄》，頁175-178。
12　龐石帚〈成都龔向農先生墓誌銘〉謂「清嘉慶間，有諱貽經者官長壽典史，厥考祖
　　德，老儒不仕，就養入蜀，會故人黔西李恭勤公世傑總督四川，請參幕府，暫游成
　　都，樂其土風，乃定居焉」。龔讀籀〈學行述略〉記其入蜀無具體年代。龐氏謂龔氏
　　祖先於嘉慶間始入蜀，不確。按，李世傑（1715-1794）字漢三，貴州黔西人。《清史
　　稿》卷三二四有傳。傳載清乾隆二十一年（1756），捐貲授知縣銜。歷知州、知府、
　　鹽驛道、按察使、布政使、巡撫，至總督、兵部尚書、太子太保。五十六年（1791）
　　退休回籍，五十九年（1794）三月卒，年七十九，諡恭勤。李氏曾兩為四川總督，一
　　在乾隆四十九年，一在五十二年，其卒亦在乾隆五十九年。可知龔氏祖先入李氏幕府
　　只能在乾隆時期，其入蜀也應在此時。

句，輒一聞能默誦」。八歲能屬對，聲律克諧，能引用李白詩句以答詰難，一時號稱「神童」（或稱「聖童」）。十三歲，補成都縣學生員。十四歲，已讀完群經、諸子，兼及史部。因讀江藩《漢學師承記》，喜其淵源明晰，遂鍾情漢學，自謂平生治學皆根於此。十七歲，中光緒十九年（1893）副貢。二十六歲（1901），中舉人。後援例入貲，授內閣中書。但卻無意做官，遂歸故里。

光緒末年，清廷明令廢科舉，立學校。金壇馮煦（1843-1927，字夢華，號蒿庵）以四川按察使兼主學務處，聘蜀中名流襄理辦學諸事，道耕得與其間，此其涉足教育行業之始。父龔藩侯創辦成都縣小學，道耕亦參贊其事。從此與教育結緣，平生精力，皆專注於作育人才，主講於四川官私中學、大學，垂四十年，弟子成學者，不下數千人。當時談論蜀中教育的，沒有不稱數龔某其人的。

龔道耕教育生涯，在清末作過官立四川優級選科師範學堂監督。入民國後，又歷任四川省立第一師範學校、眉山縣立中學、成都縣立中學校長。民國十五年（1926）起，先後代理國立成都高等師範學校校長、國立成都師範大學校長。曾於民國四年（1915）、民國十七年（1928）前往北京和南京參加教育會議。一九三一年國立成都師範大學與公立四川大學、國立成都大學合併成立國立四川大學，龔道耕乃卸師大校長任，專任四川大學、華西大學兩校教授，主講經學。

龔道耕盡心教育，是一個稱職的校長，也是一位成功的教育家。其長選科師範時，「蜀中兵禍相尋更十餘歲，學風敗壞，經費拮据」，道耕每月只領車馬費，「自損俸給，躬以率下，為諸生勉訓無不至」。其長師範大學時，「經費尤奇絀」，道耕為償債務，損出自家數十畝田產，「獨肩其難，竟以校債致破產」。民國時遠道兩次參加全國教育會議，「於教育改革，多所建議」，並順道「考察京、滬、甯、漢諸校」的教學狀況。他學識淵深，博聞強記，「過目不忘，所讀書，至老成誦」，世多以王應麟比之；「每升堂為諸生講授，口所疏舉，淹洽通貫，繁簡得中，諸生記錄，反手不及追」。又兼「誨人不倦，弟子多踵門受業」，如姜亮夫、殷孟倫、徐仁甫等著名學人，

「業成去者，終身服膺」，至老猶撰文誦其德[13]。

　　道耕為人貌豐腴，愷悌慈祥，談吐詼諧，妙趣橫生。而且多材多藝，嗜飲善曲，偶一興至，則引亢擊節，自娛自樂。嘗對人說：「不能飲酒度曲者，非吾徒也。」

　　當然，龔道耕更主要的特徵還是一個讀書人，一個學問家。「自以名家年少，素多藏書，有園池之勝」，而不作紈褲之遊，卻「發奮力學」（龐氏《記》），「日惟咿唔展玩，於意豁如」。晚年值抗戰爆發，四川大學遷至峨眉山麓，「家用稍不贍，然淡泊自若，不改其操」。尤嗜著書，「年十四五，即好著述；未及三十，成書數十種」，中年以後，亦不自廢。（徐仁甫〈著述目錄〉）

　　民國三十年（1941），道耕援例休假，擬全身心投入學術研究，造作《禮記鄭氏義疏》。當年，四川大學設立文科研究所，招收研究生，學校擬聘請道耕「為諸生導師」，未及赴任而中風暴卒，享年六十六。

　　道耕人品、學問俱佳，為世所敬。姜亮夫說：「先生于學為大儒，于行為大師，則兩肩道義，經師人師，為完人矣哉！」又說：「學識人品，俯仰不愧所業，門人弟子與時人皆奉為大儒、純儒。」「民國以來，蜀中軍人跋扈，唯先生與華陽林先生山腴（思進），雖悍將驕卒不敢無禮，非大德不足以服暴也。」[14]

二　龔道耕著述考略

　　龔道耕少年天才，勤於著述。龔讀籀〈學行述略〉云：「府君於學無所不窺，早歲治小學考據，及《流》、《略》纂輯。年十七，已有《釋文敘錄集

13　姜亮夫〈謝本師——學術研究方法的自我剖析〉：「我一生從事學術研究，一般都是圍繞著他們的教訓，走我自己願意走的路。其中林山腴和龔向農兩位先生教我的是基礎知識、根柢之學。有了堅實的基礎，我才能向其他方向發展。」（《浙江學刊》2001年第4期）

14　姜亮夫：〈學兼漢宋的教育家龔向農〉，《四川近現代文化人物》。

證》之作。嘗輯補《倉頡篇》、《字林》之屬,已梓行世。又校輯古佚子為
《最錄》,得若干種。」

龐石帚〈記〉謂:「(道耕)發奮力學,……仰取俯拾,日有造述。年未
三十,成書數十種,由是知名。」〈墓誌銘〉:「甫逾立年,造述有斐,扃篋
至數十種。」

徐仁甫〈著述目錄序〉亦謂:「先生年十四五,即好著述,未及三十,
成書至數十種。」

龐〈記〉後附有〈龔先生遺著目錄〉,徐仁甫則專門編有〈龔先生著述
目錄〉,發表於《志學月刊》第六期。今依二目,按經、史、子、集分類,
著錄於次:

(一) 經部十九種:

1 《唐寫殘本尚書釋文考證》　華西大學印行[15]

2 《尚書篇第表說》　未印

3 《喪服經傳五家注》二卷　輯本,未印

4 《禮記舊疏考正》　見《禮記鄭氏義疏發凡》

5 《葉輯禮記盧注疏證》　同前

6 《孝經鄭氏注》一卷、《敘錄》一卷　輯本,未印[16]

---

15 〈唐寫殘本尚書釋文考證〉,收入(成都市:華西協合大學哈佛燕京學社,1937年1
月);又略載《華西學報》第4期、第5期、第6、7期合刊本(1936年6月、1937年12
月、1941年6月),頁1-18、頁51-65、頁18-32;又略載彭裕商、舒大剛主編,張尚英
副主編:《川大史學・歷史文獻學卷》(成都市:四川大學出版社,2006年),頁27-
36。

16 案,《志學》第二十五期卷末「本刊啟事」云:「本刊叢書,籌印伊始,已出版者目如
下:《孝經鄭注》(龔向農輯,刊刻中),《中國文學史略論》(龔向農撰),《唐寫本尚
書釋文考證》。」是《孝經鄭注》、《中國文學史略論》、《唐寫本尚書釋文考證》皆有
刻本傳世。另成都趙明藏有「龔道耕先生手稿本《孝經鄭注》及其民國年間此書的木
刻本」,手稿本已售往北京,木刻本仍存於趙明手中。

7 《三禮述要》　已印[17]

8 《經典釋文敘錄集證》　未印

9 《經學通論》　已印[18]

10 《經學沿革史略》　未成

11 《訓詁學》　未成

12 《說文逸字箋記》　未印

13 《倉頡篇續補》一卷　家刻本[19]

14 《字林重訂補遺》一卷、《附錄》一卷、《校誤》一卷　家刻本[20]

15 《字林補本》　渭南嚴氏刻本[21]

16 《慧琳一切經音義節本》九卷　未印

17 《希麟續一切經音義節本》一卷　未印

18 《玉篇檢部》一卷、附《廣韻標目》　未印

19 《唐宋元明韻譜異同表》　未印

（二）史部二十一種：

20 《史記正義佚文》　節本，未印

21 《補宋書宗室世系表》　未印

---

17 案，《志學》第十九、二十期合刊本有羅孔昭〈逸禮經記考略〉，題下夾註云：「壬午補〈三禮述要〉。」又《志學》第十一期有羅孔昭：〈三禮述要補敘目〉（1942年11月15日），頁2-5。據羅孔昭云，〈述要〉乃龔氏「隨手編次，亦未成書」，故當未印。

18 《經學通論》，有一九二七年成都刻本、一九二九年成都維新印刷局三版重印本、一九四七年成都薛崇禮堂刻本等多種。

19 又名《倉頡篇補本續》，有清光緒二十三年成都龔氏裦馨精舍刻本、清光緒二十三年成都龔氏裦馨精舍刻民國二十三年渭南嚴氏補刻本。

20 家刻本作《字林考逸補遺》一卷、《附錄》一卷、《校誤》一卷，有光緒丁酉成都龔氏裦馨精舍刻本、渭南嚴氏刻本。

21 據一九九三年七月由中國科學院圖書館整理、中華書局出版的《續修四庫全書總目提要·經部·小學類》收錄的孫海波先生為龔氏《字林補本》一卷所作的提要，《字林補本》實際即為龔氏《字林考逸補遺》，只是題名不同而已。

22　《宋書簡端記》　未印

23　《讀南齊書記》　未印

24　《讀梁書記》　未印

25　《舊唐書補校》　一名《舊唐書劄移》　《華西學報》已印，未完[22]

26　《明史稿明史流賊傳校異》　未印

27　《讀續通鑑筆記》　未印

28　《輯通鑑長編成都縣事》　未印

29　《纂輯七錄稿》二卷　未印

30　《最輯鄭君別傳》　未印[23]

31　《鄭君年譜》　《重光雜誌》已印[24]

32　《孔北海年譜》　《志學月刊》已印[25]

33　《管北海年譜》　未成

34　《孟子弟子目錄》　已印[26]

35　《鄭君著述目錄》　未印[27]

36　《水經注引用書目》　未印

37　《蓬園藏書目錄》　未印

38　《大清會典要義》　未印

39　《帝範臣軌合編》　未印

22　〈舊唐書劄迻〉，原載《華西學報》第6、7期合刊本（1941年6月），至「本紀」部分
　　而止，頁53-79。全書至1990年4月四川大學出版社據殷孟倫鈔本整理出版。

23　〈最輯鄭君別傳〉，載《志學》第17、18期合刊（1945年3月15日），頁7-9。

24　〈鄭君年譜〉，近世諸家年譜辭典均未著錄，連載於《重光》1938年第三期、第四五
　　合期、第六期，頁22-28、頁43-53、頁38-42。姜亮夫〈學兼漢宋的教育家龔向農〉
　　云：「鄭君年譜，余所見十餘家，黃奭《高密遺書》前所附為上，然詳而無剪裁，或
　　略而苦寂無義趣，惟先生所譜詳簡適當，評騭精慎。」

25　〈孔北海年譜〉，據徐仁甫目云《志學》已印，然筆者遍查《志學》諸期，均未見此
　　文。

26　〈孟子弟子目錄〉，《龔向農先生逝世紀念專號》，收入《志學》第6期（1942年6月15
　　日），頁6-9。

27　〈鄭君著述目錄〉，收入《志學》第13期（1944年10月15日），頁7-9。

40　《中國文學史略論》　已印[28]

（三）子部二十四種：

41　《魯連子》　以下輯佚，均未印

42　《桓氏世學論》

43　《蔣氏萬機論》

44　《杜氏體論》四卷

45　《杜氏篤論》二卷

46　《仲長子昌言》三卷

47　《魏文帝典論》一卷

48　《劉氏政論》

49　《崔氏政論》

50　《四民月令》[29]

51　《陸氏典語》

52　《袁氏正書》二卷

53　《袁氏正論》一卷、附屬一卷

54　《佚子最錄》四十四種

55　《淳熙本顏氏家訓校記》　未印[30]

56　《讀書笤》　未印　以下同

57　《讀書日箋》

58　《蛛隱廬日箋》[31]

28　《中國文學史略論》，有一九二五年成都薛崇禮堂刻本、一九二九年成都鏤梨齋刻本、一九四〇年成都建國中學印本、一九四五年成都薛崇禮堂刻本等多種。

29　〈四民月令〉，《國學薈編》第10期（1917年10月）。

30　案，嚴式誨〈《顏氏家訓補校注》序〉云：「成都龔向農、華陽林山腴兩舍人皆篤嗜是書，各有箋識。戊辰孟春，余重刊盧本，凡學士補注重校各條，悉散入本文，據以改補。」又王利器《顏氏家訓集解》引用龔說頗多，知似應有稿本傳世。

59　《新雜俎》

60　《浣緇隨筆》

61　《僮簫》

62　《野聞綴錄》

63　《觀生夢憶》

64　《日記》

（四）集部四種

65　《研六廎詩文初稿》　以下未印

66　《庚子叢稿》

67　《蛛隱廬文存》

68　《丁未述徵集》

以上龔氏著述，係據龐石帚（俊）和徐仁甫（永孝）的著錄而列，共有六十八種。龐氏（1895-1968）是川大著名教授，民國時期，龐氏、龔氏與趙少咸、向楚被稱為當時川大文學院的「四大教授」。龐氏與龔道耕多年共事，又是最要好的朋友，他對於龔氏的瞭解應該是沒有問題的，龔氏死後，龐氏還為之作〈墓誌銘〉，繼之又撰〈記龔向農先生〉一文予以紀念，〈龔先生遺著目錄〉正附於〈記〉文之後。徐氏（1901-1988）乃龔先生得意門生，從學多年，晚亦在側，對老師的瞭解也不應有誤。因此，以上著錄似乎就應該是龔氏著述的全部情況了。然而，其實卻不然。

當我們廣徵文獻加以考核時，就會發現，龔氏著述無論是已成書的、還是未定稿的，都不止這些，仍有許多溢出龐、徐二目之外。其間原因，一則

---

31 案，標點本《梁書・元帝紀》（北京市：中華書局，1973年），頁139。「校勘記」〔一六〕云：「卦起龍圖：『卦』各本誤作『封』，據龔道耕《蛛隱廬日箋》（稿本）改。」又《宋書・殷孝祖、劉勉傳》「校勘記」〔一六〕云：「豈有捐軀衛主：『軀』各本並作『驅』。龔道耕《蛛隱廬日箋》云：『驅當作軀。』按龔說是，今改正。」等等，知《蛛隱廬日箋》尚有「稿本」傳世。

可能因為龔氏著述「多未刊刻」，所以他到底有多少著作友人、門人也未必盡知。徐氏〈目錄敘〉云：「（先生）又性不喜表曝，平居恒覆其所有，雖在及門，莫得盡窺，且戒人勿有意著書，故於已作印行者甚少。」

二則，龔氏早年勤於著述，後來因忙於教務，許多想法並未完全實現，給人留下「多未成書」的印象。徐氏〈目錄敘〉即謂：「壯歲以後，撰述雖不似昔日之勇，然亦未嘗稍廢。特以世受家累，不免牽於人事，故所著述，多未寫定。」有此印象，自然對其著述是否完全也就未及深考了。

其三，徐氏〈目錄〉發表於《志學》第六期，蓋為紀念而作。徐氏〈目錄敘〉云：「今年一月，永孝與友人發行《志學月刊》，勸先生以兵燹烽火為慮，便欣然出其緒餘，以餉讀者。……痛昊天之不遺，懼斯文之將喪，刊佈遺著，責無旁貸。於是商得哲嗣仲興世兄之同意，決將先生平生著述陸續發表。茲先出專號，以資紀念，爰立〈目錄〉，俾觀覽焉。」

當時龔氏及其子答應將遺著「陸續發表」，並未經系統整理，故徐氏所錄當然就不可能全面。而龐氏之〈記〉又重在情感上的紀念，所附〈目錄〉完全過錄徐氏〈目錄〉（只增少量按語），在徐〈目〉之外並無新增。因此留下了龔氏著述目錄不全不備的遺憾。

歷經近世以來各種風雨，龔氏遺稿早已不知去向，灰飛煙滅了，現在要詳考其著述全貌更是難乎其難。二十世紀八〇年代初，四川省古籍整理出版小組在制訂一九八三至一九九〇年出版規劃時，曾有點校重刊龔氏《經學通論》、新編《龔道耕集》等計劃，可是二十多年過去了，這一計劃迄今仍未實現，可見收集和整理龔氏遺著難度之大。近來，筆者曾向龔氏後人龔師古（即龔讀籀）、龔讀論等先生徵集龔氏遺文，他們雖都很熱心，但所提供的線索，都無出於已刊各書之外。又可見龔氏遺著毀損之嚴重！不過，歷考各類文獻和序跋資料，我們還是偶爾可見龔氏著述之蛛絲馬跡。如：

1 總集類。龔讀籀〈學行述略〉：「（府君）為文規模八代，詩效溫、李，有《八代文鈔》、《嚴輯全文校補》、《研六廎詩文初稿》、《蛛隱廬文存》、《丁未述徵集》等。」《研六廎詩文初稿》、《蛛隱廬文存》、《丁未述徵集》，徐、龐二氏〈目錄〉已著錄。而《八代文鈔》、《嚴輯全文校補》二種

則為徐、龐二氏〈目錄〉所無。又據《志學》第六期，載龔道耕〈《南北朝八家文鈔》敘〉：「道耕鈔八家文畢，而敬敘其端曰」云云，是其又有《南北朝八家文鈔》一書。當予補錄這三種著述。

2 南北八史校勘。〈學行述略〉又謂：「（府君）及與祝先生屺懷、李先生哲生同客峨眉，居報國寺側，朝夕談晤，述所致力於《晉》、《隋》八史及新、舊《唐書》，並有《劄迻》。」可見道耕復有《晉書》、《宋書》、《南齊書》、《梁書》、《陳書》、《魏書》、《北齊書》、《周書》、《隋書》、《新唐書》、《舊唐書》等《劄迻》，然今唯存《舊唐書劄迻》[32]。上述徐、龐〈目錄〉自二十一至二十四有〈補宋書宗室世系表〉、〈宋書簡端記〉、〈讀南齊書記〉、〈讀梁書記〉，如果這些書算是廣義的「劄迻」的話，那麼也還缺《晉書》、《陳書》、《魏書》、《北齊書》、《周書》、《隋書》、《新唐書》諸書《劄迻》。

唐振常〈憶舅父〉文嘗載：「王仲犖先生生前對我多次表示過對大舅父的景仰，說他在標校北史三書時，採用了大舅父不少考訂。」可見龔氏北史諸書，確已成編，並且有鈔本行世。如龔氏《舊唐書劄迻》成稿後，曾在《華西學報》第六、七期合刊本發表，但止於「本紀」部分而止，全稿並未刊行。可中華書局一九七五年出版的整理本《舊唐書》，卻在傳記部分引用龔氏之說甚多，其〈出版說明〉亦明確指出：「關於前人校勘成果，除參考清人羅士琳等人的《舊唐書校勘記》外，還吸收了近人張森楷《舊唐書校勘記》、龔道耕《舊唐書補校》（即《舊唐書劄迻》）等幾種稿本的某些成果。」這說明在《華西學報》所發表的「本紀」部分之外，《舊唐書劄迻》是以抄本傳世的。該書到一九九〇年，龔氏門人殷孟倫將自己所藏傳抄本，轉由龔氏孫子龔師古整理，由四川大學出版社出版。「王仲犖先生與殷孟倫先生為知友」，他能在「整理北史三書」時採用龔氏「不少考訂」，也許龔氏對於北朝各史校勘，也與《舊唐書劄迻》一樣有鈔本流傳，不然王仲犖何以能有所「採用」？

3 已有成議或初稿，卻最終未成的書。龔道耕欲作而未就之書，尚有四

---

32 龔道耕：《舊唐書劄迻》（成都市：四川大學出版社，1990年）。

種，一是《清史》，二是《禮記鄭氏義疏》，三是《成都縣志》，四是《經制考》，前三種皆見龔讀籀〈學行述略〉。其文云：「嘗病《清史稿》體制繁蕪，失史裁，欲重為纂修，時為交好道說，然以勞于講席，日鮮餘晷，終不就。」是其欲重撰《清史》也。

又：「當遜清乾嘉間，音韻訓詁之學盛極一時，學者施以治經術，頗有成書。用是有《十三經新疏》之議，惟《禮記》付闕如。……府君精《三禮》，思藏其事，……三十年，以例得退休家居，遍發圖書，羅列案右，日夜沉思研理，為《禮記義疏》，甫成〈發凡〉。」（龐文同）是其又有《禮記鄭氏義疏》的志願，這有發表於《志學》第一、三期的〈發凡〉為證。

又：「吾鄉縣志，年久失修，民國二十七年，鄉人推府君主其事，以大學遠遷，事遂中掇。既休假，鄉人重議其事，府君僅為訂綱目體制而已，竟亦不就，聞者惜之。」是其有《成都縣志》之擬議。這還有《志學》第六期所載龔氏〈成都縣誌擬例〉為證。

又〈禮記鄭氏義疏發凡〉（上）夾注：「舊擬作《經制考》，以《白虎通義》條目而擴充之，未成書也。」

以上四書未成，史有明文。但是已經有系統思考，甚至有草稿。如果準徐〈目〉「未成」（如《經學沿革史略》、《訓詁學》）亦予著錄之例，這四種也應該列入目錄。

4 已成之書。龔道耕還有三種已成之書，而徐、龐〈目錄〉並沒有著錄，它們是《喪服經傳注疏》、《兵家墨子十三篇注》、《鄭司農文集》。〈論《喪服經傳》二篇〉之〈寫本《喪服經傳注疏》題辭〉：「道耕年十五，師受《喪服經》，略辨句讀，思通大義。而椎鈍善忘，苦不能記，因自寫注疏，以資循諷。分其七卷以為十一章，而記目為一卷，傳文別行低寫，以別於經，注文單行細書，以別於疏，注疏書中訛文衍字，悉據各校刻本之是者改正，並考古來經傳注疏別行之證。」據此可知，龔氏應曾作有寫本《喪服經傳注疏》一書，而《志學》第二十二期所載〈寫本《喪服經傳注疏》題辭〉，亦可成為一證。

又據《志學》第六期載龔道耕〈兵家墨子十三篇注序〉：「龔道耕學兵

家，求古言守者之言，得墨子書。墨子，古之善守者魁也。其書自四十九至七十一，皆言兵，今存者十三篇。……別注此十三篇」云云，是龔氏又有《兵家墨子十三篇注》。

又今《國學薈編》一九一九年第四期載有龔氏輯佚的《鄭司農文集》，是龔氏此書現存，更當予以補錄。

5 龔氏校刊各書。龔道耕還有古籍整理校刊之書數種。現今四川大學圖書館收藏的即有：《字林考逸》八卷《補遺》一卷《校誤》一卷《附錄》一卷[33]、《重校稽古樓四書》[34]、《重校顏氏家訓》[35]、《學校管理法刪潤》[36]、《重校六書音韻表》五卷、《重校聲類表》九卷、《重校古韻譜》二卷、《重校古韻標準》四卷、《重校古今韻考》四卷、《重校唐韻四聲正》一卷、《重校等韻叢說》一卷、《重校毛詩古音考》四卷、《重校屈宋古音義》三卷、《重校音論》三卷、《重校詩本音》十卷、《重校易音》三卷、《重校唐韻正》二十卷、《重校四聲切韻表》一卷、《重校聲韻考》四卷、《重校詩音表》一卷、《重校詩經韻讀》四卷、《重校切韻考內篇》六卷、《重校切韻考外篇》三卷[37]。

顧頡剛〈致唐振常書〉說：「近得中華友人見贈江有誥《音學十書》一冊，系根據成都嚴式誨刻本影印者，而其中《唐韻四聲正》及《等韻叢說》兩種皆有。成都龔道耕重校，題記，誠一代通儒也。」（見唐振常《半拙齋古今談·憶舅父》文之「重校附記」）

以上各種校刊之書，徐、龐〈目錄〉只載有《字林重訂補遺》一卷《附錄》一卷《校誤》一卷（家刻本）、《字林補本》（渭南嚴氏刻本），其餘皆不載。然龔氏所校各書，往往有他的心得和序跋，如〈字林考逸補遺序〉、〈字

---

33 有光緒丁酉成都龔氏袌馨精舍刻本。

34 見渭南嚴氏刻《渭南嚴氏孝義家塾叢書》。

35 有戊辰夏五渭南嚴氏孝義家塾校刊本，收入《渭南嚴氏孝義家塾叢書》。

36 載《四川學報》，1905年第13、14、15、16、17、19冊，1906年第6期、1907年第2、6、8期等。

37 以上十九種均見渭南嚴氏刻《音韻學叢書》。

林考逸校誤序〉、〈說邪字林附錄跋〉等,也是研究龔氏學術的重要史料。
徐、龐〈目錄〉只載《字林》二種而不及其他,是不全面的。

　　6 泰西史乘、時事雜鈔。龔讀籀〈述略〉:「嘗出遊滬上,與鄧守瑕先生
從丹徒馬相伯先生習羅甸語,以為學問之道,皋牢萬有,固無殊中外也。其
于泰西史乘、時事,鈔錄成冊者,遺墨如新。」是其尚有「泰西史乘鈔」、
「泰史時事鈔」之類的東西。

　　7 《水經注》等書批校。龔讀籀〈學行述略〉:「旁及《水經》典制,並
他批校諸書,莫不丹黃雜施,考證詳核。其脫訛難讀者,率定以己意,片言
盡要,足折眾口。」是其又有《水經注》等書的批校。這些批校可能先只批
註在原書的天頭地角,行裡簡端,但是如果將龔氏藏書找到,加以抄錄整
理,也足為研究龔氏學術之一助。

　　8 學術論文。龔道耕還有長短單篇論文和序跋等,《重光》第一期
(1937)有龔氏〈《字林補本》存疑〉;《志學》第一、三期有龔氏〈禮記鄭
氏義疏發凡〉;第四期有〈三家詩無《南陔》六篇名義說〉;第五期有〈《貍
首》逸詩辨〉;第六期有「遺著十篇」:〈補禮經宮室例〉、〈喪服經傳五家注
敘〉、〈婦為舅姑服三年辨〉、〈《孝經鄭氏注》非鄭小同作辨〉、〈書《古文尚
書疏證》後〉、〈孔子生年月日說〉、〈孟子弟子目錄〉、〈《成都縣志》擬例〉、
〈兵家墨子十三篇注敘〉、〈南北朝八家文鈔序〉;第九期有〈婦為夫之姊之
長殤服義質〉;第十期有〈讀《續通鑑》葉記〉;第十二期有〈與人論學書二
首〉;第十四期有〈書《說文新附考》後〉;第二十二期有〈論《喪服經傳》
二篇〉;第二十三期有〈《史記正義佚文輯本》後記〉;《四川學報》一九〇五
年第二、三期有龔氏〈荀子名學說〉等。

　　以上各篇學術性都很高,有的甚至是龔氏的重要發現,然這些文章徐、
龐〈目錄〉除著錄〈孟子弟子目錄〉外,其餘皆付闕如。著錄標準並不統
一,是亦宜補。

　　9 諸書序跋。龔氏為一代名師,又善與人交,學術朋友極多。彼此贈
答,為著作撰序,亦不在少數。如一九二三年為嚴雁峰《賁園詩鈔》作序,
一九二六年為匡履福《檠齋遺稿》作序,一九三一年為盧前《論曲絕句》

作序，一九三四年為王世鎮《王伯安遺集》作序，一九三四年為張寶卿《隴蜀遊草》作序等，皆有一定學術性和思想性。這也是研究龔氏學術思想的寶貴資料。

　　10 文學作品。蜀人自古「好文」，擅長創作，龔氏且長於度曲，其與交厚的一代學人，皆蜀中著名詩人。同輩中有林思進（山腴）、向楚（仙樵）、龐石帚（俊），三者皆以詩詞名世，與龔相與為友，唱和切磋，為一時之勝概。在他的弟子中有如姜亮夫、殷孟倫、徐仁甫等人，亦皆擅長詩文，不能不說曾受老師的影響。龔氏曾云：「不能飲酒度曲者，非吾徒也。」是其所作詩詞曲之類亦不在少數。唐振常亦云：「先生早歲多有詩作，後不多為。偶有唱和，也不輕易發表。」（〈憶舅父〉）今山東齊魯書社出版的《全清散曲》就收有龔道耕的〈套數‧題羅蘭度曲圖〉。又龔氏曾「用南曲香柳娘調」，為成都縣立中學校「作曲一闋」（吳曉鳴〈悠揚弦歌與蜀中大儒──成都縣立中學校歌與校長龔向農〉），即今校歌。

　　11 曲錄。龔氏通音律，喜唱昆曲，常常與朋輩有曲會活動。度曲唱詞，自然需要曲譜，唐振常回憶文說：「我現存大舅父親筆抄曲譜一冊，夾縫印《聱齋曲譜》四字，首頁朱印篆文『適軒』二字。」

　　12 時論文章。此外，龔氏還有不少時論文章。龔讀籀〈學行述略〉說他「於政理、教育、革新諸大端，極論其得失，下筆不能自休，所言多切中時弊」。

　　又龔氏掌教多年，講話、文移，必然不少；龔讀籀、姜亮夫等人皆云龔氏曾兩次出席全國教育會議，「多所建白」，當有提案或建議書。唐振常〈憶舅父〉說「曾見《四川文史資料選輯》刊有早年四川大學教師為某事罷教記載，幾次發表的宣言中，都是大舅父領銜。民國時期，國民政府派党閥程天放主持四川大學，教師反對，大舅父也參加了反對行列。」而今龔氏曾任職過的國立成都高等師範學校、國立成都師範大學、國立四川大學等歷史檔案中亦保存有很多他與各級政府機關、軍部、兄弟單位、友人之間的往來公函。這些講話、文移、宣言和公揭，足可反映龔氏社會活動或教育思想之一面。

　　13 信劄手柬。龔氏執教數十年，弟子遍蜀中；又歷長各大學、中學，
與人過從必多，信劄往來必繁，是亦宜輯為一編。《志學》第十二期
（1942）就載有其〈與人論學書二首〉，前書討論「王基非鄭康成弟子」，後
書討論「尊新安、斥東漢」問題，所與之人乃其「四舅季讓」，其中學術性
相當深刻。

　　龔氏有按日寫日記的良好習慣，〈學行述略〉謂其「自二十七歲，即日
為之〈記〉，舉其治學處世，為人所得，以逮國家變故，勸善懲惡之端，有
所不得已於言者，無不具錄。臨歿前一日，猶然。早年間，未嘗一日少懈，
成書數十卷，學者以比湘潭王湘綺（闓運）、會稽李越縵（慈銘）、長洲葉鞠
裳（昌熾）諸家所為云」。如此內容豐富的《日記》，必於「民國時期之政
治、社會、教育諸方面」，於其「學術思想」、「生活、為人與交往，都有極
可寶貴的資料」（唐振常〈憶舅父〉）。其中必有與諸人交往的往來信函和記
事，只可惜現在都找不到下落了！

　　由上考證，似乎可以根據這些線索去搜集龔氏遺著，故試作〈龔向農先
生遺著補目〉如下：

（一）經部：四十一種

　　1　〈《禮記鄭氏義疏》發凡〉（《志學》第一、三期）

　　2　〈三家《詩》無《南陔》六篇名義說〉（《志學》第四期）

　　3　〈《狸首》逸詩辨〉（《志學》第五期）

　　4　〈補《禮經》宮室例〉

　　5　〈《喪服經傳五家注》敘〉

　　6　〈婦為舅姑服三年辨〉

　　7　〈《孝經鄭氏注》非鄭小同作辨〉

　　8　〈書《古文尚書疏證》後〉

　　9　〈孔子生年月日說〉（以上並見《志學》第六期）

　　10　〈婦為夫之姊之長殤服義質〉（《志學》第九期）

11 〈書《說文新附考》後〉(《志學》第十四期)

12 〈論《喪服經傳》二篇〉(《志學》第二十二期)

13 〈《字林補本》存疑〉(《重光》第一期)

14 〈《字林考逸補遺》序〉

15 〈《字林考逸校誤》序〉

16 〈《說郛字林附錄》跋〉(以上均為光緒丁酉成都龔氏襄馨精舍刻本)

17 〈《唐寫殘本尚書釋文考證》敘〉(《華西學報》第四期)

18 《經制考》　未成(見《禮記鄭氏義疏發凡》夾註)

19 《禮記鄭氏義疏》(見《志學》第一、三期《〈禮記鄭氏義疏〉發凡》)

20 〈喪服經傳注疏〉(見《志學》第二十二期〈論《喪服經傳》二篇〉之《寫本〈喪服經傳注疏〉題辭》)

21 《字林考逸》八卷《說郛字林附錄》一卷校刊本(光緒丁酉成都龔氏襄馨精舍刻本)

22 《重校稽古樓四書》(見渭南嚴氏刻《渭南嚴氏孝義家塾叢書》)

23 《重校六書音韻表》五卷

24 《重校聲類表》九卷

25 《重校古韻譜》二卷

26 《重校古韻標準》四卷

27 《重校古今韻考》四卷

28 《重校唐韻四聲正》一卷

29 《重校等韻叢說》一卷

30 《重校毛詩古音考》四卷

31 《重校屈宋古音義》三卷

32 《重校音論》三卷

33 《重校詩本音》十卷

34 《重校易音》三卷

35　《重校唐韻正》二十卷

36　《重校四聲切韻表》一卷

37　《重校聲韻考》四卷

38　《重校詩音表》一卷

39　《重校詩經韻讀》四卷

40　《重校切韻考內篇》六卷

41　《重校切韻考外篇》三卷（以上均見渭南嚴氏刻《音韻學叢書》）

（二）史部：十七種

1　《晉書劄迻》

2　《陳書劄迻》

3　《魏書劄迻》

4　《北齊書劄迻》

5　《周書劄迻》

6　《隋書劄迻》

7　《新唐書劄迻》

8　〈《史記正義佚文輯本》後記〉（《志學》第二十三期）

9　〈讀《續通鑒》葉記〉（《志學》第十期）

10　〈《中國文學史略論》序〉

11　〈《成都縣志》擬例〉（《志學》第六期）

12　《成都縣志》　未成

13　《重修清史》　未成

14　「泰西史乘鈔」

15　「泰西時事鈔」

16　《水經注》等書批校

17　〈學校管理法刪潤〉（《四川學報》一九〇五年第十三、四、十五、十六、十七、十九期，一九〇六年第六期、一九〇七年第二、六、八期等）

（三）子部：四種

1　《重校顏氏家訓》（戊辰夏五渭南嚴氏孝義家塾校刊本，收入《渭南嚴氏孝義家塾叢書》）

2　《兵家墨子十三篇注》（見《志學》第六期〈《兵家墨子十三篇注》敘〉）

3　〈《兵家墨子十三篇注》敘〉（《志學》第六期）

4　〈荀子名學說〉（《四川學報》一九〇五年第二、三冊）

（四）集部：十三種

1　《八代文鈔》

2　《嚴輯全文校補》（以上並見龔讀籀〈先王父向農府君學行述略〉）

3　《南北朝八家文鈔》（見《志學》第六期〈《南北朝八家文鈔》序〉）

4　《鄭司農文集》（《國學薈編》一九一九年第四期）

5　〈《南北朝八家文鈔》序〉（《志學》第六期）

6　〈成都縣立中學校校歌〉

7　〈羅蘭度曲圖題詠〉（載《飲虹五種》，見渭南嚴氏刻《渭南嚴氏孝義家塾叢書》；又名〈套數・題羅蘭度曲圖〉，收入《全清散曲》，淩景埏、謝伯陽編，齊魯書社，一九八五年九月）

8　〈挽廖平〉二首（《六譯先生追悼錄》）

9　《聱齋曲譜》

10　龔氏序跋文（如〈《槃監齋遺稿》序〉、〈《王伯安遺集》序〉、〈《賁園詩鈔》序〉、〈《隴蜀遊草》序〉、〈《論曲絕句》序〉、〈《摩訶折柳圖》題跋〉）

11　龔氏政論文

12　龔氏所度曲

13 龔氏信劄（如《志學》第十二期〈與人論學書二首〉）

以上合共七十五種（或篇、類），都是龐、徐二目所無。雖然有的未必成書，未必存世，但是作為尋求龔氏治學之軌跡，探明龔氏遺獻的方向，仍不失為一個途徑。

三　龔道耕學術敘略

龔道耕先生的學術成就是多方面的，他在經學、史學、文學，乃至教育、社會等領域，都有造詣，都值得深入研究。這裡僅就其學術特徵，歸納數事，以為深入研究的引玉之磚。

就龔先生學術特徵而言，大致可以歸納為六個方面：其一「博學淵深、學貫四部」；其二「漢宋兼宗、不廢今古」；其三「氣度恢宏、獨具通識」；其四「經史皆通、善於文學」；其五「持論平衡、發人深省」；其六「關心國事、切近日用」。

（一）博學淵深，學貫四部

龔道耕學識淵博，是一時學人的共識，也是諸回憶文字的共同觀點，無論是前賢，還是朋輩，無論是後昆，還是門徒，對這一點都無異議。

龐石帚〈記〉謂其「發奮力學，自《倉》、《雅》、群經、諸子家言，乙部掌故，及當代典制，朝野軼聞，莫不洽熟穿穴，仰取俯拾，日有造述」。〈墓誌銘〉亦謂：「自《倉》、《雅》訓故、九流家言、乙部掌故，下及當代典制，朝野軼聞，浹熟貫通，無不宣究。」

龔讀籀〈學行述略〉：「府君於學無所不窺，早歲治小學考據，及流略纂輯。」又：「治學以廣博為務，聞見搜討，每深惟其終始，以為此孟軻氏所謂『博學而詳說之，將之反說約』也。」

唐振常〈憶舅父〉也說：「先生在學術上的成就博大精深，四部之學，

無所不窺，而于經史，尤所傾注，最得力的著作，在於經學的研究。正由於學無所不窺，所以能成其大。」因而深得學人欽佩。唐氏還說：「趙堯生熙先生，我祖之學生而又我父之師。清末以翰林出為御史，碩學名流，馳譽國內。堯生先生最推重向農大舅父，我家尚存堯生先生致先父書劄數十通，劄中有謂『如向農先生者，可謂讀書種子矣。』多次囑先父多與向農大舅父相接，學其學，學其人。」趙熙（1866-1948）乃近世四川名賢，德業文章，鄉里欽崇，尊為「五老七賢」[38]之一。他對龔向農尚如此推崇，可見龔氏其人確實非同凡響。

綜合以上龐、徐二氏〈目錄〉所列，以及本文所補遺目，可得龔氏經部著作六十種，史部著述三十八種，子部著述二十八種，集部著述十七種，四部合計一百四十三種。其中有系統的學術著作，如《經學通論》、《中國文學史略論》等，都是當時頗受學界重視的學術著作，一時成為成都各大、中學校通用的教材；有的單篇學術論文，如〈補禮經宮室例〉、〈《孝經鄭氏注》非鄭小同作辨〉、〈孔子生年月日說〉、〈三家《詩》無〈南陔〉六篇名義說〉等，都在某些重要問題上發人所未發，具有精深見解；有的則是輯佚作品，撫拾千古不傳之秘笈（如自《魯連子》至南北朝袁子《正論》、《佚子最錄》四十四種等）；有的則是獨識別裁，撮錄古代美文範本（如《八代文鈔》、《南北朝八家文鈔》等）；有的又欲新撰新修地方史、志（如《重修清史》、《重修成都縣志》等）；有的又是對古籍經典的校勘和批閱（如「南北朝八史」及新、舊《唐書》諸《劄迻》）；有時論政論，也有詩詞歌曲，等等。有

38 「五老七賢」，是舊時成都的一個文化群體。清末民初，成都彙集了大批文人學士，他們不僅學識淵博，品行高尚，還經世致用，廣植桃李，使「蜀學」在國內產生深遠影響，深受當時主持川政者禮遇，其中的佼佼者被尊稱為「五老七賢」，即方旭（字鶴齋，安徽桐城人，前清翰林、四川提學使）、曾鑒（字奐如，隆昌縣人，前清拔貢）、曾培（字篤齋，成都人，前清翰林）、陳忠信（字孟甫，富順人，前清翰林）、宋育仁（字芸子，富順人，前清翰林）、趙熙（字堯生，榮縣人，前清翰林）、顏楷（字雍耆，華陽人，前清進士）、劉咸滎（字豫波，雙流縣人，前清拔貢）、邵從恩（字明叔，青神縣人，前清進士）、徐炯（字子休，華陽人，前清舉人）、文龍（字海雲，成都人，前清舉人）等。

經學通識，制度考證，文獻整理，新史修撰，文學創作，時事政治，輯佚、文選等，舉凡經學、史學、文學，以及時事各個領域，他都有所涉獵，且都有精緻的發現和發明。可惜時運多乖，窮於應對，又且天不假年，遽歸道山，無暇著述之董理，許多著作未得刊行，有的甚至未曾定稿。其已經有成書刊出的不過《經學通論》、《中國文學史略論》、《孝經鄭氏注》、〈唐寫殘本《尚書釋文》考證〉等數種，不及全部著述的十分之一。不無遺憾！

（二）漢宋兼宗，不廢今古

　　《詩》、《書》、《禮》、《樂》定自孔子，發明章句始於子夏，是為經學之濫觴也。至於「經學」之成為眾學之首、諸教之宗，則自西漢始。漢人治經，專門名家，重視訓詁，卻不重視理想體系。宋儒振起於「三教」紛爭之際，注重義理思辨，超越傳解注疏，直探聖人本意，放言「道統」，獨標「心傳」，於是理學大盛，體系粗具。中國學術遂形成「漢學」、「宋學」兩大派別。後人之治學者，或從漢，或主宋，互相攻駁，中國學術也因之而有消長。清「四庫館臣」議其事曰：「自漢京以後垂二千年，儒者沿波，學凡六變：……要其歸宿，則不過漢學、宋學兩家互為勝負。夫漢學具有根柢，講學者以淺陋輕之，不足服漢儒也。宋學具有精微，讀書者以空疏薄之，亦不足服宋儒也。消融門戶之見，而各取所長，則私心祛而公理出，公理出而經義明矣。」（《四庫全書總目·經部總序》）館臣雖然已經看到問題所在，也提出了解決辦法，提倡「消融門戶，各取所長」，但是清代的「漢學」、「宋學」分歧問題仍然沒有得到很好解決，更沒有達到「私心祛而公理出，公理出而經義明」的境界。朝廷主持的科舉考試，自然是以「程朱傳義」、《四書集注》為主，清廷的治國理念也是以「存天理，滅人欲」的「宋學」為宗。但是學人（或民間）的學術研究，卻趨向「漢學」方法，於是以「乾嘉學派」為主體的考據之學在清代十分繁盛，整個學界仍然以「漢學」為主流，時有所謂「家道許、鄭、賈、馬，世薄程、朱、陸、王」之說。朝野上下，自然形成了「漢學」和「宋學」的分野。江藩《漢學師承記》，流露出

尊漢抑宋傾向，方東樹撰《漢學商兌》予以商榷，江氏再撰《宋學淵源錄》，於是漢、宋營壘更加明晰，漢、宋對立也更趨白熾。漢、宋之爭不只如往日的「互為勝負」、互相「輕之」「薄之」而已，而是幾乎到了操戈相向，不共戴天的程度。

及至道光、咸豐時期，常州學派興起，大張「公羊學」的旗幟，於是西漢今文經學又取代乾嘉推崇的東漢許、鄭、賈、馬之學而起。及至王壬秋遍注群經，入蜀主教，蜀中學風為之一變。弟子廖平《今古學考》成，正式在漢學中分出「古文學」和「今文學」，漢世「家法」之異、「師法」之別，幾乎重現近世。至康有為等人出，又生出「新學偽經」、「孔子改制」諸說，一時之間，學人治學，似乎以不識漢宋，不講今古，不談改制，不辨偽經，為不時髦、不入流了！不僅經學中有漢、宋之爭，而且漢學內又有今、古相儷了！不僅經義中有先聖、後賢之別，而且也有真偽、新舊之異了。於是學者說經，各逞意氣，日起論端，經學本真，聖賢遺意，去道益遠。

然此時的龔道耕卻不為流俗所動，雖自其少時讀江藩《漢學師承記》而好之，但卻漢、宋兼治，無所偏倚。他既治小學，專精於文字音韻訓詁，校刻有多種小學著作行世，也撰有如〈唐寫殘本《尚書釋文》考證〉等類考據性著作。同時，又義理身通，踐履篤實，真情厚意，靄然仁者。他對於今古文學，也不抑此揚彼，任情去取，而是各明其是，各取其長。

針對時人對漢學「破碎大道，不切實用」的批評，他著書申辯說：「其時儒者多致貴顯，類能通經致用。明《易》者能占變知來，明《書》者以〈洪範〉察變，以〈禹貢〉行水，明《詩》者以『三百五篇』當諫書，明《春秋》者以決疑獄，明《禮》者以議制度，《孝經》、《論語》則為保傅輔道之用。此西京經學之所以稱盛也。」（《經學通論》頁 27b）但是他也不掩蓋漢學的繁瑣之失，又論漢學之劣曰：「自傳業寖盛，諸弟子各述師言，著於竹帛，於是有傳，有章句，有解故，有說義，有故，有雜記，有說，有外傳，有記。一經之說至百餘萬言，皆後師所推衍，……則幾與後世制舉經義無異。宜乎通人惡繁，羞學章句。」（《中國文學史略論》卷二，頁 2b）

針對時人對宋學「空談性理」的指控，他辯護說：「夫宋儒說經，以義

理為宗，以心得為貴，其所發明，誠有漢唐諸儒所不逮者。」又論宋學之弊曰：「而信心之過，至於蔑古，刪竄舊本，攻駁經文，亦非小失。」(《中國文學史略論》卷六頁 1b) 他又在《經學通論》一書批評宋儒說：「綜言其弊，蓋有數端。一曰陋：空談義理，昧於典制是也。一曰妄：連篇累牘，動稱錯簡，分經析傳，率意刊定是也。一曰雜：假借《六經》，自抒己意，語多附會，義等斷章是也。一曰悍：疑注不已，至於疑經，《尚書》、《毛詩》，俱遭刊削是也。一曰誕：昌言心性，流入狂禪，楊、謝開其源，陸、王揚其波，訖於明代，此風尤盛是也。一曰固：堅持門戶，無敢出入，甯道周孔失，諱言程朱非是也。」(頁 37-38)

　　歷數事實，優劣自見，有褒有貶，無所偏倚。龔道耕計畫中撰寫的《禮記鄭氏義疏》，即欲兼采漢、宋兩家治學風格和成果，其〈發凡〉曰：「《記》中通論諸篇，發明禮意，及聖門論治、論學微言大義，最為精深。漢、唐注疏，既失之簡，宋、元解說，又多朱子所謂『舍經作文』，繁而寡要，幾同制舉經義。今本諸《爾雅》、《說文》，以正其訓詁；又取先儒理學，以發其精微。破漢、宋門戶之成見，合義理、訓詁為一家。庶於經義，或有所當。」龔讀籍〈學行述略〉說他：「不存漢、宋門戶之見，欲合義理、考據而為一家。」即指此而言。

　　當時四川是「區別今古」、「托古改制」學說的策源地，蜀人治學也以今文經學為特色。及民國初年，劉師培受聘為四川國學院院長，古文經學勢力又在四川大張赤幟。劉氏四世研治《左傳》，是古文經學的大本營。師培之入川也，朝夕與廖季平討論考校，日以今古文問題為話題。一時學術，靡然從風，撰文著書，入主出奴，不主古文，即主今學，無不打上「今、古文學」的烙印。龔道耕置身其間，卻不受其影響，他既不左廖，也不祖劉。龐氏〈墓誌銘〉說他「尤好群經，兼綜今古。于時井研廖氏、儀徵劉氏，並有重名，齗齗辨誦，先生高揖其間，容色晬然。及所發正，不為苟同，斯所謂深造有得者乎。」[39]他為學「盡睹諸儒之書，左右採獲，不為偏倚」，各取

---

39 姜亮夫〈學兼漢宋的教育家龔向農〉：「南海康長素隱依廖平之說為《孔子改制考》、

所長。龔讀籀〈學行述略〉說他:「治經宗今文,然未嘗詆古文不為,如近世衍常州今文之末流者。」

由於他宅心公正,出入漢、宋,留意今、古,故能升堂入奧,識其優劣,評長論短,多中肯綮。他論「今古文」之異同,尤其擊中要害,論者多韙之:「比而觀之,今古學家,其不同者有五:丁寬說《易》,惟舉大義;申公傳《詩》,疑者則闕,今文家大率如此;古文晚出,字多奇異,欲明義理,必資訓詁,故杜(子春)、鄭(興、眾)、謝(曼卿)、衛(宏)、賈(逵)、服(虔),說經之作,皆以『訓詁』『解詁』『解誼』題名;鄭玄之于杜、鄭,亦以發疑、正讀贊之。是今文明大義,古文重訓詁,一也。《後漢書‧儒林傳》所載經生,惟任安兼通數經,景鸞兼治《齊詩》《施易》,餘皆以一經著稱;古文則賈(逵)、馬(融)、許(慎)、荀(爽),皆並通五經,其餘通一二經者,尤指不勝屈。是今文多專經,古文多兼經,二也。今文家講明師法,不尚著述,范書所載,如牟長、伏恭、薛漢、張匡,僅定章句;窪丹、景鸞、趙曄、杜撫,略有著書;古文則鄭、賈、馬、荀,遍注群經,其餘注一二經者尤眾。是今文守章句,古文富著述,三也。今文如孫期、張馴,兼治古學者甚鮮;古文則鄭興、尹敏、賈逵,皆先治今文,後治古學;明章以後,兼通今古者尤眾。是今文多墨守,古文多兼通,四也。范書載今文學家三十餘人,大率治經之外,無所表見;古文家則桓(譚)、衛(宏)、許(慎),撰著博通;張(衡)、馬(融)、崔(瑗)、蔡(邕),尤工詞賦。是今文多樸學之儒,古文多淵雅之士,五也。觀其同異所在,而東漢以後今蹶古興之故,可思矣。」(《經學通論》,頁 30-31)寥寥數百字,歷數「今古」經學之異,兼及其興盛之原因,言簡意賅,能道人之所未道,發人之所未發,斯為可貴。龔讀籀〈學行述略〉曰:「晚近經師,如井研廖氏、儀徵劉氏,府君皆嘗與上下議論。平生以為積學深造,不難直追古人,論者亦重

《新學偽經考》兩書,大扇莊存與、劉申受、宋翔鳳、龔自珍、魏源之說以取卿相,天下壯之。蜀士之輕俊者悉尊之,其奇詭狂肆之說,為純情儒所不取。先生雖與廖君同郡國,且亦習今文,然不相唱和。」參見《四川近現代文化人物》(成都市:四川人民出版社,1989年),頁117。

府君學,以為非妄語也。」唐振常〈憶舅父〉:「先生治古文經學,於經今學亦所深研,雖不喜其奇詭狂肆之說,然於二家不主重此輕彼,方能發為實事求是之論。」(頁9)

特別是對廖季平猛烈批評的博綜今古的鄭玄,龔氏尤其傾心。龐石帚說他「最重鄭君,為之《年譜》。名其堂曰『希鄭』,從所志也。」(〈記〉)龔道耕認為「鄭氏解經,大概宗古文,兼用今文」,「囊括大典,羅網眾家,刪裁繁蕪,刊改漏失」。這一作法,深有助於實現其「述先聖之元意,整百家之不齊」的宗旨。他認為鄭玄在中國經學史上實開闢一新時代,故在《經學通論》中專列「鄭玄經學」為一個時期,說:「自建安以及三國,數十年中,今、古兩學皆微,而鄭氏學統一天下矣。」「自茲以後,經學惟有鄭學、非鄭學兩派,而無復今、古之辨矣。」(頁32b-33a)

龔讀籀〈學行述略〉說他:「而于『鄭學』之博綜古今,淵懿樸茂,尤尊崇之,故于高密遺書,多所疏證,後得善化皮鹿門所著諸書讀之,乃廢不為。」龐石帚也說:「于廖說不為苟同,嘗欲作書申鄭君,以辨廖氏之加誣,屬草未具,會治他書而輟。」(〈記〉)針對閻若璩批評鄭玄「信緯」「注緯」,而欲將鄭玄從孔廟中請出,龔氏特著〈書《古文尚書疏證》後〉加以辯解維護(《志學》第六期);其著《禮記鄭氏義疏》也是要以《鄭注》為本,故書名即定為「鄭氏義」。其〈發凡〉:「鄭君初習今文,後明古文,扶風問業,學乃大成,遂以禮學自名其家。……王肅而後,詰難蜂出,而迄于唐、宋,禮家終以鄭氏為宗。莊綏甲、李兆洛,訾其變易古文家法,并研廖君從而衍之。不知以鄭義推諸經傳,夫固渾渾圜圜,盛水不漏。今之所疏,以鄭為主,故名曰《禮記鄭氏義疏》。」(《志學》第三期)不過他對於鄭氏也不盲從盲信,他反對六朝唐人「疏不破注」的作法,以為如果鄭注實在有誤,也是可以攻駁的:「六朝唐人注疏,例不破注。……今於典制大端,並遵鄭氏,間引異說,皆是外篇。至於名物訓詁,句讀文義,或有違失,間加匡糾。庶成狐死丘首,木落根歸,免于孔穎達之譏。」姜亮夫謂其:「求真求是,希鄭而不為阿鄭。」蓋得其實。

（三）氣度恢宏、獨具通識

　　雖然清代漢學已經不像漢代那樣「專門授受，遞稟師承，非惟詁訓相傳，莫敢同異；即篇章字句，亦恪守所聞」了，但是唯漢人是尊、唯舊聞是貴的陳腐習氣仍籠罩了整個學界。館臣批評「國初諸儒徵實不誣，及其弊也瑣」的現象，在後來的一百三十多年間並未得到改觀。蒙文通曾論清代學術說：「清世學者四分之三以上都是餖飣之學，只能是點。其在某些分支上前後貫通自成體系者，如段玉裁之於文字學，可以算是線，還不能成面。如歐陽竟無之于佛學，廖季平先生之于經學，自成體系，綱目了然，但也只限於面。」[40]自從廖季平「平分今古」，主張「托古改制」以來，巴蜀學人勇於進取，志在創新，在「通經致用」，「自成體系」方面尤所盡心。蒙文通明確標立「學問貴成體系」，什麼是體系？蒙先生說：「體系有如幾何學上點、線、面、體的體。」主張要「在整個學術各個方面都卓然有所建樹而構成一個整體」，「做學問必須有此氣魄」。（同前引）如謝無量之於古代文學史（有《中國大文學史》、《中國婦女文學史》等）、哲學史（《中國哲學史》）；郭沫若之于古文字、上古史、文化史；蒙文通之於經學史、上古史、民族史，等等，都堪稱自成體系之作。龔道耕也是沿著這一路子走出來的。

　　龔氏在〈與人論學書之二〉批評：「近代學者，心耽瑣屑，理昧宏通，墨守《詩》《書》，襞積訓故。歷代僅知崖略，《三史》皆同掛壁。……其或耗心飣餖，疲腳裹綴，李玉溪之襯褸，捊裂橫遭，張黃門之匹錦，割裁都盡，風斯下矣！」故其治學雖博不雜，頗有體系，遵循孟子「博學而詳說之，將之反說約」方法，在精識和宏通方面，獨具特色。龐石帚謂其：「大抵平生著述，多網羅眾家，刊改漏失，似善化皮錫瑞而無其剽竊，似象山陳伯弢而無其庸瑣。」（〈記〉）他深通中國經學之流變，述經學之歷史，頗盡

---

40 蒙文通：〈治學雜語〉，收入蒙默編：《蒙文通學記》（北京市：三聯書店，2006年），頁2。

學術之起伏轉承之勢，深得經學轉換更革之理。

關於中國經學史之分期，皮錫瑞《經學歷史》頗據正史「儒林傳」而折衷之，故他的分期全以朝代廢興為斷，共為十期：

1　經學開闢時代（春秋）

2　經學流傳時代（戰國）

3　經學昌明時代（西漢）

4　經學極盛時代（後漢）

5　經學中衰時代（魏晉）

6　經學分離時代（南北朝）

7　經學統一時代（隋唐）

8　經學變古時代（兩宋）

9　經學積衰時代（元明）

10　經學復盛時代（清朝）

這十個時段，如果從整齊劃一、容易記憶上講，還是很成功的。但是學術演變的軌跡不清，學術自身內部發展的原因不明。學術產生和發展有政治因素，但也不完全隨著改朝換代而改換，一種學術的發展和勃興，必然有其自身理路，一種新興學術取得統治地位，也有一個由漸而肆、由微而顯的過程。上一個學術典範結束時，其實也是下一個學術典範孕育的時候。

蒙文通說：「講論學術思想，既要看到其時代精神，也要看到其學脈淵源，孤立地提出幾個人來講，就看不出學術的來源，就顯得突然。」（《蒙文通學記》，頁 32）並且認為講學術史更應如此，不能單以朝代的更疊來講，而應注意學術思潮的變遷。龔道耕在撰寫《經學通論》時即已經注意到了這一點。他在章節處理上，有：〈群經名義〉、〈群經篇目〉、〈經學沿革略說〉、〈群經學說〉，比較全面地展現了經學問題的基本內容和主要方面。而在學術分期上則更顯特識，其〈經學沿革略說〉一章將中國經學史分為十三期：

1　經學始於孔子

2　晚周秦代經學

3　漢初至元成時經學

4　哀平至後漢經學

5　鄭氏經學

6　魏晉經學

7　南北朝經學

8　隋及唐初經學

9　中唐以後至北宋經學

10　南宋元明經學

11　明末清初經學

12　清乾嘉經學

13　道咸以後經學

歷觀龔氏的十三個分期，其中固然有按時代或朝代分者，有的也是約定俗成的，如「晚周秦代」、「魏晉經學」、「南北朝經學」、「清乾嘉經學」等，皆是。但是更多的則是將一個朝代分成前後兩段，或將幾個朝代合成一個時段，如「漢初至元成」、「哀平至後漢」、「隋及唐初」、「中唐以後至北宋」、「南宋元明經學」、「明末清初」、「道咸以後」等等；有的甚至將一個人劃分為一個時代，如「孔子」、「鄭玄」等。這樣劃分看似零亂，時間長短也不一致，其實這有他的理由，而且更能體現學術之萌芽、轉變和盛衰之真正面貌，更能看出學術典範轉換之軌跡。

為何如此分期？龔氏雖然沒有明確的論證，但在文內敘述中還是可以看得出來的。如他講「經學始於孔子」說：「中國學術政治宗教，無一不源於《六經》。《六經》為孔子所作，或為孔子所述，論者互有不同。……兩說相爭，至今未定。而《六經》之學出於孔子，則二千年來無異辭。無論其為述為作，謂《六經》之學即為孔子之學可也。」（頁 22）可見他之所以將孔子定為一個時期，是因為「《六經》之學出於孔子」。

其論「哀平至後漢經學」：「由哀平以後至後漢之末，二百年中，經學之爭議，則今古文是也。『今文』之名始於後漢，『古文』之名始於西京之季。」（頁 28a）其之所以要將「哀平至後漢」二百年間劃為一個時期，是因為經學的主要紛爭在於「今古」文學，而今古文學之爭實始於哀、平之

季。

其論何以將「鄭氏經學」設為一個時期說：「兼用今、古兩家之學，而會通為一，鄭玄是也。……自茲以後，經學惟有鄭學、非鄭學兩派，而無復今、古文之辨矣。」（頁 31、33）之所以將鄭玄經學作為一個時期，是因為他結束了今古文之爭，開闢了今古合一的「鄭學」時代。

其論何以將「魏晉經學」作為一個時代說：「魏正始中，王弼、何晏之徒，祖法老、莊，號為『玄學』。……於是家法淪亡，經學遂遠不逮兩漢。……蓋兩漢經學，至此乃一變矣。」（頁 33、34）

其論何以將「中唐以後至北宋經學」定為一個時期曰：「唐代敕撰《正義》，所以自《六經》之異說，而《六經》之異說乃始于唐人。自武后時王玄感著《尚書糾繆》、《春秋振滯》、《禮記繩愆》，當時已譏其掎摭舊義，……至於劉商洛、王安石、程頤、蘇軾之徒，爭說經義，其門人弟子，益加演述，而諸經之異說日滋，唐以前經學遂盡改舊觀矣。」（頁 36、37）

其論「南宋元明經學」為一時期說：「中唐以後，經學之紛紜，自道學興而後其論定，而集其大成者，厥為朱熹。……至明永樂時，詔胡廣等作《五經》、《四書大全》，依宋、元人舊本，剽竊成書，著為令典，則舉注疏而悉去之，並《禮記》亦廢鄭注而用陳澔，於是八比講章之學興，而經學荒蕪極矣。」（頁 37、38）

其論何以「明末清初經學」立一時期，是因為清代樸學考據之風始於此時：「道學統一天下，自宋迄明，四百餘年。明嘉、隆以後，楊慎……諸人，號為博雅，所著書偶涉經義，稍稍引據古說駁難宋儒。……迄明末造，常熟錢謙益始倡言注疏之學。桐城方以智著《通雅》、崑山顧炎武著《音學五書》，訓詁音韻之學始萌芽矣。炎武尤通經術，作《五經同異》、《左傳杜解補正》諸書，《日知錄》中，力闢宋以來空言說經之非，而教學者以讀漢、唐注疏。黃宗羲作《易學象數論》，辨圖書之謬。衡陽王夫之，邃于經學，《五經》皆有撰述，其所考論，往往與後來漢學家暗合；又為《說文廣義》，雖于小學未深，實為治許書之先導。三君者，皆宗宋學，而說經則兼采漢唐，無所偏主。清代學術之盛，謂三君為先河可也。」（頁 38）

其以「道咸以後經學」為一時期，原因是：「道咸以降，經學之別有三：其一則沿乾嘉舊派者。……其一則調和漢宋者。……若其於乾嘉學外，別為一派者，則今文學。今文學始于莊存與之治《公羊》，其徒劉逢祿述之」（頁42b-43），因而形成近代今文經學一種風氣。

這樣講經學沿革，當然深得學術演變之本質，所以龐石帚說他：「嘗著論明經學流變，秩如有條，視皮鹿門《經學歷史》有過之而無不及也。」（〈記〉）徐氏〈目錄〉還載有龔氏《經學沿革史略》一書，可惜「未成」，不然當有更可觀者。

（四）經史皆通，善於文學

如前所述，龔道耕有經部著述六十種，史部著述三十八種，以經、史兩部為最多，也以經史著述尤為專門，然而其在文學史上的造詣亦不可小視。

其史部諸書主要以校勘為主，如南北朝「八史」、「新舊《唐書》」皆有校勘記，即《劄迻》。現存下來的只有《舊唐書劄迻》而已。如前所述，龔氏在新修史書方面也有許多設想，如《重修清史》、《重修成都縣志》等，可惜皆未成書。不過通過龔氏所撰〈成都縣志擬例〉，粗可見其精密實際的史學思想。他在小序中說：中國的郡縣志，肇始古之「圖經」，古志主要記載山川地理，人物典制只是其中的附庸。至明朝胡纘宗撰《安慶府志》才設立「記、表、志、傳」諸科，始用正史的方法。後來修志，不思更張，不切實際，只如「類書」，依樣畫葫。章學誠首言「四方之志即古之國史」，故欲將方志納入「晉之《乘》，楚之《檮杌》，魯之《春秋》」的範圍，要體現治亂興衰、微言褒貶於其間，這又小題大作，文不對題了。於是他主張：「宜仍用《志》名，參以史例，旁考前賢名著之體」，來擬訂新修《成都縣志》的體例。於是他提出了「圖四、記一、表六、錄八、傳九」的結構，還仔細羅列了擬寫的細目和範圍。具體來講，即：

（1）**圖四篇**：疆域（全縣總圖），山川（用新法繪製），城市（縣屬街巷），鄉鎮。

（2）**記一篇**：大事記（纂輯歷代屬於成都之事及置縣沿革，猶史之有「本紀」也）。

（3）**表六篇**：晷度，官師，府第，學位，仕宦，列女（有事實者入傳，僅有姓名者入表）

（4）**錄八篇**：輿地，田賦，鄉治，學校，兵衛，交通，禮俗，經籍（此相當於正史的「志」，此從《史通・書志篇》議，略變其名）。

（5）**傳九篇**：良政傳（用《南齊書》例），先賢傳（紀明以前人物），後賢傳（清世人物），寓賢傳（流寓名人），孝友傳，忠義傳，文學傳，列女傳，敘傳。

〈擬例〉所擬有圖有文，有縱有橫，有人物，有典制，可謂重點突出，眉目清楚，面面俱到，大而且全。雖然僅有五條，這其實已經體現了龔氏對方志體例的更新，也融會了他對古代史志撰修方法的繼承和發展。在整個結構上，舊志多以天文分野、山川形勝置於卷首，或妄言星躔，侈陳分野，迷信不實；或僅圖山川畫數幅，有似遊覽手冊，不切實用，不能徵實。龔氏以「圖四篇」居首，一改故志舊觀，要求「當用新法改繪」、「測繪」，將一縣之全景、山川之分佈、街市之曲折、鄉鎮之分佈，描繪其中，讓人開卷即知一縣之整體概貌。

又其內容上也適時為變，新增了現代氣息。其「錄八篇」雖然體例上仿自正史「志」、「書」，但在內容卻有更新的視域。「鄉鎮篇」自注：「凡議會、局、所諸事皆屬之。」「學校」自注：「述舊學制、書院制，及今中、小諸學概要。」「交通」自注：「交通以郵電、船、路為要。」針對舊志有「藝文」、「經籍」二志，「經籍」收書目；「藝文」收錄詩賦、雜文，篇幅幾占全書三分之一，太過臃腫。故新志只設「經籍」以「載縣人著述書目及其書序例」，而將舊志所收「藝文」擇其要者置入所記各類事項之下。

凡此之類，都體現出龔氏對舊志和正史體例的繼承和改進。如果照此體例撰修成編，成都一方之地理、山川、歷史、故實、典制、人物，盡皆囊括其中矣。惜焉未成！

其經部諸書又集中在兩個方面，一是小學，二是禮學。其小學諸書遍及

文字、音韻、訓詁、校勘各個方面，校刻《字林》、《說文》、《倉頡》、《音義》、《玉篇》各書，又撰《訓詁學》、〈唐寫殘本《尚書釋文》考證〉等，都可見其治學始于小學，明於故訓的路徑。

其於禮學，除撰有通論性的《三禮述要》外，其他主要集中在《禮記》的研究上，如撰《喪服經傳五家注》、《禮記舊疏考正》、《葉輯禮記盧注疏證》、《喪服經傳注疏》等。晚歲，有感於「自清世經學鼎盛，諸經多有補作新疏，獨《小戴記》四十九篇，所見止朱彬《訓纂》、孫希旦《集解》，未盡精博，不足與諸疏配」。（龐〈記〉）因此在退休之後，仍發凡起例，「欲依准鄭注，兼綜諸儒之說，勒成一家」。（同上）

為撰《禮記鄭氏義疏》，他事先草擬了一個凡例，題名〈禮記鄭氏義疏發凡〉，發表于弟子徐仁甫等所編《志學》第一、三兩期。全篇只有十二條，但是卻將龔氏此書的體例和他關於《禮記》的基本看法囊括其中了[41]。

其上篇首條論《禮記》作者和文獻來源：「禮家之記，則戴德有八十五篇，戴聖、慶普各有四十九篇。惟小戴之書，自魏晉以來列於學官，尊與經等。其與大戴、慶氏之記，分合異同，未由盡考，要其為自七十子至高堂、后蒼，師師相傳之本，與孔壁及河間獻王所得《古文禮記》不相涉也。自晉陳邵謂『《古禮》二百四篇，戴德刪為八十五篇，戴聖又刪為四十九篇』，後儒雖據鄭君〈六藝論〉，知二戴各自傳述，非互相刪並，陳邵說不足信。然皆謂『二戴之《記》，取于河間《古禮》』，並為一談，迷而不悟。此讀《禮記》所當先辨也。」明確了《禮記》是「七十子至高堂、后蒼師師相傳之本」，糾正了晉陳邵以來以為二戴刪取《古文禮記》的誤說。

---

41 龔讀篇〈學行述略〉：「當遜清乾嘉間，音韻訓詁之學盛極一時，學者施以治經術，頗有成書。用是有《十三經新疏》之議，惟《禮記》付闕如，前賢苦其難治，多未敢自奮。井研廖君，至論『其書如深山大澤，多人跡不到之處』，然所著亦但有〈凡例〉，而未遑造述。府君精《三禮》，思藏其事，以為名山之業皆在於斯，亦所以啟前秘而導來學者也。歷年苦於生計，倉卒未能，迨中日戰起，府君隨大學遷峨眉，三十年，以例得退修家居，遍發圖書，羅列案右，日夜沉思研理，為《禮記義疏》，甫成〈發凡〉，驟得風疾，竟一夕卒。然〈發凡〉文雖數千，而於府君治經宗法，藉可概見（茲從略）。」

　　第二條論《漢志》何以不載二《戴記》:「《釋文‧敘錄》引劉向《別錄》云『《古文禮》二百四篇』,此《古文記》都數也。《正義》云:『劉向《別錄》《禮記》四十九篇,《樂記》第十九』,此《小戴記》都數及目錄也。……是古文與諸家之記,劉向俱載其目。……至劉歆總群書而奏《七略》,遂僅載劉所校諸記篇數,而古文、戴、慶諸記,《別錄》有其目者,並不著錄。」自注:「《別錄》著錄劉向定本,而仍存古文今文之篇目,猶乾隆間《四庫全書》之有『存目』也;《七略》但著劉向定本、篇目,猶《四庫簡明目錄》,不載『存目』之書也。」

　　第三條針對近人懷疑「《禮記》雜今古,不為二戴所輯」之說,辨正說:「廖君(平)作〈戴記今文古文篇目表〉,以為《戴記》『古多於今』。近人泥之,遂疑戴氏為今文家,何以多錄古學?又以其采及《逸禮》(即〈奔喪〉、〈投壺〉二篇)及曾、思、荀、賈諸子書,疑今之《禮記》並非二戴所輯。夫古文晚出,戴氏所傳之記適與古經相同,初非取經附記。曾、思、荀、賈,儒家大宗,吐詞為經,寧謂非當?且諸子之書亦多述古,必謂出於自作,則又識昧通方,斯為妄矣。」

　　第四條針對《禮記》制度與「經制」相違的問題,他說:「竊謂廖君分別今、古,舉世所推,其發明經制,厥功尤巨!……而《禮記》所載,其於經制,時有異同。」其中原因,廖平以為是今、古文異製造成的。龔氏認為,今文與古文的對立是西漢末年之事,二戴之時尚無其說。《禮記》所載之所以與「經制」異,原因是:「《六經》所舉只其大綱,條目施行,或不詳備。故傳其學者,或損益經制,而推為新禮;或服行經義,而別定儀文;或經有所略,而益之為詳;或經書其常,而推及其變。或解經而各持異議,或援經而衡論當時,說非一人之說,書非一家之書,矛盾互陳,職由於此。」如果「概以今文、古文為別,殊不足以括之」!

　　其下篇主要講明作《疏》義例:第一條申明何以「鄭注」為本?第二條申明將突破「疏不破注」規矩,將對鄭注小失之處予以匡正;第三條申明主要對《禮記》的制度義理作疏釋,至於其中的史事真偽不作考證;第四條將溝通漢宋,訓詁多用漢儒,義理多採宋儒;第五條使用南宋淳熙撫州刻本

《禮記》為底本;第六條說將博取自橋仁以下各家之說以成新疏。

在文學方面,龔道耕是個有成就的文學家。龔讀籀〈學行述略〉:「為文規模八代,詩效溫李,有《八代文鈔》、《嚴輯全文校補》、《研六顧詩文初稿》、《蛛隱廬文存》、《丁未述徵集》等。」

在討論中國文化史時,龔氏也注重通識,反對過分狹隘的文學史觀。民國元年(1912)主教國立成都高等師範學校,受劉師培委託,撰寫《中國文學史略論》,他就反對「近世言文學者,或以詩歌戲曲小說為幹,而擯經史諸子,以為非類」。(卷首〈自序〉)指出他們這樣作,蓋「仿據遠西」,不合乎中國文學的具體實際。因此他講文學史,必先明其學術大勢,再詳其經學源流,再備列諸子以及史學之盛衰,然後才是文體的變化,詩詞歌賦小說戲曲之創作。這樣包容自然深廣完整,視野開闊,整個中國學術大勢、文化沿革,也就盡在其中了。蒙文通說:「文化的變化不是孤立的,常常不局限於某一領域,因此必須從經、史、文學各個方面來考察,而且常常還同經濟基礎的變化相聯繫的。」[42]與龔氏的「文學史觀」正可前後呼應。

(五)持論平實,發人深省

龔氏治學具有主見,不人云亦云,亦不炫怪以鳴高。龔讀籀〈學行述略〉:「其教人不侈為誇語,不考徵猥瑣以炫博,亦不暖姝菌蠢、學一先生之言以自意。放所著述,絕矜慎,以表襮邀時譽以為恥。」正其寫照。但在他的著作中,新義時出,多能見人所未見。

如秦氏焚書乃千古所唾,但他卻認為秦朝的坑焚之禍並不像後人所說的那樣嚴重。《經學通論》曰:「秦用李斯為相,亦尊儒術,置博士七十人,每有大事,嘗得與議。後人以焚坑之禍,集矢祖龍,不知秦所焚者,民間之書,而博士所職《詩》、《書》百家語自若也;所坑者,咸陽之諸生四百餘

---

42 蒙文通:〈治學雜語〉,收入蒙默編:《蒙文通學記》(北京市:商務印書館,1993年),頁33。

人，其他儒生自若也。特秦在帝位日淺，旋值楚漢之亂，文獻散落，學派無考。然當經籍道息之際，崎嶇兵燹之中，抱持六藝以待漢興者，皆秦之博士諸生也。秦之功何可沒哉！」（頁 23-24）

　　他甚至認為，不僅秦人未滅學術，未毀經典，而且還有功文化。《中國文學史略論》卷二：「秦並天下，二世而亡，加以焚《詩》、《書》，坑儒士，文學之厄，宜無若此時者，夷考其實乃不然。蓋秦之為功于文學者二事：一則置博士官，掌通古今，為漢代設學官之始。其時《詩》、《書》百家語在民間者雖焚，而博士所職者自若。故羊子、黃疵皆著書傳世。疵又為秦歌詩，而叔孫通、伏生之徒，亦以制禮傳《書》顯於漢世。一則初作小篆、隸書。周宣王時，史籀改古文為大篆，文頗繁重；六國時，復多異形文字。李斯變為小篆，行同文之治，作《倉頡篇》；中車府令趙高作《爰歷篇》，太史令胡毋敬作《博學篇》，以課學僮，而『小學』以興。同時，下杜人程邈增減篆體，作新字，以施於徒隸，謂之『隸書』，雖多變古文、失『六書』之義，而數千年沿用不廢。二者皆于文學關係甚巨，正不獨琅琊、會稽諸刻、〈仙真人〉之詩，擅文章之美而已。」（頁 1）

　　『經』、『傳』二字本義，是治經者首當必知的問題，也是經學中頗為聚訟的話題，龔氏《經學通論》「群經名義」的解釋卻非常有新意。他解「經」字不取「經，常也，法也」等陳說，而取《周易》「雲雷屯，君子以經論」鄭玄注：「謂論撰《詩》、《書》、《禮》、《樂》，施政事。」（陸德明《周易釋文》），以為「此『經』名所由昉。」認為以「經」為書名在《周易》「大象傳」中就已經存在了。又據《管子・戒篇》「澤其四經」，用尹知章注：「謂《詩》、《書》、《禮》、《樂》。」以為「此《六經》稱『經』所由昉。」（頁 1）以為儒經稱「經」在《管子》裡就已經有了。真是立論奇古，別具一格。

　　又解「傳」字以為：「傳與專同。《論語》『傳不習乎』，魯讀傳為專。（見《論語釋文》）《說文》曰：『專，六寸簿也。』」（頁 1）以為「傳」本字是「專」，即短小之簡冊。古者說經之書，簡冊謙短，故稱「傳」也。

　　又辨正《周易》篇數：《經學通論》：「《漢書・藝文志》云：『《易》經十

二篇，施、孟、梁丘三家。』『十二篇』下當脫『經二篇』三字。十二篇者，古文也；二篇者，今文也。今文祇有上、下經，故《志》所載周王孫、服光、楊何、王同之傳，施、孟、梁丘之章句，皆二篇。費氏古文經，則合十翼為十二篇。」（頁 6）此說足發千古不識之秘。《漢志》著錄各經皆有「古文經」，獨《易經》沒有，知有缺誤。[43]據此說，則《漢志》於「易類」著錄應當是：「《易》。古文十二篇。經二篇，施、孟、梁丘三家。」庶幾可復班固之舊。

　　關於「六篇亡詩」的討論也很有見地。《經學通論》「詩經篇目」：「《詩》四家，今惟存毛氏，其篇目與三家蓋無異同。惟《毛詩》小雅有《南陔》以下六亡詩篇名，而三家無之耳。（鄭注《禮》時未見《毛詩》，故云：『今亡，其義未聞。』又說為孔子時已亡之詩。及箋《詩》，乃易其說為孔子後始亡。是其證。陳喬樅輯《三家詩》，列此六篇名，非也。）」（頁13）並且作〈三家《詩》無《南陔》六篇名義說〉（《志學》第四期）專論以申之，足為定論。

　　《經學通論》論魏晉經學之弊曰：「自中朝以及江左，經學之弊，略有數端。一曰尚浮虛而忽訓詁。如謝萬、韓康伯之注《易》，孫綽、李充、郭象之注《論語》，皆說以清談是也。一曰工排擊而罕引申。如顧夷之《周易》難王，關康之又申王難顧；孫毓評《毛詩》異同而朋于王；陳統又難孫氏；以及《禮》之爭王、鄭，《左氏》之爭服、杜是也。一曰廢家法而矜私智。如劉兆作《春秋調人》七萬言，陳邵《評周禮異同》，范甯注《穀梁》，義有不通，即加駁難是也。一曰好摭拾而鮮折衷。如杜預《左氏》，攘賈、服之文；郭璞《爾雅》，襲樊、孫之注；及張璠《二十二家之周易》，江熙

---

43 姚振宗《漢書藝文志拾補》卷一特為補輯：「《易經》十二篇，中古文；《易經》十二篇，費氏。」引《漢書・藝文志》：「漢興，田何傳之，訖于宣、元，有施、孟、梁丘、京氏，列於學官。而民間有費、高二家之說。劉向以《中古文易經》校施、孟、梁丘經，或脫去『無咎』、『悔亡』，惟費氏經與古文同。」師古曰：「中者，天子之書。言中，以別於外耳。」姚氏按：「此中外各一本，〈藝文志〉但言及之，不著於錄。」並非不著於錄，而是被後人搞亂了也。

《十三家之論語》是也。蓋兩漢經學，至此一變矣。」（頁 33-34）深中魏晉玄學病灶，雖起王弼、何晏於地下，亦無以置其喙也。

　　值得表彰的是，龔氏在學術上，嚴謹認真，匠心獨運，心得獨造，雖名家大賢也不能移其志。當時四川學界以廖平「平分今古」為自豪，一時相從如鶩，龔氏獨不然。龔讀籀〈學行述略〉：「晚近經師，如井研廖氏、儀徵劉氏，府君皆嘗與上下議論。」其〈禮記鄭氏義疏發凡〉有曰：「鄉先生井研廖君，說經以分別今文、古文為大綱，自此經學為之一變。近世儒者，其學雖或與廖君大異，亦無以異其說也。然所謂今文學、古文學，乃哀、平以後之名（廖君初說，謂今學為孔子晚年之說，古學為孔子壯年之說，甚至以《儀禮》經為古文，《記》為今文，皆大謬不然者。後亦不持此說矣），西京五經博士（此亦後漢古文學稱西漢今文博士之名），固尚無此區別。其於後來古文家根據之書，凡有所見，未嘗不兼綜博采，以廣異義，初非擯斥不道（廖君初說，謂漢代今文、古文，相避如洪水猛獸，尤不然。無論西漢博士絕無古文之見，即後漢古文學家，三鄭、賈、馬，皆先治今文學，具見本傳；而二鄭之注《周禮》，馬融之注《尚書》，亦取博士說，惟何休絕不引《周禮》耳。）」

　　又：「竊謂廖君分別今古，舉世所推，其發明經制，厥功尤巨！」但是廖氏以今古文的區別來解釋《禮記》中的禮制異同卻是不可以的，以為：「概以今文、古文為別，殊不足以括之。」

　　對於廖平「分別今古」的問題，今人李學勤也頗不以為然。他〈清代學術的幾個問題〉認為，關於漢代有經今、古文學派之說，主要是晚清廖平在其《今古學考》中提出的，而後康有為在其著作中進一步闡發，遂「在社會上得到廣泛流傳，長期以來，已經成為經學史上的常識，而且還滲透到學術史、思想史、文化史等領域中去。然而，這樣的觀點實際上是不可取的」，所以「有必要重新考慮漢代經學所謂今文為一大派，古文為另一大派的觀點」。[44]

---

44 李學勤：〈清代學術的幾個問題〉，《中國學術》第6輯。又易丹：〈李學勤談清代學術的幾個問題〉，《中華讀書報》，2001年8月21日。

王俊義〈經學及晚清「經今、古文學分派說」之爭議〉以為懷疑廖平「平分今古」之說不是李先生首創，說：「我還注意到學界前輩錢賓四先生在其所著《國學概論》與《兩漢經學今古文平議》中，就兩漢經學今古文分派之說，也早曾提出與學勤先生相類似的觀點。」錢氏認為今、古文問題，「僅起於晚清道、咸以下，而百年來掩協學術界，幾乎不主楊，則主墨，各持門戶，互爭是非，渺不得定論所在。而夷求之于兩漢經學之實況，則並無如此所云云也」。王先生認為是錢穆先生首揭此義了（文見「中華文史網」）。

可是，當我們翻閱龔道耕的著述，這一觀點早已散見於龔著各處。除上所引之外，如《經學通論》「哀平至東漢末經學」曰：「由哀、平以後至後漢之末，二百年中，經學之爭議，則今古文是也。今文之名始於後漢，古文之名始於西京之季。」（頁 28）將今、古文之爭定在哀、平以後。這與廖平將今古學之爭定在整個漢代，甚至將古文定為孔子早年「從周」之說，今文定為孔子晚年「改制」之論，已經大不相同。

林思進為《經學通論》作序署於「丙寅（1926）二月」，序文謂：「庚子、癸卯之際，吾與龔君相農年皆盛壯，亦嘗稍稍窺覽其域。」又說：「而相農以經教授吾蜀高等師範者十年矣。」則其講授和蘊釀「經學通論」之作，又在此前十餘年中。而錢穆討論今、古學問題最權威的著作〈劉向歆父子年譜〉成於一九三〇年，《兩漢經學今古文平議》即包括了〈劉向歆父子年譜〉、〈兩漢博士家法考〉、〈孔子與春秋〉和〈周官著作時代考〉。四篇文字成文並發表於不同年代，〈劉向歆父子年譜〉最初刊於一九三〇年六月《燕京學報》第七期，〈周官著作時代考〉初刊於一九三一年六月《燕京學報》第十一期，〈兩漢博士家法考〉初刊於一九四四年七月中央大學（南京大學前身）的《文史哲》季刊第二卷第一號，〈孔子與春秋〉初刊於一九五四年香港大學東方文化研究院的《東方學報》第一卷第一期。而四篇結集為《平議》一書由香港新亞研究所出版的時間則在一九五八年八月。他為本書作序當然也是在一九五八年了。錢穆《國學概論》（全二冊）則出版於一九四六年。都遠遠在龔先生《經學通論》之後。可見懷疑並辨別廖平「分別今古」的人，無疑應以龔道耕最早，錢先生、李先生等說都遠在其後。

（六）關心國事，切近日用

近世蜀學，受尊經書院「通經學古」、培養「致用之才」方針的影響，一時學人治學都注重切近日用，他們或言「托古改制」（廖平），或言「復古改制」（宋育仁），或言「實業救國」（盧作孚），或直接投身「維新變法」（楊銳、劉光第），或務實治史學（如張森楷之於《二十四史》、伍非百之於《墨子》等），一時蔚為風氣，衍為一方學術特色。

龔道耕也是如此。其《經學通論》盛讚西漢，「其時儒者多致貴顯，類能通經致用」。（頁 27）表彰：「仲舒之《春秋決事》，通儒即是名臣；張湯以《尚書》讞疑，酷吏亦徵經義。談折鹿角，乃著攀檻之忠；疏陳闕直，不負燃藜之照。公卿當用經術，博士悉補史亭，則知通經原以致用。」

他又批評：「而近代學者，心耽瑣屑，理昧宏通，墨守《詩》、《書》，襞積訓故。歷代僅知崖略，《三史》皆同掛壁。不知《班史》乃有元成，直謂先儒曾無王粲，羊公之鶴不舞，葉公之糧徒盡。」「其或耗心飣餖，疲腳褰縐，李玉溪之襦襦，撏裂橫遭；張黃門之匹錦，割裁都盡，風斯下矣！」（〈與人論學書之二〉）都是出於實用的考慮。

龔氏自己治學頗注重實用。龔讀籀〈學行述略〉：「當是時，清政不綱，士夫多倡言時事，凡挾策游京師以干公卿，莫不有以自見，盱衡抵掌而談天下之事，意取功名如拾芥，蓋駸駸乎移風俗矣。府君憂之，於政理、教育、革新諸大端，極論其得失，下筆不能自休，所言多切中時弊。」只可惜這些討論「政理、教育、革新」之「大端」「得失」的文章今已無傳，無以考其如何「切中時弊」了。如前所舉，唐振常〈憶舅父〉也說：「大舅父不預聞政治，但內心有其看法，對於正義之舉也能參與其中。二十多年前，曾見《四川文史資料選輯》刊有早年四川大學教師為某事罷教記載，幾次發表的宣言中，都是大舅父領銜。民國時期，國民政府派黨閥程天放主持四川大學，教師反對，大舅父也參加了反對行列。」這也反映了龔氏在平時工作中關心社會之一面。

　　在學問上，有鑒於國運不昌，軍事凋弱，龔道耕特撿出《墨子》「城守」各篇加以詳注詳解，熱情洋溢地撰〈兵家墨子十三篇注敘〉以發其宗旨。他批評當時不講條件的「主戰派」和純粹賣國的「主和派」，正式宣佈「龔道耕曰：『欲可和，先可戰；欲可戰，先可守！』」反對不顧民生國計，固守「儒者恥言兵」陋習，提倡讀書人應當知兵且要言兵：「古者讀書未有不學兵，知兵未有不自讀書。」他列舉「孔子曰『我戰則克』，冉有用矛齊師，有子三刻越溝，五禮之目軍居其一」。盛讚：「穰苴、孫武、吳起之書，閎雅瑰奧，文士無以過！」於是他明白自道著書旨趣說：「龔道耕學兵家，求古言守者之言，得《墨子》一書。墨子，古之善守者魁也！其書自四十九至七十一皆言兵，其存者十三篇。其言器械法令，備禦方略，篤雅翔實，無浮辭曼語，兵家言火攻機巧，實始此；〈旗幟〉一篇，又西人以旗燈為言語之法祖。是言守之要書，學兵法者宜以通其讀也！」可見他研究和注釋《兵家墨子十三篇》，並非僅僅是出於學術考慮，也不是僅僅出於個人愛好、發思古之幽情而已，而是為了強兵強國，知兵言兵，振起國威，喚醒民眾！

結語

　　龔道耕是四川近代史上具有成就的教育家和經學家。他平生不喜仕進，精力傾注於教育事業和學術研究。他轉教於多所中學、大專、師範和大學，作育人才，弟子遍於蜀中。他學問淵博，勤於著述，學貫四部，著作一百四十餘種，自《倉》、《雅》、《說文》、音韻、訓詁，以及經注、經疏，輯遺校勘，無不涉獵。他自學成才，不拘家法，漢、宋兼主，今、古並治，左右採獲，卓然成一大學宗，實可與廖季平以「分別今古」、「托古改制」為特徵的學術體系洽成一互補局面！真乃「經師人師，兩肩道義；大儒純儒，一身和氣」。可惜他長期僻處西陲，著述很少刊行，高論卓識，往往為他家所先，故至今無人知其獨特者。又以天不假年，猝然長逝，著作未經整理，宏構未成完璧；加之以世事風雲，遺稿無存，嘉言讜論，亦隨之雲散風收。生今之世，論往之人，欲發其幽光，闡其微絕，怎奈書缺簡殘，文獻無徵，是亦深可嘆惜者矣！

楊守敬對經學文獻蒐集的貢獻

陳金木

慈濟大學東方語文學系教授

一　前言

　　民國七十三年，筆者在撰寫《皇侃之經學》時，為了廣泛蒐集皇侃《論語義疏》的相關版本時，曾經訪查國立故宮博物院善本圖書室所藏楊守敬先生「觀海堂」善本，得日本古抄本七種：觀海堂藏室町間殘本、日本嵯峨院藏本、日本和學講談所藏本、觀海堂藏述而篇藏本、日本九折堂藏本、觀海堂藏盈進齋鈔本、日本新井謙次郎摹鈔本等[1]。開始接觸到楊守敬先生的藏書，也因此而研讀先生手著《日本訪書志》、《留真譜初編》《留真譜二編》、王重民輯《日本訪書志補》等書，即感念先生赴東瀛訪書嘉惠後世的德澤。

　　民國八十七年，又從國立彰化師範大學圖書館中閱讀《楊守敬集》十三巨冊。[2]謝承仁稱讚楊守敬是一位「一生埋頭學問，勤勤懇懇，寒暑不輟，

1　詳見陳金木：《皇侃之經學》（臺北市：國立編譯館，1995年8月），頁164-170。日本學者阿部隆一先生：《中國訪書志》（東京都：汲古書院，1976年3月）有中華民國國立故宮博物院藏楊氏觀海堂善本解題，也收錄了這七種楊守敬先生有關《論語義疏》的日本古抄本，不過名稱與筆者所定者不同：觀海堂藏室町間殘本（《論語義疏・零本・【存卷一、四、七、八】卷一室町寫，卷四、七、八江戶寫》）、日本嵯峨院藏本（《論語義疏・室町寫》）、日本和學講談所藏本（《論語義疏・室町寫》）、觀海堂藏述而篇藏本（《論語義疏・零本・存卷四・室町末近世間寫》）、日本九折堂藏本（《論語義疏・近世初寫》）、觀海堂藏盈進齋鈔本（《論語義疏・江戶寫》）、日本新井謙次郎摹鈔本《論語義疏》（《論語義疏・江戶末明治初間影寫》）見阿部書，頁46-48。

2　《楊守敬集》由北京師範大學歷史系教授謝承仁先生主編，湖南人民出版社在一九八

數十年如一日，著書數十種。他既是歷史地理學家，又是版本目錄學家、金石學家、書法家、藏書家。在以上這些學科領域內，他都作出了重大的貢獻。」[3]。

　　楊守敬有關「經學研究」的論著，在經學版本目錄學方面有（一）專門論著：1《日本訪書志》2《日本訪書志補》（王重民整理）3《日本訪書志續補》（劉昌潤整理）4《日本訪書志續補》5《日本訪書志錄異二則》6《日本訪書志補校記二則》（以上三種為趙飛鵬補輯）7《藏書絕句》8《清客筆談》9《留真譜初編》10《留真譜二編》11《歷代經籍存佚考》（石洪運整理）12《增訂叢書舉要》（曾孟陽、丁曉山整理）13《續群書拾補》等十三種。（二）刻書有：14《古逸叢書》。（三）影印日本經籍抄本者：15《古寫古文尚書影照本（附錄）》（劉先枚整理）16《影寫隸古定尚書商書殘卷》（劉先枚整理）等兩種。自撰題跋者：17《鄰蘇老人手書題跋》（楊先梅輯，裘兆仁、謝聖傑、鮑國強整理）。在《尚書》的研究有：18《禹貢本義》一種。在春秋穀梁傳的研究有 19《春秋穀梁傳考異》[4]一種。在《四書》的研究有：20《四書識小錄》21《論語事實錄》等兩種。合計共有二十一種之多[5]。在中國近代經學史，「楊守敬的經學」應該是一個相當有意義的

六年出版第一冊，第十三冊在一九九六年一月出版。編輯和出版的工作前後花費了十一年以上的時間。《楊守敬集》編輯小組從實地調查漢參考文獻中得知在大陸、臺灣與國外所藏楊氏著作共有八十三種之多，將其中四十種著作，做了「標點」「核校」「考訂」「注釋」等四方面的整理工作，在各分冊各書之前，還各有〈前言〉一篇，介紹該冊主要內容及整理之原則、要點，以及各整理者對於楊氏著作的評價、分析等等。《楊守敬集》的編集、整理和出版，提供了學者研究楊守敬先生學術的最佳材料。

3　同前註引謝氏文，頁1

4　楊守敬《春秋穀梁傳考異》一書共有一卷，這是先生在編輯《古逸叢書》時，對於當時流傳到日本的「宋紹熙本」晉、范寧集解、唐、陸德明音義的《春秋穀梁傳》（十二卷），撰寫了一卷的《考異》。《春秋穀梁傳考異》列在《春秋穀梁傳》中，收入於「古逸叢書」中。《楊守敬集》將其列入於《續群書拾補》中，見《楊守敬集》，冊7，頁1367-1375。另外《古逸叢書》中《余仁仲萬卷堂穀梁傳》卷末亦附有《春秋穀梁傳考異》一卷。

5　上述二十一種著作，《楊守敬集》僅收其中十六種，另有《日本訪書志續補》、《日本

課題才對。因而撰述〈楊守敬先生「經學研究」的學術編年——楊守敬先生之經學系列之一〉[6]，是以楊守敬先生自撰及熊會貞補撰的《鄰蘇老人年譜》（以下簡稱『年譜』）為主軸，再結合前述楊守敬先生二十一種經學相關論著，將楊守敬先生對於「經學研究」的學思與著述歷程，用「學術編年」的方式，展現出來。本題的研究，是在為〈楊守敬先生之經學〉文獻作奠基的工作，為爾後闡揚楊守敬先生的經學（包括：「經學目錄版本學」「尚書禹貢地理學」「春秋穀梁學」「論語學史學」），奠立文獻學的基礎。

　　清德宗光緒六年四月（1880），楊守敬攜眷由天津到上海，再赴日本東京，展開他為期四年的「東瀛訪書之旅」，這段經歷使得先生被劉兆祐先生

訪書志錄異二則》、《日本訪書志補校記二則》等三種趙飛鵬先生在撰寫《觀海堂藏書研究》（臺北市：漢美圖書公司，1991年7月）時，曾訪查國立故宮博物院所藏楊守敬先生「觀海堂藏書」，袞集得楊守敬先生的考證題跋十四則，補輯得《日本訪書志續補》；另外《日本訪書志錄異二則》、《日本訪書志補校記二則》這兩種為趙氏認為王重民補輯的《日本訪書志補》一書並未全據楊氏原文迻錄，因此以楊氏守稽核檢之而得。（此三書分見趙氏《觀海堂藏書研究》頁189-200。再則《留真譜初編》《留真譜二編》（廣文書局，1972年，《書目五編本》）這兩種共有五本有關「版本目錄學的著作」，謝承仁先生認為大陸在「一九六〇年已出版《中國版刻圖錄》，該書為趙萬里先生主編，出於眾人之力，書中所收善本，其數量之富，考訂之精，影印之佳，自然超過了《留真譜》。有鑒於此，此次整理，以暫不列入《留真譜》為宜。」（見謝承仁〈《楊守敬集》總序〉，頁11），因此未加收錄。此外《楊守敬集》亦未收《古逸叢書》，其認為「《古逸叢書》兩百卷，係楊守敬在日本時協助黎庶昌搜集流散海外之我國各種古籍匯刻而成，因此書非楊氏本人著作，且卷帙浩繁，故不準備列入集中，祇將楊氏題跋、考異、後記等有關文字錄出收入《楊惺吾題跋集》中，但是遍查《楊守敬集》僅收有《鄰蘇老人手書題跋》為楊先梅所輯，但卻無《楊惺吾題跋集》。

6　此篇論文是以楊守敬先生自撰及熊會貞補撰的《鄰蘇老人年譜》為主軸，再結合前述楊守敬先生二十一種經學相關論著，將楊守敬先生對於「經學研究」的學思與著述歷程，用「學術編年」的方式，展現出來。為爾後撰寫《楊守敬先生之經學》（包括：「經學目錄版本學」「尚書禹貢地理學」「春秋穀梁學」「論語學史學」），奠立文獻學的基礎。撰寫完成後在「第五屆近代中國學術研討會」中宣讀，後收入《第五屆近代中國學術研討會論文集》（桃園縣：國立中央大學中國文學系，1999年3月），頁361-396。

譽為「蒐羅域外古籍的楊守敬」[7]。筆者另有專文來論述之[8]。

　　時間的推移，過了八年，研究楊守敬的學術之論著有著顯著的增加，筆者蒐集到較為重要的論著書籍有三種[9]、期刊論文有二十一篇[10]、學位論文

7　見劉兆祐先生：《認識古籍版刻與藏書家》（臺北市：臺灣書店，1997年6月），頁295-302。

8　筆者稱：「在這四年之間有關「經學研究」的學術編年，除了《年譜》的記錄之外，尚有在1《日本訪書志》2《日本訪書志補》（王重民整理）3《日本訪書志續補》（劉昌潤整理）4《日本訪書志續補》5《日本訪書志錄異二則》6《日本訪書志補校記二則》（以上三種為趙飛鵬補輯）7《清客筆談》8《留真譜初編》9《留真譜二編》10《古逸叢書》等十種非常豐富的資料。筆者擬以〈楊守敬先生「經學研究」的學術編年——以清德宗光緒六年至十年為範圍的探討——〉為題，另外撰文來探討楊守敬先生在日本這四年間有關「經學研究」的「學思歷程和著述歷程」。見陳金木：〈楊守敬先生「經學研究」的學術編年——楊守敬先生之經學系列之一〉，收入於國立中央大學中國文學系主編：《第五屆近代中國學術研討會論文集》（桃園縣：國立中央大學中國文學系，1999年3月），頁368-369。

9　楊守敬經學相關的書籍論著有：
　宜昌市政協文史資料委員會、宜都市政協文史資料委員會編，楊世耀總編纂：《楊守敬學術年譜》（武漢市：湖北人民出版社，2004年11月）。
　陳上岷編：《楊守敬研究學術論文選集》（武漢市：崇文書局，2003年3月）。
　劉瑩：《楊守敬書學研究》（臺北市：蕙風堂，2002年）。

10　楊守敬經學相關的期刊論文有：
　黎仁凱：〈張之洞的幕府〉，《秘書工作》2005年7期，頁54-55
　尚小明：〈論清代遊幕學人的撰著活動及其影響〉，《北京大學學報》（哲學社會科學版）1995年5期，頁50-60
　陳東輝：〈《古逸叢書》考略〉，《史學史研究》1997年1期，頁61-65
　張新民：〈黎庶昌及其《古逸叢書》考論〉，《古籍整理研究學刊》2006年7期，頁1-7轉86
　羅勤：〈黎庶昌與《古逸叢書》爭議〉，《貴陽師專學報》（社會科學版）1998年1期，頁84-87
　石田肇著，陳國文譯：〈三島中洲與黎庶昌〉，《貴州文史叢刊》2006年3期，頁72-74
　楊杞：〈清末「藏書家」楊守敬〉，《文化百花園》，頁52-53
　鄭務本：〈清末民初著名學者楊守敬〉，《江漢尋夢》，頁106-117
　郗志群：〈楊守敬傳略〉（上、下），《首都師範大學學報》（社會科學版）1999年4期至5期（上），頁35-41；（下），頁48-51

有四篇[11]。論文集最相關者有四篇[12]。這也是筆者撰寫〈楊守敬對經學文獻蒐集的貢獻〉時，最重要的參考依據。

李培文：〈清末民初中國學者的海外訪書活動及其成就〉，《域外漢學》，頁110-115

嚴紹璗：〈日本藏漢籍國寶鈎沈〉（三）《域外漢學》，頁114-118。

王曉平：〈《詩經》日本古藏本的文獻學價值〉，《天津師範大學學報》（社會科學版）2006年5期，頁57-63

郗志群：〈楊守敬日本訪書傳佳話〉，《中外文化交流》1998年2期，頁48-49

馮方：〈楊守敬在古籍西歸中的重大貢獻〉，《長春師範學院學報》（人文社會科學版）2005年3期，頁38-39

常鳳香：〈楊守敬的藏書及其下落〉，《文史雜誌》1999年3期，頁34-35

郗志群、陳建堂：〈楊守敬藏書中的和刻本漢籍及其價值〉，《首都師範大學學報》（社會科學版）2003年2期，頁24-27

初昌雄：〈論楊守敬在版本目錄學上的成就〉，《圖書館》1996年5期，頁67-69

未署名：〈日本漢學家岡千仞與晚清上海書院士子的筆話〉，《檔案架》，頁8-13

陳捷：〈岸田吟香的樂善堂在中國的圖書出版和販賣活動〉，《中國典籍與文化》，頁46-59

史革新：〈略論晚清漢學的興衰與變化〉，《史學月刊》2003年3期，頁86-95

11 楊守敬經學相關的學位論文有：

連一峰：《黎庶昌、楊守敬《古逸叢書》研究》（臺北市：中國文化大學史學研究所碩士論文，1997年6月）

鄒華清：《楊守敬學術研究》（武漢市：華中師範大學中國歷史文獻學博士論文，2001年6月）

郗志群：《楊守敬學術研究》（北京市：首都師範大學歷史學、中國古代史專業博士論文，2001年5月）

張繁文：《楊守敬書學思想研究》（廣州市：華南師範大學美術學專業碩士論文，2005年5月）

12 此指陳上岷編：《楊守敬研究學術論文選集》（武漢市：崇文書局，2003年3月），計有：

杉村邦彥：〈從《雪柯日記》中出現的有關記述看楊守敬與松田雪柯、岩谷一六、日下部鳴鶴之間的交流〉，頁237-275

穆毅：〈楊守敬與岩谷一六的筆談〉，頁279-295

康亦樵：〈楊守敬對刻書事業的貢獻〉，頁296-301

郗志群、陳建堂：〈楊守敬藏書中的和刻本漢籍及其價值〉，頁302-312

二　晚清學術思潮與楊守敬的經學論著

　　楊守敬，生於清宣宗道光二十年（1840）[13]，卒於民國四年（1915）。
所處的年代符合「近代經學」[14]。也和「經學的晚清系統」相當[15]。林慶
彰、蔣秋華主編《晚清經學研究文獻目錄（1901-2000）》下編「晚清經學家
分論」，則始於「龔自珍」（1792-1841），終於「劉師培」（1884-1919）[16]。
這個時期雖然與乾嘉漢學處於不同的社會環境，但是他們一方面秉承乾嘉宿
儒治學的傳統，繼續在經學、文字學、音韻學等領域開展深入研究，取得顯
著成就。一方面開展出形成「實」、（指具有經世致用的精神）「通」、（指強
調學術上的會通一與合流）「變」（指在近代社會變革潮流的影響下，漢學出
現的重要自我調整和演變。）的學術思潮，並隨著中國傳統社會發生根本性
的變化而實現著自身的新舊更替。[17]

　　楊守敬一生的學術成就在於歷史地理學、版本目錄學、金石學、書法、

13　由於《年譜》〈鄰蘇老人鄉試硃卷〉《和州楊氏三修家譜》等原始資料的記載不一，於
　　是有生於一八三八年、一八三九年、一八四〇年三種說法，郗志群〈楊守敬生年考〉
　　詳考，證得「在《鄉試硃卷》上填報『道光庚子年四月十五日吉時』生，正是按照應
　　試俗例少年了一歲，造成了《鄉試硃卷》與《年譜》所載出生年不同的結果，故楊守
　　敬之生年還是應以《年譜》記載為準。」見郗志群：《楊守敬學術研究》（北京市：首
　　都師範大學歷史學、中國古代史專業博士論文，2001年5月），頁15-18。

14　田漢雲稱「所謂近代經學，特指一八二〇年至一九二〇年之間對儒家經典及儒學學術
　　史的研究活動。」見田和雲：《中國近代經學史》（西安市：三秦出版社，1996年11月），
　　頁1。

15　許道勛、徐洪興：即稱：「經學的晚清系統，特指近代時期經學研究的諸流派，從西
　　元一八四〇年鴉片戰爭爆發，到一九一九年「五四」新聞化運動崛起，這八十年為一
　　般公認的中國近代時期。」，見許道勛、徐洪興：《中國經學史》（上海市：上海人民
　　出版社，2006年10月），頁271。

16　詳見林慶彰、蔣秋華主編：《晚清經學研究文獻目錄（1901-2000）》（臺北市：中央研
　　究院中國文哲研究所，2006年10月），〈編輯說明〉，頁5。

17　詳見史革新：〈略論晚清漢學的興衰與變化〉，《史學月刊》2003年3期，頁86-95。

藏書[18]、校勘輯佚、經學[19]等七個方面。現只就其經學研究加以論述。

　　楊守敬十三歲中鄉試，考取秀才；二十三歲中舉人；在二十六歲、二十九歲、三十二歲、三十五歲、四十一歲、四十七歲，總共前後六次，長達二十四年的時間，都在為「科舉考試」而準備，但是，卻不遇「識者」，終於在四十七歲時「絕意科名」。

　　《年譜》中提及楊守敬自己已刊、未刊的書籍就有五十九種之多，其中涉及「經學論著」者有二十一種。專論經學者存者有：一、《禹貢本義》二、《春秋穀梁傳考異》[20]三、《四書識小錄》四、《論語事實錄》。未刊而不詳存佚者有《小學記錄》與《重訂《說文古本考》》兩種[21]，合計存佚共六種。[22]其他與經學相交涉者有《歷代經籍存佚考》[23]與刻書校書時所撰寫的

<hr>

18 鄒華清：《楊守敬學術研究》（武漢市：華中師範大學中國歷史文獻學博士論文，2001年6月）稱之：「精通歷史地理學，開輿地學之新紀元；擅長版本目錄學：南北交舊，無與抗手；重視金石學，善於「以金石證史」；工於書法，不愧為「日本書道現代化之父」；收訪闕佚，當世罕匹。」此五項為其博士論文的五章的章題。

19 郗志群：《楊守敬學術研究》則將楊守敬學術成就分成「歷史地理、版本目錄、金石書法、校勘輯佚、經學」等五類。

20 楊守敬《春秋穀梁傳考異》一書共有一卷，這是先生在編輯《古逸叢書》時，對於當時流傳到日本的「宋紹熙本」晉、范寧集解、唐、陸德明音義的《春秋穀梁傳》（十二卷），撰寫了一卷的《考異》。《春秋穀梁傳考異》列在《春秋穀梁傳》中，收入於「古逸叢書」中。《楊守敬集》將其列入於《續群書拾補》中，見《楊守敬集》冊7，頁1367-1375。另外《古逸叢書》中《余仁仲萬卷堂穀梁傳》卷末亦附有《春秋穀梁傳考異》一卷。

21 郗志群：《楊守敬學術研究》（北京市：首都師範大學歷史學、中國古代史專業博士論文，2001年5月）稱楊守敬的經學著作還有《小學記錄》稱「未刊，今以不詳存佚。」《重訂《說文古本考》》稱「未刊，稿本不詳存佚。」兩種。見頁58。

22 楊守敬有〈宋蜀石經周禮〉跋），見錄於楊先梅輯《鄰蘇老人題跋》，（題跋記稱「壬子仲冬楊守敬記，時年七十有四。」見裴兆仁、謝聖傑、鮑國強整理：《鄰蘇老人題跋》，《楊守敬集》，冊8，頁1121-1122。

23 《歷代經籍存佚考》原稿是用工楷抄錄，分裝成冊，用豎行無格紙，左右雙邊，半頁十一行，每行字數不等，最多二十餘字。框高二十三點四公分，寬十八公分。卷端題有書名《歷代經籍存佚考》。全書約三十萬字。此稿原為宜都楊守敬家人收藏，民國間由湖北省教育廳接收，後轉交湖北省立圖書館（現大陸湖北圖書館）庋藏。由於

題跋三篇[24]。

《歷代經籍存佚考》這本書沒有先生的手跡、題記或印章，同時《年譜》中也沒有相關的記載，因此，《歷代經籍存佚考》到底是不是楊守敬先生的著作，就產生了疑問。根據石洪運先生〈《歷代經籍存佚考》前言〉從《和州楊氏三修家譜》袁同禮《楊惺吾先生小傳》等資料，認定這本書是「在其（按指楊守敬先生）所饌著作中，乃是一部輯撰未竟有待加工整理之稿。《歷代經籍存佚考》這本書，是楊守敬先生想編纂一部縱慣歷朝，包括四部圖書存佚情況的「書目資料總匯」，所進行的一項大工程。先生循著朱彞尊《經義考》的線索，縱稽群籍，記錄存佚，並將範圍擴大到經、史、子、集四部典籍。因此，先生以《漢書‧藝文志》、《隋書‧經籍志》、《舊唐書‧經籍志》、《唐書‧藝文志》為主線，部份擷取《宋史‧藝文志》的資料，將上自先秦、下迄唐代所有學者的著作，以四部的分類為經，以著作者為緯，編纂而成。全書共分四十四大類，以「經部」為例：「經部」包括：易、書、詩、周禮、儀禮、禮記、樂、春秋、論語、孝經、孟子、爾雅、群經、讖緯等十四類。「經部」的記錄方式是：每一本書的「撰注者」、「書名」、「卷數」、「書籍存佚」、「闕失情形」、「著錄情形」。綜觀其文字敘述簡練，既能顯出提要鉤玄、簡約精當的特色，又能達到提供線索、便利讀者的目的。石洪運先生統計《歷代經籍存佚考》著錄有七千一百六十五種的著作當中，有一千兩百五十六種是楊氏根據正史紀傳、叢書、類書以及《經典釋文》、《世說新語》、《文選注》等古籍所提供的書目資訊而增補的。其中經、史兩部增補的內容，各佔三分之一以上，經部讖緯類總共有一百九十種，其中就有一百四十三種是「增補」的，佔總數的四分之三。國立中央圖書館（即國家圖書館的前身）多年來以國家之力，致力於《歷代藝文總志》的編纂，其實也是要總集歷代經籍存佚的情形，這和楊守敬先生以個人之力，致力編纂《歷代經籍存佚考》，對學術的貢獻是相同的。

24 楊守敬的孫子楊先梅曾在民國五年，先生過世的第二年，先整理先生的題跋資料四十三篇，影印《鄰蘇老人手書題跋》兩冊，刊行於世。又整理先生有關「收藏家以其所藏之金石、書籍、字畫、求其鑑定，加以題識」的遺稿，合計前編，共有一百五十三篇（漏列一篇），在民國五十四年編輯成《鄰蘇老人題跋》一書，並未刊行。《楊守敬集》編輯小組根據藏於湖北省博物館的《鄰蘇老人題跋》稿本，由裴兆仁、謝聖傑、鮑國強先生整理出來。其中與經學有關者有三篇：其一，〈宋刊纂圖重言重意互註本《禮記》跋〉（題跋記稱「甲寅閏五月七日，鄰蘇老人記。」其二，〈宋蜀石經周禮》跋〉（題跋記稱「壬子仲冬楊守敬記，時年七十有四。」其三，〈北齊人書《左氏傳》跋〉（題跋記稱「宣統元年閏二月二十有二日，鄰蘇老人記，十年七十有一。」見裴兆仁、謝聖傑、鮑國強整理：《鄰蘇老人題跋》，《楊守敬集》，冊8，頁1121-1122，1125-1127。

（一）《禹貢本義》

篇首有楊守敬自撰〈禹貢本義序〉一文，署明時間為「光緒丙午年五月，宜都楊守敬自記於鄂城菊灣」。〈序〉中稱：「余博觀往籍，綜覽形勢，始悟古人簡質，地連滇池，便有『黑』目；流經廣鬱，皆得『鬱』稱，秦、漢猶然，何論三代！而以之說〈禹貢〉，尤為離之兩美，依附經傳，無取乎鑿空，折衷群言，不嫌余獨斷。」[25]。

《禹貢本義》注解〈禹貢〉經文「又東至於澧」時，其解說文字「而後知鄭氏所謂……非必江水逼邐縣治也。」之下有自注「……此餘三十年前舊作，文太繁冗，今刪而存之。」[26]。以年代來推算，《禹貢本義》的撰寫工作，當在先生三十七歲之時就已經展開了。在定稿時，仍然對於其中的內容加以改寫。

《禹貢本義》是楊守敬在探討《尚書·禹貢》山水地理中某些問題時，所撰寫的一部「心得劄記」，全書共收〈治梁及岐〉、〈恆、衛既從〉、〈碣石〉、〈漾〉、〈三江〉、〈九江〉、〈沱潛既道〉、〈涇屬渭汭〉、〈大別〉、〈衡山〉、〈黑水、三危〉、〈北過降水〉、〈又東至於澧〉等十三篇文章。這是先生在撰寫《水經注疏》時的一部「副產品」，雖偶有疏失，但是文章中援引近百種書籍，可見他廣採眾長，擇善而從嚴謹的治學精神[27]。

（二）《春秋穀梁傳考異》

楊守敬出使東瀛時造訪日本學士柴邦驗，訪得余仁仲萬卷堂所刻晉范寧集解、唐陸德明音義的《春秋穀梁傳》（後稱「宋紹熙本」），因此在編輯《古逸叢書》時，「今以《唐石經》證《經》、《傳》，以唐、送人說《春秋》

---

25 楊守敬：〈禹貢本義序〉，收入《楊守敬集》，冊1，頁49。

26 見《禹貢本義》，頁88。

27 參見郗志群：〈《禹貢本義》前言〉，頁47。

三傳者佐之，以宋監本《注疏》本證《集解》，以陸氏《釋文》佐之。」撰
述〈余仁仲萬卷堂《穀梁傳》考異〉一文，附於《古逸叢書》、《春秋穀梁
傳》十二卷之後[28]。楊守敬記錄撰寫的時間為「光緒癸未年秋九月」。[29]

（三）《四書識小錄》

《四書識小錄》[30]是楊守敬先生用「格子紙」書寫的手稿，原稿以前未
發表過，現藏大陸重慶市圖書館。《四書識小錄》為讀書筆記體裁，名為
《四書》，但缺《論語》，此或作者另有專著《論語事實錄》的緣故。手稿中
有《學庸》九條（《大學》四條、《中庸》五條）、《孟子》五十九條，總共有
六十八條，共寫成二十五頁（《學庸》有四頁，《孟子》有二十頁），約六千
餘字。原稿為行楷墨書，注文小字雙行，在《孟子》部份的第一、七、二十
六、四十九等四條中，作者在「天頭」地方的眉批，被重慶圖書館在重新裝
定時「誤切」，導致眉批內容殘缺無法成句，難以辨認。收錄在《楊守敬
集》第一冊，頁九十七至一百二十一的《四書識小錄》，是將重慶市圖書館
所藏的原稿加以複製，再由侯英賢先生「整理」「核校」「考訂」「注釋」而
成的，侯氏並撰有〈《四書識小錄》前言〉，並將《孟子》部份天頭的眉批殘

---

28 見《續群書拾補。余仁仲萬卷堂《穀梁傳》考異》，《楊守敬集》，冊7，頁1367。

29 《楊守敬集》將其列入於《續群書拾補》中，見《楊守敬集》，冊7，頁1367-1375。
   另外《古逸叢書》中《余仁仲萬卷堂穀梁傳》卷末亦附有《春秋穀梁傳考異》一卷。

30 先生十三歲中秀才，二十三歲中舉人，一直到四十七歲時才「絕意科名」，在準備科
   舉的過程中，《四書》是隨身必備必讀的書籍，在研讀《四書》時，除了練習依照經
   義來「作文」之外，對於《四書》本身存在的問題、歷代的《四書學》討論的相關議
   題，自然會加以留意和研究，《論語事實錄》的產生，就是好學深思的結果，《四書識
   小錄》也是同樣情形產生的。《年譜》中雖然並沒有《四書識小錄》著作時間的紀
   錄，但是，我們對照先生四十七歲「絕意科名」，再加上先生在這一年以後，都沒有
   撰寫或刊刻有關《四書》的著作來看，《四書識小錄》的撰述年代，應該在「三十歲
   到四十七歲之間」，但是因為這樣的推論，並沒有得到《年譜》及有關學者研究的證
   實。

文整理出來，成〈四條眉批殘文〉，另編有〈《四書識小錄》引用書目〉[31]。《四書識小錄》的內容包括訓詁、釋義、史實考訂等多方面，作者能吸收先儒研究的成果，書中所引用歷代著作多達九十二種之多，使得他的立論有憑有據，為《四書學》的研究提供貢獻。

（四）《論語事實錄》

《論語事實錄》[32]是楊守敬有關經學研究的著作中，確知著成年代中最早成書、最早刊刻的一本。這本書是以「問答」的形式來撰寫的，總共設問了「二十一個」問題和答案。其內容包括《論語》的作者、內容、成書的時間，以及歷代《論語學》的研究學者和他們的論著內容的問題，都是楊守敬「設問」的問題，其解答是透過詳細的考證，細緻的探討等來進行的，其中「審慎的態度」和「不依傍陳說」兩者並行，因此，時有新意產生[33]。王純新有〈《論語事實錄》引用書目〉計考得先生引書共有九十五種之多[34]。王氏且稱「其（按指楊守敬先生）學術觀點和考證方法，在今天看來，也未必盡都十分科學；不過，早在一百多年前，作者敢於對一千多年來儒家學者研究《論語》的成果予以重新檢驗和估價，這種氣魄的確是非常難能可貴的。」[35]

（五）《小學記錄》

郄志群稱：「《鄰蘇老人年譜記載：『亦兼有《小學記錄》，今不存。』但

31　有關《論語識小錄》詳細的版本書目資料可看侯英賢〈《四書識小錄》前言〉一文，《楊守敬集》，冊1，頁95-96。

32　大陸中國科學院圖書館藏有《論語事實錄》，與《三亳考》合訂在一起的「木刻本」。前無序言，後無跋尾，也為載刊刻年代和刊刻出處等書籍資料。

33　此段敘述多有參考王純新：〈《論語事實錄》前言〉，收入《楊守敬集》，冊1，頁131-132。

34　見王純新：〈《論語事實錄》引用書目〉，收入《楊守敬集》，冊1，頁171-174。

35　見王純新：〈《論語事實錄》前言〉，收入《楊守敬集》，冊1，頁131。

據《和州楊氏三修家譜》記載：『《小學記錄》十二卷，尚待校讎。』，或許修《家譜》時，此稿尚存，今已不詳存佚。[36]

（六）《重訂《說文古本考》》

郗志群稱：未刊，稿本不詳存佚。《晦明軒稿》有楊氏序一篇，知是楊守敬利用從日本搜求的《一切經音義》、《續一切經音義》、《名類聚鈔》、《篆隸萬象名義》等和刻本漢籍，對沈濤《說文古本考》做出修訂而成[37]。

三　楊守敬對經學文獻的蒐集

（一）楊守敬出使東瀛四年的主要工作是訪蒐書與編刻書

以《年譜》為主軸，依《楊守敬集》的著作為輔，整理出楊守敬在出使東瀛四年的經學記事如下[38]：

清德宗光緒五年（己卯年，西元一八七九年，先生四十歲）

年底接到當時出使日本公使何如璋（字子峨）來信，招先生為赴日隨員，先生回信說於明年會試後才赴任。楊守敬從三十歲到四十年之間，主要從事四項工作為：一、經營家中開設的紙行，以維持生計。二、趕赴京都，參加兩次會試（在三十二歲、三十五歲），雖皆不中第，然老友相聚，互相切磋，更結交飽學之士，對於學問的增進大有助益。其中影響先生最大的是在清德宗光緒元年（乙亥年，西元一八七五年，先生三十六歲）的七月，認

36　郗志群：《楊守敬學術研究》，頁58。

37　郗志群：《楊守敬學術研究》，頁58。

38　此處論述多有迻錄自陳金木：〈楊守敬先生「經學研究」的學術編年－楊守敬先生之經學系列之一〉，收入於國立中央大學中國文學系主編：《第五屆近代中國學術研討會論文集》（桃園縣：國立中央大學中國文學系，1999年3月），頁374-377。

識了何如璋（字子峨）[39]，因為這段因緣，才有先生赴日本訪書的事情發生。三、教授生徒工作，以微薄薪水補貼生計。四、最重要的還是：讀書、編書、刻書、賣書、賣字等學術工作[40]。

清德宗光緒六年（庚辰年，西元一八八○年，先生四十一歲）

楊守敬於三月在參加會試，仍不遇識者，不中第。四月，攜眷由天津到上海再赴東京，因為何如璋和副使張斯桂為了爭調隨員，大有意見，因此，先生暫住在大使館。後來朝廷本來發佈許景澄（字竹篔）為駐日公使，但是因為父喪回籍。改由黎庶昌（字純齋）在隔年接任。

清德宗光緒七年（辛巳年，西元一八八一年，先生四十二歲）

楊守敬滯留日本，因盤費問題，向副使張斯桂請求充當隨員，張氏以禮待之，解決了經濟上的困難。後來黎氏赴日就職，因為張裕釗[41]（字廉卿）之請，留先生協助駐日公事，但因懷疑先生先向何如璋說項，以致何、黎見面時，何氏才會向他推薦先生。因此不以禮對待先生，先生於是堅決請辭，後來黎氏親自登門謝過，乃留。先生後來發現黎氏為無城府之人。且稱黎氏「見余所為《日本訪書緣起條例》，則大感動，遂有刻《古逸叢書》之志。」[42]

清德宗光緒八年（壬午年，西元一八八二年，先生四十三歲）

楊守敬追記其於去年到日本時，就「睹書店中書多所未見者，雖不能購，而心識之。幸所西漢、魏、六朝碑版亦多日本人未見，有古錢、古印為日本人所羨，以有易無，遂盈筐篋。」[43]，現在得知黎氏有刻書之議，乃更

---

39 何如璋（1838-1891）廣東大埔人，同治七年進士。光緒三年出任駐日本大使，六年，被召回國。

40 此時期的著作有：《望堂金石文字》、《歷代輿地沿革險要圖》、《楷法溯源》、《古今錢略》四種。

41 張裕釗先生（1823-1894）湖北武昌人，道光二十六年舉人，學治經史，擅長書法，著有《今古文尚書考證》等書。張裕釗和黎庶昌為兒女親家（張氏子沆娶黎氏織女為妻）。張氏和先生為故友，因此力薦先生予黎氏。

42 見《年譜》，頁17。

43 見《年譜》，頁18。

加留意物色之。又得森立之《經籍訪古志》抄本，乃按目索求，重金價購，
得其十之八九，且多有森立之所未載之醫書、小學類者數百種。先生一則校
書，二則與日本文人巖谷脩（字一六）、書法家日下部東作（號鳴鶴）、漢學
家岡千仞（字振衣）、雕版師木村嘉平等人來往密切。

清德宗光緒九年（癸未年，西元一八八三年，先生四十四歲）

　　楊守敬仍經理刻書事宜，一次到刻書店，店主出示十八塊刻板，要先生
辨何者為領袖所刻，先生識見精準，眾人稱服。黎氏對古書源流不甚了然，
然好於《古逸叢書》自作跋文，遭識者譏之，遂不自作跋文，亦不願先生作
跋文。故對於先生於《古逸叢書》所作的的剳記，皆輟而不刻[44]。

　　楊守敬東瀛日本學士柴邦驗處，訪得余仁仲萬卷堂所刻晉范寧集解、唐
陸德明音義的《春秋穀梁傳》（後稱「宋紹熙本」），因此「今以《唐石經》
證《經》、《傳》，以唐、送人說《春秋》三傳者佐之，以宋監本《注疏》本
證《集解》，以陸氏《釋文》佐之。」撰述〈余仁仲萬卷堂《穀梁傳》考
異〉一文，附於《古逸叢書》、《春秋穀梁傳》十二卷之後。楊守敬記錄撰寫
的時間為「光緒癸未年秋九月」，因於此年記之[45]。

清德宗光緒十年（甲申年，西元一八八四年，先生四十五歲）

　　《古逸叢書》刻成，督印百部，黎氏以此贈當時顯者，皆驚為精絕。然
先生因為刻書事情全由黎氏作主，以致慧琳《一切經音義》楊上善《太素
經》等書皆未刊刻，引以為憾！四月得家信，言母病促歸，五月，到上海，
又到蘇州，縱觀李梅生、顧子山兩家藏書後而歸。擔任黃州府的教授職務。

　　綜觀先生四十一歲到東瀛，四十五歲回國，共計在日本四年有餘。運用
購買、交換、贈送、借鈔等方法，加上先生求書之堅毅精神，總共搜求到的
善本書籍當在數萬卷以上[46]。

44 先生稱「故《叢書》、如《玉燭寶典》、正平本《論語》、《史略》諸書均有剳記，皆輟
　 不刻，至今尚存守敬篋中。」見《鄰蘇老人年譜》，頁18。
45 見《續群書拾補・余仁仲萬卷堂《穀梁傳》考異》，收入《楊守敬集》，冊7，頁
　 1367。
46 參見趙飛鵬：《觀海堂藏書研究》，頁63-70

值得留意的是楊守敬光緒六年（1880）四月，楊守敬在清朝駐日公使何如璋的邀請下，攜眷渡海至日本充當隨員。初到之時，由於何如璋與副使張斯桂的矛盾，他的隨員名分一直未定，半年多後才以「英語通譯」的身份受事。而實際上楊守敬根本不懂英語，不可能從事外交的工作，實際上他所擔任的是「遊幕職業學者」[47]的工作。黎庶昌在清穆宗同治二年（1863）至五年（1866），擔任過曾國藩的幕府[48]。楊守敬則於清德宗光緒二十五年（1899）到二十七年（1901）擔任過張之洞的幕府，清宣統元年（1909）擔任端方的幕府[49]。而學人游幕擔任的主要工作為「經籍的編校」、「史著的編纂」、「官書局校刻典籍的活動」等三項「大型學術工程」[50]。楊守敬在出使日本的職務雖然是「英語通譯」，但他所實際從事的工作卻是奉黎庶昌之命，在日本訪搜書與編刻書的工作。此舉對晚清學術文化的發展貢獻良多，對傳統學術文化的繼承和發展也產生了深遠影響。

（二）從《古逸叢書》[51]看楊守敬對經學文獻編刻的用心

楊守敬承黎庶昌之命，自清德宗光緒八年（壬午年，1882）開始編刻《古逸叢書》，到光緒十年（1884）完成。以其多古本逸編，所以命名為《古逸叢書》，收書二十六種，計《敘目》一卷、全書二百卷。此皆為楊守

---

47 所謂「遊幕職業學者」是指「那些專門從事學術活動的遊幕者」詳見尚小明：〈論清代遊幕學人的撰著活動及其影響〉，《北京大學學報》（哲學社會科學版）1995年5期，頁50。

48 尚小明：《學人遊幕與清代學術》（北京市：社會科學文獻出版社，1999年10月），頁304。

49 尚小明：《學人遊幕與清代學術》，頁310、314。

50 尚小明：《學人遊幕與清代學術》，頁233-250。

51 《楊守敬集》未收《古逸叢書》，編輯者認為「《古逸叢書》兩百卷，係楊守敬在日本時協助黎庶昌搜集流散海外之我國各種古籍匯刻而成，因此書非楊氏本人著作，且卷帙浩繁，故不準備列入集中，只將楊氏題跋、考異、後記等有關文字錄出收入《楊惺吾題跋集》中」，但是遍查《楊守敬集》僅收有《鄰蘇老人手書題跋》為楊先梅所輯，但卻無《楊惺吾題跋集》。

敬日本訪書所得。書前有黎氏自序和敘目，簡要考釋了所收各書的版本源流。
楊守敬撰寫跋語者有九種，詳細敘述了各書的有關情況，同時還選錄了森立
之《經籍訪古志》及陳振孫《直齋書錄解題》等書中的有關條目，對我們瞭
解和使用《古逸叢書》大有助益。其中有關經學文獻有：覆元至正本《易程
傳》六卷及《繫辭精義》二卷[52]、影宋蜀大字本《尚書釋音》一卷、影宋紹
光本《穀梁傳》十二卷、覆舊鈔卷子本《唐開元御注孝經》一卷、覆正平
（按正平甲辰當元順帝至正二十四年）本《論語集解》十卷[53]、影宋蜀大字
本《爾雅》三卷[54]等六種。其中《尚書釋音》為當時武昌張廉卿所收藏[55]，

---

52 覆元至正本《易程傳》6卷《繫辭精義》二卷乃積德書堂刊本。《易程傳》雖係元代坊
　 刻本，然宋諱如貞、恆、桓、慎、敦等字多缺筆，則可知為元翻宋本。程傳原本現已
　 不得見，而《易程傳》中將所有異同附於各行字句之下，當為呂祖謙參定之本，其價
　 值尤為突出。《系辭精義》，據《中興館閣書目》考證，當為托呂祖謙之名者所為；此
　 書中所載諸家之說紊亂失當，楊守敬亦斷為偽託之書，但筆者認為此書雖偽，仍可資
　 參考。詳見陳東輝：〈《古逸叢書》考略〉，《史學史研究》1997年1期，頁63。
53 覆正平本《論語集解》十卷乃日本刊刻的中國典籍，其書卷末云：「浦道祐居士重新
　 命工鏤梓，正平甲辰五月吉日謹志。」正平甲辰相當於我國元順帝至正二十四年
　 （1364），既雲重新鏤梓，說明此前已有刻本，但具體時代已無從考證。楊守敬認為
　 此書格式字體源於古卷軸，與宋本絕不相涉。其文字較之《群書治要》、唐石經也頗
　 有異同，而間或與漢石經和《史記》、《漢書》、《說文解字》等書所引文字相合，與陸
　 德明《經典釋文》中的有關文字則相合甚多。據此，日本學者普遍認為此書的版本淵
　 源應上溯到六朝時期，而並非唐初諸儒定本。覆正平本《論語集解》10卷在版本學和
　 校勘學上的重要價值是顯而易見的。詳見陳東輝：〈《古逸叢書》考略〉，《史學史研
　 究》1997年1期，頁63。
54 列為《古逸叢書》之首部的是影宋蜀大字本《爾雅》三卷。本書係晉郭璞注，首載郭
　 序，每卷題《爾雅》卷幾、郭璞注，次行列篇目。全書文字豐肥，楷法端勁。敬、
　 驚、弘、殷、匡、胤、玄、朗、恆、遘、真、征等字闕筆。間有南宋孝宗時補刊，
　 桓、遘、慎三字闕筆。此書末有「經凡一萬八百九言注凡一萬七千六百二十八言」兩
　 行及「將仕郎守國子四門博士臣李鶚書」一行。楊守敬認為此版系眾版之祖，黎庶昌
　 指出此版為蜀本真面目，最為可貴。影宋蜀大字本《爾雅》三卷是現存《爾雅》單注
　 本中一個較早的本子，具有頗高的校勘價值。詳見陳東輝：〈《古逸叢書》考略〉，《史
　 學史研究》1997年1期，頁62。
55 影宋蜀大字本《尚書釋音》十一卷，並非搜訪於日本，而是黎庶昌的女婿張沇從武昌
　 張廉卿處獲得，因黎庶昌之堅持而輯入《古逸叢書》，楊守敬對此則持有異議。

其餘均為國內亡佚而復見於日本的善本漢籍[56]。

　　其實,楊守敬嗜古成癖,舉凡書籍、碑版、錢印、磚瓦之屬,莫不多方搜求,每次入北京參加會試時,都會到琉璃廠古物店大肆購買古書碑貼。因此開展視野,增強古文物鑑賞的能力。清德宗光緒二年(1876),楊守敬迫於生計,在家鄉宜都開了一間「紙行」。不但販賣紙張,而且鳩工刻版自己撰寫的《楷法溯源》,並攜至武昌刷印賣書,並曾替倪模刻印《古今錢略》一書,可見所開紙行應是經營紙張與刻書兼備的,先前的對紙張及雕版刊刻的經理,使楊守敬積累了版本學知識與對板片優劣的鑒別能力[57]。

　　楊守敬在編刻《古逸叢書》時,選擇對刻工要求極嚴,每鐫一書,必先挑出版刻技藝最佳者作為准繩,要求其餘工人依其筆法精心剞劂。初印皆用日本東京初錢美濃紙本,色澤潔白,印刷時含墨極佳,黎氏以之贈送當時顯貴,皆驚為精絕。傳至蘇州,潘祖蔭、李鴻裔等見到後,驚嘆不已。[58]

---

56 漢籍東傳日本,歷史是非常久遠的。早在隋唐時期,日本的遣唐使、留學生和留學僧等就從中國帶回大量典籍。《日本國見在目錄》(編纂於日本寬平年間(889-898)著錄書籍一千五百七十九部,共一萬六千七百九十卷之多,大致反映出這一時期中國典籍在日本的流傳概況。直至近代,漢籍東傳始終是中日文化交往的主流。大規模的日藏漢籍回輸中土,是在清末民初之際,其中楊守敬訪書無疑是最有名的一次。中華典籍曾經源源不斷地傳進東鄰日本。隨著歲月的推移、人事的變遷,部分東傳漢籍已在中土散失,卻被保存於日本。嗣後,尤其是在近現代,這些「佚書」逐漸為東渡扶桑的中國學人驚喜地發現,視為至寶,便以摹刻、抄錄方式,將其傳返故土,這也就是日本人所謂的「逆輸出」。

57 有一段楊守敬在日本的佚事至今還廣為流傳:當年在刻《古逸叢書》板片時,日本刻工對自己要求極嚴,他們往往先選出一位技藝最好的人刻出樣板,其他人則照此摹仿刻之,幾可亂真後,才使其動工。盡管如此,畢竟仍有高下之分。而楊守敬的眼力也著實屬害,他可以直接拿起工人所刻,不用印刷樣本,即以白板分出好壞。有一天,楊守敬來到刻書店,看見十八位刻工齊刷刷的坐成一排。店主人對他說:「我國工人皆苦先生眼力之精,不能一毫假借。今此十八人中有一領袖,先生試以十板閱之,誰為領袖所刻?如不誤,則真我國所未有矣。」楊守敬尋繹再四,拈一板說:「此當是領袖所刻。」一時間,眾人起立,掌聲如雷。第二天,日本《朝日新聞》刊出《楊守敬——中國之奇異人才》的報導。詳見《年譜》,頁18,此事繫在清德宗光緒十年(甲申年,1884),先生時年四十五歲。

58 此由楊守敬督印的《古逸叢書》稱為「黎氏日本東京使署影刊本」。黎庶昌任滿歸國

　　總之《古逸叢書》之所以命名為「古逸」，即表示它蒐集本土久已失傳
的佚書，也有多種日本收藏而國內罕見的隋唐寫本與宋元刻本，還有日本剞
劂的中國典冊和東瀛漢籍。《古逸叢書》從刊刻的起因，古籍的搜集、選
擇，版本的鑒別與校勘，叢書的刊刻與跋文的撰寫，整個過程中，楊守敬不
僅親歷其事，而且一手操辦，出力尤多，充分展現其在版本學、校勘學、辨
偽學、輯佚學的學術涵養。對於研究古代中日漢籍交流史以及中國典籍在日
本的流傳與影響，也有重要意義。

（三）從《日本訪書志》、《留真譜》看楊守敬對經學文獻的考校辨輯

1　《日本訪書志》

　　楊守敬在日本訪書時，於〈日本訪書志緣起〉中定有原則：「茲凡《四
庫》未著錄者，宋元以上並載序跋，明本則擇有考證者載之。行款匡廓亦詳
於宋元而略於明本。」針對明本，楊守敬特別補充道：「《訪古志》所錄明
刊本，彼以為罕見，而實我國通行者，……今並不載。亦有彼國習見而中土
今罕遇者，又有彼國翻刻舊本，而未西渡者，茲一一錄入。」[59]

　　依此原則，楊守敬將訪得之書，鈐上「惺吾海外訪得秘笈」的朱文大方
印之後，隨即撰寫題解，考訂版本源流，轉錄名人題跋，並詳載日本收藏遞
嬗情形。在清德宗清光緒二十三年（1897）刊刻成《日本訪書志》（十六
卷），這是楊守敬在日本搜求到的善本目錄提要，以四部分類，佛道附後，

時，將這部叢書的全部板片帶回，交與江蘇官書局，受到國人重視，然其摹印遠不如
前。由於屢經刷印，字多剝蝕，故至一九二一年，曹允源用初印本照相補刻，補版的
計有《荀子》、《莊子注疏》、《尚書釋音》、《玉篇》、《草堂詩箋》等六種，共補一○四
頁。曹氏還撰寫了《重修古逸叢書序》，記述了補刻經過，同時極力稱頌黎氏輯刻逸
書的重大貢獻。現在流傳較廣的即為曹氏重補本。經曹氏補版的《古逸叢書》的板
片，今天仍存放於揚州的江蘇廣陵古籍刻印社。詳見陳東輝：〈《古逸叢書》考略〉，
《史學史研究》1997年1期，頁62。

59　見《楊守敬集》，冊8，頁27。

著錄書籍二百三十五種。其中宋刻本三十六種,翻宋、影宋、仿宋本八種,日本覆宋本五種,元刻本二十八種,明刻本五十四種,日本刊本二十三種,朝鮮刊本及活字本十六種,舊抄本、古鈔本和影鈔古寫本或古刊本四十一種,卷子本或影鈔卷子本十四種,其他版本十種[60]。這是我國第一部域外漢籍目錄,絕大部分是我國久佚之書或久佚的版本,其中古抄卷子、宋元版書占多數。

王重民在任職故宮博物院時,從院藏觀海堂藏書中輯出楊守敬親筆題跋四十六種,其中宋刻本三種,影宋本一種,日本覆宋本一種,元刻本五種,明刻本十三種,日本刊本一種,日人校本一種,日本舊抄本、古鈔本、古寫本和影鈔古寫本、本舊抄本、古鈔本、古寫本和影鈔古寫本、卷子本或影鈔卷子本十四種,其他版本七種,依《訪書志》體例,彙編成《日本訪書志補》。

趙飛鵬先生在撰寫《觀海堂藏書研究》(漢美圖書有限公司,1991年7月)時,曾訪查國立故宮博物院所藏楊守敬先生「觀海堂藏書」,裒集得楊守敬先生的考證題跋十四則,補輯得《日本訪書志續補》;另外《日本訪書志錄異二則》、《日本訪書志補校記二則》這兩種為趙氏認為王重民補輯的《日本訪書志補》一書並未全據楊氏原文迻錄,因此以楊氏守稽核檢之而得[61]。

劉昌潤在為《日本訪書志》做「校注」時,又從重慶圖書館所藏及諸家藏書目錄中輯楊氏逸跋二十三篇,輯成《日本訪書志續補》。[62]

《日本訪書志》從形式到內容,對各書的版本從標題、字體、行款、墨色、篇卷分合,乃至語言風格等等,都有精當的考證,旁徵博引,糾正前人的錯訛很多。

---

60 另據初昌雄統計,《日本訪書志》計收抄本五十四種,宋本三十五種,元本三十種,明本五十三種,日本刊本二十九種,朝鮮刻本十六種,其他十二種。詳見初昌雄:〈論楊守敬在版本目錄學上的成就〉,《圖書館》1996年5期,頁67。

61 此三書分見趙飛鵬:《觀海堂藏書研究》,頁189-200。

62 《楊守敬集》冊8有《日本訪書志》、《日本訪書志補》(王重民輯)、《日本訪書志續補》(劉昌潤輯)。

　　總之，楊守敬在《日本訪書志》中展現其對經學文獻的考校辨輯的特點
有三：

　　其一，廣搜日韓刻本與古抄本：《日本訪書志》著錄書籍二百三十五
種，其中和刻本八十種。由王重民輯錄的《日本訪書志補》著錄書籍四十六
種，其中和刻本十八種。由劉昌潤輯錄的《日本訪書志續補》著錄書籍十九
種，其中和刻本一種。《日本訪書志》也收錄了大量的抄本，幾近四分之
一，並且其中多為古抄卷子本。這些抄本不僅保存了六朝、隋唐的原貌風
格，而且多為中國久佚之本。許多古籍賴楊氏之力復見於中土，楊氏保存古
籍之功殊不可沒。

　　其二，精於對版本的考證與版刻的鑒別：在《日本訪書志》中，楊守敬
綜合運用了各種方法從形式到內容對各書版本進行考證。楊守敬在考證版本
時，常會盡可能地舉出其所知所見的各種版本，在圖書的收錄上，對同一種
書也收錄各種版本。

　　其三，重視對版本的校勘並以之作為考證版本的一種手段。楊氏每得一
書即廣羅眾本，詳加校勘，以校勘作為考證版本的一種手段。在《日本訪書
志》中，幾近一半的提要就是對版本進行校勘的，並且對其中的許多圖書撰
有更為詳盡的校勘記。楊氏校勘必廣羅眾本，擇善而從。有的圖書用了二十
多種版本進行校勘。在校勘時存疑存真、不妄改。[63]

　　劉昌潤在校注《日本訪書志》時，亦稱其有五項傳世價值：一、繼承發
揚我國錄略學傳統，綜合變通，頗有新意。二、搜訪闕佚，史部傳秘笈得以
重新流傳我國。三、兼錄日、朝兩國漢文撰著，說明國語國間文化交融影響
之深廣。四、記述日本藏書源流及藏家軼事，可以略窺域外書林梗概。五、
訪書志在流傳，冀孤傳種子化作百千萬身，裨益後人[64]。

---

63 以上三點看法，多有參考初昌雄：〈論楊守敬在版本目錄學上的成就〉，《圖書館》
　　1996年5期，頁67-69。
64 劉昌潤：〈日本訪書志・前言〉，收入《楊守敬集》，冊8，頁20-23。

2 《留真譜初編》

善本書影是從一些比較珍貴的版本中選取能代表版本特徵的書頁摹其式而仿刊之，按一定的方式編成目錄。它是版本鑒定的一種工具，也是進行版本目錄學研究不可缺少的資料，善本書影作為一種目錄形式，始於日本。

楊守敬仿日人森立之的方法，將所訪得或借得的日藏珍本漢籍[65]。以摹刻書影的方式，或摹其序，或摹其尾，刊刻成書，稱《留真譜》，有《初編》、《二編》兩種，共摹刻書影七百多種。楊守敬稱：「上起六朝，下逮朱明，旁及外邦，舉凡古抄舊刻，銅木活字，世間稀見之本，咸入網羅，或影首篇，或采序跋，或校刻其公牘銜名，或勒其官私幡鼎牌式，多則數頁，少乃數行，咸者其有關考訂者。」

總之《留真譜》的刊印，對於學術界而言，雖然存在著有三項的缺失：一、收書不夠精當，「取類過博，偶涉濫收。」，有以明翻宋本為真宋本者。二、品質低劣，因其為販鬻射利計，惜費省工，摹刻刷印品質不高且「字緣四周，而匡中空白」只有少數整版摹刻。三、體例不夠完善，前無目錄，又不注版刻，檢閱不便。但是相對的，楊守敬將其在日本廣收的善本珍稀古籍，以摹刻書影的方式，提供研究者在研究歷代版刻或進行版本鑒別時，有較為真實的面目，相對具體的形象，可資參考的依據。達到楊守敬所稱的：「著錄之家於舊刻書多標明行格，以為證驗，然古刻不常見，見之者或不及雜考，仍不能了然無疑，俾覽者一展卷而行款格式、版刻風氣粲然呈露，既省記錄之繁，兼獲比較之益。」也因此獲得學界很大反響。如繆荃孫《宋元書影》、瞿啟甲《鐵琴銅劍樓書影》、劉承翰《嘉業堂善本書影》等，皆踵此而繼之。更以攝影取代摹刻，開拓了版本目錄學的新天地。

---

65 此日藏珍本漢籍除宋元舊抄外，亦有明版、朝鮮刊本、日本古版。

（四）從《清客筆談》、《雪柯日記》看楊守敬對經學文獻的訪蒐購藏

　　楊守敬應清庭駐日本大使何如璋之邀，赴日任使館擔任參贊，到了東京，大使人事更替，何如璋它調，許景澄丁憂離職，由黎庶昌接替。楊守敬有半年的時間是「賦閒」的，期間得到當時駐日使館參贊的著名學者黃遵憲的指點，獲悉日本有許多唐鈔宋刻等中土珍本。於是展開「東瀛訪書之旅」，天天遊逛於東京的書肆之間，購得日本學者澁江全善、森立之的《經籍訪古志》抄本[66]，開始結交日本藏書家，從尋找更稀見的古籍。楊守敬先結交了森立之[67]。成為好友。楊守敬登門拜訪。雙方由於語言不通，只好以筆代言，從而留下了一部珍貴的筆談紀錄——《清客筆話》，其中心話題是圍繞著古書的搜求、交易、抄錄、校勘和刻印而進行的各種討論，從中可以窺見楊守敬調查日藏漢籍收藏情況的途徑、購求借抄古本的方法、校刻《古逸叢書》的具體過程以及楊守敬和森立之對於古籍校勘、鑑定的學術見解、對中日兩國前輩考據學者的評價。它同時也不僅限於對古本舊鈔的源流、價值高下的討論，也對日本明治維新以後日本漢方醫生的處境有所反映。

　　即以楊守敬於日本明治十四年一月二十一日，楊守敬第一次拜訪森立之的筆談記載[68]而言，這次會面，除一二句客套話外，雙方始終在談書，其中討論到《玉篇》、《廣韻》、《太平御覽》、《左傳》、《三國志》、《國語》、《論

---

66 楊守敬即以《經籍訪古志》為線索，按目求書。在搜訪中，凡能購到之書，楊氏總是不惜重值，遇有不能以金幣購得者，則常常用從中國攜去的漢魏六朝金石碑版及古錢、古印等與日人交換。由於楊氏的刻意搜求，所獲頗豐，未及一年，購得古籍即達三萬餘卷之多，其中有為森立之原書所不載者數百種。

67 森氏字立夫，號枳園，是日本江戶後期至明治初期著名的考據學家、漢方醫生和藏書家。森氏家族九世為醫，精通本草之學而富有藏書。明治維新以後，摒棄漢學之風同樣衝擊著漢方醫界，森立之難以行醫，不得已沽書為生。楊守敬曾以重價購得日本學者澁江全善、森立之的《經籍訪古志》抄本，不久又與森立之相識，成為好友。

68 見陳捷整理：《清客筆談》，《楊守敬集》，冊13，頁519-521。

語》、《說文斠銓》等八本書籍。以版本而言有：舊版、宋本、翻宋本、嘉靖版、北宋版、翻刊北宋版、嘉靖中翻刊宋版附音本、活字版、喜多村刻本等九種版本。還談到了諸如板式、紙質、訓點、附音等。可見，楊守敬拜訪森立之的目的很明確，就是搜求、購買善本古書。

　　楊守敬甚至在筆談中懇切的自我表白道：「弟好書成癖，頗以公諸世為藏書。此《穀梁傳》本向山珍秘物。彼聞我欲刻之，便欣然相讓，蓋刻之非徒弟附以不朽，即向山亦不朽也。先生藏古書宜刻者甚多，弟望以向山為懷。且先生老矣，此書若刻，先生名亦不朽。且弟非為利也。如《穀梁傳》，刻之明知無還本之日，[69]蓋好之少也。」[70]，細細思忖這段文字，可以知道訪書藏書刻書可以稱得上是楊守敬一生的志業，以將古籍刊刻公諸於世為不朽事業，而無「還本」的考量[71]。

　　楊守敬與森立之又有一段筆談對話：「『森：君以吾所愛書懇求，其心志卓然，竊迎其德。然吾亦同好事，故不許出門。各不得已之至，遂如此爾。』『楊：公不讓我，他日我不能豪奪，我將巧偷，公其善防之。』」[72]這段對話在幽默中，透露出楊守敬一鼓志在必得的決心[73]，也顯現出森立之與楊守敬同是愛書藏書人，對於典藏的書籍，有著濃烈保護的心情。

　　除了森立之外，楊守敬也認識了日本的藏書家松田雪柯、岩谷一六、日

69　陳捷整理：《清客筆談》，《楊守敬集》，冊13，頁519-521。

70　陳捷整理：《清客筆談》，《楊守敬集》，冊13，頁530。

71　據北京大學留日博士陳傑女士在日調查瞭解到，楊守敬當年在日本找森立之購書時，因沒有錢了，但又怕森立之夜長夢多而變卦，只好當面訂下君子協定，幾天之內一手交錢一手交貨。楊守敬便向廣東東莞的親家黃燮雲借得一筆巨資，方才將書買到手。

72　陳捷整理：《清客筆談》，《楊守敬集》，冊13，頁535。

73　楊守敬在日本的訪書，儘管時機恰好，但也並非一帆風順，正如他自己所說是「苦心搜羅」，其中的酸甜苦辣在他後來出版的著作《日本訪書志》中多有記載。如他藏書中的南宋刊本《尚書注疏》二十卷，在國內早已失傳。楊守敬到日本後，多方搜訪，始知此書藏於大阪某人家，於是托人去買，往返多次，因對方索價過高而未成。此事楊守敬一直縈繞於懷，待他回國之時，道出神戶，遂親自去大阪物色之，但那人仍居奇不肯出售。楊守敬想，此書是海內孤本，交臂失之，必成遺憾，於是乃傾囊購之。」

下部鳴鶴，也分別留下筆談的紀錄，[74]松田雪柯所撰寫的《雪柯日記》也多
有彼此交往的言行記錄[75]，也可得證楊守敬以經濟靈活的頭腦、豐富的文獻
學涵養、深厚的書法專業知識、堅定的意志力與日本藏書家、書法家來往，
展開其長達四年訪書購書的文獻蒐集工作，為古籍西歸做出重大貢獻，並使
中日兩國學者重新認識到在日的中國古籍的重要性。

（五）從「觀海堂藏書」看楊守敬對經學文獻的典藏

楊守敬藏書數量多，質量精。自稱藏書籍四十萬卷，宋元精本五千卷，
且多海內孤本及四庫未收之書。且築「飛清閣」、「鄰蘇園」、「觀海堂」以藏
之。郗志群、陳建堂統計其中「和刻本」漢籍有八百五十種，其中經部二百
一十七種，史部一百十八種，子部三百八十二種，集部一百二十九種，叢書四
種。此為觀海堂藏書的最大特色。楊守敬大量的蒐集和刻本，並且藉由《日
本訪書志》與《留真譜》初、二編，說明和刻本的情況、源流和價值。

楊守敬是近代大藏書家。他的藏書數量多，質量精。《和州楊氏三修家
譜》卷七載：「（楊守敬）所藏書籍四十萬卷，內有宋元精本五千卷，並有海
內孤本及四庫未收之書甚多。」這些藏書得來不易，《年譜》稱：「世之藏書
者，大抵席豐厚履，以不甚愛惜之錢財，或值故家零落，以賤值捆載而人：
守敬則少壯入都，日遊市上，節衣省食而得；其在日本，則以所攜古碑、古
錢、古印屬交易之，無一不獲者。回國後，復以賣字增其缺，故有一冊竭數
日之力始能入廚者。」[76]藏書中三萬卷得之於東瀛訪書所訪購得者，楊守敬
自述：「余初到日本，遊於市上，睹書店中多所未見者。雖不能購，而心識

---

74 詳見穆毅：〈楊守敬與岩谷一六的筆談〉，收入於陳上岷主編：《楊守敬研究學術論文
　　選集》（武漢市：崇文書局，2003年3月），頁279-295。

75 詳見杉村邦彥：〈從《雪柯日記》中出現的有關記述看楊守敬與松田雪柯、岩谷一
　　六、日下部鳴鶴之間的交流〉，收入於陳上岷主編：《楊守敬研究學術論文選集》（武
　　漢市：崇文書局，2003年3月），頁237-275。

76 見《年譜》，頁27。此事繫在清宣統三年（辛亥年，1911，先生七十二歲）。

之，幸所攜漢魏六朝碑版，亦多日本人未見，又古錢古印，為日本人所羨。
以有易無，遂盈筐筐。……其能購者，不惜重值，遂已十得八九……」[77]。

　　清德宗光緒十年（1884）楊守敬將日本訪書所獲書籍，悉數舶載而歸，
先後在宜昌築「飛清閣」、黃州築「鄰蘇園」、武昌築「觀海堂」來典藏這些
圖書。辛亥起義時因為日本友人寺西秀武與軍政府鄂軍大都督黎元洪的保護
之下，得以保全[78]。

　　楊守敬經歷此事之後，深深感嘆：「典籍散失，則非獨吾之不幸，亦天
下後世之不幸也。」[79]家屬在其卒後，將《觀海堂》藏書賣給國民政府[80]。
分別典藏在故宮博物院與松坡圖書館。其中珍本多被劃歸故宮博物院，藏於
政事堂。民國十五年，又將集靈囿書撥歸故宮博物院圖書館保存，收藏於大
高殿；民國十八年冬，又移於壽安宮中專室庋藏，供眾公開閱覽。抗日戰爭
爆發前，故宮文物南遷，觀海堂藏書也在其中，後被運到臺灣，現藏於臺北
故宮博物院[81]。松坡圖書館的藏書，現在歸屬於北京圖書館。

　　由於楊守敬本人或其後人並沒有編成觀海堂藏書的總目錄，以及楊守敬
的藏書在其生前及身後頗多散佚，因此，也很難從記載楊守敬藏書情況的十
三種書目[82]去尋索。趙飛鵬曾在臺北故宮博物院圖書館進行調查，稱：「承

77 見《年譜》，頁17。此事繫在清德宗光緒九年（癸未年，1883，先生四十四歲）。其所
　撰《日本訪書志緣起》中說：「余之初來也，書肆于舊板尚不甚珍重，及餘購求不
　已，其國之好事者，遂亦往往出重值而爭之。於是舊本日稀，書估得一嘉靖本，亦視
　為秘笈，而餘力竭矣。然以一人好尚之篤，使彼國已棄之肉，復登于俎，自今以往，
　諒不至拉雜而摧燒之矣，則彼之視為奇貨，固余所厚望也。」
78 詳見《年譜》，頁26。此事繫在中華民國元年（1912，先生七十三歲）。
79 見《年譜》頁27。此事繫在清宣統三年（辛亥年，1911，先生七十二歲）。
80 楊氏藏書在其卒後，他的家屬於一九一九年欲將《觀海堂》藏書售出，當時任教育總
　長的傅增湘積極動員當局撥款將這些珍寶購為國有。於是楊氏全部藏書以七萬餘金賣
　給了賣給北洋軍閥政府。
81 故宮文物南遷的過程詳見向斯：《書香故宮：中國宮廷甚本》（臺北市：實學社出版公
　司，2004年2月），頁115-124。
82 此時三種觀海堂藏書目分別為：
　《鄰蘇園藏書目錄》不分卷，稿本，十冊湖北省博物館。

庫房的趙先生以底冊所記載者相告,總數為:一五四九一冊」,並根據民國
二十一年的「故宮所藏觀海堂書目」的記載,以「經部」而言,得宋刊二
部、翻宋刊三部、元刊十八部、明刊五十八部、清刊二百二十六部、日本刊
五十三部、日本鈔八十九部、舊鈔本三部,朝鮮刊三部,合計四百五十五
部。[83]

　　現僅以收入於《楊守敬集》的《影寫隸古定尚書商書殘卷》與《古寫古
文尚書影照本》略加說明:

　　《影寫隸古定尚書商書殘卷》:楊守敬先生於清德宗光緒六年至十年
(1880-1884)在日本蒐羅圖書,收穫頗豐盛,羅振玉得知先生有《隸古定尚
書商書殘卷》,因此修書請求先生予以「影寫」,先生欣然同意,「不逾月而
至」,羅氏於是將它印入《雲窗叢刻》第一冊中,並在民國三年寫了一篇介
紹《影寫隸古定尚書商書殘卷》的文字[84]。原卷本為楊氏所得的珍本佚書,

《鄰蘇園藏書目》不分卷,稿本,一冊,大陸國家圖書館善本部。
《鄰蘇園書目》不分卷,殘稿本,一冊北京大學圖書館。
《觀海堂書目》不分卷,稿本,一冊,大陸國家圖書館普通古籍部。
《觀海堂書目》不分卷,稿本,六冊,大陸國家圖書館善本部。
《觀海堂書目》不分卷,鈔本,六冊,大陸國家圖書館普通古籍部。
《觀海堂書目》不分卷,(另一種),鈔本,六冊,大陸國家圖書館普通古籍部。
《觀海堂書目》不分卷,鈔本,六冊,北京師範大學圖書館。
《觀海堂書目》不分卷,鈔本,六冊,北京大學圖書館。
《楊惺吾藏書清冊》不分,卷鈔本,一冊,北京大學圖書館。
《大高殿所藏觀海堂書目》不分卷,故宮博物院圖書館編,民國十五年(1926年)油
印本,一冊。
《故宮所藏觀海堂書目》四卷,何澄一編,民國二十一年(1932年)九月故宮博物院
圖書館鉛印本,一冊。
《北平故宮博物院圖書館南邊書籍清冊‧觀海堂藏書》不分卷,民國二十二年七月故
宮博物院圖書館鉛印本,一冊。
詳見郗志群、陳建堂:〈楊守敬藏書中的和刻本漢籍及其價值〉,《首都師範大學學報》
(社會科學版)2003年2期,頁25。

83 詳見趙飛鵬:《觀海堂藏書研究》,頁77-78。其餘史部有五六○部、子部有一三七二
　部、集部有五三七部,合計三九二四部。

84 見劉先枚整理:《影寫隸古定尚書商書殘卷》,《楊守敬集》,冊13,頁451。

但其子孫將其流出，歸於武漢文物店，後來由上海圖書館購存，但是原卷已有殘缺了[85]。

《古寫古文尚書影照本》：民國三十五年，劉先枚先生在武昌橫街頭舊書店購得《古寫古文尚書影照本》，此為精製木盒盛裝，蓋上貼箋題曰：「古寫古文尚書影照本」，為楊守敬先生手書。先生《留真譜初編》曾經著錄[86]。此為楊家之物，流落在舊書肆者，後為劉先枚先生收藏[87]。此卷原是卷子本，先生將它分段攝印，卷高二十八公分，長約六公尺。背面用棉料紙裝裱。此卷收《古文尚書》中〈洪範〉、〈崴敖〉、〈金縢〉、〈大誥〉、〈微子之命〉等五篇，除了〈崴敖〉之外，其餘皆為殘卷。這是楊守敬先生在清德宗光緒六年到十年間（1880-1884）這五年當中，到日本訪書所蒐集而得的。劉先枚先生推定這個卷子的寫成時間是：「當在開元十四年（1726）以前，永徽元年（650）以後。」劉氏並認為此卷的學術價值很高，認為「無論對經文、傳文以及古文字的研究，都可稱為『稀世珍寶』」[88]。《楊守敬集》並附有〈《古寫古文尚書影照本》原誤字彙編〉、〈《古寫古文尚書影照本》經文互勘〉、〈《古寫古文尚書影照本》傳文互勘〉、〈《古寫古文尚書影照本》古字彙編〉[89]。

劉起釪也從《日本訪書志》列出楊守敬在日本所搜得《古文尚書》六種：「室町寫本《古文尚書》十三卷　五冊」「室町末近世初寫本《尚書》十三卷　三冊」「秀圓題記殘本《古文尚書》存卷一、二、七至十三　四冊」「元亨寫本殘本《古文尚書》存卷五」「殘存本《尚書》存卷一」「影古抄卷子本《尚書》存卷十一」，前三種今藏於故宮博物院圖書館，第四種即本節

---

85 詳見劉先枚：〈《影寫隸古定尚書商書殘卷》後〉，《楊守敬集》，冊13，頁509。

86 見《留真譜初編》（在廣文書局「書目五編」中，民國六十一年）

87 參考劉先枚：〈《古寫古文尚書影照本》讀後〉《楊守敬集》，冊1，頁655-661。

88 見劉先枚：〈《古寫古文尚書影照本》讀後〉，頁658。

89 《楊守敬集》的編者對於這四種《古寫古文尚書影照本》的副產品，並沒有說明其「作者」是誰？劉先枚先生在〈《古寫古文尚書影照本》讀後〉也沒有說明，筆者推測，如果是劉氏所作，當會在文章中說明。可是，如果是楊守敬先生所作，他為何也沒有說明清楚，「待查」。

所述《影寫隸古定尚書商書殘卷》，第五、六兩種則稱「以上兩本原亦楊氏故藏轉藏北京故宮博物院圖書館，今不詳藏於何處。」[90]。

　　郗志群、陳建堂統計其中「和刻本」[91]漢籍有八百五十種，其中經部二百十七種，史部一百十八種，子部三百八十二種，集部一百二十九種，叢書四種。[92]《日本訪書志》著錄書籍二百三十五種，其中和刻本八十種。由王重民輯錄的《日本訪書志補》著錄書籍四十六種，其中和刻本十八種。由劉昌潤輯錄的《日本訪書志續補》著錄書籍十九種，其中和刻本一種。《留真譜》初、二編共摹刻書影七百二十餘種，其中和刻本占相當比例。初編《經部》書影共九十二種，其中可確定的和刻本就有二十種，占百分之二十二[93]。《古逸叢書》是楊守敬在日本主持編刻的一部善本叢書，共摹刻二十六種古籍，其中和刻本十二種，占總數的百分之四十六。這些和刻本幾乎都是極為珍罕之版本，此為觀海堂藏書的最大特色。楊守敬大量的蒐集和刻本，並且藉由《日本訪書志》與《留真譜》初、二編，說明和刻本的情況、源流和價值。通觀晚清以來的學者中，能以個人之力大量購回和刻本漢籍並且詳加著錄、考證、影摹者，當以楊守敬為翹楚。[94]

---

90 劉起釪：《日本的尚書學與其文獻》（北京市：商務印書館，1997年6月），頁108-110。

91 郗志群、陳建堂稱：「『和刻本』一般是指日本刻印的中國漢籍，其中多數系中國歷代古籍的翻刻本，也有一些初刻於日本的漢籍，同時亦包括日本人傳抄的漢籍鈔本。和刻本的出現是以漢刻版漢籍輸入不及，無法滿足日本讀者需求為前提的。其不同於漢刻版最主要的一點，即通常在漢字旁添加訓點符號，以符合日語語法習慣。」詳見郗志群、陳建堂：〈楊守敬藏書中的和刻本漢籍及其價值〉，《首都師範大學學報》（社會科學版）2003年第2期，頁24。

92 郗志群、陳建堂稱：「由於楊氏觀海堂藏書絕大部分現存於臺北故宮博物院，而藏有一些副本的北京故宮博物院圖書館又未列入該書目所及六十八家圖書館的範圍，因此據初步統計，楊藏書八五〇種和刻本中有六一二種在該書目中未見著錄。」見郗志群、陳建堂：〈楊守敬藏書中的和刻本漢籍及其價值〉，《首都師範大學學報》（社會科學版）2003年第2期，頁26。

93 對照趙飛鵬訪查所得今藏臺北故宮博物院的日本刊本三〇五部、日本鈔四一九部、舊鈔本二四部朝鮮刊二十部，見趙飛鵬：《觀海堂藏書研究》，頁78。

94 詳見郗志群、陳建堂：〈楊守敬藏書中的和刻本漢籍及其價值〉，《首都師範大學學報》（社會科學版）2003年第2期，頁24-27。

四　結語

　　大陸學術界為弘揚楊守敬的學術成就，花十多年的時間，動員北京、武漢、天津、南昌、重慶等文史研究者，遍查海內外藏書機構，編輯出版十三巨冊的《楊守敬集》，提供研究者充實而可靠的文獻。宜昌市楊守敬紀念館的設置，《楊學研究》的發行，楊守敬與日本學者筆談資料的發表，大陸與日本為紀念楊守敬所舉辦的展覽、論文研討會等等[95]，都促使後繼者加入研究的行列，達到「逐浪」的豐碩研究成果[96]。此其一。

　　晚清的學術，承繼乾嘉治學的風尚，深化考據傳統學術；同時開展出「實」、「通」、「變」的學術思潮，實現著自身的新舊更替。楊守敬是仕商子弟出身，有著靈活的經濟頭腦；北上京城參加會試時，到琉璃廠尋訪古文物；遠赴日本擔任黎庶昌的學人幕府，遍訪廣搜日本古文獻，以此編刻《古逸叢書》；這些經歷成就了他在歷史地理學、金石書法學、版本目錄學等三大學問。對於經學文獻蒐集的貢獻，只是其中的一項而已。此其二。

　　清代學人遊幕多擔任「經籍的編校」「史著的編纂」「官書局校刻典籍的活動」等三項「大型學術工程」的工作。楊守敬在出使日本的職務雖然是「英語通譯」，但他所實際從事的工作卻是奉黎庶昌之命，在日本訪搜書與編刻書的工作。此舉對晚清學術文化的發展貢獻良多，對傳統學術文化的繼

95　〈在宜都追憶學者楊守敬〉稱：「一九八六年五月二十三日，宜都成立了『楊守敬學
　　術研究會』。同年九月，宜都市政府修復了楊守敬故居和墓地，建立了楊守敬紀念
　　館。一九九二年，楊守敬故居和墓地被列為省級重點文物保護單位。二〇〇〇年，楊
　　守敬紀念館由宜昌市定為青少年愛國主義教育基地和中小學德育教育基地。在故居基
　　礎上建立的楊守敬紀念館，佔地七百多平方米，青灰小瓦馬頭牆，典型的清代風格。
　　館內闢有惺吾堂、遺著室、碑刻室、遺物室、友誼室、臥室、書房、真跡廳等，陳列
　　展品四百餘件，藏品千餘件。開館以來，先後接待美、韓、日及臺、港、澳等國內外
　　參觀者三十餘萬人次。」http://www.yiyou.com:1980/b5/yichang.yiyou.com/html/14/218.
　　html 瀏覽日期：2007/7/3
96　參見「附錄一：新近訪得楊守敬研究相關論著目錄」。

承和發展也產生了深遠影響。此其三。

《古逸叢書》，收書二十六種，計《敍目》一卷、全書二百卷。此皆為楊守敬日本訪書所得。從刊刻的起因，古籍的搜集、選擇，版本的鑒別與校勘，叢書的刊刻與跋文的撰寫，整個過程中，楊守敬不僅親歷其事，而且一手操辦，出力尤多，充分展現其在版本學、校勘學、辨偽學、輯佚學的學術涵養。對於研究古代中日漢籍交流史以及中國典籍在日本的流傳與影響，也有重要意義。此其四。

《日本訪書志》中展現楊守敬對經學文獻的考校辨輯四項成就：廣搜日韓刻本與古抄本，精於對版本的考證與版刻的鑒別，重視對版本的校勘，以校勘作為考證版本的一種手段。善本書影是從珍本古籍中選取能代表版本特徵的書頁摹其式而仿刊之，按一定的方式編成的目錄。此法源自日本，楊守敬效之編成《留真譜》初、二編，所摹底本均源自日藏珍本漢籍。《留真譜》在國內刊佈流行，給晚清繁盛的版本目錄學注入新活力，引起學界很大反響。一時仿《留真譜》的踵接之作不斷，更促使學者對日本所藏古代漢籍的重視，引發學者海外訪書的風潮。此其五。

從楊守敬與日本學者森立之、松田雪柯、岩谷一六、日下部鳴鶴的筆談記錄與松田雪柯的《雪柯日記》的記載，可知楊守敬以經濟靈活的頭腦、豐富的文獻學涵養、深厚的書法專業知識、堅定的意志力與日本藏書家、書法家來往，展開其長達四年訪書購書的文獻蒐集工作，為古籍西歸做出重大貢獻，並使中日兩國學者重新認識到在日的中國古籍的重要性。此其六。

楊守敬藏書數量多，質量精。自稱藏書籍四十萬卷，宋元精本五千卷，且多海內孤本及四庫未收之書。且築「飛清閣」、「鄰蘇園」、「觀海堂」以藏之。家屬在其卒後，將《觀海堂》藏書賣給國民政府。其中珍本多被劃歸故宮博物院，藏於政事堂。餘下版本撥給松坡圖書館。抗日戰爭爆發前，故宮文物南遷，觀海堂藏書也在其中，後運到臺灣，現藏於臺北故宮博物院。松坡圖書館藏書，現在歸屬於北京圖書館。郗志群、陳建堂統計其中「和刻本」漢籍有八百五十種，其中經部二百十七種，史部一百十八種，子部三百八十二種，集部一百二十九種，叢書四種。此為觀海堂藏書的最大特色。楊

守敬大量的蒐集和刻本，並且藉由《日本訪書志》與《留真譜》初、二編，
說明和刻本的情況、源流和價值。此其七。

附錄：新近訪得楊守敬研究相關論著目錄

一　書籍

趙飛鵬：《觀海堂藏書研究》（臺北市：漢美圖書公司，1991 年 7 月）

宜昌市政協文史資料委員會、宜都市政協文史資料委員會編，楊世耀總編
　　　　纂：《楊守敬學術年譜》（武漢市：湖北人民出版社，2004 年 11 月）

陳上岷主編：《楊守敬研究學術論文選集》（武漢市：崇文書局，2003 年 3 月）

楊先梅輯，劉信芳校注：《楊守敬題跋書信遺稿》（成都市：巴蜀書社，1996
　　　　年 3 月）

全國古籍整理出版規劃領導小組辦公室編：《古籍整理出版十講》（長沙市：
　　　　嶽麓書社，2002 年 10 月）

劉琳、吳洪澤：《古籍整理學》（成都市：四川大學出版社，2003 年 7 月）

葉樹聲、許有才：《清代文獻學簡論》（合肥市：安徽大學出版社，2004 年 1
　　　　月）

來新夏等著：《中國近代圖書事業史》（上海市：上海人民出版社，2000 年
　　　　12 月）

劉起釪：《日本的尚書學與其文獻》（北京市：商務印書館，1997 年 6 月）

尚小明：《學人遊幕與清代學術》（北京市：社會科學文獻出版社，1999 年
　　　　10 月）

陳堅、王勇主編：《中國典籍在日本的流傳與影響》（杭州市：杭州大學出版
　　　　社，1990 年 12 月）

王勇、大庭修主編：《中日文化交流大系：典籍卷》（杭州市：浙江人民出版
　　　　社，1996 年 11 月）

王勇主編：《中日漢籍交流史論》（杭州市：杭州大學出版社，1992 年 12 月）

嚴紹璗：《漢籍在日本的流布研究》（南京市：江蘇古籍出版社，1992 年 6
　　　　月）

嚴紹璗：《日本藏漢籍珍本追蹤紀實－嚴紹璗海外訪書志》（上海市：上海古
　　　籍出版社，2005 年 5 月）

劉瑩：《楊守敬書學研究》（臺北市：蕙風堂，2002 年）

二　期刊論文

史革新：〈略論晚清漢學的興衰與變化〉，《史學月刊》2003 年 3 期，頁 86-95

黎仁凱：〈張之洞的幕府〉，《秘書工作》2005 年 7 期，頁 54-55

尚小明：〈論清代遊幕學人的撰著活動及其影響〉，《北京大學學報》（哲學社
　　　會科學版）1995 年 5 期，頁 50-60

陳東輝：〈《古逸叢書》考略〉，《史學史研究》1997 年 1 期，頁 61-65

張新民：〈黎庶昌及其《古逸叢書》考論〉，《古籍整理研究學刊》2006 年 7
　　　期），頁 1-7 轉 86

羅勤：〈黎庶昌與《古逸叢書》爭議〉，《貴陽師專學報》（社會科學版）1998
　　　年 1 期），頁 84-87

石田肇著、陳國文譯：〈三島中洲與黎庶昌〉，《貴州文史叢刊》2006 年 3
　　　期），頁 72-74

楊杞：〈清末「藏書家」楊守敬〉，《文化百花園》，頁 52-53

鄭務本：〈清末民初著名學者楊守敬〉，《江漢尋夢》，頁 106-117

郗志群：〈楊守敬傳略〉（上、下），《首都師範大學學報》（社會科學版）
　　　1999 年 4 期至 5 期（上）頁 35-41；（下）頁 48-51

李培文：〈清末民初中國學者的海外訪書活動及其成就〉，《域外漢學》，頁
　　　110-115

嚴紹璗：〈日本藏漢籍國寶鉤沈〉（三），（《域外漢學》，頁 114-118

王曉平：〈《詩經》日本古藏本的文獻學價值〉，《天津師範大學學報》（社會
　　　科學版）2006 年 5 期，頁 57-63

郗志群：〈楊守敬日本訪書傳佳話〉，《中外文化交流》1998 年 2 期，頁 48-49

馮方：〈楊守敬在古籍西歸中的重大貢獻〉，《長春師範學院學報》（人文社會
　　　科學版）2005 年 3 期，頁 38-39

常鳳香：〈楊守敬的藏書及其下落〉，《文史雜誌》1999 年 3 期，頁 34-35

郗志群、陳建堂：〈楊守敬藏書中的和刻本漢籍及其價值〉，《首都師範大學
　　　　學報》（社會科學版）2003 年 2 期，頁 24-27

初昌雄：〈論楊守敬在版本目錄學上的成就〉，《圖書館》1996 年 5 期，頁 67-
　　　　69

未署名：〈日本漢學家岡千仞與晚清上海書院士子的筆話〉，《檔案架》，頁
　　　　8-13

陳捷：〈岸田吟香的樂善堂在中國的圖書出版和販賣活動〉，《中國典籍與文
　　　　化》，頁 46-59

三　學位論文

連一峰：《黎庶昌、楊守敬《古逸叢書》研究》（臺北市：中國文化大學史學
　　　　研究所碩士論文，1997 年 6 月）

鄒華清：《楊守敬學術研究》（武漢市：華中師範大學中國歷史文獻學博士論
　　　　文，2001 年 6 月）

郗志群：《楊守敬學術研究》（北京市：首都師範大學歷史學、中國古代史專
　　　　業博士論文，2001 年 5 月）

張繁文：《楊守敬書學思想研究》（廣州市：華南師範大學美術學專業碩士論
　　　　文，2005 年 5 月）

四　論文集相關論文

陳上岷主編：《楊守敬研究學術論文選集》（武漢市：崇文書局，2003 年 3
　　　　月）

杉村邦彥：〈從《雪柯日記》中出現的有關記述看楊守敬與松田雪柯、岩穀
　　　　一六、日下部鳴鶴之間的交流〉，頁 237-275

穆毅：〈楊守敬與岩穀一六的筆談〉，頁 279-295

康亦樵：〈楊守敬對刻書事業的貢獻〉，頁 296-301

郗志群、陳建堂：〈楊守敬藏書中的和刻本漢籍及其價值〉，頁 302-312

經術與救國淑世
——唐蔚芝與馬一浮

嚴壽澂
上海社會科學院特約研究員

一　引言

　　清末民初以降，卑經、廢經之論不絕。其時學術界最佔勢力的有兩派，其一是以章太炎為代表的國粹派。太炎有〈與某論樸學報書〉，作於清末，中云：「自周孔以逮今兹，載祀數千，政俗迭變，凡諸法式，豈可施於輓近？故說經者所以存古，非以是適今也。先人手澤，貽之子孫，雖朽蠹粗劣，猶見寶貴。若曰盡善則非也。」[1]易言之，經學只有歷史的意義（「所以存古」，猶如商盤周鼎，可置於博物館，以興起後世子孫仰視先人之心），而無現實的意義（非可「以是適今」，亦即於今世事務全無應用價值）。另一派是受新思潮熏習的學者，可以周予同為例。民國十七年，周氏註釋皮錫瑞《經學歷史》，在〈序言〉中說道，對於孔子和經學，「我原是贊成『打倒』和『廢棄』的，但我自以為是站在歷史的研究上的。我覺得歷史派的研究方法，是比較的客觀、比較的公平；從歷史入手，那孔子的思想和經學一些材料不適合現代的中國，自然而然地呈獻在我們的眼前。」認為「現在就是研究經學，也只能採取歷史的方法，而決不能含有些微的漢儒『致用』的觀

---

[1]　引自沈粹芬、黃人等輯：《國朝文匯》（宣統二年國學扶輪社刊），丁集，卷17，頁43上。

念」。[2]

太倉唐蔚芝（文治）際此時會，力抗潮流，提倡讀經，不遺餘力，「爰搜羅十三經善本及文法評點之書」，「自宋謝疊山先生至國朝曾文正止，凡二十餘家」。其友人施省之（紹曾）「聞有此書，商請付梓」。[3]民國十年，蔚芝作〈施刻十三經序〉，謂今世「學說之詖淫」，「士林之盲從」，「閭閻之痛苦而無所控訴」，「世界之劫運若巨舟泛汪洋而靡所止屆」，正是「人心之害為之」；人心之害所以如此，乃起於廢經，「廢經而仁義塞，廢經而禮法乖，廢經而孝悌廉恥亡，人且無異於禽獸」。[4]因此，「欲救世，先救人；欲救人，先救心；欲救心，先讀經；欲讀經，先知經之所以為經」。[5]經乃載道之物，故曰：「傳經所以傳道也。」欲讀經有益，把握經中所言之道，切不可「鑿之使晦」，「歧之而高」，[6]須明其大義。蔚芝於是著手撰寫《十三經提綱》，「附於諸經簡末」；為求讀者易於了解文義，又集前人評點，自明人鍾（惺）、孫（礦），以逮清人方（苞）、劉（大櫆）、姚（鼐）、曾（國藩）諸名家，「參以五色之筆，閱十數年而成書」。[7]用心可謂良苦。施省之「勇於為善，志在淑人」，與蔚芝同調。於民國九年，倡建國學專修館於無錫，託蔚芝主其事。蔚芝為訂立學規，以「振起國學，修道立教」為宗旨。規章共十項，即：躬行、孝弟、辨義、經學、理學、文學、政治學、主靜、維持人道、挽救世風。「經學」項謂「吾國十三經」乃是「國寶」，「吾館所講經學，不尚考據瑣碎之末，惟在攬其宏綱，抉其大義，以為修己治人之務」。[8]亦即通經正所以致用，故治經所尚，不在「存古」，而在「適今」。如此論調，與上述

---

2 《經學歷史》（北京市：中華書局，1959年），頁6、13。

3 唐文治著，唐慶詒補：《茹經先生自訂年譜正續編》（以下簡稱《年譜》），沈雲龍主編：《近代中國史料叢刊三編》（臺北市：文海出版社，1986年），第9輯，第90種，頁81。

4 《茹經堂文集》（民國十五年刻本，以下簡稱《文集》），卷4，頁1下。

5 同前註，頁3下。

6 同註4，頁2下，2上。

7 同註4，頁2下。

8 〈無錫國學專修館學規〉，《文集》卷2，頁24下，26上-下。

章太炎之見，可謂截然異趣。

　　民國二十年，「九一八」事變起，遼瀋陷於倭人，蔚芝蒿目時艱，作〈廢孔為亡國之兆論〉，[9]曰：「今天下亡國之聲洋洋盈耳，雖三尺童子亦知不免於國難，莫知其所以然之由，而亦莫思其所以挽救之者。此真大惑不解者也。吾特斷之曰：『廢孔則國必亡，尊孔則國可以不亡。』兩言而決耳。」其理由是：「道德為立國之本，道德既喪，國本撥矣。文化者，國寶也。我中國數千年之文化，皆賴孔子為之祖述而憲章，為之繼往而開來，為之發揚而光大。今一旦墜地無餘，國寶裂矣。」[10]作於民國二十七年的〈孟子尊孔學題辭〉對此更作申述，云：「人必自愛其心，自保其心，而後可以為人；國必自愛其心，自保其心，而後可以立國。我國之重心維何？尊孔是矣。」中國往日雖尊孔，不可諱言，孔子之精神已失，然而精神雖去，郛郭猶存，「今則並其郛郭而掃除之」，豈非自滅之道？因此，「欲復興中國，必先復孔子之精神；欲復孔子之精神，在教師能講經，學生能讀經」。[11]民國二十二年，蔚芝應蘇州國學會李印泉（根源）、金松岑（天翮）等之邀，赴蘇演講，指出經中大義，端在人之所以為人之道，故曰：「聖賢教人，惟恐人之近於禽獸。」「《孟子》首章言仁義，即所以正人心而立人極也。」因此，「處今世而言教育，必以尊崇人道為惟一宗旨」。[12]依蔚芝之見，諸經之大義，

9　《年譜》：「九月，東北難作。先是吾國內鬨不已，寧方與粵方失和；而北方石友三起事，政府命張學良平之，遂飭張坐鎮關內。日本乃乘隙而入，襲取瀋陽。旋攻去黑龍江省，師長馬占山苦戰半月。張學良擁兵不救。馬退守克山，日人又攻取錦州，張又撤兵入關。喪師失地，全國震駭。蓋近年以來人心日壞，罔利營私，無惡不作，侮慢聖賢，荒道敗德，以致災害並至，雖有善者，亦無如之何矣！余特作〈廢孔為亡國之兆論〉一篇。」（頁105）

10　《茹經堂文集三編》（以下簡稱《三編》），收入沈雲龍主編：《近代中國史料叢刊續編》（臺北市：文海出版社，1974年），第4輯，第33種，《茹經堂文集三、四編》，頁1193（原刊本，卷一，頁一上）。

11　《茹經堂文集四編》（以下簡稱《四編》），收入《茹經堂文集三、四編》，頁1641、1642（原刊本，卷五，頁115，116）。

12　〈孟子大義〉，收入《三編》，頁1316，1317（原刊本，卷三，頁十八下，十九上）；《年譜》，頁112。

孔子之精神，既在正人心，立人極，崇人道，當是不隔於古今，無間於中外，具有普遍之價值，經世之功效。治經之所以能「適今」者，以此。

　　章太炎亦主讀經，然而其立論的依據則大為不同。以為孔子與左丘明之功，在於修《春秋》以保存史跡，令人不忘先代，國命得以延續。至於近人所謂孔子為百世制法，則是無稽之談。所謂《春秋》經世者，其實只是紀年而已，云：「法度者，與民變革，古今異宜，雖聖人安得豫制之？《春秋》言治亂雖繁，識治之源，上不如老聃、韓非，下猶不逮仲長統。故曰：『《春秋》經世，先王之志，聖人議而不辯。』（《莊子‧齊物論》語。經猶紀也，三十年為一世，經世猶紀年耳。志即史志之志，世多誤解。）明其藏往，不亟為後王儀法。」所謂「國之有史久遠，則亡滅之難」，孔子之功績在此，而不在為萬世立人極。[13]易言之，道不存於經，經者，上古之史而已。經之所以可貴而當治，在於能使人興起自保其種性之心，自尊其族類之念。

　　年輩稍後的會稽馬一浮，則一如唐蔚芝，以為大道即存於六經之中，云：

> 古之所謂學者，學道而已。文者，道之所寓。故曰：「文武之道，布在方策。」「文王既沒，文不在茲乎？」六經，文也。明其道，足以易天下。如孟子者，方足以當經術。公孫宏、倪寬、匡衡、張禹之徒，不足言也。學足以知聖，守文而傳義，如子夏者，方足以當經學。博士之學，不足言也。故濂、洛、關、閩諸賢，直接孔、孟，其經學即經術也，其言即道也。道者，其所行所證者皆是也。此非執言語、泥文字所能幾，安復有今古漢宋之別哉？[14]

簡言之，「守文而傳義」，是為經學；「明其道」，「足以易天下」，方得謂之經術。坐而能言，起而能行，經學與經術合一，方有合於「古之所謂學」。其

---

13 《國故論衡‧原經》（上海市：上海世紀出版集團，2006年），頁50、51（中卷〈原經〉）。

14 〈示張伯衡‧批經學經術辨〉，《爾雅臺答問續編》，卷2，收入《馬一浮集》（杭州市：浙江古籍出版社、浙江教育出版社，1996年），冊1，頁604。

所謂學,即是「六藝之教」。此六藝之教,「固是中國至高特殊之文化」,而
且「可以推行於全人類,放之四海而皆準」,「故今日欲弘六藝之道,並不是
狹義的保存國粹,單獨的發揮自己民族精神而止,是要使此種文化普遍的及
於全人類,革新全人類習氣上的流失,而復其本然之善,全其性德之真,方
是成德成物,盡己之性,盡人之性,方是聖人之盛德大業」。[15]

　　一浮於是以為,「章太炎之尊經,即以經為史,而其原本實出於章實齋
『六經皆史』之論,真可謂流毒天下,誤盡蒼生」。究其原,乃「未嘗知有
身心性命之理」。民國二十六年二月,國民黨召集五屆三中全會,何鍵提議
讀經,全會則「付之束閣」。一浮即此指出,「實則縱使行之學校,亦只視為
史料,如所謂『追念過去光榮』云云,與經義固了不相干」;「實則《春秋》
如以史書觀之,真所謂『斷爛朝報』者矣。《尚書蔡傳》序文稱為『史外傳
心』之典,可謂卓識」。「是故經可云術,其義廣,不可云學,其義小。《論
語》言『學而時習』、『學而不思』云云,『學』字之上,皆不容別貫一字。
今人每言『漢學』、『宋學』、『經學』、『史學』,以及冠以地名人名,標舉學
派,皆未為當。即如『佛學』之名亦不如『佛法』為妥。讀經須知非是向外
求知識,乃能有益。」[16]簡言之,中國傳統中所謂學,所重不在向外求知,
而在成性成德。經由讀經而達成此目標,即是所謂經術。

　　蔚芝與一浮,一為前清顯宦(官至農工商部署理尚書,相等於經濟部代
部長),東南地方領袖;[17]一則隱居西湖,高蹈不仕。出處迥異,論學宗旨
則不殊,即以經術救國淑世,對治搶攘紛亂的時代。然而同中亦有其異:蔚
芝一生,為官、辦學、傳經,栖栖汲汲,乃孔子所謂「行義以達其道」者
(《論語・季氏》:子曰:「隱居以求其志,行義以達其道。」)。抗戰軍興,一

15　《泰和宜山會語・泰和會語》,上書,冊1,頁23。

16　王培德、劉錫嘏記錄,烏以風、丁敬涵編次:《馬一浮先生語錄類編》(以下簡稱《語
　　錄類編》,〈文學篇〉,上書,冊3,頁978-979。

17　光緒三十二年九月,改商部為農工商部,簡唐文治為署理尚書。宣統二年夏,江蘇士
　　紳舉蔚芝為地方自治總理,「余因地方自治無領袖,頗為危險,爰往就職」。見《年
　　譜》,頁56-57,64。

浮避地西南，於樂山創辦復性書院，授徒講學，志在明其道以易天下，而究
其一生出處，畢竟是「隱居求志」之意為多。

二　唐蔚芝經術觀述略

　　民國九年，蔚芝為其友人孫師鄭（原名同康，後改名雄）所著《讀經救
國論》作序，曰：「經者，萬世是非之標準，即人心是非之標準也。」又曰：
「經者，常道也。知常則明，明常道則明是非。政治、倫理之是非，於經中
求之；理財、教育、兵事、外交之是非，亦於經中求之，如丹素之判，如權
度之齊，如化雨之蘇庶彙，如醫師之有良方，活人以此，活國以此。」[18]張
舜徽對此說道：「此識此議，固迂遠而闊於事情，而文治必欲操斯論以轉移
一世之人。嘗創立國學專修館於無錫，以十事教士。……所揭維持人道、挽
救世風諸端，尤為空言靡補，實啟後生誇誕之漸。」同時又指出：「文治少遊
學於黃以周之門，習聞經師緒論，故於為學，亦粗識端緒」，自其文集二編
卷一、卷二諸文可見。「惟其晚歲持論偏頗」，不知「識時達變」。[19]蔚芝與
舜徽，皆治經學，皆主張實事求是，然而二人的社會政治觀大為不同，一為
順世，一為救世。舜徽所謂實事求是，以樸學為主，雅近於章太炎所謂存
古，不認為可以操經中大義「以轉移一世之人」，故其所重於蔚芝者，在其
講明樸學而不在其詮釋大義。蔚芝對「實事求是」的解釋是：「實事者，屏
絕空虛之論也。求是者，破除門戶之見也。」[20]以蔚芝之見，經術不僅可以
適今，其中的宏綱大義更可消弭天下之大禍，對治當世的弊病。他早歲亦用
力於樸學，而治樸學的目的，則在藉此把握經義，「以為修己治人之務」。在
順應世緣者看來，這當然是「空言靡補」了。

　　須知蔚芝絕非抱殘守缺之輩，如其晚年入門弟子潘雨廷（光霆）所謂，

18　〈讀經救國論序〉，《茹經堂文集二編》（以下簡稱《二編》），收入沈雲龍主編：《近代
　　中國史料叢刊續編》，第4輯，第32種，頁790-791（原刊本，卷五，頁三十下）。

19　《清人文集別錄》（北京市：中華書局，1980年），頁647-648（卷二三）。

20　〈無錫國學專修館學規〉，《文集》，卷2，頁26上—下。

蔚芝「發揚本國文化」，「創辦無錫國專」，然而辦交通大學，「吸收西洋文化」，決不是「食古不化」者。[21]光緒十八年，蔚芝二十八歲，成進士，列二甲一等，以主事用，分發戶部江西司。[22]自此「以吏為師，遇事咨詢」，留意公牘文字。並研究外交，閱讀「各國條約事務各書」，「並評點《萬國公法》」及曾紀澤、黎庶昌諸洋務名家文集，「自是于經世之事，亦粗得門徑矣」。光緒二十二年七月，考取總理各國事務衙門（按：光緒二十七年，改為外務部）章京第二名。[23]於是身兼兩差，「每兩日赴戶部，兩日赴總署」。戶部事繁，總署尤甚，「值夜班恆至天明」。總理衙門（總署）司務廳有儲條約櫃，蔚芝「發而讀之，又以暇時學習俄文，燈下每取中俄文本條約對校之」。勤奮如此，目力因而大傷。[24]終至民國八、九年間，雙目失明。[25]庚子亂後次年，和議成，清廷派戶部侍郎那桐為赴日本專使，蔚芝任隨員。此為其初次出國。光緒二十八年，英王愛德華七世即位，行加冕禮。清廷派貝子載振為專使致賀，蔚芝為三等參贊隨行。事畢歷遊法國、比利時。[26]歸途中經紐約、溫哥華等地。返國後代載振編撰《英軺日記》十二卷，於「歐美風教，沿途景物，詳載靡遺」。[27]可見蔚芝為晚清通曉外事之一人，於西方文化頗為讚賞。

　　光緒二十九年，蔚芝三十九歲，代載振作〈議覆三品京堂張振勳條陳商務摺〉，以為：「近世之言理財者，莫不以振興商務為急，而不知商之本在工，工之本又在於農。何者？蓋商必有其為商之品物，無工則無以為商也。工必有其為工之質料，無農則無以為工也。故欲求商務之興盛，在先求工業之精進；欲求工業之精進，在先求農事之振新。」又主張鼓勵工藝創新，保

---

21 見友人張文江君記述：《潘雨廷先生談話錄》（上海市：復旦大學出版社，2012年），頁 1（1986年1月18日）。（按：此談話錄尚未刊行。）

22 《年譜》，頁18-19。

23 同前註，頁23，24。

24 同註22，頁28。

25 同註22，頁76，77。

26 凌鴻勛：〈記茹經老人太倉唐蔚芝先生〉，《茹經堂文集五、六編》附錄，頁2420-2421。

27 《年譜》，頁43-47。

護專利,曰:「泰西各國維持商務,以保護、開通二法互相為用,而尤以提
倡工藝為程。凡國中有能創一新法、得一新理、制一新器,實有裨於國計民
生者,准其呈報,試驗得實,或獎以金牌、寶星,或給予文憑,准其專利。
其注重工藝如此。中國近年以來,閭閻生計維艱,流民漸夥,馴至寇盜充
斥,劫奪時聞。推原所自,未始非工政不修以致此也。」[28]如此見解,甚具世
界眼光,即使在今日,仍是不刊之論,豈是「迂遠而闊於事情」者所能道?

　　戊戌政變之次年(光緒二十六年),蔚芝仍堅持西學堂不可廢。其〈與
友人書〉謂:「聞吾鄉設立學堂一事,諸兄具稟州縣,欲望以經費歸入書
院。此誠裨益寒畯之盛心。惟弟等竊有進者,則謂書院之與學堂,宜分而不
宜合。如欲為歸併之計,則書院可以併入學堂,而學堂不可以併入書院。」
以明末清初陸桴亭(世儀)為例,其《思辨錄》中「論歲差之法,謂歐羅巴
人君臣盡心於天,終歲推驗,其精不可及」。其時利瑪竇、艾儒略新至中
國,桴亭「已精研西學如此,設使生於今日,其必習諸國之語言文字,灼然
明矣」。天下既有此文字,「士大夫迄未能措意」,實是「大可恥之事」。指出
「今日國勢之浸弱,正由中國賢士大夫不屑究心洋務之所致」。「為臣當忠,
為子當孝」,人人皆知,然而「國勢之不知,世變之不察,百姓疾苦之不
聞,持違心之謬論,受剝膚之鉅災」,豈可稱為忠孝?「故方今之世,惟忠
臣孝子而後可談洋務,亦惟忠臣孝子斷不可不談洋務。學堂者,正所以教忠
教孝之地,而即宇宙間一線生機之所係也。」[29]重視西學、洋務,至於如
此。其晚歲見解,仍不稍變。民國十九年,蔚芝六十六歲,有〈上海交通大
學第三十屆畢業典禮訓辭〉,云:

　　　鄙人十年以前,見美國教育家孟祿、塞婁兩博士,均殷勤相告,謂中
　　　國最要者在造就領袖人才。後訪他國教育家,亦多持此論。故鄙人辦

28　《茹經堂奏疏》,收入沈雲龍主編:《近代中國史料叢刊》(臺北市:文海出版社,
　　1967年),第6輯,第56種,頁93-94(原刊本,卷二,頁一上—下),120-121(原刊
　　本,卷二,頁十四下—十五上)。

29　《二編》卷4,頁712-713(原刊本,頁七下—八上),714-715(原刊本,頁八下—九
　　上),716-717(原刊本,頁九下—十上)。

學時，不自量力，常欲造就領袖人才，分播吾國，作為模範。區區宏
願，嘗欲興辦實業，自東三省起點，迤北環內外蒙古，至天山南北
路，迤西迄青海以達西藏，作十八行省一大椅背。而南方商業，則擬
推廣至南洋各島，固我門戶屏藩。故三十餘年前，曾在北平創辦高等
實業學堂。迨回滬後，辦理本校，並在吳淞創辦商船學校。此志未嘗
稍懈。無如吾國風氣，徒知空談學理，不能實事求是，以致程度日益
低落。即如電汽、火車、輪船各項，僅有駕駛裝置之才，其能製造機
器、自出新裁者，寥寥無幾。日日言提倡國貨，試問國貨能否製造？
日日言抵制洋貨，試問洋貨能否抵制？各校學生不過欲得一紙文憑以
圖榮寵，絕不聞有奇才異能可以效用於當世。……須知吾人欲成學
問，當為第一等學問；欲成事業，當為第一等事業；欲成人才，當為
第一等人才。而欲成第一等學問事業人才，必先砥礪第一等品
行。……孟子曰：「不恥不若人，何若人有？」又曰：「無恥之恥，無
恥矣。」我學問不若人，事業不若人，可恥孰甚？于此而不知恥，是
謂無恥。[30]

蔚芝畢生志事，在此盡行道出。要而言之，則是：「教育根本在性情，措諸
躬行則為道德，再輔以近世科學，斯為體用兼全。」[31]性情之所在，即道之
所在，故曰「傳經所以傳道也」。光緒二十一年，蔚芝告其弟子李頌侯曰：
「吾弟有志之士也，務望慎守吾言，以理學為體，以經濟為用。勿讀無益之
書，勿作無益之事。異日擔荷斯道，維持人心，力為剝陽時之碩果，風雨時
之雞鳴，有以存聖學於一線，而不至於中絕，此則鄙人之所厚望也。」[32]蔚
芝的自我期許，亦即在此。「以理學為體，以經濟為用」二語，乃蔚芝畢生
為學的宗旨。身處今世而談「經濟」，西學與近代科學的知識不可或缺。

---

30 《三編》，頁1238-1239（原刊本，卷一，頁二三下─二四上）。
31 〈上海永康中學增設思齊齋記〉，《茹經堂文集六編》（以下簡稱《六編》），《茹經堂文
　　集五、六編》，收入沈雲龍主編：《近代中國史料叢刊續編》（臺北市：文海出版社，
　　1974年），第4輯，第34種，頁2183（原刊本，卷五，頁三五上）。
32 〈與李生頌韓書〉，《二編》，頁723（原刊本，卷四，頁十三上）。

　　清末民初人物中，盡心盡力於科學工藝教育如蔚芝者，甚為罕見，然而
對於時人「用科學以治國」之說，則不以為然。作於民國十七年的〈《大
學》格物定論〉引《禮記・禮器》篇「人官有能，物曲有利」曰：「人官所
以馭物曲，故古者用人，德進事舉言揚，旁逮曲藝，而近人欲用科學以治
國。夫聲光化電遂可以修齊治平乎？」[33]易言之，不可將道與器混而為一。
「近人謂泰西之格物即吾儒之格物，混道與器為一，欲以一材一藝之長侈談
平治，而民生實受其病。」慈谿裘匡盧（肇麟）作《廣思辨錄》，有云：「科
學方法治天下，未免錯誤。吾儒所格者事理，西人所格者物質。」蔚芝以
為，此語「可謂一矢破的」。[34]然而須知，蔚芝決非國粹主義者，亦非國族
主義者，其所謂道，所謂事理，無分於古今，無間於中西，亦即今人所謂普
世價值。

（一）讀經為救世第一事

　　民國八年，蔚芝作〈中學國文新讀本序〉，云：

　　世道之譸張，人心之迷謬，風俗之庸惡，士品之卑污，上下歷史，無
　　有甚於今日者，有識之士慼焉，思所以救之。顧其策奈何？或曰：
　　「將講武備，精器械，而振之以軍國民教育乎？」曰：否，否。揚湯
　　不足以止沸也。或曰：「將研哲學，談心理，而躋之於高明之域
　　乎？」曰：否，否。空言無補於實事也。或曰：「將務實業，進農
　　家、工家、商家，而道國民以生活乎？」曰：斯言似矣。然而不揣其
　　本，徒以生計為惟一之教育，言義則萬無一應，言利則赴之若川。此
　　近代教育家之昧於先後，中國之大危機也。

33　《四編》，頁1630（原刊本，卷四，頁104）。
34　〈《廣思辨錄》序〉，《四編》，頁1702（原刊本，卷六，頁170）。按：裘氏撰文，論科
　　學方法不足以治中國學問，其大要錄入錢基博：《現代中國文學史》（臺北市：明倫出
　　版社，1972年影印1936年增訂本），頁431-34。

在蔚芝看來，只是整軍經武，固不足以救國；相與研討哲學、心理諸新學說，以為即可發現救國淑世的靈丹妙藥，空言無補而已（今日不少所謂知識分子，大談中國需要思想家云云，亦是此一路數）；發展農工商諸實業，改善國民生計，確有助益，然而若不講究本原之道，舉國上下，唯利是視，實為「中國之大危機」（按：於今日之情狀，若有預見）。救國淑世之正道，一是讀十三經，二是讀國文。[35]

蔚芝以為，民國初年廢讀經，「世奉為大功，崇拜恐後。余向者腹非之而不敢言，迄乎今日，廢經之效亦大可睹矣。新道德既茫無所知，而舊道德則掃地殆盡。世道至於此，人心至於此，風俗士品至於此，大可憫也」。又曰：「我國之倫常綱紀、政教法度，具備於十三經。孔子曰：『定而後能靜。』廢經則一日不能定，一日不能靜。又曰：『和無寡，安無傾。』廢經則一日不得和，一日不得安。彼宗教家方日日誦經，而我國則厭惡經籍，有若弁髦。舉國民之心，皆麤而不能細，舉國民之氣，皆浮而不能沉。如此而猶望其治平也，豈不傎哉？此讀經為救世之第一事也。」[36]其大意是：欲救國淑世，必須平心靜氣，腳踏實地去做，空談躁動，無濟於事。讀經能使人安靜，惟安靜不擾，始能臻於治平之境，故讀經為救世之第一事。蔚芝為無錫國學專修館訂立學規，有「安靜」一項，著眼處正在於此。

救世之第二事，則為讀國文。猶如國貨是「國民之命脈」，國文乃是「國民之精神」。「國貨滯則命脈塞，國文敝則精神亡。愛國者既愛國貨，先當維持國文。」因此，「讀國文為救世之第二事」。「經者，文之幹；文者，經之支與流裔。」此即古史贊堯所謂「文思」，贊舜所謂「文明」。「漢唐以來，文化盛則國治，文化微則國衰。故無論古今中外，罔不以保存文化為兢兢。乃今世之士，淘汰文化惟恐不速。或用鄙陋俚俗之教書，自詡為新法，雖聰明才智之士，亦強儕諸村夫牧豎之流，知識日短，志氣日卑。究其弊，國家將無用人之人，而惟有為人所用之人。豈不恫哉！」[37]又指出：「生民之類，

---

35 《二編》，頁798-799（原刊本，卷五，頁三四下—三五上）。
36 同前註，頁799-800（原刊本，卷五，頁三五）。
37 同註35，頁800-801（原刊本，頁三五下—三六上）。

自棄其國學，未有不亡者也。」歐洲諸國，「其競進於文明者，則其國家，其
人類強焉，存焉；反是則其國家，其人類弱焉，息焉，滅焉。我國文字，自
書契之造，以迄孔子，數千年來，綿綿延延，人類之所以常存者，胥由文焉
作之綱維」。日本師法德國，然而「藝成而立」，並不以「德言授其徒」而取
代己之國文。[38]

　　蔚芝因此對「文化侵略」深表憂慮：「橫覽東西洋諸國，靡不自愛其文
化，且力謀以己之文化擴而充之，深入於他國之人心，而吾國人於本國之文
化，孔孟之道德禮義、修己治人之大原，轉略而不講，或且推去而任人以挽
之。悲乎哉！文化侵略瞬若疾風，豈僅武力哉？」既「為此深懼，恐抱殘守
缺，終就淪湮」，於是在「太湖之濱，購地數十畝」，經營國學專修館，以讀
經尊孔、保存文化為職志。[39]

　　同時須知，蔚芝提倡讀經、讀國文，並不僅是因為此乃中國文化之結
晶，更因為：「凡文之博大昌明者，必其人之光明磊落者也；文之精深堅卓
者，必其人之忠厚篤實者也。若夫圓熟軟美，則人必巧滑而佞柔；叫囂凌
亂，則人必恣睢放蕩而無秩序。且夫秩序者，文章之基、人事之紀也。世變
多故，言龐事雜，泯泯棼棼，皆害於無秩序。」他更以為，「世界中之善氣，
即天地中之正氣，亦即文字中之正氣也。人皆吸天地間之空氣，而不知吸世
界中之善氣。人欲吸世界中之善氣，必先吸文字中之正氣。文字之氣正而世
界昌焉」。諸經之文字，正是文字中的善氣，能使人燥釋矜平，化去無秩
序。因此，「擴充文字中之善氣」，即是「提引世界之善氣於無窮也」。[40]綜
上所述，可見蔚芝並非文化民族主義者，並不持文化排外論，其所謂正氣、
善氣，乃是普世性的，其所嚮往者，則為「提引世界之善氣於無窮」，俾全

38 〈工業專門學校國文成績錄序〉，《二編》，頁804-805、808（原刊本，卷五，頁三七
　　下—三八上，三九下）。
39 〈國學專修館十五週年紀念刊序〉，《茹經堂文集五編》（以下簡稱《五編》），收入
　　《茹經堂文集五、六編》，頁1956（原刊本，卷五，頁十四）。
40 〈工業專門學校國文成績錄二編序〉，《二編》，頁812-815（原刊本，卷五，頁四一下
　　—四三上）。

人類登於「文思」、「文明」之境域。

　　然而蔚芝於「文明之禍」，深有理解。《周易》中，「〈離〉為文明之卦，而其象又為甲冑，為戈兵」，為何如此相悖？蔚芝「驗諸當世」，乃知「文明者，戈兵甲冑之階也」。「無形之競爭以心理，有形之競爭以學術；無形之競爭以科學，有形之競爭以干戈。〈離〉為火，制器尚象，火器日精。故世界愈文明，而干戈之相爭殺乃愈無已時。」《管子》有「官山海王」之說，「知此義而欲補救之者也」。《老子》有「剖斗析衡，民斯不爭」，《莊子》有「絕聖棄智，佳兵不祥」之說，「知此義而欲屏絕之者也」。孟子則是「知此義而欲以有形之競爭歸於無形之競爭」，所以便有「矢人、函人之相校」及「如恥之，莫如為仁而反求諸己」之說。孟子所身處的戰國時代，正是這樣一個有形競爭劇烈、殺人盈野盈城之世，故孟子大聲疾呼：「天下之禍亟矣，非仁義救之不為功。」「蓋有仁義，則地球之內以康以寧；無仁義，則地球之內以爪牙，以肉食。」而「漢唐以來，鮮明此理，為學偏於空虛，其心思耳目之聰明窒塞，乃日益甚」。原因在於「徒知文明之足以治天下，而不知甲冑干戈之已隨其後」。至於近代學子，「稍稍研求科學，徐而究其實，乃徒知物質之文明，而於有形無形之競爭，曾未嘗少辨焉。或者且嗜功利，薄仁義」。僅知文明之利而不知其害，如何能救世？蔚芝深信，若「先知先覺之得其人」，孔子所嚮往的大同世界，「詎不可以締造」？中國既有先聖遺經，以仁義為教，一旦講明其中至理，「必將有聖人者出，先以無形之競爭趨於有形之競爭，乃復以有形之競爭歸於無形之競爭」，亦即先使心理之爭勝趨於學術之競爭，而後以科學之競爭銷融武力之競爭，俾各國以文明創造的競爭取代「干戈之相爭殺」。[41]

　　民國二十九年，歐洲戰事方酣，蔚芝作〈粹芬閣四書讀本序〉，曰：「數十年前，英公使朱爾爾典回國時，福州嚴幾道先生流涕送之，以中國之阽危也。朱公使語之曰：『中國無慮。危亡可慮者，吾歐洲耳。』嚴訝而詢之。朱曰：『中國有寶書，發而讀之，治平之基在是矣。』嚴詢何謂寶書。朱曰：

41　〈工業專門學校雜誌序〉，《二編》，頁815-818（原刊本，卷五，頁四三上一四四下）。

『四書五經是矣。而四書為尤要。』嗚呼！外人之尊吾經籍若是，而吾國忽
焉不講，非大惑不解者耶？」又曰：「孟子生戰國之世，目睹戰爭攻殺之
慘，慨然曰：『此所謂率土地而食人肉也。』今世一大戰國也。吾輩志在救
人，非熟讀孟子之書，闡發其學說不為功。」[42]

　　由此可見，蔚芝心目中，救國與救世本為一事。其所嚮往者，不是中國
崛起與列強相爭，而是全人類同趨於大同之境。其所謂讀經救世，乃是闡發
經中仁義學說，使之沾溉及於全世界，永久消弭人類自相殘殺的慘禍。

（二）正人心，救民命

　　蔚芝於無錫創辦國學專修館之初（民國九年），宣佈講學宗旨，「略謂吾
國情勢日益危殆，百姓困苦已極，此時為學，必當以正人心、救民命為惟一
主旨。務望諸生勉為聖賢豪傑，其次亦當為鄉黨自好之士，預貯地方自治之
才」。[43]二十八年後，民國三十七年九月二十七日，蔚芝應南洋大學諸舊同
學之請作演講，指出：「經典所載，不外興養興教兩大端。興養者何？救民
命是也；興教者何？正人心是也。鄙人常兢兢以此六字為教育宗旨。」[44]甚
深悲願，於此可見。

　　蔚芝講經，有一個根本原則，即「按時以立論」，而又不「揣摩時尚」。
作於民國三十四年的〈《周易》保民學一〉開首云：

> 《禮記》曰：「教也者，民之寒暑也。教不時則傷世。」故凡講經者，
> 必按時以立論，非揣摩時尚也。群經之義，靡所不包，歷千古而常
> 新。講經之士，應審察時事之最要者，於經書中切實發揮之，執其心
> 而執其權，補其偏而救其弊。今日民生困苦極矣，講經者當以救民命

42 《五編》，頁1952-1953，1954（原刊本，卷五，頁十一─十一，十二）。按：原文作
　　「朱遹典」，誤。
43 《年譜》，頁79-80。
44 〈演說稿〉，《六編》，頁2086（原刊本，卷一，頁十二）。

為宗旨。而保民之義，實始於《周易》。吾將特發其義。世之讀《易》
者，其亦有視民如傷之感乎。[45]

以「正人心，救民命」為講經宗旨，正是出於「視民如傷」的不忍人之心而
「按時以立論」。

更須知蔚芝所謂時，絕非「趨時」之謂，而是「戾於時」。其〈孟子教
育學題辭〉曰：

> 或曰：「子之悲深矣，毋乃戾於時乎？」曰：此正吾所謂時也。夫人
> 倫性情道德，千古不變者也。聖賢至教，如陰陽寒暑，適協於時。庸
> 愚詭教，如風雨晦明，悉愆其候，直者枉之，雅者俗之，左道者矜式
> 之，桀騖者嘉鮮之，譬諸南鍼而北指。故曰：「教不時則傷世。」（見
> 《禮記・樂記》篇）要知限制我之人才，即以限制我之國力。君子遏
> 抑，則小人日進。是以愈趨時而國愈危也。且所謂時者，孰若近代之
> 科學？道藝兼資，科學自宜特重。惟當以孟學為體，純而益求其純；
> 以科學為用，精而益致其精。夫如是，乃可以救心，乃可以興國。[46]

「以孟學為體」、「以科學為用」二語，蔚芝為官、講學，可謂終身以之。
按：美國學者史景遷（Jonathan Spence）稱蔚芝為 Confucian technocrat（儒
家技術官僚），著眼處或正在於此。然而史氏此語，最多說對了一半。蔚芝
並不僅是絡合儒家倫理與科學技術的文化保守主義者，而是懷抱甚深悲願，
欲躋世界於大同的理想主義者。[47]

〈無錫國學專修館學規〉有曰：「凡士人通經學、理學而能達於政治
者，謂之有用，謂之通人；不能達於政治者，謂之無用，謂之迂士。」[48]何
以為學必當通於政治？乃是出於不忍人之心。見生靈之塗炭，哀鴻之遍野，

45　《六編》，頁2095（原刊本，卷二，頁三）。
46　《四編》，頁1649-1650（原刊本，卷四，頁123-124）。
47　大約一九九一、九二年間，史氏至印第安納大學（Indiana University, Bloomington）演
　　講，談及唐蔚芝，有此評價。時筆者在聽眾席上。
48　《文集》，卷2，頁28下。

凡有仁心者，必惻瘝在抱，不能不關心政治。民國十年，蔚芝作〈不忍人之
政論〉三篇，其二有曰：「吾嘗游歐美諸國，其民熙熙皞皞，頗有雍容禮樂
之風。彼其所重者，惟在人道。其譏我中國，則曰：『支那人之性命，曾無
異於雞犬。』何其言之慘也。嗚呼！」與歐美諸國相對照，其時的中國，「百
姓有死之悲，無生之樂」。[49]蔚芝不由慨歎道：「古之為政也，惟務生人；今
之為政也，惟務殺人。古之為政也，必生人而心始安；今之為政也，必殺人
而心始快。嗚呼！何其心情度量之懸殊也？」關鍵在於為政之仁與不仁。如
孟子所謂，唯具不忍人之心者，始能行不忍人之政。「且夫君之於民，上之
於下，本以人合而非天合。惟以彼此不忍之心相為固結，是以人心不至於渙
散而宇宙不至於陸沈。今也舉不忍人之心與不忍人之政，皆以為腐敗而不足
復道，悍然吮民之膏、飲民之血而不顧。如是則萬目睽睽。對於政府誰復有
理之者？誰復有愛而護之者？一旦事變，誰復有奔走而捄之者？」[50]世事如
此，焉得不以孟子之言救之？

　　民國二十年，蔚芝為其鄉先輩明末高忠憲公（攀龍）《朱子節要》一書
重印本作序，於「正人心」、「拯人命」外，加一「立人品」。曰：「救世之宏
綱有三，以曰正人心，二曰立人品，三曰拯人命。舍是三者而求治平，非所
敢知也。」擬印此書時，「適值兵災、水災交迫之會，哀鴻遍野，白骨邱山，
耳不忍聞，筆不忍述。當世仁人君子讀是書者，其於拯人命一事，當必有大
惘於心而急所先務者矣」。然而若是「人心險詐，人品卑污」，「殺機災祲」
將更是無所底止。因此，欲「居今之世，變今之俗」，須先自「革其心」，自
「改其行」，「立國根荄，莫要於此」。[51]

　　蔚芝由是特重氣節。上述民國三十六年〈演說稿〉云：「鄙人以為，方
今最要者『氣節』二字。近撰聯語云：『人生惟有廉節重，世界須憑氣骨
撐。』若氣骨不立，如洪爐之鎔化，非我徒也。」[52]〈孟子氣節學題辭〉則

49　《三編》，頁1249（原刊本，卷二，頁二上）。

50　〈不忍人之心論三〉，《三編》，頁1249-1250（原刊本，卷二，頁二上一下）。

51　〈高忠憲公《朱子節要》後序〉，《三編》，頁1341-1342（原刊本，卷五，頁三）。

52　《六編》，頁2085-2086（原刊本，卷一，頁十一—十二）。

曰:「人生有骨,乃能立身天地之間。氣節者,氣骨也。無骨何以有節?然苟遇社會不良風俗,譬諸洪鑪陶鑄,不獨易其心,並且銷其骨。可懼孰甚?」[53]蔚芝因此特重《禮記》〈儒行〉一篇,曰:「今考〈儒行〉篇言自立者二,言特立者一,言特立獨行者一。其十六章,大要皆在激勵氣節而歸本於仁,無非孔、曾、孟子之旨。然則此篇縱非盡出于孔子,要亦七十子相傳之遺訓歟?」然而後世讀此篇者,「多譏其不合中庸之道」,唯有明末黃石齋(道周)「表章特至」。蔚芝以為,此乃對治衰亂之世界的良藥,云:「今人不以道德良知為教,而惟以衣食住為教,薄儒雅,變儒素,坐令國民心志浮囂庸劣,馳騖外觀,而氣節乃掃地而無餘,可痛也哉。吾所以表揚〈儒行〉者,正欲湔惡習而挽頹波也。」此文後自記又曰:「名教失修,儒行不講久矣。世變滔滔,未知所底。補救之法,要在讀經。爰擬此作,以示能傳吾道者。」[54]

以蔚芝之見,欲讀經而實有所得,決非但「務思想」所能濟事,必須「修養其知覺」。曰:「今人但務思想,而不能修養其知覺。夫知覺不本於善良,則思想終歸於惡化。試觀二十世紀以來,吾國鮮有發明彝器技能者何也?知覺不良,日趨於功利誇詐,則思想因以窒塞而不敏也。」[55]蔚芝既持此說,故極重其所謂知覺,有〈知覺篇〉一長文。釋「知覺」曰:「知與覺,皆因事而感心,因心以應事。知裕於平時者也,覺發於臨事者也。知,體也;覺,用也。故養知在學問,而發覺在聰明。言知則可以該覺。」欲求知覺之不窒塞,端在於平時之養。所以養之之方,則在孟子所謂求放心,不欺吾心固有之良知。[56]修養功夫到家之後,「其知覺皆充實之美,非如道釋二家專以光明寂照一超頓悟為務而悉淪于虛也」《禮記》所謂「清明在躬,氣志如神」,即此之謂。此文後蔚芝自記曰:「教育之道,一曰性情,一曰知覺。性情厚所以培其本,知覺靈所以廣其用。余皆病未能,作此文所以自勉

---

53 《四編》,頁1651(原刊本,卷四,頁125)。

54 〈〈儒行〉篇大義〉,《三編》,頁1307-1309(原刊本,卷三,頁十四上—十五上)。

55 〈上海交通大學工程館記〉,《三編》,頁1401(原刊本,卷六,頁五上)。

56 《三編》,頁1215-1216(原刊本,卷一,頁十二上—下)。

而勉人也。」[57]

　　簡而言之，曰：「性命本源，不在空談而在力行修養。其大要有三，曰涵養，曰省察，曰擴充。」[58]唯有如此，方能性情厚而知覺靈，決不是空談思想者所能到。是謂蔚芝經術之真實得力處。

三　馬一浮經術觀述略

　　唐蔚芝有言曰：「吾嘗謂自古學派有二，一曰自然派，一曰力行派。聖門顏子，自然派也；曾子，力行派也。遞嬗至後世，亦各有性之所近。東晉之末，有陶淵明先生，自然派也。廉深簡潔，貞清粹溫，浮游塵埃之外，皭然泥而不滓，千載下聞其風而慕之。」[59]蔚芝從政辦學，孜孜不息，勇於擔當，乃力行派的典型。馬一浮隱居以求其志，閉戶讀書，「自同方外」，足當自然派之目。[60]

　　一浮為學，「初治考據，繼專攻西學，用力既久，然後知其弊，又轉治佛典，最後始歸於六經。」[61]歸於六經之後，重在見性，曰：「為學工夫，於變化氣質之外，應加刊落習氣一層。孟子云：『若夫為不善，非才之罪也』，『其所以陷溺其心者然也』，『乃若其情，則可以為善矣』，是則才也，情也，皆未至於不善也（剛善剛惡、柔善柔惡，孟子未嘗言及之）。故曰：『心統性情。』性不可見，因情而著，故四端之發，可以見性焉。」「是故性無有不是處，習氣則無有是處，刊落習氣之功所以不可缺也。人有淑身自好，視

---

57 同前註，頁1220-1221（原刊本，卷一，頁十四下—十五上）。

58 〈粹芬閣四書讀本序〉，《五編》，頁1953（原刊本，卷五，頁十一）。

59 〈王君次清詩詞集序〉，《五編》，頁1966（原刊本，卷五，頁二四）。

60 一浮自言：「四歲就學，從何虛舟師讀唐詩，多成誦。師嘗問詩中最愛何句，脫口應曰：『茅屋訪孤僧。』師異之，以語先君云：『是子其為僧乎？』今年已耆艾，雖不為僧，然實自同方外。」見《語錄類編・詩學篇》，頁1010。按：一浮暮年，依門人蔣蘇盦居西湖蔣莊。筆者少年時，隨先君至蔣莊拜訪蘇盦丈。二樓客室之後即一浮書齋，遙見一浮獨立室內，長髯拂胸，神情肅穆，的是有道氣象。

61 烏以風輯錄：《問學私記》，收入《馬一浮集》，冊3，頁1191。

天下人皆以為不足語者，是於恕道有未盡處。」因此可說：「實則天下原自無
惡人，雖在夷狄，其恣意屠殺，要皆由於習氣之所陷溺，本心未嘗汩沒無
餘。」所以孟子說：「乍見孺子將入於井，皆有怵惕惻隱之心。」緊要處在一
「乍」字。此時本心猶存，尚未為習氣所汩沒。而今的天下，人人之心既皆
陷溺，「君子對之，豈無悲憫之懷」？「是故君子之視天下，無不可為之
時，無不可與之人也，」[62]抗戰初期，一浮離杭州，避亂西遷，應邀至浙江
大學講學，嗣後在四川樂山主持復性書院，以六藝教諸生，皆此物此志也。

　　民國二十七年，一浮五十七歲，避日寇至江西泰和，時浙江大學亦遷至
泰和，校長竺可楨邀一浮設國學講座，一浮應諾。開講之初即說道，此一講
座的意義，「在使諸生於吾國固有之學術得一明瞭之認識，然後可以發揚天
賦之知，能不受環境之陷溺，對自己完成人格，對國家社會乃可以擔當大
事」。指出張橫渠（載）所謂為萬世開太平，「不是幻想的烏託邦，乃是實有
是理」，乃是「政治之極軌」。縱觀中外歷史，凡一時強大之國，「只如飄風
暴雨，不可久長」。故必須以德服人，實行王道。「從前論治，猶知以漢唐為
卑，今日論治，乃惟以歐美為極。從前猶以管、商、申、韓為淺陋，今日乃
以孟梭里尼、希特勒為豪傑。今亦不暇加以評判，諸生但取六經中所陳之治
道，與今之政論比而觀之，則知砥珉不可以為玉，蠑蚖不可以為龍，其相去
何啻霄壤也。」當此「多難興邦之會」，若是懷抱的希望僅是「及於現代國家
而止」，不免「自己菲薄」。[63]又以為：「今人每以富強為治，不知富強只是
富強，不可以名治，治須是德教。如秦人只名富強，不可名治，雖幷六國，
不旋踵而亡。今西洋之為國者，富強則有之，然皆危亡之道儵焉不可終日，
亦不可名治。」[64]可見一浮論治，一如唐蔚芝，最為嚮往的不是富國強兵，
而是物物各得其所的大同之境。

　　民國二十八年，一浮友人劉百閔（名學遜，1898-1969）、壽毅成（名景

62　《語錄類編・儒佛篇》，頁1050，1051。

63　《泰和會語》，頁3，7-8。

64　《復性書院講錄》，收入《馬一浮集》，冊1，頁264（卷三〈孝經大義・原刑〉，〈附
　　語〉）。

偉，1891-1959）倡議設立復性書院，邀一浮主持。一浮允諾，以為當此
「大蹇朋來」之時，「非有剛大之資何能濟此危難」？講學本是「儒者分內
事，無間於安危」。此際而有如此建議，「真如梁元帝在江陵圍城中詔百官戎
服聽講《老子》，陸秀夫在崖山舟中講《大學》矣」。自己雖衰老，固未嘗一
日廢講學，於是接受邀請，草擬名稱、旨趣及簡要辦法數條。[65]在致當時教
育部長陳立夫函中，直截了當提出三點：「一、書院本現行學制所無，不當
有所隸屬，願政府視為例外，始終以賓禮處之。二、確立六經為一切學術之
原（《漢志》以《易》為六藝之原，今謂六藝亦為一切學術之原），泯舊日理
學門戶之見，亦不用近人依似之說，冀造成通儒醇儒。三、願政府提倡此
事，如舊日佛寺叢林之有護法、檀越，使得自比方外而不繩以世法。」[66]可
見一浮以為藍本者，不是往日儒門書院，更不是現代的研究院之類，而是佛
家叢林制度。認為「向來儒者講學不及佛氏出人眾多者」，有兩個原因：一
是儒者不得位，即不能行道，所以必須仕宦，但一入仕途，便受小人排抑。
而佛徒不預人家國事，與政治絕緣，王侯但為護法，「有崇仰而無畏忌，故
得終身自由」。二是儒者有家室的牽累，不能不考慮生計，而其治生又離不
開仕宦，於是「每為生事所困」。[67]易言之，一浮希望政府為書院護法，提
供經濟資助，但是絕對不受現行教育體制管轄，更不受任何政治干預。

　　一浮避寇蜀中，對時局深感憂慮，以為三百年前，清廷對於明遺民顧亭
林（炎武）、王船山（夫之）、黃梨洲（宗羲），「待以寬大，徵聘不至，聽其
講學。將來中國若亡，虜輩必無如此度量。古人一成一旅猶可中興，今則不
能」。因此頗望能「於深山窮谷中，集有志之士」，相與致力於中國聖賢的學
問，「人數不可多，不預政治，庶免遭忌」。然而是非所在，則不可苟且，
「固當詳論及之，但不可發表耳」。萬一「中土終不可居，則羇旅異域，如
昔之馬克思，今之愛因斯坦，亦何不可。如能得精通西文人士數輩，可以說

65　見〈復劉百閔〉、〈致壽毅成〉，《濠上雜著・二集》，收入《馬一浮集》，冊1，頁748，
　　751。

66　〈致陳部長〉，同前註，頁757。

67　〈致張立民〉，同註65，頁752。

明此理，公之於世，庶幾或有明眼人，可以留下幾許種子」。[68]憂世之情，可謂深矣。心中盤結而不可去者，乃是如何處此艱困之世。有曰：「昔賢遭亂世，猶可於深山窮谷中隱居講學，今日已不可能。故同一處困，為時不同，則處困之道亦異。但心亨之義不可變易，義理所安處即是亨，『求仁而得仁』是也。舉世所由皆不仁，相率以即於危亡之途而不悟，言之益深悲惻！一身之計，真有所不暇耳。」他一反當時潮流，不顧非議，主講書院，以「復性」為倡，正是但求「心亨」的「處困之道」。[69]

在「大局已成孤注」之際，一浮深知，將來「決不能如梨洲、亭林之安然肥遁」。感歎道：

> 譬之弈然，全局已無一活子，而猶自詡國手，其誰信之。吾行如得免溝壑，當思如何綿此聖學一線之傳，如何保此危邦一成一旅之眾，如何拯此生民不拔之苦，此乃今日士類人人當負之責也。乃見聞所及，猶是虛憍矜伐，塗飾欺國故習，豈復有望？不學之害，一至於斯，可哀也已。……世間事無定相，業風所吹，不由自主。所能自主者，但審之義理，當行則行，當止則止。至於行止之利害，不能逆睹，不可計，亦不必計。如此，則隨處皆可綽然矣。[70]

儒者身當此際，既不可玩世不恭，亦不可屈身以阿世媚俗，而應當如明儒王心齋（艮），開門授徒，從事社會講學。[71]心齋所謂「聖人以道濟天下」，[72]正是一浮其時的心願。

一浮雖對時局不表樂觀，但是對於中國抗戰仍具信心。談及戰事，有云：「日人自以為求民族生路，實則以此求生，真所謂斬頭覓活。中國士氣之盛，猶是尊王攘夷之思，先王之遺澤歷數千年而未泯者。為士卒者雖不必

68 《語錄類編・政事篇》，頁1074。

69 同前註，頁1066。

70 同註68，頁1067-68。

71 同註68，頁1065。

72 見《明儒學案》（北京市：中華書局，1985年），頁710-711，卷32〈泰州學案一〉。

人人識字讀書，而耳熟焉，而非近幾年來某某等幾人訓練之結果。至於漢奸之多，卻是嗜利無恥之訓練所致，此則今人所不識者也。」[73]漢奸之多，在於嗜利者多；嗜利者多，則在於自漢代以來，「學校從未辦好，人材亦從不出於學校」。[74]一浮之出任復性書院主講，以經術教諸生，正是試圖以辦好學校而略盡讀書人救國淑世之責。而其終極關懷，則是普世的太平，而非國權之強盛。認為「今世所謂國家、種族，皆是緣生法。凡須緣生者，皆無自性，故可毀滅。自來夷狄入主中原者，清祚最長，蒙古盛極一時，元魏亦百數十年。然其始也雖勃然而興，其終也亦忽然而亡。看來雖似年代久長，其實不過一瞬」。[75]甚至說道：「今之中日，猶昔之吳越；今之俄德，猶昔之秦楚。春秋戰國之際，縱橫捭闔，此起彼仆。由今觀之，同是中國，何有畛域？將來世界大同，中外一家，後之視今，不猶今之視昔乎？」[76]他因此不取近人尊王攘夷之說，強調《春秋》「大無外」之義。「所謂大無外者，不以種族地域分中國與夷狄也。中國行夷狄之道，則夷狄之；夷狄行中國之道，則中國之。重德尚禮則為中國，悖德作亂即是夷狄。中國與夷狄之分，如是而已。此與今之國家主義、民族主義迥然不同。」[77]亦即中國與夷狄之分，乃文明與野蠻之別。「有禮義謂之文明，無禮義謂之野蠻。非曰財富多、物資享受發展快便是文明也。」[78]所謂禮義，乃是出於普天下歷古今而不易的義理。六經所載者，即此也。

（一）經術以義理為主

　　一浮於泰和國學講座，指出所謂國學，即是六藝之學（《詩》、《書》、

73 《語錄類編・政事篇》，頁1070。
74 同前註，頁1073。
75 《語錄類編・文學篇》，頁1039。
76 《語錄類編・政事篇》，頁1072-1073。
77 《問學私記》，頁1146。
78 《語錄類編・政事篇》，頁1078。

《禮》、《樂》、《易》、《春秋》)。「此是孔子之教,吾國二千餘年來普遍承認一切學術之原皆出於此,其餘都是六藝之支流。故六藝可以該攝諸學,諸學不能該攝六藝。」[79]更須知,六藝「不是聖人旋安排出來」,而是「吾人性分內所具的事」。亦即六藝之道所以能該攝一切學術,不是因其為聖言量,而是因其出於人人所固有的性分。「吾人性量本來廣大,性德本來具足,故六藝之道即是此性德中自然流出的,性外無道也。」[80]

六藝之教「固是中國至高特殊之文化」,然而並非僅具中國特色。一浮以為,「唯其可以推行於全人類,放之四海而皆準,所以至高;唯其為現在人類中尚有多數未能瞭解。『百姓日用而不知』,所以特殊」。因此,弘揚六藝之道,「並不是狹義的保存國粹」,亦非「單獨的發揮自己民族精神」,而是「要使此種文化普遍的及於全人類,革新全人類習氣上之流失,而復其本來之善,全其性德之真」。「若使西方有聖人出,行出來的也是這個六藝之道,但是名相不同而已」。[81]他深信:「天地一日不毀,此心一日不亡,六藝之道亦一日不絕。人類如欲拔出黑暗而趨光明之途,捨此無由也。」[82]

六藝中所含的義理,既然是從人人所固有的本心中自然流出,若不知向內求之於自心,自然不能真切把握,確實受用。然而若是陷於習氣,蔽於私欲,則此心「攀援馳逐,意念紛飛,必至昏昧」。昏昧之心,又如何能「見得義理端的」?用以應事接物,必至「動成差忒」。若明此理,便可知立身為救國淑世之本;知識技能等乃是用,唯此是體。「不能明體,焉能達用?侈談立國而罔顧立身,不知天下國家之本在身,身尚不能立,安能立國?今謂欲言立國,先須立身,欲言致用,先須明體。體者何?自心本具之義理是也。」如何明此義理?「求之六藝乃可明」。更須知:「六藝之道不是空言,須求實踐。實踐如何做起?要學者知道自己求端致力之方,只能將聖人喫緊為人處盡力拈提出來,使合下便可用力。」《論語・衛靈公》載:「子張問

---

79 《泰和宜山會語・泰和會語》,頁10。

80 同前註,頁18。

81 同註79,頁23。

82 《泰和宜山會語・宜山會語》,頁55。

行。子曰：『言忠信，行篤敬，雖蠻貊之邦，行矣。言不忠信，行不篤敬，雖州里，行乎哉？立則見其參於前也，在輿則見其倚於衡也，夫然後行。』子張書諸紳。」一浮就此指點道：「學者當知子張問的是行，而孔子告之以立。換言之，即是子張問的是用處施設，孔子答以體上功夫。子張病在務外為人，孔子教他向裏求己。有人問程子『如何是所過者化』，程子曰：『汝且理會所存者神。』此與孔子答子張同旨。」[83] 此即一浮講學授徒的宗旨。

　　要實踐立身行己之道，須從「言忠信，行篤敬」做起。「忠是懇切深摯，信是真實不欺，篤是厚重不輕忽，敬是收斂不放肆。」此即是功夫，亦即是本體。人人就此用功，自己心體上的義理即能顯發出來。是為立身之根本。無此根基，「立國」、「化成天下」云云，一切都談不上。[84] 換言之，欲把握六經之道，必須從實踐做起，僅知讀書而不知窮理，不知躬行，空談無用而已。一浮因此標舉四項原則，以為復性書院學規：「一曰主敬，二曰窮理，三曰博文，四曰篤行。主敬為涵養之要，窮理為致知之要，博文為立事之要，篤行為進德之要。四者內外交徹，體用全該，優入聖途，必從此始。」[85]

　　一浮以為：「前講學規，乃示學者求端致力之方。趣嚮既定，可議讀書。」[86] 須知今日所謂書，乃是「一切文籍記載之總名」，「其實古之名書，皆以載道」。「文所以顯道，事之見於書者，皆文也。故六藝之文，同謂之書。以常道言，則謂之經；以立教言，則謂之藝；以顯道言，則謂之文；以竹帛言，則謂之書。」[87]《禮記‧學記》曰：「一年視離經辨志。」鄭玄注曰：「離經，斷句絕也。辨志，謂別其心意所趨嚮。」一浮即此說道，可見「離經為章句之學，以暸解文義為初學入門之事」。而後是「辨志」。所謂辨志，即是「嚴義利之辨，正其趨嚮」，否則何必要讀書？〈學記〉下文又云：「三

83　同前註，頁56-57。

84　同註82，頁57-58。

85　《復性書院講錄》，卷一，〈復性書院學規〉，頁107。

86　《復性書院講錄》，卷一，〈讀書法〉，頁124。

87　同註86，頁126、127。

年視敬業樂群，五年視博習親師，七年視論學取友，謂之小成；九年知類通
達，強立而不反，謂之大成。」一浮釋曰：

> 敬業、博習、論學，皆讀書漸進功夫。樂群、親師、取友，則義理日
> 益明，心量日益大，如是積累，猶只謂小成。至於「知類通達」，則
> 知至之目，「強立而不反」（鄭注云：「強立，臨事不惑也。不反，不
> 違失師道。」猶《論語》言「弗畔」），則學成之效。是以深造自得，
> 然後謂之大成。故學者必有資於讀書，而但言讀書，實未足以為學。
> 今人讀書，但欲瞭解文義，便謂能事已畢。是只做得離經一事耳，而
> 況文義有未能盡瞭者乎！[88]

換言之，讀經之鵠的是「大成」。所謂大成，一須知類通達，二須深造自
得。

　　一浮著重指出，凡學成者必通而不局，無門戶之見。若知經術以義理為
主，便知經學之分今古，分漢宋，乃是陋習。「至於近時，則又成東方文化
與西方文化之爭、玄學與科學之爭、唯心與唯物之爭，萬派千差，莫可究
詰，皆局而不通之過也。」[89]同時又須知，為學固不當有門戶之見，卻不可
不知條理。孟子曰：「始條理者，智之事也；終條理者，聖之事也。」荀子
曰：「聖人言雖千舉萬變，其統類一也。」一浮即此解釋說：「統是總相，類
是別相。總不離別，別不離總，舉總以該別，由別以見總，知總別之不異
者，乃可與言條理矣。」六藝之道，正是「條理粲然」者。「聖人之知行在
是，天下之事理盡是；萬物之聚散，一心之體用，悉具於是。吾人欲究事物
當然之極則，盡自心義理之大全，舍是末由也。」[90]《荀子》〈勸學〉、〈儒
效〉二篇，《莊子》〈天下〉篇等論諸經之義理與功能，正是明條理之事。六
藝雖各有其教，各有其用，然而「散為萬事，合為一理」，別相與總相不

88　同註86，頁130-131。

89　同註86，頁132。

90　《復性書院講錄》，卷2，〈羣經大義總說〉，頁150、151。

離。此其所以為「圓大」也。[91]凡此種種相，皆是「性德之流行，一理之著見」，是謂實理。明乎此，便可知「六藝不是聖人安排出來」。[92]既知六藝乃是「人人自性所具之理」，便不可「執言語，泥文字」，「以典冊為經」。須知「宇宙間本來有這些道理，盈天地間莫非經也」，亦即「六經之外別有一部沒字真經」。[93]盈天地間莫非經，六經所言種種相，顯現於萬事萬物之中，所謂體用不二，總別無異，正是即此而言者。

北宋儒者胡安定（胡瑗，諡文昭，學者稱為安定先生。原文作「文定」，誤），分經義、治事二齋以教諸生。一浮認為，如此二分法「未免將體用打成兩截」。「經義，體也；治事，用也；有體必有用，未有通經義而不能治事者。若治事而不本於經義，則是功利耳，豈足為法？」體用本不可分，所以復性書院教人，「重在明體以達用」。[94]

一浮心目中經術與經學之別，正在於此。云：「漢人言經術，通經可以為政，國有大疑大難，每以經義斷之；唐人專事注釋，便成經學；宋人以義理明經，見處遠過漢人，乃經術正宗。書院講習，亦此志也。」[95]重經術過於經學，以宋人為正宗，可見其志在逆轉康、雍以降迄於近代的學術潮流。

（二）六經之本是心性

一浮以為，六經有跡有本。「六經之本是心性，六經之跡是文字。」中國文化正是「建樹在心性上」；「心性不會亡，中國文化自然也不會亡，即使現代的文化全被毀壞，心性卻不能毀壞，則中國文化終有復興之日也」。[96]六經之旨既是「人心固有之義理」，則「人心一日不亡，六經便一日存在。即

---

91 同前註，頁152-154。
92 《復性書院講錄》，卷2，《論語大義》，頁159-160。
93 《語錄類編‧六藝篇》，頁938。
94 《問學私記》，頁1179。
95 《語錄類編‧六藝篇》，頁939。
96 《問學私記》，頁1158，1159。

使古代經典盡為灰燼，中文字全部消滅，而義自在人心，未來世若有聖人出，則必與堯、舜、孔、孟無二般。是以經亡不必憂，可憂者惟在德之不修，學之不講耳」。一浮於是認為：「歐西各國之堅甲利兵均不足懼，惟其異說流傳，足以煽惑人心，障礙義理，最為可怕。學者如立心不誠，有意取巧，即此一念，最足為心術之害。巧，即今所謂手段。」[97]按：乾嘉學者以為，經學即理學，訓詁即經學，而一浮之見則大相逕庭，可說是理學即經學，心術即經術。故曰：「六藝之教，總為德教。六藝之道，總為性道。」[98]

人人有本心，即人人能見性。然而一般人往往為利欲所陷溺，習氣所錮蔽，本心便發露不出。學者之首務，因而便是嚴辨義利。而「近世朝野上下」，則「沉溺功利，不知義理」，「自己已淪為夷狄」。一浮認為：「中國可憂的在此，真病痛亦在此，固不在國之強弱也。」[99]一浮出而講學，橫說豎說，皆為對治此病痛而發。

一浮著《洪範約義》，於〈序說〉中開首即指出：「六經總為德教，而《尚書》道政事皆原本於德。堯、舜、禹、湯、文、武所以同人心而出治道者，修德盡性而已矣。」[100]〈洪範〉中數次提及「天」、「帝」，如「惟天陰騭下民」，「帝乃震怒」等，一浮解釋說：「天是至上義，至遍義；帝是審諦義；皆表理也。今人乃謂權力高於一切，古則以為理高於一切，德高於一切。其稱天以臨之者，皆是尊德性之辭。」[101]按：〈洪範〉中「天」、「帝」等字原意是否如此，姑置不論，但一浮對儒家經典的詮釋路數，即此可見。

諸經所說，「皆是實理，不是玄言」。[102]「仁是心之全德（易言之，亦曰德之總相），即此實理之顯現於發動處者。此理若隱，便同於木石。如人患痿痹，醫家謂之不仁人，至不識痛癢，毫無感覺，直如死人。故聖人始

97　同前註，頁1169，1170。

98　《復性書院講錄》，卷3，《孝經大義・釋至德要道》，頁221。

99　《問學私記》，頁1173-1174。

100　《復性書院講錄》，卷5，《洪範約義・序說》，頁328。

101　同前註，〈附語〉，頁334。

102　《復性書院講錄》，卷1，《羣經大義總說》，頁158。

教，以《詩》為先。《詩》以感為體，令人感發興起，必假言說，故一切言語之足以感人者，皆詩也。此心之能感者便是仁，故《詩》教主仁。說者、聞者同時俱感於此，便可驗仁。」人心若未被私欲係縛，「直是活鱍鱍地，撥著便轉，觸著便行」，此即所謂「感而遂通」，亦即是「興」。人心「若一有私係，便如隔十重障，聽人言語，木木然不能曉了，只是心地昧略，決不會興起」。六經之本是心性；「仁是性德，道是行仁，學是知仁。仁是盡性，道是率性，學是知性」；所以「學者第一事便要識仁」。[103] 人心唯有「感發興起，乃可識仁」。《詩》的功能，正在於此。[104]

　　孔子曰：「興於《詩》，立於禮，成於樂。」（《論語‧泰伯》）據朱子注，意謂先以《詩》「興起其好善惡惡之心而不能自已」，而後以「恭敬辭讓」、「節文度數」，「固人肌膚之會、筋骸之束」，使人「能卓然自立而不為事物之所搖奪」，如是方能立身。故一浮曰：「六藝之教，莫先於《詩》，莫急於《禮》。詩者，志也。禮者，履也。」[105]

　　總之，治六藝之學，為求仁，為成德。「此不是訓詁考據邊事，亦不是於先儒舊說之外用私意窺測，務求新義，以資談助。切不可守此知解，便為已足，須知此是窮理之事，亦即踐形盡性之事。依此致思，即要依此力行，方有入處。」[106] 亦即感發興起之後，必當繼之以踐履，此則是《禮》教之事。如是步步行去，知行並進，方能成德，方能盡性，否則即便有暫時的感發興起，亦難以持久；是為救國淑世的拔本塞源之道。一浮主講書院，諄諄教誨，主旨在此。

四　餘論

　　益陽陳天倪（鼎忠）受唐蔚芝之邀，任教於無錫國學專修學校。民國二

103　同前註，頁161。
104　《復性書院講錄》，卷4，《詩教緒論‧序說》，頁268-69。
105　《復性書院講錄》，卷4，《禮教緒論‧序說》，頁300。
106　《復性書院講錄》，卷4，《詩教緒論‧序說》，頁268。

十二年十一月二十日，有書致其哲嗣雲章，論及蔚芝云：

> 唐校長工夫，全在一「敬」字。端居終日，毫不傾倚。貌極溫和，言
> 極懇摯，無論何矜才使氣之人，一見即嗒然若喪，足見理學之功甚
> 大。人無智愚賢不肖，未見有非議者。以此知誠能動物，非虛語也。
> 或亦江蘇人程度較高之故，若在湖南，恐不能免謗耳。其長世兄謀甫
> 〔按：名慶詒〕（俞慶棠之夫），余昨日始見之，年三十六歲，而貌娟
> 好如十七八女子，道德、中英文、科學均好極（據人云，伊著譯甚
> 多），平生未見，此人。目亦變盲，但尚能辨畫夜，未如唐校長之
> 甚。不知何故家多患盲，甚可悲也。唐先生全家孝友，獨未足異。所
> 異者小孫三數人，十歲教八歲者，八歲教六歲者，以次相傳，極合規
> 律，無一輕舉妄動。十歲以上，即寫日記，中多理學語。余見此，恍
> 游於洛、閩之域矣。
>
> 此校學生皆誠心聽課，貌多醇厚。足見江蘇文化，必可重興。余稍有
> 積蓄，當效東坡之買田陽羨也（陽羨即宜興，田甚美），不欲還湘
> 矣。[107]

此乃天倪致兒子的私函，無須作門面語，所言當是實情。即此可見蔚芝踐履
功夫之深厚，修身齊家，秩然有序，一門之內，雍雍穆穆，而且辦事極有效
率，極有紀律（自其諸孫以次相教可知）。真可謂「性情厚所以培其本，知
覺靈所以廣其用」（見前述蔚芝所著〈知覺篇〉），足證經術之效。

　　馬一浮十八歲娶湯壽潛（民元時任浙江都督）長女為妻，三十四月之
後，夫人即棄世。一浮悲慟不已，權葬於自己父母墓旁近。[108] 遂終身不娶，
「數十年不近婦人」。[109] 一浮弟子烏以風記曰：「先生早年喪妻，不娶，無
嗣。老年親屬死亡殆盡，又多疾病。友人勸續娶以延後嗣。先生曰：孔子子
孫是濂、洛、關、閩，而非衍聖公。終不為動。」又記曰：

107 陳天倪：《尊聞室賸稿》（北京市：中華書局，1977年），下冊，〈家書〉，頁977-978。
108 〈故馬浮妻孝愍湯君權葬壙銘〉，收入《馬一浮集》，冊2，〈紀傳銘讚〉，頁217。
109 《語錄類編‧師友篇》，頁1093。

先生伯姊死，先生哭之慟，每與人言，無不悲戚異常。十力先生謂為
太過，未能免俗。先生一日告以風曰：人遭喪而慟，實本性自然之流
露，不假計較。至於俗與不俗，過與不過，還是情識上事，自分別計
較而來。莊生之妻死，鼓盆而歌，以為達觀。然顏淵死，孔子哭之
慟。從者曰：「子慟矣。」曰「有慟乎？」孔子不自知其慟。莊生之不
哭，乃是硬把持；孔子之慟，乃是性情之正。此是儒、道兩家不同
處，不可不知。[110]

妻死終身不娶，伯姊死哭之慟，皆為真性情之流露。不依他起見，正是理學
家所謂率性（亦即韓昌黎〈伯夷頌〉所謂「士之特立獨行，適於義而已，不
顧人之是非」也）。

　　唐蔚芝畢生行事，所秉持的亦是此義。光緒十三年，蔚芝二十三歲時，
有〈惡圓篇〉之作，云：

夫物固有所是而亦有所非，物固有所宜違而亦有所宜順。然而末世違
順之故，則多有與是非相反者。是以後漢劉梁曰：「事有違而得道，
有順而失義。」而彼圓通者，欲以徇世俗之所好，則必拗非者為是而
故順之，屈是者為非而故違之。佞兌而不直，乖僻而不愨，同流合污
而不知恥，翩翩乎其若轉圜也，幡幡乎其若流水也。當是之時，是非
之心斲削既盡，而於是羞惡之良亦泯焉。夫至於羞惡之良泯，而其天
德之存者亦幾希矣。……而其端一自圓通開之。然則圓通者，不乃為
失誠喪心之本而學道者之大戒與！……奈何世道譸張，人心迷謬，三
代而後，遂變為圓通之天下。邪佞之士如水濟水，無不僨規矩而改
錯，競周容以為度。是故孔子有「觚哉」之歎，傷人之破以為圓，盡
去其圭角而亡本真也。[111]

可見其少年時，即已立志堅守是非標準，以方正矯圓通，不隨世俗為轉移。

---

110 《問學私記》，頁1173。

111 《二編》，頁643-645（原刊本，卷二，頁六上─七上）。

　　唐、馬二人之治經，皆不主張餖飣瑣碎，尋行數墨，而是期於有用於世。然而二人的學術淵源不同，趨向不同，人格氣象於是頗有差異。

　　蔚芝甚為推重陸桴亭《思辨錄》，以為真乃有體有用之學：「自宋以後，學者張皇幽眇，其弊也至有體而無用。桴亭先生之《錄》，壹以經世為要歸，開物成務，囊括萬彙」；[112]甚至「當利瑪竇、艾儒略新至中國之時」，即已精研西學。[113]以為治經學理學而能達於政治者，方得謂之有用。於北宋胡安定以經義、治事二齋設教，以及清代賀藕庚（長齡）輯《經世文編》，甚表讚賞，而對賀氏後「沇無傳焉」，不免惋惜。曰：「於是持議高者，以為士求明體而已，不宜言用。其卑劣者則又馳騁末務，沉溺功利，而人心風俗益不可問。嗚呼，豈不悲哉！」而留學東西洋研求彼國政治學者，因不熟悉本國情形，而致南轅北轍。蔚芝於是大力提倡中國政治學，曰：

> 正其本，萬事理。士不通經，不足致用。是故行己有恥，使于四方，不辱君命，外交學之本也。生之者眾，食之者寡，百姓足，君孰與不足，財政學之本也。臨財無苟得，臨難無苟免，出入相友，守望相助，軍政學之本也。大畏民志，用其義刑義殺，如得其情，哀矜勿喜，刑政學之本也。或以德進，或以事舉，尊賢使能，重尚廉樸，選舉法之本也。謹庠序之教，申孝弟之義，博學于文，約之以禮，教育學之本也。善事利器，日新月異，惟公惟平，勿詐勿欺，工政商政學之本也。世未有不精于學問而可以言經濟者也。亦未有不正其心術而可以求學問者也。

總之，「此心同，此理同，雖政體不同而政治原理則無不同，無論為君主，為民主，為君民共主，其道亦一也」。[114]蔚芝論政大義在於此，其經術的歸宿處亦在於此。

　　在蔚芝心目中，近代學術經世的代表人物是曾文正，以為其「優游學問

112　〈《廣思辨錄》序〉，《四編》，頁1702（原刊本，卷六，頁170）。
113　〈與友人書〉，《二編》，頁714（原刊本，卷四，頁八下）。
114　〈《政治學大義》序〉，《文集》，卷4，頁12下、14上-下。

之時，方且察意於秒忽，校理於分寸，立志必用其極，慎獨必驗諸幽」，真能「開物成務而勝天下之艱鉅」，使天下事「若網在綱，有條而不紊」。[115] 蔚芝尤其致意於外交之事，以為中國向無外交，近世之有外交，自文正長子曾惠敏（紀澤）始，秉承文正明德之教，「熟公法歷史，爭回伊犂」。此外如郭筠仙（嵩燾）、薛叔耘（福成）、黎蒓齋（庶昌）諸人，「皆受文正之陶淑，用能周知四國之為，開通吾國風氣」，而惠敏後使才寥落，「能知外交學者」，惟有許文肅（景澄）一人而已。言下不禁感歎。[116] 又承桐城古文之緒，於文章一道，甚為重視，以為《易傳》所謂「觀乎人文以化成天下」，正是指文章而言，發揚中國固有之文明，此事至關重要。[117]

從陸桴亭上繼朱子窮理盡性之學，以經世為要歸；就理學而言，重程朱，亦不廢陸王（所謂「盡心知性與夫存心養性，道在虛實並進」[118]）；兼重洋務與科學，主張大力發展農工商實業；承桐城、湘鄉之緒，發揚文章之學。要而言之，有擔當，不畏艱苦，勇於汲取新知識，不計世俗毀譽，唯期有益於天下國家。是謂晚清曾文正、郭筠仙以降的治學宗旨；此派後起者頗多江南人士，如薛叔耘、許文肅、吳摯甫（汝綸）諸人。蔚芝所秉承的，正是這一傳統。

馬一浮亦為江南產，而其學術淵源則與此一路不同。自述曰：「昔賢出入老、釋，未嘗諱言之。吾所以於聖賢言語尚能知得下落，並是從此得來，頗覺親切。」[119] 又曰：「西洋文學如莎士比亞之戲曲，群推為至高之作。其狀人情亦頗深刻，然超世出塵之境界則絕少。」[120] 可見其心嚮往之者，正在此超世絕塵之境界。為其湯夫人所撰壙銘云：

　　吾欲唱個人自治、家族自治，影響於社會，以被乎全球。破一切帝王

---

115 〈《曾文正公日記》序〉，《文集》，卷4，頁31下、32上。

116 〈《許文肅公外集》序〉，《文集》，卷4，頁32下。

117 〈無錫國學專修館學規〉《文集》，卷2，頁27下-28下。

118 〈《廣思辨錄》序〉，頁1704（原刊本，卷六，頁172）。

119 《語錄類編‧儒佛篇》，頁1052。

120 《語錄類編‧文藝篇》，頁1042。

聖哲私名小智，求人群最適之公安，而使個人永永享有道德法律上之
幸福。吾之憂也，固且與虛空同其無盡。其所言，人都弗可解，獨與
君語，君乃慧澈，能知其意。嗚呼，難矣。……浮地球之人也，其所
營萬端，乃或在無量劫，尺寸未就，其身當漂淪於大海，旦暮焦悴且
死。而浮之視其身為濁惡眾生相，譬如大空中之一微塵體。是故地球
亦一微塵，地球必死，虛空不死。馬浮形質譬一地球，馬浮必死，我
自不死。所名我者，即是虛空。眾生之我，亦即是我。而個人體之馬
浮，其所造於全世界者又庸淺無足道。則君之死也，死其一微塵體
耳。君之我，即我之我，固未嘗死，又何悲焉。[121]

其時僅二十歲又八月，已深受《莊子》及佛學影響如此。一浮卒年在丁未
（1967），臨終前，有〈擬告別諸親友〉五律一首，曰：

乘化吾安適？虛空任所之。
形神隨聚散，視聽總希夷。
漚滅全歸海，花開正滿枝。（是日花朝）
臨崖揮手罷，落日下崦嵫。[122]

六十餘年間，此一思想大體上不變。此臨終詩與陶淵明〈形影神〉三首之三
〈神釋〉，可謂後先輝映。陶詩云：「大鈞無私力，萬理自森著。人為三才
中，豈不以我故。與君雖異物，生而相依附。……縱浪大化中，不喜亦不
懼。應盡便須盡，無復獨多慮。」二詩所表達者，都是所謂生死之際的「脫
然無累」。[123]一浮憂世之情卻並不因此而稍減，云：「樂天知命，為自證之
真；閔時念亂，亦同民之患；二者並不相妨，佛氏所謂悲智雙運也。但所憂

---

121 〈故馬浮妻孝愍湯君權葬墓銘〉，頁217-218。
122 《蠲戲齋詩編年集》，收入《馬一浮集》，冊3，頁758。
123 《語錄類編・儒佛篇》有曰：「古德了達生死，示顯神通，或倒立而化，或振鐸而
　　逝，皆是以死生為遊戲，不可為訓。故釋迦示疾，乃入涅槃；儒家亦皆致謹於臨終
　　一息。至其脫然無累，則初無二致也。」（頁1056）。

者私小則不是。」[124]既嚮往超然出塵之境，又多憂世傷生之情，其故在此。

　　《明儒學案》論陳白沙（獻章）云：「先生之學，以虛為基本，以靜為門戶，以四方上下、往古來今穿紐湊合為匡郭，以日用常行分殊為功用，以勿忘勿助之間為體認之則，以未嘗致力而應用不遺為實得，遠之則為曾點，近之則為堯夫，此可無疑者也。」又引羅一峰（倫）曰：「白沙觀天人之微，究聖賢之蘊，充道以富，崇德以貴，天下之物，可愛可求，漠然無動於其中。」評曰：「信斯言也，故出其門者，多清苦自立，不以富貴為意，其高風之所激，遠矣。」[125]

　　一浮為人為學的氣象，超越古今，情在天地，[126]略近陳白沙；注重於社會講學，又與王心齋（艮）有相似處。顯然是孔門顏子、曾點一路，即前述蔚芝所謂自然派者也。其自述學問之得力處曰：

> 吾所謂最要處，乃指法身慧命終則有始而言。見性知命，乃能續得聖賢血脈。孟子後不得其傳，而濂溪既出，一念相應，便自相續，所謂「念劫圓融」，「三大阿僧祇祇是一念」，雖千年無間也。所以見性知命之道，則在用艮。艮也者，成始而成終者也。先儒易之以敬，不敬不能止，故用敬即是用艮。止者，先歇妄念，最後脫生死也。吾昔從義學、禪學翻過身來，故言之諦當，可以自信。今更為拈出，賢輩將來能勝過我，當知此言不誤也。[127]

按：「歇妄念」、「脫生死」云云，唐蔚芝所秉承的傳統中人，大概不會道及，一浮為學之「出入老、釋」，即此可見。然而一經「從義學、禪學翻過身來」，便以「敬」為立身之本，與自程朱入手的蔚芝，殊途而同歸了。

124　《語錄類編‧詩學篇》，頁1001。

125　《明儒學案》（北京市：中華書局，1985年），頁79，78（卷五，〈白沙學案上〉）。

126　宋遺民龔聖子（開）評方巖南（鳳）詩云：「由本論之，在人倫，不在人事。等而上之，在天地，不在古今。」見厲鶚：《宋詩紀事》（北京市：中華書局，1983年），頁1899（卷七八）。一浮氣象，與此略同。

127　《語錄類編‧儒佛篇》，頁1057。

　　唐、馬二人畢生所祈嚮者，在求仁，在成德。《中庸》云：「仁者，人也。」此所謂人，正如鄭康成所指出，乃是「以人意相存問之言」。故凡純正儒者，決不是自了漢，必有民胞物與之念，即便是嚮往超世絕塵之境界如馬一浮者，亦非例外。而欲杜絕世界的殺機，登斯民於衽席，依唐蔚芝之見，二端最要。一則「行政在仁慈，而行仁慈首在鰥寡煢獨」（按：既有民胞物與之念，對弱勢群體豈可不加照應）；一則如箕子所謂，「無偏無黨，王道蕩蕩；無黨無偏，王道平平」（按：亦即必須取消特權，開放政權，因天下者，天下人之天下，非某黨派或某集團所得而私也）。[128]是為仁政之本，而欲行仁政，必須有仁心，馬一浮所以謂「學者第一事便要識仁」也。在二人看來，此即經中宏綱大義，無間於古今，不隔乎中外，救國淑世，非此莫由；經術之所以適今者，以此。

　　總之，唐、馬二先生，一為力行派，一為自然派，為學所從入之途大有逕庭，人格氣象亦頗為不同。然而被服儒素，居敬窮理，不尚空談，躬行實踐，以為經中義理非僅國粹而已，實具有普世之價值，則二先生並無歧異也。

128　唐文治：《十三經提綱・尚書一・道政事》，《十三經讀本》（民國十三年施肇曾醒園刊本），卷2，頁2-4。

今文學之轉化
—— 呂思勉經學述論

嚴壽澂
上海社會科學院特約研究員

　　武進呂誠之先生，以史學著稱，其述作之富，見識之精，近世罕見，於
經、子、集三部，亦深造有得，尤其是經、子之學，時有創獲。一九八四
年，先生百歲誕辰，譚其驤先生題詞紀念（原件今藏常州市博物館），曰：
「近世承學之士，或腹笥雖富而著書不多；或著書雖多而僅纂輯成編。能如
先生之於書幾無所不讀，雖以史學名家而兼通經、子、集三部，述作略數百
萬言，淹博而多創獲者，吾未聞有第二人。」[1]所言甚為允當。

　　一九四一年，誠之先生在《中美日報》堡壘副刊發表〈從我學習歷史的
經過說到現在的學習方法〉一文，說道：受父母師友教誨，自少年時即耽讀
史書，而且「頗能將當世之事，與歷史上之事實互勘，而不為表面的記載所
囿」。十七歲時，便致力於《四庫全書提要》，讀完經、史、子三部，「唯集
部僅讀一半」，「我的學問，所以不至十分固陋」。同時又通讀段注《說文》
及《十三經註疏》，故後來「治古史略知運用材料之法」。[2]可見其從事學
問，最重一個「通」字；經史、經子、子史三者，打通而為一。此文又說，
治學所得於父母師友的，「只在方法方面」，「至於學問宗旨，則反以受漠不
相識的康南海先生的影響為最深，而梁任公先生次之。」個中原因，乃在

1　見李永圻：《呂思勉先生編年事輯》，收入《蒿廬問學記》（北京市：三聯書店，1996
　　年），頁524。
2　見《呂思勉遺文集》（上海市：華東師範大出版社，1997年），上冊，頁408-409。

「性情相近」：

> 我的感情是強烈的，而我的見解亦尚通達，所以於兩先生的議論，最
> 為投契。我所希望的是世界大同，而我亦確信世界大同之可致，這種
> 見解，實植根於髫年讀康先生的著作時，至今未變。至於論事，則極
> 服膺梁先生，而康先生的上書記（康先生上書，共有七次；第一至第
> 四書合刻一本，第五第七，各刻一本，惟第六書未曾刊行），我亦受
> 其影響甚深。[3]

誠之先生為學之所祈嚮，在此明白道出；其治經學的路數，亦由此可以窺
見。要而言之，自今文學入手，於大同之一境，心嚮往之，以為六經固然皆
為舊典，然而孔子刪修，自別有其義，不可等同於古史；又精熟於史部之
學，且有清明的理智，故一以史實為準，於今文家末流無根之談，在所不
取。本此見解以治經，故能獨樹一幟，不為時風所左右，多發前人所未發，
而犁然有當於人心。

　　茲分四部分，略述於下：

一　六經與孔門

　　民國二十三年，誠之先生在蘇州講學，論說群經諸子，就門人筆錄，稍
加補正，成《經子解題》一書。其首篇〈論讀經之法〉，開宗明義曰：「吾國
舊籍，分為經、史、子、集四部，由來已久。而四者之中，集為後起。蓋人
類之學問，必有其研究之對象。書籍之以記載現象為主者，是為史。就現象
加以研究，發明公理者，則為經、子。」此義既明，便可知「經、子本相同
之物」。既是如此，今日又何必定要分別經與子？誠之先生指出：「自漢以
後，特尊儒學，乃自諸子書中，提出儒家之書，而稱之曰經。此等見解，在
今日原不必存。然經之與子，亦自有其不同之處。」儒家所謂經，乃經過孔

3　同前註，頁409。

子之手而成，而孔子自稱「述而不作」，因此，「其書雖發揮己見，顧皆以舊書為藍本。故在諸家中，儒家之六經，與前此之古書，關係最大。」[4]經之所以不能等同於子，真實理由即在於此，與尊經不尊經無關（按：近人義憤填膺，高張討伐經學之幟者，大都於此義不甚了了）。

　　經雖與「前此之古書，關係最大」，然而又不可說「六經皆史」。章實齋（學誠）《文史通義》第一篇〈易教上〉開首即說：「六經皆史也，古人未嘗離事而言理，六經皆先王之政典也。」誠之先生不以為然，評曰：

> 章氏謂聖人不以空言立教，故謂《易》為周代政典。《易》為周代政典，自非孔子所著之書；《易》非孔子所著之書，則聖人不以空言立教審矣。「非聖人一己之心思，離事物而特著一書，以謂明道也」，實篇中最要之語也。然欲證明六經非孔子所自作，其事甚易，正不必如章氏之迂曲也。何則？孔子曰：「我欲託之空言，不如見諸行事之深切著明」，即此一語，已足證《春秋》非孔子所自著矣。以次推之：《易》為占筮之書；《書》為記言之書；《詩》為太史所採；《禮》、《樂》亦當時所行。六經皆固有之書，正不俟煩言而解也。然六經雖固有之書，而既經孔子刪修，則自有孔子所取之義。為孔子之學者之重六經，亦重孔子所寓之義，而非重其固有之書也。（非謂固有之書不足重，不可誤會。）不然，自古相傳之書多矣，何以儒家獨尊此六種邪？[5]

更進而申論說，昔日辯梁任公〈陰陽五行說之來歷〉，曾發明此義，「今節錄其辭如下」：[6]

> 在孔子當日所身親鑒定其文辭者，固經而非傳，而後人諷籀，則傳之

4　《經子解題》（上海市：華東師範大學出版社，1995年），頁1-2。

5　《文史通義評》，收入《史學四種》（上海市：上海人民出版社，1981年），頁195。

6　《文史通義評》，頁195-196。按：此文原載《東方雜誌》第20卷20號，後收入《古史辨》，冊5。

為用，且較大於經。何則？經猶今學校之教科書，傳則學生筆錄教員
口講之語：教科書死物，教員所講則活物也。今日若有經無傳，經之
意義何在，將人人莫名其妙；若有傳無經，猶可得許多義理。請言
《詩》：《詩》究系何語？讀之究有何義？恐徒讀經文者必不能解，而
一讀《韓詩外傳》則可得許多義理矣。請言《書》：《書》者，乾燥無
味之古史耳，然《孟子》與《大傳》多相緱縺，趙邠卿謂孟子通五
經，尤長於《詩》、《書》，今〈萬章〉一篇，論禪讓之理，雖多「託
古」之談，亦或「重疑」之義，(《論衡·奇怪》篇闕感生之說曰：「聖
人重疑，因不復定。」《史通·疑古》篇亦同斯意。) 然民主之大義存
焉，蓋皆通述《書》說也。請言《禮》：《禮》尤乾燥無味之書也，然
一讀《戴記》中〈冠義〉、〈昏義〉諸篇，則冠昏諸禮，其義固極淵永
矣。請言《易》：《易》之哲理，存於〈繫辭〉；然今〈繫辭〉中，「繫
辭」字及「辭」字甚多，似皆指〈卦〉、〈爻〉、〈象〉之辭言之；然今
〈繫辭〉，據《釋文》，王肅本實作〈繫辭傳〉，司馬談〈論六家之要
旨〉引今〈繫辭〉之文，謂之〈易大傳〉，則今〈繫辭〉蓋《易》之
傳，與伏生之《書大傳》等也。《公羊春秋》非常異義尤多，無待深
論，若但讀今所謂經文，則真斷爛朝報矣。[7]

由此可見誠之先生對儒家所謂經的兩點根本看法：(一) 孔子「述而不
作」，不以空言立教，而是借用六經來講說自己的一番道理；經好比教科
書，而傳、記等則好比教員的講義。因此，(二) 儒家所說的義理存於傳、
記之類，其重要性實非經本身所能及。

並世諸家，不論古文派今文派，一般均以為，經乃典籍之首，[8]其所說
的則是當時社會所認為的常道[9] (至於是否贊同這「經典」所說，或是這些

7 引自《文史通義評》，頁196。按：該書此節排印時有錯誤，茲據《古史辨》(香港：
太平書局，1963年據樸社1935年版重印本)，冊5，頁363-367，校正。
8 近人黃壽祺：《羣經要略》首篇〈經名與本枝篇〉謂：「我國典籍，羣經為首。」(上
海市：華東師範大學出版社，2000年)，頁1。
9 參看錢基博：《經學通志》(上海市：中華書局，1936年)，頁1-8。

「常道」今日是否還有其價值，那是另一問題[10]），傳則僅是經的輔助物，其重要性當然是不及經本身。而誠之先生論先秦學術，別具隻眼，「獨注重社會政治方面」，[11]於是對六經及其與傳、說、記三者的關係，有其獨到的見解。

　　首先，須知六經究為何物。誠之先生指出：「孔子之道，具於六經。六經者，《詩》、《書》、《禮》、《樂》、《易》、《春秋》也。以設教言，則謂之六藝。以其書言，則謂之六經。」而六經之中，還有等級之差：「《詩》、《書》、《禮》、《樂》者，大學設教之舊科。儒家偏重教化，故亦以是為教。《易》與《春秋》，則言性與天道，非凡及門所得聞，尤孔門精義所在也。」[12]《詩》、《書》等既是「大學設教之舊科」，則了解孔門設教之先，自須知曉古學制；而欲知古學制，又須明白古代社會情狀。誠之先生認為：

---

10 如宗今文的皮鹿門（錫瑞）說：「孔子有帝王之德而無帝王之位，晚年知道不行，退而刪定六經，以教萬世。其微言大義實可為萬世之準則。……孔子之教何在？即在所作六經之內。故孔子為萬世師表，六經即萬世教科書。」見其《經學歷史》，周予同註釋本：（北京市：中華書局，1959年），頁26。重古文的章實齋則以為，「事有實據，而理無定形。故夫子之述六經，皆取先王典章，未嘗離事而著理。」（《文史通義・經解中》）又說：「異學稱經以抗六藝，愚也。儒者僭經以擬六藝，妄也。六經初不為尊稱，義取經綸為世法耳，六經皆周公之政典，故立為經。夫子之聖，非遜周公，而《論語》諸篇不稱經者，以其非政典也。」（《文史通義・經解下》）一以六經為孔子所作，一以六經為周公之政典，然以經為重於傳、記之類，則無二致。嗣後康南海倡立孔教，欲以孔子為宗教主；章太炎則以為：「自周、孔以逮今茲，載祀數千，政俗迭變，凡諸法式，豈可施於輓近。故說經者所以存古，非以是適今也。」（見其〈與某論樸學報書〉，載沈粹芬、黃人等輯《國朝文匯》丁集，宣統二年國學扶輪社刊本，卷十七，頁四十三）。因此，等孔子於劉歆，視之為良史材（《檢論》卷三〈訂孔上〉云：「仲尼，良史也。輔以丘明而次《春秋》，料比百家，若旋璣玉斗矣。談、遷嗣之，後有《七略》。孔子歿，名實足以抗者，漢之劉歆。」），炎黃之裔賴以明瞭自己先世之史跡，興起自保種姓之心，故有功於華夏民族。康、章二人，對經的看法迥別，而視經為重於傳、記之類，則亦無異。

11 其〈自述〉一篇，談及所著《先秦學術概論》曰：「近來論先秦學術者，多側重哲學方面，此書獨注重社會政治方面，此點可取。」見《呂思勉遺文集》，上冊，頁451。按：此文作於一九五二年，原名〈三反及思想改造學習總結〉。

12 《先秦學術概論》（昆明市：雲南人民出版社，2005年），頁54-55。

「隆古之世，蕩蕩平平，當無所謂等級。」嗣後「各部落接觸，爭鬥之餘，不免有征服者與被征服者之別，而等級由是而生。」「似乎征服之族，擇中央山險之地，筑城而居；而使被征服之族，居於四圍平地，從事耕農。」於是便有了所謂「國人」與「野人」之分。就征服之族而言，「因接近政權與否」，其中又生等級，即君大夫與平民。「平民又分士、農、工、商者，而士較貴重。士含戰士及入仕二義，蓋其初惟戰士，得參與下級之政治也。」[13]教育因而亦有士大夫與平民之別：「古代士大夫之學，出於與宗教相合之哲學及官守；民間之教育，則隨順習俗，以前輩之所知所能者，傳諸後輩。」[14]「古代學術之府」，因此便有二類：「一曰學校，一曰官守。」「貴族教育，又有大學與小學之分。貴族之小學，與平民之學校，皆僅授以日用之知識技藝，及當時所謂為人之道，絕不足語於學術。大學則本為宗教之府，教中之古籍，及高深之哲學在焉。然實用之學，亦無所有，而必求之於官守。此古代學術所在之大略也。」[15]

　　誠之先生以為，邃古之時，大學即是明堂。「蔡邕之〈明堂論〉，言之最審」，其言曰：

> 明堂者，天子太廟，所以崇禮其祖，以配上帝者也。取其宗祀之貌，則曰清廟；取其正室之貌，則曰太廟；取其尊崇，則曰太室；取其向明，則曰明堂；取其四門之學，則曰太學；取其四面周水圓如璧，則曰辟雍；異名而同事，其實一也。[16]

古代貴族與平民，既是等級分明，其學制自亦有異。要而言之，「古代學校，有國學與鄉學之別。國學之中，又分大學、小學。天子之國，大學在內，小學在外，諸侯之國則反之。」[17]貴族子弟入國學，平民子弟入鄉學。

13　〈本國史答問〉，收入《呂思勉遺文集》，下冊，頁337。
14　《秦漢史》（臺北市：臺灣開明書店，1969年據1947年開明書店版重印），頁703。
15　《先秦史》（上海市：上海古籍出版社，1982年據1941年開明書店版重印），頁468。
16　《呂思勉讀史札記》（上海市：上海古籍出版社，2005年），上冊，頁493。
17　〈本國史答問〉，《呂思勉遺文集》，頁333。

誠之先生解釋說：「孟子曰：『夏曰校，殷曰序，周曰庠，學則三代共之。』
（〈滕文公上〉）〈學記〉曰：『古之教者，家有塾，黨有庠，術有序，國有
學。』學者大學，塾者貴族之小學；校、庠、序皆平民之學也。」[18]就「鄉
人」即平民而言，「出於家入於庠序，出於庠序乃入於國」；而「貴族之入小
學者，出於家即入於國，則其家塾之等級，與庠序相當也。」又據《禮記·
內則》所載，可知就日用知識而言，「平民所受教育之善，實有不讓貴族
者。」然而貴族的大學，「固宗教之府也」，於是另有其學術，為平民所不得
與聞。[19]

　　《先秦學術概論》對此「宗教之府」的科目，有一概括的說明：

> 《詩》、《書》、《禮》、《樂》，追原其朔，蓋與神教關係甚深。《禮》
> 者，祀神之儀；《樂》所以娛神；《詩》即其歌辭；《書》則教中典冊
> 也。古所以尊師重道，「執醬而饋，執爵而酳」，「袒而割牲」，北面請
> 益而勿臣，蓋亦以其教中尊宿之故。其後人事日重，信神之念日澹，
> 所謂《詩》、《書》、《禮》、《樂》，已不盡與神權有關。然四科之設，
> 相沿如故，此則樂正之所以造士也。惟儒家亦然。《論語》；「子所雅
> 言，《詩》、《書》執禮。」（自注：《論語·述而》。）言《禮》以該
> 《樂》。又曰：「興於《詩》，立於《禮》，成於《樂》。」（自注：「論
> 語·泰伯」。）專就品性言，不主知識，故不及《書》。子謂伯魚曰：
> 「學《詩》乎？」「學《禮》乎？」（自注：「《論語·季氏》。）則不舉
> 《書》，而又以《禮》該《樂》。雖皆偏舉之辭，要可互相鉤考，而知
> 其設科一循大學之舊也。（頁64）

至於《易》與《春秋》，大學雖「不以是設教」，然而亦是「明堂中物」。《論
語·公冶長》載子貢之言曰：「夫子之文章，可得而聞也。夫子之言性與天
道，不可得而聞也。」誠之先生解釋說：「文章者，《詩》、《書》、《禮》、

18　《先秦史》，頁470。

19　以上均見《呂思勉讀史札記》，上冊，頁497-498（〈古學制〉條）。

《樂》之事；性與天道，則《易》道也。」又說：「孔子之作《春秋》也，『筆則筆，削則削，子夏之徒，不能贊一辭。』（自注：《史記‧孔子世家》。）子夏之徒不能贊，況其下焉者乎？」[20]《易》與《春秋》於是便「為孔門最高之學。」[21]

《莊子‧天下》曰：「以仁為恩，以義為理，以禮為行，以樂為和，熏然慈仁，謂之君子。」又曰：「古之人其備乎？……其明而在度數者，舊法世傳之史，尚多有之。其在於《詩》、《書》、《禮》、《樂》者，鄒魯之士、縉紳先生，多能明之。《詩》以道志。《書》以道事，《禮》以道行，《樂》以道和，《易》以道陰陽，《春秋》以道名分。其數散於天下、而設於中國者，百家之學時或稱而道之。」誠之先生據此說道：

> 以仁為恩指《詩》，以義為理指《書》，所謂熏然慈仁之君子，即學於大學之士也。此以言乎盛世。至於官失其守，則其學為儒家所傳，所謂鄒魯之士、縉紳先生者也。上下相銜，「《詩》以道志」二十七字，決為後人記識之語涸入本文者。《管子‧戒》篇：「博學而不自反，必有邪。孝弟者，仁之祖也。忠信者，交之慶也。內不考孝弟，外不正忠信；澤其四經而誦學者，是亡其身者也。」尹《注》：「四經，謂《詩》、《書》、《禮》、《樂》。」其說是也。古所誦惟《詩》、《樂》，謂之經。後引伸之，則凡可誦習者皆稱經。〈學記〉：「一年視離經辨志。」經蓋指《詩》、《樂》，志蓋指《書》，分言之也。《管子》稱四經，合言之也。可見《詩》、《書》、《禮》、《樂》，為大學之舊科矣。舊法世傳之史，蓋失其義，徒能陳其數者。百家之學，皆王官之一守，所謂散於天下，設於中國，時或稱而道之者也。亦足為《詩》、《書》、《禮》、《樂》出於大學之一旁證也。[22]

---

20 《先秦學術概論》，頁64-65。
21 同前註，頁59。
22 同註20，頁68。

六經雖「皆先王舊典」，然而「孔子因以設教，則又別有其義」。[23]此一觀念，乃誠之先生論六經與孔門之教的基石，其理由在於諸子之學與王官的關係。

　　誠之先生因此認為，胡適「諸子不出王官」之論，實是大謬不然，說道：

> 諸家之學，《漢志》謂皆出王官；《淮南・要略》則以為起於救時之弊；蓋一言其因，一言其緣也。近人胡適之，著〈諸子不出王官論〉，力詆《漢志》之誣。殊不知先秦諸子之學，極為精深，果其起自東周，數百年間，何能發達至此？且諸子書之思想文義，皆顯分古近，決非一時間物，夫固開卷可見也。章太炎謂「九流皆出王官，及其發舒，王官所弗能與；官人守要，而九流究宣其義」，其說實最持平。《荀子》云：「父子相傳，以持王公，是故三代雖亡，治法猶存，是官人百吏之所以取祿秩也。」此即所謂守要。究宣其義者，遭直世變，本其所學，以求其病原，擬立方劑，見聞既較前人為恢廓，心思自較前人為發皇，故其所據之原理雖同，而其旁通發揮，則非前人所能望見也。此猶今日言社會主義者，盛極一時，謂其原於歐洲之聖西門、馬克思，固可；謂由中國今日，機械之用益宏，勞資之分稍顯，國人因而注意及此，亦無不可也。由前則《漢志》之說，由後則《淮南》之說也。不惟本不相背，亦且相得益彰矣。[24]

按：此論最為明通。自命掌握科學方法的績溪胡氏，即奔逸絕塵，亦瞠乎後矣。

　　此外，說諸子之必出於王官，「尚有其一因焉」，即「古代社會，等級森嚴，平民胼手胝足，以給公上，謀口實之不暇，安有餘閑，從事學問？」而「春秋以降，弒君三十六，亡國五十二，諸侯奔走，不得保其社稷者，不可

23　同註20，頁55。
24　同註20，頁16-17。

勝數。鄉之父子相傳，以持王公取祿秩者，至此蓋多降為平民，而在官之
學，遂一變而為私家之學矣。」[25]在此社會大變動中，對學術普及於平民最
為有功之一人，厥惟孔子。誠之先生說：「竊意封建之壞，其上流社會，自
分為二：性寬柔若世為文吏者則為儒，性強毅若世為戰士者則為俠。孔因儒
以設教，墨藉俠以行道。」[26]此義既明，便可知：

> 六經皆古籍，而孔子取以立教，則有自有其義。孔子之義，不必盡與
> 古義合，而不能謂其物不本之於古。其物雖本之於古，而孔子自別有
> 其義。儒家所重者，非自古相傳之典籍也。此兩義各不相妨。故儒家
> 之尊孔子，曰：「賢於堯舜遠矣。」曰：「自生民以來，未有孔子。」
> （自注：《孟子・公孫丑上》）而孔子則謙言：「述而不作，信而好
> 古。」（自注：《論語・述而》）即推尊孔子者，亦未嘗不以「祖述堯
> 舜，憲章文武」為言也。（自注：《禮記・中庸》）

誠之先生因此斷定：「惟六經僅相傳古籍，而孔門所重，在於孔子之義，故
經之本文，並不較與經相輔之物為重；不徒不較重，抑且無相輔而行之物，
而經竟為無謂之物矣。」[27]

　　這「與經相輔而行者」，大略有三種，即傳、說、記。傳得名之由來，
乃在「古代文字之用少，書策流傳，義率存於口說，其說即謂之傳。」不僅
儒家之書如此，「凡古書，莫不有傳與之相輔而行。其物既由來甚舊；而與
其所傳之書，又如輔車相依，不可闕一。故古人引用，二者多不甚立別；而
傳遂與其所傳之書，并合為一焉。」所謂說，與傳「實即一物。不過其出較
先、久著竹帛者，則謂之傳；其出較晚、猶存口說者，則謂之說耳。」[28]
（按：余季豫先生（嘉錫）亦謂「周、秦、西漢之書，其先多口耳相傳，至

25　同註20，頁17。

26　同註20，頁54。

27　同註20，頁71。

28　同註20，頁72。

後世始著竹帛」。所論甚精,可參看。[29])

　　《公羊傳》「定公元年」曰:「定、哀多微辭,主人習其讀而問其傳,則未知己之有罪焉爾。」誠之先生據此推論說,古代文字之用既不廣,故「雖著之竹帛,其辭仍甚簡略,若此,則不得不有藉於說,明矣」。說的由來,正在於此。先生更以《漢書》之〈蔡義傳〉及〈儒林傳〉所記兒寬事為證(〈儒林傳〉引兒寬初見武帝,語經學。「上曰:『吾始以《尚書》為樸學,弗好。[誠之先生自注:樸即老子「樸散而為器」之樸。《淮南·精神》注:「樸,猶質也。」所謂木斲不成器也。此可見經而無傳,傳而無說,即成為無謂之物。]及聞兒寬說,可觀。乃從寬問一篇。」),說道:「可見漢世傳經,精義皆存於說。漢儒所由以背師說為大戒也。」又指出:「凡說,率多至漢師始著竹帛。」並引《漢書·王莽傳》,群臣請莽「居攝如天子之奏」為例,證明「說可引據,亦同於傳」。[30]

　　至於記,則亦附庸於經,與傳為同類之物,皆為古書。「記之本義,蓋為史籍。」如「史記」二字,即是「漢時史籍之通稱,猶今言歷史也」。《公羊傳》僖公二年宮之奇謂「記曰:『唇亡而齒寒』」,即為一例。記亦可稱為「語」,《孟子·萬章上》載,孟子斥咸丘蒙所言乃「齊東野人之語」,即為其證。而且「記字所包甚廣,宮之奇、咸丘蒙所引,蓋記言之史,小說家之流;其記典禮者,則今所謂《禮記》是也。」由此可知,「《記》與《禮》實非異物,故古人引《禮》者或稱《記》,引《記》者亦或稱《禮》」。「記之為物甚古」,因此其本身「亦自有傳」。總之,「傳、說同類,記以補經不備,傳則附麗於經,故與經相輔而行之書,亦總稱為傳記,如劉歆〈移太常博士〉所言是也。」[31]

　　孔門的大義,則「存於傳,不存於經」。如〈堯典〉,「究有何義?非所謂《尚書》樸學者邪?」然而「試讀《孟子·萬章上》篇,則禪讓之大義存焉。夷考伏生《書傳》、《史記·五帝本紀》,說皆與孟子同,蓋同用孔門

29　《四庫提要辨證》(北京市:中華書局,1980年),頁608-609。

30　《先秦學術概論》,頁74-75。

31　同前註,頁75-76。

『書說』也」。「傳」若是「不足以盡義」，於是便「有待於說」。「試引一事
為證。王魯、新周、故宋，非《春秋》之大義乎？然《公羊》無其文也。非
《繁露》其孰能明之？」「古人為學，所以貴師承」，原因正在於此。因此，
「後人率重經而輕傳、說」，乃是一個錯誤觀念，須知「其實二者皆漢初先
師所傳」。由此可知，「傳、說、記三者，自以說為最可貴」；而漢代所謂章
句，其實也就是「說」。今文家言之所以重要，端在保存了孔門口耳相傳的
大義。[32]

二　今古文之辨

　　誠之先生對於漢代今古文之爭，有明白而透徹的理解。一般認為，今古
文之分以文字言。先生則以為，此非二者同異的主因：漢朝人著之於竹帛的
書，用當時通行的隸書，為何必須別立一個名目？顯然其中另有原因。其言
曰：

> 今古文以文字言。漢時通行隸書，古人學問，所由口耳相傳，此時著
> 之竹帛，即用當時通行文字，此本當然之理，毋庸別立名目。其後有
> 自謂得古文字所寫經本者，其學稱為古文，遂稱前此相傳之學為今
> 文。然今古文之同異，實不在經文而在經說。古文家謂《書》有逸十
> 六篇，《禮》有《逸禮》三十九篇，今皆無存。惟《春秋》有《穀
> 梁》、《左氏》兩傳而已。今古文本同有之經，文字之異，實多無關意
> 義，如《儀禮》鄭《注》所載今古文異字是也。[33]

同時又認為，今古文經說之所以有別，主要在二者所說制度之異，別異的根
由，則在所據以立說的時代不同：

---

32 同註30，頁76-77、79-80。並可參看《呂思勉讀史札記》中冊，〈傳、說、記〉，頁
　　748-754。
33 〈本國史答問〉，《呂思勉遺文集》，下冊，頁365。

說古代制度的，在儒家有今古文之異。我們知道今文是根據較早的時代而立說，古文是根據較晚的時代而立說（如封建之法，今文說公侯皆方百里，伯七十里，子男五十里；古文則自方五百里至百里，即因其時互相兼併，諸侯之國土，皆已大了，所以立說者所虛擬的制度，亦因此而不同）。今文說：師為一軍；天子六師，方伯二師，諸侯一師。古文則以五師為軍，王六軍，大國三軍，次國二軍。其兵額就擴大了好幾倍。然而這是正式的軍隊。據前章江慎修先生之說（按：此指江永《群經補義》之說）知古代人民，並不是全國當兵的。這並非他們不能當兵，不過不用他為正式的軍隊，而僅用之以保衛本地方，像後世的鄉兵罷了。……至於戰國，……各地方守衛的兵，都調到前方，充做正式的軍隊了。此戰國時之爭戰，兵數所以驟增。[34]

　　然而不論今文古文，都是「託古改制」之物。在孔子的時代，封建制度崩壞，上層社會分為儒、俠二流。「儒者之徒，必夙有其所誦習之義、服行之道，孔子亦因而仍之」，「未嘗自別於儒」，故《論語》有「從周」之義。但是「孔子之道，斷非周公所能該」，其設教固別有其義，「所慨想者，在於大同」。[35] 此其所以為「託古改制」也。西漢末，王莽懷抱儒家理想，試圖對社會作根本的大變革，劉歆以經古文學佐之，託《周官》以改制。[36] 今文

34　〈大同釋義〉，《呂思勉遺文集》，下冊，頁212-213；有關江慎修之說，見同篇，頁188-189。

35　《先秦學術概論》，頁54-55、60。

36　誠之先生認為，王莽的政治，「可分數端：一曰均貧富，二曰興教化，三曰改官制，四曰修庶政，五曰興學術。凡莽之所懷抱者，多未能行，或行之而無其效，雖滋紛擾，究未足以召大亂，其召亂者，皆其均貧富之政，欲求利民，而轉以害之之故也。」見《秦漢史》，頁197。先生更以為，「自王莽舉行這樣的大改革而失敗後，政治家的眼光，亦為之一變，根本之計，再也沒有人敢提及。社會漸被視為不可以人力控制之物，只能聽其遷流所至。『治天下不如安天下，安天下不如與天下安』，遂被視為政治上的金科玉律了。所以說，這是中國歷史上的一個大轉變。」見《呂著中國通史》（上海市：華東師範大學出版社，1996年），頁369-370。按：這是一個歷史的大判斷，非具通貫古今的眼光不能道。

家與古文家之言，分別代表此二種學說，各有其改制者的理想，其背後也各有古代的事實。誠之先生因此說：

> 欲考見孔子學說之真相者，當以今文家言為主；欲考見王莽、劉歆之政見者，當以古文家言為主。欲考見古代之事實者，則今古文皆有價值。其中皆有古代之事實，皆有改制者之理想。吾輩緊要之手段，則在判明其「孰為事實，孰為理想」而已。但雖如此說，畢竟今文之價值，較大於古文。其中有兩層理由：一則人之思想，為時代所限，此無可如何之事，孔子與劉歆、王莽雖同為改制託古之人，然孔子早於劉歆、王莽數百年，其思想與古代較接近；由之以推求古代之真事實較容易。二則造假話騙人之事，愈至後世而愈難，故王莽、劉歆，後於孔子數百年，而其所造作之言，反較孔子為荒怪，讖緯之書是也。因騙人難，故不得不索性出於荒怪，使人易於眩惑。──此等怪說，其中雖亦含有幾分之神話，為治古史者最可寶貴之材料；然出於有意造作者多，大抵足以迷惑古代事實之真相。

總之，今日欲考索古代史實，所能依賴的都是「孔子、莽、歆改制所託之書」，並無忠實記載古事者流傳於後。而且這些古書「大抵闕佚不完；任考一事，皆係東鱗西爪，有頭無尾」，「往往有數種異說，使人無所適從」。「然苟於今古文家之學說，能深知其源流，則極錯雜之說，殆無不可整理之為兩組者。（即諸子之書，於今古文家言，亦必有一合。）」既能整理之為兩組，在判決其是非之際，自較處理紛然雜存之異說為容易，而且謬誤亦必少。「此亦治經必要分別今古文之一最大理由也。」不僅如此，「治經不當以分別今古文為已足，更當進而鑑別今文家之書，判定其價值之大小。此實為今後考古者必要之手段。」因此，必須對經學作分期的處理：第一是今文時期，即漢代十四博士之說。而誠之先生對十四博士是否為「純正之今文學」，亦頗存疑問。第二是古文時期，即東漢馬融、鄭玄諸儒之學。第三則為起於魏、晉以後的新古文時期，其中有大關係者，乃是王肅。託古而至於王肅，「以其學說，託諸孔子後人」，「專以之與人爭名」，「變幻至此，真匪

夷所思矣。」對於清儒尊崇的漢學宗師鄭康成，誠之先生亦不看重。其理由
是：東漢時，「經說太繁雜，派別（家法）太多。繁雜則中人之材，難於徧
涉；派別多，乃令人無所適從。」於是「鄭玄起，乃將前此之所謂家法者，
盡行破壞；全用主觀方法，隨意採取；亦間用考據的手段，穿鑿牽合。於是
有此一家之書，而他家之書若可廢。昧者不察，且謂玄一人而奄有諸家之
長。」其說因而大行。其實鄭玄「毫不講方法」，簡直就是後世「隨意纂鈔
之鄉曲陋儒」。[37] 對康成的批判，可謂嚴厲。然而若是對康成的經說作一番
考察，不能不說，誠之先生所言，實是有相當的道理。

　　然而又不能就此說，誠之先生一以今文為尚，不脫門戶之見。近世今文
經學的興起，其意本在經世。但是誠之先生指出，「以經世言」，經學在今天
「已為無用之學」，「所以康長素和章太炎，雖然都講經學，而其影響於後
來，轉以史學為大」。[38] 因此在先生看來，今日治經學，應當「就今文家
言，判決其孰為古代之真事實，孰為孔子之所託」，以使「孔子之學說與古
代之事實，皆可分明」。易言之，其所注意者，乃在古代史實與孔子及孔門
後學的哲學思想，而不在以經學「經」今日之世，此其所以大不同於康長素
與廖季平也。先生於是又主張，治經者須「就今文家言中，分別其孰為鈔錄
古書，孰為孔子及孔門後學所自撰」，至於「經與傳之分別，卻不甚緊要」。
因為：「經之中，有鈔錄古書者，亦有孔子及孔門後學所自撰之文字。傳之
中，亦兩者俱有之。蓋經與傳，同為孔門後學者所傳，以其所傳之經為可
信，則其所傳之傳，亦可信也。以其所傳之傳為不可信，則其所傳之經，亦
不可信也。」若於此明瞭，便可知今文家言之可貴，因孔門大義，多賴此以
傳於後世也。「如《孟子・萬章》上篇論歷史之言，皆為稱引《書》說，亦
可見此中之關係，蓋如是乃可見孟子民貴君輕之義，皆出於孔門，而《尚
書》乃為一有價值之書。」[39]

　　當時「一部分學者，幾目今文學為空疏荒怪之流，而盛稱古文學為求

37　以上均見〈論經學今古文之別〉，《呂思勉讀史札記》，中冊，頁721-723。
38　〈從章太炎說到康長素梁任公〉，《呂思勉遺文集》，下冊，頁397。
39　〈論經學今古文之別〉，《呂思勉讀史札記》，中冊，頁723-724。

是」（按：持此等看法者，實為當時學術界主流）。誠之先生對此，大不以為
然，認為「南海康氏欲尊孔子為教主，暨井研廖氏晚歲荒怪之說」，「在今
日，本無人崇信」，又何須大張旗鼓以撻伐？「然康氏昌言孔子改制託古；
廖氏發明今古文之別，在於其所說之制度；此則為經學上之兩大發明。有康
氏之說，而後古勝於今之觀念全破，考究古事，乃一無障礙。有廖氏之說，
而後今古文之分野，得以判然分明，亦不容一筆抹殺也。」又如「近代崇信
古學者」的巨擘章太炎，「何以亦不視堯、舜、文、武、周公為神聖，而有
取於孔子託古改制之說邪？」另一方面，清代今文學晚起，所成就之業，自
不及古文學家之多。「然此乃時間問題，不足為今文學者病，更不足為今文
學之病。」更須指出的是：「志在經世，古人皆然；純粹求真之主義，近日
科學始有之；前此今文家固不知，古文家亦未有也。」（按：論清代經學或
樸學之時，這一點務須牢記，而近世論者對此多未注意，梁任公如此，胡適
之更其如此。）說今文家「緣飾附會」，亦是證據缺乏。而且讖緯之作偽，
乃起於西漢哀、平時，「與古文經同時並出之物也，顧不為緣飾附會乎？」
至於「舊籍之真面目，得以遺留於今，當由古文家尸其功」云云，更是不知
從何說起了。難道齊、魯、韓三家之《詩》，伏生的《尚書大傳》等等，「皆
不足信」，唯有《古文尚書》、《毛詩》、《逸禮》、《左氏春秋》等，「乃為可信
乎？」因此，所謂「古文家近於科學方法」之說，其實是毫無根據。「許慎
之《五經異義》，據孤證以決是非；鄭玄之徧注群經，破家法而肆穿鑿，足
以當之乎？」「夫以清代之古文學者為能求是，則今文學晚出而益精，恐未
容執其中一二學者有為而言之言，一筆抹殺；若謂古代之古文家即能求是，
則吾不知其所求何是也。吾為此論，非欲攻擊時賢，特以學問上之方法，必
真足以求真而後可。」[40]

　　綜括而論，誠之先生對今古學的看法是：

　　　　古代簡牘用少，學問皆存於口耳，故經或脫簡，傳或間編，皆非所
　　　　計；漢今學家尚如此。（〈金縢〉不記周公之死，而今學家知雷風之變

40　〈論經學今古文之別〉，《呂思勉讀史札記》，頁725-726。

為周公死後事，明經有脫簡也。《禮記》傳自小戴，而〈郊特牲〉他
篇錯入最多，〈玉藻〉本篇失次特甚，此傳或間編，今學家初不錯意
之證。《公羊》昭公十二年：「齊納北燕伯於陽。伯於陽者何？公子陽
生也。子曰：我乃知之矣。在側者曰：子茍知之，何以不革？曰：如
爾不知戶何？」不改舊文，而但存其真於口說，蓋自古相傳之法
也。）古學則本無師傳，全係據書本考校而得，故於文字之異同、篇
章之先後離合，最為斤斤。（康成注《儀禮》，兼存今古文。又其注
經，有讀為、讀若等例，皆其注意文字之證。其注〈郊特牲〉、〈玉
藻〉等，於篇章之先後離合，亦所究心。鄭箋《詩》改字，《毛傳》
則否。《毛傳》早出，古學尚未行也。）又今學家之說，皆傳之自
古，流異源同，故雖分為數家，大體仍相一致。（觀三家《詩》可
見。）古學家之說，由於各自研求，故彼此不能相同，前後亦復相
異。[41]

按：所論原原本本，條例秩然，先生為學，求真求是，從大處落墨，不為時
風所左右，即此而可見。

　　秉此見解，對於魏晉以後的說經之作，亦能有持平之論。如王弼之注
《周易》，「多主空談玄理，而不能如兩漢時之樸實說經，世多以此訾之」，
然而須知：「魏、晉人學術之程度，確高於兩漢人」。西漢的今文學者，「雖
有微言大義之存，然罕能貫通，多不過僅守師說；而此師說，又本為殘闕不
完之說」。「東京儒者，則所求古文，不過訓詁名物之末，其學瑣碎而無條
理。」儒家之學至此，於是「僅有形質而無精神，實不足以饜人心」。魏、
晉人之學，代之以起，「所以異於漢人者」，乃在於「有我」。所謂有我，指
的是「自有思想，故非有形質而無精神」。因而「能使古代哲學思想復活，
以為迎接佛教之預備」。即使「由此以求孔門之微言大義、古代之典章文
物，皆不如漢人之學之足恃」，然而魏晉哲學，在中國學術史上，自有「甚
大之價值」。若講明之，「魏、晉人空談說經之書，其中亦有可貴之材料存

41　〈百兩篇〉，《呂思勉讀史札記》，頁783。

焉」。而且魏晉畢竟去古較近,「古人學說,未曾盡亡;雖曰任情,究有依
據」,以此「測度古人,亦自較後世所臆測者為近」;即使「由此以求古,其
價值亦自與唐、宋以後之學不同」。[42]

　　魏晉人還有一種神仙家之學,以祈求不死為目的。「謂人可以不死」,本
是「天下之至愚」,足證其「毫無哲學思想」;但是此派人「既容與於士大夫
之間,則不能不略帶哲學的色彩」,因而著書之際,便竊取當時社會上流行
的《老》、《易》哲學,「以為緣飾附會之資」。雖是如此,但因儒、道二家之
哲學,今日存世者已不多,「必轉有存於彼書中者」。所以《道藏》之書,在
這方面頗有研究之價值。原出道書的《太極圖》即為一證(「後世之所謂道
書,即神仙家之書」)。「清儒力攻之」,然而所能證明的,只是此圖「係取諸
道書中」,在儒家中「無傳授行跡之可徵」而已;至於其與《易》說究竟有
何不合,則「不能得也」。若此圖「果與《易》了無關係」,何以二者之間
「能密合如此,且又可以之演範」?由此可見,此圖「為《易》之舊說,為
神仙家所竊,在儒家既亡,而在神仙家中轉存」。[43]誠之先生治經學,能貫
穿古今,辨別源流,不囿於清初以降的所謂樸學路數,從可知矣。

三　五經各論

　　誠之先生論五經,多有特見。如論《詩》云:「此書近今言文學者必首
及之,幾視為第一要書,鄙意少異。」理由有二:一是「韻文視無韻文,已
覺專門;談韻文而及於《詩經》,則其專門更甚」。因為「四言詩自漢魏後,
其道已窮」,若非治此一種文學的專家,「不易領略其音節之美」。二是「詩
之妙處,在動人情感,而此書距今太遠,今人讀之,實不能知其意之所
在」。[44]講文學史者,想必多不以為然。但是若根據一般人的閱讀經驗,平

42　〈論經學今古文之別〉,《呂思勉讀史札記》,頁726-727。

43　同前註,頁727-728。按:「清儒力攻之」,原書作「力致之」,顯為排印之誤,茲改
　　正。

44　《經子解題》,頁11-12。

心靜氣地想一番，不能不說，這實是不刊之論。

　　在誠之先生看來，「讀《詩》第一當辨明之事，即為《詩序》」。有關《詩序》作者，古說有四派。一是鄭玄《詩譜》，以為《大序》子夏作，《小序》子夏、毛公合作。二是王肅《孔子家語注》，以為子夏作。三是《後漢書‧儒林傳》，以為衛宏作。四是《隋書‧經籍志》的調停之論，以為「子夏首創，而毛公及衛宏加以潤飾增益者」。[45]先生認為：「鑑別書籍出於何時代，從文字上觀察，實為一極可信之法。」（因為同時代的人，不論意見如何分歧，其口氣、用語等，總有相似之處。）同時又指出：「但其方法必極微密，且必為科學的，不得為現在文學家之籠統觀察用『可以意會不可以言傳』之方法耳。」[46]（按：即此可見其思想之精密。）

　　從文字觀察，《詩序》「其文平近諧婉，且不類西漢人作，更無論先秦矣」。但是問題是：衛宏與鄭玄、王肅「相去甚近」，「鄭、王何至並此而不能辨？」先生乃依據古書的通例做出了合理的解釋：「古人云某書某作，不必其人親著竹帛，特推所自來耳……故以子夏、毛公為言耳。」進而又分別大小《詩序》之名的所由來，以為《大小序》之分，大體當從朱子之說，自起首至「用之邦國焉」為《小序》，「專序〈關雎〉一詩」；「風，風也」至「詩之至也」為《大序》，「總論全詩之義」。「『然則關雎麟趾』以下，介於《大、小序》之間，蓋論全詩之義既竟，專論〈周南〉、〈召南〉，又迴合至〈關雎〉一篇者也。」由此文氣的分析，便可知《大、小序》之名，並不是「作此序者胸中先有此區別」，而是「傳此序者所立」。「故以其義論之，則一篇之中，兼苞專論〈關雎〉、統論詩義及〈二南〉兩端；以其文字言之，則又一氣相承，不能分割也。」於是可以合理地推測：「蓋作〈詩序〉者，以論全詩及〈二南〉之語，合諸〈關雎〉序中，後人欲加分別，乃立大小之名也。」故曰：「此序最可見古學家之說係摭拾傳記而成。」[47]

　　楊遇夫（樹達）〈曾星笠尚書正讀序〉云：「余生平持論，謂讀古書當通

45　《經子解題》，頁16-18；並參看《呂思勉讀史札記》，中冊，頁758（〈詩序上〉）。

46　〈論經學今古文之別〉，《呂思勉讀史札記》，中冊，頁723-724。

47　〈詩序上〉，《呂思勉讀史札記》，頁758-759。

訓詁，審辭氣，二者如車之兩輪，不可或缺。」[48]誠之先生於古文造詣甚深
（自其論《古文觀止》事可見[49]），又精研文字及章句之學（有《文字變遷
考》及《章句論》行世），故於通訓詁、審辭氣二者俱精，加之以融會古今
的歷史通識，治經學於是能別具隻眼，多有創獲。

先生對《詩經》有一個重要的見解，即「詩無作義」，云：

> 古之詩，與後世之謠辭相似，其原多出於勞人思婦，矢口所陳，或託
> 物而起興，或感事而陳辭。其辭不必無所因，而既成之後，十口相
> 傳，又不能無所改易。故必欲問詩之作者為何人，其作之為何事，不
> 徒在後世不可得，即起古人於九原而問之，亦將茫然無以對。何也？
> 其作者本不可知，至於何為而作，則作者亦不自知也。[50]

又曰：「〈雅〉、〈頌〉或有本事可指；〈風〉則民間歌謠，且無作者可知，安
有本義可得。」[51]齊、魯、韓三家說《詩》，「知本義者極少」，厥因即在於
此。然而「今所傳《小序》，乃無一詩不知其何為而作；而其所為作，且無
一不由於政治；幾若勞人思婦，無不知政治之得失者。」即此一端，即可知
《小序》之不足信。古人確實認為，「陳詩可以觀民風，抑且可知政治之的
得失」。但是須知，其意僅是風俗之善惡與政治得失有關，並非意謂「勞人
思婦，無一不深知政治，明乎其得失，且知其與風俗之關係也」。[52]陳詩所
以可觀民風，本有其社會原因，即：「世同則俗同，俗同則人之心思相類，
故彼此之意，易於推測而知，雖復託諸比興，不翅矢口而陳。」古學家卻不
明此義，「見古書即采摭之，而不顧其合於理不合於理，合於事不合於事而

---

48 曾運乾：《尚書正讀》（香港：中華書局，1972年），卷末，頁303。
49 一九四二、一九四三年之交，誠之先生執教於蘇州中學常州分校，嘗為高中二年級學
　　生講授《古文觀止》，「取其選鈔無法，美惡雜陳也」。時黃永年教授為聽課之學生，
　　記有筆記，《學術集林》（上海市：遠東出版社，1995年），發表於卷3，頁35-101。先
　　生另有《宋代文學》一書行世。
50 〈詩無作義〉，《呂思勉讀史札記》，中冊，頁754。
51 《經子解題》，頁17。
52 〈詩無作義〉，《呂思勉讀史札記》，中冊，頁754-755。

已。古學家之說，大抵如此逐漸造成者也。」[53]

《公羊傳》宣公十五年何休《注》言采詩之義曰：「五穀畢入，民皆居宅。男女有所怨恨，相從而歌。飢者歌其食，勞者歌其事。男年六十，女年五十無子者，官衣食之，使之民間求詩。鄉移於邑，邑移於國，國以聞於天子。故王者不出牖戶，盡知天下所苦，不下堂而知四方。」誠之先生據此指出，古時重陳詩以觀民風，有如此者。又說道：

> 夫人生在世，孰能無幽約怨悱，不能自言之情？而社會之中，束縛重重，豈有言論自由之地？斯義也，穆勒《群己權界論》（嚴復譯），言之詳矣。故往往公然表白之言，初非其人之真意；而其真意，轉託諸謠詠之間。古代之重詩也以此。夫如是，《詩》安得有質言其事者。而亦安可據字句測度，即自謂能得作詩之義邪？

這段話可說是直湊單微，打通後壁。絕對的所謂言論自由，說穿了，自古迄今，實從未有過。古學家則於此茫然，「謂三家皆不知《詩》之本義，而古學家獨能得之也」。若知《詩》原無所謂本義，即可知：「太師采《詩》而為樂，則只有太師采之之意；孔子刪《詩》而為經，則只有孔子取之之意耳。猶今北京大學，編輯歌謠，豈得謂編輯之人，即知作此歌謠者之意邪？」因此，《詩》只有「誦義」，亦即「我以何義誦之，即為何義」，定要「鑿求其本義」，葛藤於是生矣。[54]

先生因此對新舊兩派說《詩》者，均有批評。舊派經學家崇奉毛《傳》，但是《詩》本文學，專以所謂義理說之，「誠不免迂腐」。新派談文學者，則憑空臆測，喜說「月出皎兮，明明是一首情詩」之類的話頭，「羌無故實，而言之鑿然」，實難令人信服。（按：不同時代、不同環境的人，所看出來的「明明是……」，極可能截然相反。）總之，如先生所說，「《詩》之作者，距今幾三千年；作《詩》之意，斷非吾儕臆測可得。」「善讀書

53　〈詩序上〉，《呂思勉讀史札記》，頁760-761。

54　《經子解題》，頁22-23。

者」，應當「通其所可通，而闕其所不可通者」。[55]治一切學問，實皆當如此。而近世自命掌握了「科學」知識或「先進」理論的人，往往以其一孔之見，遍為萬物說，其結果只能是令通人齒冷而已。

　　至於《尚書》，先生以為，其真偽「最為糾紛。他經惟經說有聚訟，經文同異，止於文字，《尚書》則經文亦有真偽之分。」所以講《書經》，先須辨別真偽。同時又須知，晚出之經雖是偽物，卻決非憑空造作，而是「多有古書為據」（惠棟的《古文尚書考》，已「為之一一抉其出處」），因此仍有其價值在。例如〈泰誓〉一篇乃後得，「誠不能遽比之於經，固不妨附益於傳」。「經與傳之相去，本不甚遠」，所以漢世博士「仍附之於經以為教，非真識不如馬融也」。（按：如此見解，真乃通方之論。）更須知：

> 《尚書》、《春秋》，同為古史。所謂左史記言，右史記事；言為《尚書》，事為《春秋》是也。然既經孔子刪修，則又自成其為經，而有孔門所傳之經義。經義史事，二者互有關係，而又各不相干。必能將其分析清楚，乃能明經義之旨，而亦可見史事之真。否則糾纏不清，二者皆病矣。

此義既明，即可知《孟子》、《尚書大傳》、《史記》諸書所傳之堯舜禪讓事，「當徑作經義讀，不必信為史事」。[56]

　　對此堯舜禪讓事，誠之先生後來又有進一步的看法：「堯舜禪讓之說，予昔極疑之，嘗因《史通》作〈廣疑古〉之篇。由今思之，其說亦未必然也。」廣泛比勘群書後，說道：「昔時所疑，蓋無甚得當者。惟果謂堯、舜、禹之禪繼，皆雍容揖讓，一出於公天下之心，則又不然。《韓子》所引《史記》之文，即其明證。古代史事，其詳本不可得聞。諸子百家，各以意說。儒家稱美之，以明天下為公之義；法家詆斥之，以彰姦劫弒臣之危；用意不同，失真則一。」昔人偏信儒家，今人一反之，將所謂上世聖人等同於

55　《經子解題》，頁22。
56　《經子解題》，頁25、29、30-31。

王莽、司馬懿之流；二者同為不當。誠之先生因此提出了新的見解：「史事愈近愈相類，與其以秦漢後事擬堯舜，自不如以先秦時事擬堯舜也。」於是列舉先秦時伯夷、叔齊、吳泰伯、魯隱公、宋宣公、曹公子喜時、吳季札、邾婁叔術、楚公子啟諸人為例，以為由此可知，堯舜事「既非若儒家之所云，亦非若法家之所斥」，史事的真相，雖無由盡曉，卻「可據此窺測」。同時更指出，「儒家所說，雖非史事之真」，然而「國為民有之義」，則因此而深入人心，「卒成二千年後去客帝如振擇之局，儒家之績亦偉矣」。即此更可知，今人「舉凡古人之說，一切疑為有意造作」，則決不可取。[57]（按：先生史識之精，此又為一例。）

　　一般論《尚書》，對於漢人所傳授受源流，往往深信不疑。誠之先生以其通貫的史識，對此大表懷疑，認為：「漢人於史事，尚未知覈實，故所述群經授受源流，多不可信；而於《尚書》，野言尤多。」《史記・儒林傳》云：「秦時焚書，伏生壁藏之，其後兵大起，流亡。漢定，伏生求其書，亡數十篇，獨得二十九篇，即以教於齊、魯之間。學者由是頗能言《尚書》。諸山東大師，無不涉《尚書》以教矣。」誠之先生對此分析說：「古人學問，率由口耳相傳，罕著竹帛，伏生何至專恃本經，亡其書即無以為教？獨得二十九篇，即祇能以二十九篇教邪？古人傳經，最重師法，經傳皆散無友紀，而師說則自有條理，非可襲取其偏端也。頗能言即涉以教，此乃後世餖飣之學，剽竊之為，古人豈其若是？」因此斷言：「《史記》此文，其為妄人所竄無疑矣。」

　　《漢書・儒林傳注》引衛宏〈詔定古文尚書序〉云：「伏生老，不能正言；言不可曉也。使其女傳言教錯。齊人語多與穎川異，錯所不知者，凡十二三，略以其意屬讀而已。」誠之先生以為，這段話大有問題，說道：

　　　　古言知，猶今言識。云不知，是指文字言，意謂書本古文，因其不能正言，故錯不能盡識也。殊不知漢初文字，與先秦極為相近；（詳見予所撰《中國文字變遷考》。）伏生藏書，晁錯斷無不識之理；即謂

不識，而伏生以《尚書》教，已非一日，豈並別寫一本而不能？至晁
錯奉詔往受時，猶出壁藏之本以授之邪？衛宏之言，適自暴其為以意
附會而已。因古學家謂今文經字多譌，而伏生壁藏，必為先秦古文
也，於是有失其本經，口以傳授之說，《偽書》之〈偽孔安國傳序〉
是也。此說與伏生求得二十九篇之說，又不相容。疏家乃謂初實壁內
得之以教齊、魯，傳教既久，誦文則熟，至其末年，因其習誦，或亦
目暗，至年九十，晁錯往受之時，不執經而口授之，以資調停。輾轉
附會，委屈彌縫，合而觀之，真可發一大噱。[58]

按：層層剝蕉，逐一揭示，或許並不為人人所共許，但是不能不說，此一分
析實有相當的說服力。

　　魯共王壞孔壁，得古文經一事，《漢書》有三處記載，即〈藝文志〉、
〈楚元王傳〉、〈景十三王傳〉。誠之先生列舉四大證，以為此事亦極可疑。
茲撮述於下：（一）據《史記・孔子世家》記載，魯國世世奉祀孔子，聲靈
甚為赫奕，「共王即好土木，安敢邃壞其宅？孔子宅果見壞，史公安得不
及？而《漢書》除此三處外，亦更無一語及之乎？」（二）《漢書・藝文志》
載，孔安國獻《古文尚書》，「遭巫蠱事，未列於學官」。但據《史記・孔子
世家》，「安國為今皇帝博士，遷臨淮太守，早卒。」據《漢書》，安國為博
士，當在元朔三年以前，「使其年甫二十，至巫蠱禍作，亦已過五十。安得
云早卒？」（三）據〈孔子世家〉，「孔子冢大一頃，非宅大一頃也。一頃之
地，而弟子及魯人往從冢而家者百有餘室，蓋室不逮一畝矣。孔子故居即少
大，亦必不能甚大。」而《漢書・藝文志》言，壁藏《古文尚書》百篇，加
上《論語》、《孝經》，已有一百二十篇，「簡策繁重，安能容之？」（四）據
《史記・六國表》，《詩》、《書》所以復見者，因「多藏人家」之故，「則知
焚書之令，行之實不甚嚴。（即謂其嚴，亦無天下之書無不焚燒之理。）」而
「《漢書・藝文志》所載之書，凡五百九十六家，三千二百九十六卷」。其中
「雖有漢人著述，究以先秦所遺為多」。這些書，如何可能盡藏於屋壁，盡

58 〈漢人說尚書傳授之誣〉，《呂思勉讀史札記》，中冊，頁770-771。

出於記誦？而且漢朝除挾書令，事在孝惠帝四年，「然漢高帝五年滅項羽至
魯，已聞絃歌之音矣。可見鄒、魯之間，絃誦實未嘗絕。即自孝惠四年上
溯，距秦焚書，亦僅二十二歲。壁藏非一人一家所能為。更謂惟孔氏為之，
而孔襄為惠帝博士，當孔氏藏書時，亦必已有知識，何至遷延不發，浸至失
傳，而待共王於無意中得之乎？」[59]按：根據當時大勢及情理作判斷，證據
周詳，尤其是孔子宅壁容不下三千餘卷簡策以及秦之焚書令行之實不甚嚴這
兩點，最為令人信服。

　　誠之先生論《禮》，以為首先須知：「孔門所傳之《禮經》」與「當時社
會固有之《禮書》」，乃不同之物；「孔門傳經，原不能盡天下之禮，亦不必
盡天下之禮。」漢世博士所傳的《禮經》，豈能盡天下之禮，又豈可因此而
加以詆毀？「然必謂博士所傳以外，悉為偽物，則亦未是也。」邵懿辰《禮
書通故》說，「天下之達禮」有喪、祭、射、鄉、冠、昏、朝、聘八類，為
《儀禮》十七篇所包含，孔子所以獨取此十七篇，正因此八者乃天下之達
禮。誠之先生以為，「此說最通。」又說：

> 禮原於俗，不求變俗，隨時而異，隨地而殊；欲舉天下所行之禮，概
> 行制定，非惟勢有不能，抑亦事可不必。故治禮所貴，全在能明其
> 義。能明其義，則「禮之所無，可以義起」，原不必盡備其篇章。漢
> 博士於經所無有者，悉本諸義以為推，事並不誤。古學家之訾之，乃
> 曲說也。推斯義也，必謂十七篇之外，悉皆偽物，其誤亦不辨自明
> 矣。然此不足為今學家病，何也？今學家於十七篇以外之禮，固亦未
> 嘗不參考也。[60]

按：此論斬斷葛藤，最為明通。

　　《禮記》正是今學家所參考的十七篇以外有關禮的古籍。禮家所以特別
重視《禮記》，原因在於：

---

59 《秦漢史》，頁737-739；並參看《呂思勉讀史札記》，中冊，頁772-780。
60 《經子解題》，頁45-46。

孔子作經，貴在明義。至於事例，則固有所不能該。此項未盡之事，
或本諸義理，以為推致，或酌采舊禮，以資補苴，均無不可。由前之
說，則即后倉等推士禮而至於天子之法，亦即所謂「禮之所無，可以
義起」；由後之說，則《儀禮正義》所謂「凡記皆補經所不備」是
也。諸經皆所重在義，義則得事可忘，《禮經》固亦如此；然禮須見
諸施行，苟有舊禮以供參證，事亦甚便。此禮家先師，所以視《記》
獨重也。

所謂《禮記》，「其初蓋禮家裒集經傳以外之書之稱，其後則凡諸經之傳，及
儒家諸子，為禮家所采者，亦遂概以附之，而舉蒙記之名矣。」所以無論就
「明義」而言，還是就記載舊禮而言，《禮記》的重要性，絕不亞於《禮
經》。[61]

「至於《周禮》，則本為言國家政制之書。雖亦被禮之名，而實與《儀
禮》之所謂禮者有別。」所以到了後世，二者分流。《周禮》一類的書，改
名為「典」；《儀禮》一類，則仍稱為「禮」。「《周禮》究為何人所作，說者
最為紛紜。」後人對此的看法，大抵不出三派：「（一），稱其制度之詳密，
謂非周公不能為。（二），訾其過於繁碎，不能實行，謂非周公之書。（三），
又有謂周公定之而未嘗行；或謂立法必求詳盡，行之自可分先後；《周官》
特有此制，不必一時盡行；以為調停者。」誠之先生對此三說，皆不以為
然，以為《周禮》之制，與群經所述者，「多相離齬」，當然不是出於孔門的
傳承。而且「其制度看似精詳，實則不免矛盾」，正如康有為〈官制議〉所
說，若果真實行《周官》之制，則終年從事於祭祀，尚且日不暇給。「故漢
武謂其瀆亂不驗，何休指為六國陰謀，說實極確。」所謂瀆亂，即是雜湊，
「正指其矛盾之處」；所謂不驗，則指其所說「與群經不合」。在誠之先生看
來，古書之中，惟有《管子》所述制度，「與《周官》最相類」。而「《管
子》實合道、法、縱橫諸家之言」，正是所謂「陰謀之書」。可見「此書與儒
家《禮經》，實屬了無干涉，亦必非成周舊典」。大概而論，乃是戰國時人

---

61 《經子解題》，頁46-47。

「雜采前此典制「而成。方苞有〈周官辨〉十篇，「始舉《漢書・王莽傳》
事跡為證，指為劉歆造以媚莽，說不為無見」。然而「竄亂則有之」，說全屬
偽造，則是「理所必無」。「此書雖屬虛擬之作」，然而「足以考見古制」，故
自有其價值。而且「孔子刪定六經，垂一王之法，亦未嘗身見諸施行」，二
千餘年前，有《周官》其書，「其條貫固不可謂不詳，規模亦不可謂不大」，
此所以為可貴也。「初不必託諸周公舊典，亦不必附合孔門《禮經》。所謂合
之兩傷，離之雙美矣。」[62]按：此說不僅超越了今古學家的一隅之見，而且
打通了經與子的界限。先生識見之卓，此又為一例。

　　誠之先生於《易》，亦有卓見。概括《易》書之源流云：

> 言《易》之書，不外理數兩派。漢之今文家言理者也。今文別派京
> 氏，及東漢傳古文諸家，言數者也。晉王弼之學，亦出漢古文家，然
> 舍數言理，宋邵雍、劉牧之徒，則又舍理而求諸數。惟程頤言理不言
> 數。古今《易》學之大別，如此而已。

按：要言不煩，《易》學流別之大凡，數語道盡。先生又指出，孔門以
《易》為經，所重者在理而不在數；以術數言《易》，乃後起之事，曰：「蓋
漢初《易》家，皆僅舉大誼。不但今文如此，即初出之《費氏古文》，亦尚
如此。其後術數之學寖盛，乃一切附會經義。不徒今文之京氏然，即古文之
高氏亦然矣。」然而對象數之學，並不取絕對排斥的態度，曰：

> 從來治《易》之家，言理者則詆言數者為誣罔，言數者則詆言理者為
> 落空。平心論之，皆非也。漢儒《易》說，其初蓋實止傳大義；陰陽
> 災異之說，不論今古文，皆為後起；已述如前。宋人之圖，實出道
> 家；在儒家並無傳授。經清儒考證，亦已明白。然謂漢初本無象數之
> 說，《圖》、《書》亦無授受之徵，則可；謂其說皆與《易》不合，則
> 不可。[63]

62　《經子解題》，頁47-49。

63　以上均見《經子解題》，頁65-66、68-69。

此一見解，乃得自其儒、道二家同本於古代哲學的看法：

> 關於《易經》，余個人尚有一意見。余以為中國古代學問無論何家，
> 其根源蓋無不同，至少亦極相近，世無憑空創造之學說，必有其淵源
> 可尋，古代哲學蓋皆以《易經》等書為根據，故胡渭並不駁易圖之
> 誤，只能證其為道家所出耳。方東樹所著《漢學商兌》反對漢學，頗
> 有偏見，但自謂河圖洛書，祇能證明非出儒家，不能謂其與不合，其
> 言甚是，故吾言儒道不能分也。根據此理，可知古時各家學說，蓋完
> 全相通。[64]

　　諸子百家，其流異而其源同，而《易》之為書，正是這共同源頭的重要
一環。因此，《易》學中保存的術數之說，盡管不是六經中的《易》義，還
是必須善加利用，以明此諸家思想之源。誠之先生於是又說道：「儒家哲
學，蓋備於《易》，《易》亦以古代哲學為本，其雜有術數之談，固無足怪。
然遂以此為《易》義則非也。今所謂漢《易》者，大抵術數之談耳。西漢今
文之學，長於大義。東漢古文之學，則詳於訓詁名物之間。今施、孟、梁丘
之《易》皆亡，今文家所傳《易》之大義，已不可見。」然而現今尚存《淮
南子》一書，其中「引《易》之處最多（見〈繆稱〉、〈齊俗〉、〈氾論〉、〈人
間〉、〈泰族〉諸篇）），皆包舉大義，無雜術數之談者。得毋今文易義有存於
此中者邪？」《淮南》雖號稱雜家，然其中實多道家言，而儒、道二家哲
學，本可相通。自從《易》之大義亡，儒家哲學遂不可得見。而魏晉以後的
神仙家，則「竊取儒、道二家公有之說，而自附於道」。自此以後，儒家哲
學之說，凡與這神仙家所竊取之物相類似者，「儒家遂不敢自有，悉舉而歸
諸道家；稍一援引，即指為援儒入道矣。」因此，「凡今所指為道家言者，
十九固儒家所有之義也。」「明乎此，則知古代儒、道二家之哲學，存於神
仙家（即後世之所謂道家）書中者必甚多。」若能就此「所謂道家之書，廣
為搜羅，精加別擇，或能輯出今文《易》說，使千載湮沉之學，煥然復明；

64　〈論今文易〉，《呂思勉讀史札記》，上冊，頁515-516。

（即道家之說，亦必有為今日所不知者。）而古代哲學，亦因之而益彰者
也。」[65] 按：如此闊通的見解，決非斤斤於訓詁名物的舊派樸學家，以及稗
販舶來觀念且頗帶今語所謂「憤青」色彩的新派治經學者，所能企及於萬
一。

　　誠之先生又認為，《春秋》與《易》，同為孔門精義所在。二者「相為表
裏」。「蓋孔門治天下之道，其原理在《易》，其辦法則在《春秋》也。」此
一看法的根據在於：古代哲學，不管家數、派別，有一個共通的看法，即最
為尊重自然之力，道家稱之為「道」，儒家則稱之為「元」。（何休《公羊解
詁》「隱公元年春三月」條曰：《春秋》變一為元。元者，氣也。無形以
起，有形以分；造起天地，天地之始也。」正是對「元」的詮解）誠之先生
以為，此所謂元，「即《易》『大哉乾元，萬物資始，乃統天』之『元』。為
宇宙自然之理，莫知其然而然，只有隨順，更無反抗。人類一切舉措，能悉
與之符，斯為今人所謂『合理』。人類一切舉措而悉能合理，則更無餘事可
言，而天下平矣。」然而能做到一切「合理」，空言易而實指具體措施難；
將現在不合理的世界變而為合理的世界，其間當有許多舉措，如何一一為之
擬定條例，則更難。「《春秋》一書，蓋即因此而作。故有據亂、升平、太平
三世之義。二百四十二年之中，儒家蓋以為自亂世至太平世之治法，皆已畢
具。故曰：『《春秋》曷為終乎哀十四年，曰備矣。』曰：『撥亂世，反之
正，莫近乎《春秋》。』曰：『萬物之散聚，皆在《春秋》』也。」至於此所
謂義，究竟是否合理，姑置勿論，但是可以說，這決不是「怪迂之談」，若
要「考見孔子之哲學」，不可不有取於此。[66]

　　《春秋》既為儒家之經，所重在義而不在事，而大義則多存於今文學家
的傳承，誠之先生於是強調，論《春秋》不可不以《公羊傳》為準。更進一
步指出：

　　　　《公羊》一書，自有古學後，乃抑之與《左》、《穀梁》同列，並稱

---

65 見《經子解題》，頁204-205。
66 見《經子解題》，頁74-76。

「三傳」。其實前此之所謂《春秋》者，皆合今之《經》與《公羊傳》而言之，崔適《春秋復始》考證甚詳；（其實諸經皆然，今之《儀禮》中即有傳，《易》之〈繫辭傳〉亦與經並列。）今之所謂《春秋經》者，乃從《公羊》中摘出者耳。

《公羊傳》是《春秋》不可分割的一部分，而現存今文學之書，惟有何休的《公羊解詁》最為完全。「清儒之治今學，其始必自《春秋》入」，厥因正在於此。《穀梁傳》，昔人以其為今學，晚近經崔適的考定（見其《春秋復始》），知其乃古學。「然其體例，實與《公羊》為近」；亦即所重在義而不在事。盡管其大義不如《公羊》之精，「然今《公羊》之義，實亦闕而不完」，「《穀梁》既有先師之說，亦足以資考核參證也」。[67]

「至《左氏》一書，則與《公羊》大異。」須知「孔子之修《春秋》，必取其義」，而《左傳》則甚少詮釋《春秋》之義，「或有經而無傳，或有傳而無經。（莊二十六年之傳全不釋經）」既不釋經，又如何能稱之為「傳」？漢博士所謂「左氏不傳《春秋》」，實是的論。[68] 這一看法，乃是基於先秦著作引史事的通例。誠之先生曰：

> 同一時代之人，所著之書，體例必大略相似。知史事之可貴，如實敘述，以詒後人，殆先秦之人所未知；其時著書，引用史事，大抵雜以己見者耳。諸子書引史事，明著《春秋》之名者三：周、燕、宋、齊之《春秋》，見於《墨子》；《桃左春秋》，見於《韓非》；又《韓非》《管子》，皆引《春秋》之記云云；皆以明義，非以記事。此外不明言為《春秋》，而按其文，可知其為出於《春秋》者甚多，其體例大抵相同。鐸椒、虞卿、公孫固之書已亡，呂不韋、荀卿、孟子、韓非之書具在，可覆按也；（《史記·虞卿列傳》：「不得意，乃著書，上采《春秋》，下觀近世，曰〈節義〉、〈稱號〉、〈揣摩〉、〈政謀〉，凡八

---

67 《經子解題》，頁76-77。
68 《經子解題》，頁77。

篇。以刺譏國家得失，世傳之曰《虞氏春秋》。」似亦《呂氏春秋》
類也。）皆所謂斷其義，騁其辭，不務綜其終始者也。

孔子亦是此一時代之人，「見地安得獨異」？然而今存《春秋》的體例，與
孟、荀、管、韓、墨、呂之書大為不同，這又當如何解釋？誠之先生的答案
是：「借史事以明義有兩法，一則明著其說，一則著其事而隱其說。」孟、
荀、管、韓諸家為前一類，孔子之《春秋》則為後一類。《春秋》乃魯史，
孔子修之，「其所刺譏褒諱挹損者，皆其邦之大夫，主人得以習其讀而問其
傳，故不得不微其辭也」。又如鐸椒，「為楚威王傅，採取成敗，以備王之鑑
觀，蓋亦多引本國事，故其書以『微』稱。然則鐸氏之志，其猶孔氏之志
歟？」因此，「孔子之修《春秋》，其文雖沿自史官，其義法則實為一家所獨
具，非口受其傳指不能知」；於是「傳必與經相附麗」。《左氏傳》卻絕不如
此。然而《左氏》與《春秋》，亦非全無關涉。孔門弟子之傳《春秋》，固是
「獨傳其義」，但這不等於「全不論事」，只是「所重不在此，取足以說明其
義而止矣」。《左氏》「所論者，雖為孔氏之史記」（按：即孔子修《春秋》，
用以明其義的史事），然而其書本身，畢竟「全與《春秋》無涉」，因此可以
說「左氏不傳《春秋》」。[69]

　　陳東塾（澧）則以為，伏生《尚書大傳》亦「不盡解經」，「左氏依經而
述其事」，為何不可稱為「傳」？而且《左傳》「依《春秋》編年，以魯為
主，以隱公為始，明是《春秋》之傳」，與《呂氏春秋》、《晏子春秋》之類
顯然不同科。（《東塾讀書記》卷十）誠之先生案曰：

　　謂《左氏》記事與經相符，是也，然記事與經相符，不可遂謂之傳
　　也。傳自當以解經為主，而所謂解經，非必句梳字櫛，但汎言義理者
　　皆是，（且尤為可貴）伏生《書傳》，正是其例。《左氏》記事，以魯
　　為主，蓋其書與《不修春秋》，同出於魯人，亦或本與《國語》為一
　　書，劉歆析為編年，而改其語氣也。以隱公為始，似與《春秋》相符

69　〈左氏不傳春秋上〉，《呂思勉讀史札記》，上冊，頁517-518。

矣，然則何不以獲麟為終乎？又安知魯之有史，或其史之記年，非始
於隱公乎？[70]

因之對於《左傳》一書，有如下的結論：「要之，《左氏》為史，《春秋》為
經；《春秋》之義，不存於《左氏》；《左氏》之事，足以考《春秋》；則持平
之論矣。」盡管《左氏》不傳《春秋》，然而「《公》、《穀》述事，既僅取足
以解經，語焉不詳」，但在二千餘年後的今天，不讀《左傳》，便不能知曉
《春秋》之義背後的本事。因此，「本只可作史讀」的《左傳》，今日凡治
《春秋》之義者，在所必讀。[71]

　　誠之先生於經學，造詣之精深，議論之閎通，由上述諸例可見。

四　後案

　　誠之先生早年受康、梁影響頗深，「雖父師不逮也」，其時「所篤信而想
望者，為大同之境及張三世之說」。[72]所謂大同與張三世，正是康南海今文
公羊學的核心觀念。誠之先生治經，因此可說確是從今文入手。然而先生邃
於史學，極富現實感，故治經的路數，終究與康長素、廖季平大有差異，曾
明白指出，就今日的經世而言，經學已成無用之物。在這一點上，反倒與反
康、廖的古文派巨擘章太炎桴鼓相應。

　　在太炎眼中，經學者，「國故」而已，治經之所以重要，不在「適今」，
而在「存古」。明白指出：「先人手澤，詒之子孫，雖朽蠹粗劣者，猶見寶
貴，若曰盡善則非也。」又曰：「夫徵實則西長而中短，談理則佛是而孔
非。」[73]易言之，經學之類的中國學問，比之西學與佛說，皆為不如。而且
就「道術」而言，孔子尚不及孟、荀（「夫孟、荀道術，皆踊絕孔氏，惟才

---

70 同前書，頁519〈左氏不傳春秋中〉。按：「不可遂謂之傳」，原文「謂」作「為」，顯
　　為排字之誤，茲改正。

71 見《經子解題》，頁78-80。

72 〈自述〉，頁439。

73 〈與某論樸學報書〉，《國朝文匯》，丁集，卷17，頁43。

美弗能與等比。」[74]）然而太炎又說:「仲尼,良史也。輔以丘明而次《春秋》,料比百家,若璇機玉斗矣。談、遷嗣之,後有《七略》。孔子歿,名實足以抗者,漢之劉歆。」[75]等仲尼於劉歆,在恪守傳統的學者看來,真是豈有此理。然而太炎心目中,「良史」地位崇高,於保存「種姓」或「國性」,功莫大焉。曰:「國之有史久遠,則亡滅之難,自秦氏以迄今茲,四夷交侵,王道中絕者數矣。然掎者不敢毀棄舊章,反正又易。藉不獲濟,而憤心時時見於行事,足以待後。故令國性不墮,民自知貴於戎翟。」[76]

　　誠之先生亦以孔子與劉歆相比,但是這可比之處不在「良史」,而在「改制」。在先生看來,所謂「撥亂世反之正」,就是徹底的社會改革,孔子如此,王莽、劉歆也是如此。[77]認為所謂王霸之辨,即是「一係根本之計,一止求目前見功」。若「只求目前見功,則在這一方面為利,在別一方面即見為害,或者雖可解決一時的問題……然亦可隱伏他日之患。」[78]（按:這是先生對人類社會歷史的一個根本看法,當與早年受今文學影響有關)「《春秋》所言治法」,之所以分為「據亂、升平、太平」三世,「蓋欲依次將合理之治,推之至於全世界也」;而孔子「所慨想者,在於大同」,則自〈禮運〉一篇可見。[79]這大同社會的境界,「便是所謂大順」;「簡而言之,是天下的事情,無一件不妥當;兩間之物,無一件不得其所。」[80]在誠之先生看來,孔門所祈嚮的這一境,並非純出空想,本有事實的根據,即古時「農業共產的小社會」。[81]先秦時道家、農家所嚮往的,正是這樣一個社會,而要在其時的中國達成如此境界,非有根本的社會改革不為功。至於儒家,其主張

---

74 《檢論·訂孔上》,《章太炎學術論著》（杭州市:浙江人民出版社,1998年),頁71。

75 同前註,頁70。

76 《國故論衡》卷中〈原經〉(上海市:上海古籍出版社,2006年),頁51。

77 有關先生對漢代社會改革主張及措施的看法,見〈大同釋義〉,《呂思勉遺文集》,下冊,第9章,頁242-255頁。

78 〈中國政治思想史十講〉,《呂思勉遺文集》,下冊,頁79。

79 《先秦學術概論》,頁60。

80 〈中國政治思想史十講〉,《呂思勉遺文集》,下冊,頁28。

81 同前註,頁29。參看〈大同釋義〉,第4章,頁167-176。

並無如此徹底，「雖然也夢想大同時代，然而其提出的辦法，都是根據小康時代的。」「但觀於〈禮運〉中『禮時為大』一語，則儒家似乎確有較徹底的主張。」不僅如此，「儒家普通的議論，足以匡正社會的，亦復不少。譬如《禮記‧坊記》說，有禮則『富不足以驕，貧不至於約』，這可見消費總該有個規範，和世俗有了錢，便可無法無天，為所欲為的，大不相同了。」[82]由此可見，誠之先生治經，仍有「經世」的意向在，但是這經世，乃是廣義上的，（與今日鼓吹其所謂公羊學，並據以作政治體制的設計，實則試圖實行某種教權政治者，顯然殊異）亦即孔門所傳經中大義，指出了社會改革的大方向，即大同之一境。至於其時儒家所提出的具體辦法，則絕不以為，仍可適用於今日。

先生更以為，就此改革社會的意義上說，中國文化「確有較歐洲、印度為高者」。其言曰：

> 孔子果聖人乎？較諸佛、回、耶諸教主，亞里斯多德、柏拉圖、康德諸大哲如何？此至難言也。吾以為但言一人，殆無從比較。若以全社會之文化論，則中國確有較歐洲、印度為高者。歐、印先哲之論，非不精深微妙，然或太玄遠而不切於人生；又其所根據者，多為人之心理，而人之心理，則多在一定境界中造成，境界非一成不變者，苟舉社會組織而丕變之，則前此哲學家所據以研求，宗教家所力求改革者，其物已消滅無餘矣，復何事研求？孰與變革邪？人之所不可變革者何事乎？曰：人之生，不能無以為養；又生者不能無死，死者長已矣，而生者不可無以送之；故養生送死四字，為人所不能免，餘皆可有可無，視時與地而異有用與否焉者也。然則惟養生送死無憾六字，為真實不欺有益之語，其他皆聊以治一時之病者耳。

若明乎此，便可說：

> 中國之文化，視人對人之關係為首要，而視人對物之關係次之，實實

落落，以養生送死無憾六字，為言治最高之境；而不以天國淨土等無
可徵驗之說誑惑人。以解決社會問題，為解決人生問題之方法，而不
偏重於個人之修養。此即其真實不欺，切實可行，勝於他國文化之
處；蓋文化必有其根原，中國文化，以古大同之世為其根原，故能美
善如此也。[83]

　　如此議論，與章太炎對中、西、印學術文化的看法，截然不同，對於太
炎以保存「國故」及維持「國性」之心治經，視經如史，顯然不會予以認
可。以此態度研究經學，有取於今文家之說，固無足怪。然而先生畢竟熟於
往史，且又頭腦冷靜，觀察深刻，對於「無可徵驗」之說，一概不取；康、
廖諸人荒怪之論，自然是在所屏棄。而對「大順」或「大同」之境的嚮往，
則終身以之。謂誠之先生治經，乃自今文學轉手者，以此。

---

[83] 〈中國政治思想史十講〉，《呂思勉遺文集》，下冊，頁78-79。

「信古天倪」
——陳鼎忠治經要義詮說

嚴壽澂

上海社會科學院特約研究員

一　序說

　　陳鼎忠，字天倪，益陽人，生於清光緒五年（1879），卒於民國後戊申（1968）。博通經史百家，兼擅文學。民國三年，與同里曾星笠（運乾）共任事於湖南官書局，「愴念國故，爰述通史」，先成《敘例》三卷，發凡起例。[1]自謂與《通鑑》相較，所敘歷史更長，範圍亦更廣，「《通鑒》藉國家之財力、書籍，又得劉恕、劉攽、范祖禹三大史家為之纂長編，亦十九年乃成，而唐五代尚多訛謬。余之才力不逮前人遠甚，擬籌十萬元以二十年之精力成之，乃未兩期而局停（民國五年五月停止），為之傷嘆彌年」。大部書既不能成，於是「擬成小書數部」，一為《諸子引經考》，一為《諸子語訂》，一為《金石證經》。「前二書皆未成而遭毀」，後一書「僅草具凡例，未成書」。由此「始知大書不可成，小書亦不能成。慨然曰：『斯世而有天倪已妄矣，天倪而欲存其名字是重妄矣。從此不親筆硯者數年。』」民國十三年，往晤友人吳嘉瑞（雁舟），與談時事，頗傷感。雁舟曰：「君初元時嘗為政

1　《通史敘例》卷首，著者自識，載《尊聞室賸稿》（北京市：中華書局，1997年），下冊，頁557。按：天倪壽登耄耋，著述頗富，歷經劫難，多所遺失。其哲嗣雲章教授多方搜輯，由其門人羊春秋、吳容甫編校出版。（見其門人馬積高序，《尊聞室賸稿》卷首，頁4）。惜今日外間知之者仍不多。

論，近來何默不一言？」又曰：「言而不用，其咎在人；知而不言，其罪在君。」天倪「首肯之」。乃「歸作《治法》二十餘萬言，又以政客不能詳觀，刪取十分之六。某督軍出番佛百元，印行二百餘部」。當時學界耆宿如章太炎、章行嚴（士釗）、柳翼謀（詒徵）皆盛稱之。[2]

民國十五年，天倪往東北大學任教，以《通史》未能撰成，乃「刺取經解百餘種，衷以己見，為《六藝後論》，輔以《九經概要》」。至民國三十七年，《九經概要》僅存《周易》、《孝經》、《孟子》三種，《孝經》下篇且未印成。其平生說經，凡分三部：一為《六藝後論》及《九經概要》，「言經學家之歷史及各經之綱領，按經分篇，以考訂為主」。二為《六藝論衡》，「據時代分篇，大約依馬驌《繹史》文，以議論為主，皆余一人之說，其中亦有前人引端，未盡其義，而余引伸其義者。《七略》無史部，以《史記》等書附於《春秋》之後。余《通史》以經從史，此則以史從經，由秦漢至清，皆附於《春秋》之後」。三為《六藝微言》，「則為性道之言，約《六經》之旨以成文。余論心性義理之學，與宋儒大同小異，大約依明儒湛甘泉之說，益闡其理，而行以文中子《中說》之文」。以為宋儒「分天理、人欲截然為二，謂理與欲絕不相容，必盡去人欲始得天理，此墮入釋氏滅情復性之說」。如此則「飲食、男女皆是人欲，必不嫁娶而後可，而理學家中無能此者，已行不通」。然而若「稍寬一步，又墮入戴東原〈原善〉之說，尊欲滅理，非淪人道於禽獸不止」。兩者皆為一偏，當酌取其平，亦即：「天理即在人欲中，人欲當處即是天理」。[3]

按：有明中葉，陳白沙（獻章）弟子湛甘泉（若水）講學，「從游者殆遍天下」，與王陽明分庭抗禮，標「隨處體認天理」為宗旨，以為心體廣大，「包乎天地萬物之外，而貫夫天地萬物之中」。曰：「心具生理，故謂之性；性觸物而發，故謂之情；發而中正，故謂之真情，否則偽矣。」此理既

2 〈家書四〉（民國三十七年三月十日與述元），收入《尊聞室賸稿》，下冊，頁981-982。參看吳嘉瑞為天倪《治法》一書所作序，載《治法》卷首，亦收入同書下冊，頁723-725。

3 見上引與述元家書，《尊聞室賸稿》，頁982-984。

明，便知「隨處體認，真見得，則日用間參前倚衡，無非此體，在人涵養以有於己耳」。[4]天倪《六藝微言》的思想淵源，當即在此。又，據天倪自述，「言小學、經學、文學」，與章太炎、黃季剛合，「言史學」，則與柳翼謀合。[5]惜乎其著作散佚甚多，前述諸說經之作，今存者唯有《六藝後論》、《周易概要》、《孟子概要》三種，外加一《詩經別論》。茲以《六藝後論》為主，輔以其餘三種，略作闡述。

二　尊經信古

臺灣陳紹箕教授，為天倪侄孫兼弟子，一九九三年，撰成〈憶先師〉一文，謂其先師「論經宗旨，一本鄭康成氏。鄭氏著《六藝論》，書亡，先師憂之，因著《六藝後論》，續鄭氏之業。講授經學，一以尊經信古為幟」。復云：「又憶先師嘗語余：曩年去瀋陽東北大學任教，道過北平時，黎錦熙先生宴於恩承居酒家，座客有錢玄同先生，黎先生為之紹介，戲曰：『此為疑古玄同，此為信古天倪。』蓋錢先生別號疑古，先師不以為忤，且許黎先生為知言也。」[6]「信古天倪」本為戲言，而天倪欣然接受，其治經祈嚮所在，即此可見。

北流陳柱（柱尊）為《六藝後論》作序，曰：「今之著書言學者，亦紛紛盛矣，而要以新奇趨時尚者為眾。」如以甲骨、金文為顯學，斤斤於漢學宋學、今文古文之爭，「進而為偽經之辯」，乃至「偽堯舜偽禹湯」，以屈原、老子為無其人，「或者又尊墨子為聖人，而譏孔子為國愿，高談諸子而芻狗《六經》」；凡此皆為「新奇趨時尚」之例。天倪對此，深惡痛絕，以為」《六經》不可廢」，《古文尚書》尚且不可疑,何況堯舜，於是遠紹鄭康成，「祛衰辭，維聖學」，而有《六藝後論》之作。[7]

4　見《明儒學案》（北京市：中華書局，1985年），下冊，頁876-878、882、885-886。

5　見前引〈家書四〉，頁985。

6　載《尊閣室賸稿·附錄》，下冊，頁1005。

7　《六藝後論》卷首，《尊閣室賸稿》上冊，頁5。

　　天倪〈自序〉以為，孔子「發藏石室，籀繹寶書」，「非獨以藩屏華冑，實欲衣被埏埴」，亦即不僅旨在維護華夏種族與文化（按：章太炎即持此見解甚堅，所謂固種姓），更在於造福全人類，此即六藝的「大義微言」所在。然而自孔子卒後，「外則六家紛馳，內則八儒異趣」，「皆原於一」、「莫備於經」的道術因之而裂。漢武帝時，有董仲舒者出，「伸一統之義」，儒術因得以重光。爾後學者，「或主家法，則有今古之分立；或主通學，則有許鄭之兼綜；或主立異，則有二王之別傳；或主伸釋，則有孔賈之義疏；或主窮理，則有朱學之守正；或主談空，則有王學之披猖」。迄乎清初經儒，「篤學好古」，「發疑正讀」，使「兩漢師說，微而復明」。然而「物盛則衰，說窮則遁」，清儒孜孜於訓詁考證，一往不返，儒術流而為餖飣繁碎。至於近今，「復有四失」：姚際恆作《古今偽書考》，閻若璩攻《古文尚書》孔安國傳，「自云灼見，實為囈言」；崔述著《洙泗考信錄》，「罔有忌憚」；莊存與、劉逢祿倡今文學，「彌肆狂辭」；是為「盲瞽」。倡孔子託古改制之說，「謂事皆創作，道匪憲章」，間涉神怪，荒誕不經，「其始欲以尊聖，其繼乃以滅經」（按：指康有為、廖平諸人）；是為「眚祥」。欲以安陽甲骨、流沙墜簡之類，「刊禮堂之定本，黜浹長之古文」，「飾智驚愚」（按：指羅振玉、王國維諸人）；是為「窮奇」。「謂智周萬物為玄談，以結集群經為至詣」，大成至聖的孔子，於是僅能與王莽國師劉歆相並，如此見識，實同「窺管」（按：指章太炎之倫）；是為「溝瞀」。「凡茲四失，俱足亂經」，然而以前二失為烈。昔鄭康成「擷擇群言為《六藝論》，總論以綱全經，分論以明各學，最為士林津梁」。可惜此類總論群經之作，除《白虎通》外，今皆不傳。「若非辨章絕業，何由蕩滌祲氛」。可見天倪治經，旨在「括囊大典，網羅眾家，刪裁繁蕪，刊改漏失」（《後漢書・鄭玄傳論》中語），隱然以當代鄭康成自命。[8]

　　《六藝後論》〈開宗明義〉章，揭出「信古」、「尊經」、「述古」三端，以為此乃平生「所兢兢自守」之三要義。指出考訂制度文物、文字訓詁，固

8　同前註，頁6-8。

為清儒之長，然而「推求其源」，「則多襲宋儒之說而諱其名」，而宋儒之說亦非獨創，「又受之於前人也」。由此可見，凡一種學術之興起，必有其淵源。近世海通以來，「異族制度學說，輸入內地」，以中國故籍對照，其制度本是「封建之餘習」，其學說「亦多中古之讕言」。而中國早已脫離了中古封建之世，所以此等「餘習」、「讕言」，今人視為新奇可喜，卻正是前人眼中「爛熟而可厭」之物。因此，研治中國學術，切不可用西方制度為準繩，亦不當以西方學說作衡斷。須知中國歷史文化的大本大源，端在於「六籍之道」。《莊子・天下》篇云：「古之道術有在於是者，墨翟、禽滑釐聞其風而說之。……古之道術有在於是者，莊周聞其風而說之。」天倪就此說道：「云『聞而說之』，則非其自創矣。『道術』之上，冠以『古』而不名。蓋歷年綿邈，雖莊周不能知其世次矣。至言不雅馴，則上古之書固然，不能以孔孟範軒頊也。使皆雅馴，孔子刪《書》，不始堯舜矣。」[9]

　　天倪認為，中國文明起源甚早。「自史皇作圖，即有初文」，「歷八世至黃帝，而制度大備」；是為第一期。自少昊、顓頊、堯、舜至大禹，「建學明倫，輯禮裁樂」，「巍巍成功，煥有文章」；是為第二期。「夏啟嗣位，文德浸衰」，中經「商湯革新」，直至文王、周公，「始宏作述，布在方策，郁郁彬彬」；是為第三期。前二期的聲明文物，「未有好古之聖，與為傳布，簡帛蠹壞，不可復識」，荀子所謂「文久而絕，法度久而滅」，所指即此。《史記》因此說：「百家言黃帝，其文不雅馴，薦紳先生難言之。」然而言不雅馴，不等於所言全屬向壁虛構。天倪承認，今存《內經》、《素問》、《陰符經》、《握奇經》、《山海經》等書，「其中誠多偽撰」。然而所謂偽，「必先有其書而後佚，好事者因造是以售欺。不然，亦必根本古訓，參以己意，則亦未嘗無一二真者存」。[10]於是便可說：

> 凡屬古書，皆有後人增補。其曉然可見者為真，其毫無間隙者反近於偽。今以其中有增補者，遂並其真者而疑之，則《史記》有褚少孫所

9　同註7，頁9-11。

10　同註7，頁20-25。

補，亦可云非史公作耶？（補書自署名，自少孫始，以前有此例。不
得以未署名為辭）且往日雕印未行，書之流布不廣，而諸子所引五帝
之言，多相符合，知其必有所受矣。愚以為諸子之引軒頊者，固出於
軒頊；其不引軒頊者，亦出於軒頊。譬之唐宋諸子，其引孔孟者，固
出孔孟；其不引孔孟者，亦出孔孟。蓋周秦諸子之於軒頊，與唐宋諸
子之於孔孟，其揆一也。（余少時最服周秦諸子，以為學雖不同，皆
有聖人之才。及細閱之，惟老子詞約義該，不引證據，誠能遍讀古
書，求出公例。其餘皆前後錯雜，瑕瑜互見。始知諸子皆普通人，不
能自造學說，其精者皆古聖之言）[11]

　　按：此乃天倪對當時學界辨偽風氣的總體批判。其要點大略可歸結為三
項。（一）辨別古書真偽，決不可僅以文字立論，須就古書作綜合的考察。
按：余嘉錫《古書通例》一書，分著錄、體例、編次、附益四部分，對漢魏
以上的古書作綜合考察，最為精闢，足可破古史辨派諸多論調之蔀。[12]天倪
在此，雖未詳論，但揆諸余氏之說，可見其大體不誤。又，天倪所謂凡古
書，顯然可見增補者為真，毫無間隙者反近於偽，尤有深識。史家呂誠之先
生對古文經頗表懷疑，卻並不以《周官》為偽，云：「今文家同有其書，所
異惟在文字者可疑；若別有其書者，轉不容子虛烏有。如《左氏》解經處雖
偽，敘事處自真也。《周官》於諸經，有離有合。不合者，或合於《記》及
諸子，（如《禮記》之〈內則〉、〈燕義〉，《大戴記》之〈盛德〉、〈千乘〉、
〈文王官人〉、〈朝事〉，《管子》、《司馬法》等）其非偽造可知。以〈考工
記〉補《周官》，體製既不相類，制度亦復牴牾（如遂人、匠人）果出偽
造，何不並〈冬官〉偽之乎？」[13]與天倪之說正可相參。（二）諸子百家，
雖紛紛異論，然而皆自「古之道術」而來。此即《漢書‧藝文志》諸子出於

11　同註7，頁10。

12　此書一名《古籍校讀法》，原為作者一九三○年代在北平各大學授課講義，只有臨時
　　印本。一九八四年，由上海古籍出版社正式刊行。見該書卷首周祖謨〈前言〉，頁1-4。

13　〈馬鄭序周官之謬〉，《呂思勉讀史札記》（上海市：上海古籍出版社，2005年），中
　　冊，頁787-788。

王官之說。按：呂誠之對此論說最精，云：諸子起源，舊說有二，一謂「其原皆出王官」，一謂「皆以救時之弊」。「予謂二說皆是也。何則？天下無無根之物；使諸子之學，前無所承，周、秦之際，時勢雖亟，何能發生如此高深之學術。且何解於諸子之學，各明一義，而其根本仍復相同邪？」又，須知「天下亦無無緣之事，使非周、秦之時勢有以促成之，則古代渾而未分之哲學，何由推衍之於各方面，而成今諸子之學乎？」[14]天倪之見，當與此略同。（三）孔子乃天縱之聖，而諸子則皆為普通人，豈能自造學說，凡其學說之精者，皆自古聖而來。按：此一以聖凡分別孔子與諸子的說法，恐極難為現代多數學者所接受。然而此說的根據，乃是孔子「訂修」《六經》，所謂述而不作，（《六藝後論》有〈宣聖訂修〉章），故與諸子有異，則為不易之論。所謂《六經》，本是古代史跡、制度、學術等等的總匯，如劉師培所謂，「成周一代之史，悉範圍於《六經》之中」，周公乃「集周代學術之大成」，「周末諸子，若管子、墨子，咸見《六經》」，而東周時之《六經》，則經孔子修定，此即「孔子所由言述而不作」。[15]天倪的見解，與此不異，所謂「諸子所引五帝之言，多相符合」，正因諸子所受之物相同，皆為古代經典。章太炎聲言：「說經者所以存古，非以是適今」，[16]顯然並不以為儒說高出於諸子，然而又認為古事的淵藪終在《六經》，曰：「九流自儒家而外，八家所說古事，雖與經典不無離齬，而大致三代以上，聖帝明王名臣才士亦略不異于群經。」[17]呂誠之則以為，「經、子本相同之物」，尊經之見，「今日原不必存」，「然經之與子，亦自有其不同之處。孔子稱『述而不作』，其書雖亦發揮己見，顧皆以舊書為藍本。故在諸家中，儒家之《六經》，與前此之古書，關係最大。」[18]其論最為通達。可見天倪之說，姑置其價值取向於

14　《經子解題》（上海市：華東師範大學出版社，1995年），頁89。

15　劉師培：《經學教科書》（上海市：上海古籍出版社，2006年），頁15-20。

16　〈與某論樸學報書〉，引自沈粹芬、黃人等輯：《國朝文匯》（宣統二年上海國學扶輪社刊），丁集卷17，頁43上。

17　〈今古文辨義〉，錄自傅傑編校：《章太炎學術史論集》（昆明市：雲南人民出版社，2008年），頁456。

18　呂思勉：《經子解題》（上海市：華東師範大學出版社，1995年），頁1-2。

不論，自有理據。

　　天倪以為，當時「依附西人」者流，論列中國古事，厥有三弊：西人歷史記載，遠不如中國之久遠而豐富，其論古史，於是甚為依賴實物的發掘。反觀中國，早有信史。今人卻數典忘祖，「迷信西人之臆測，毀棄故府之策書」，是為一弊。「交通之廣，後盛於前；土宇版章，以次漸拓」，固是事實。然而不可拘執而不化，如唐朝疆界遠極沙漠，宋末甚至以海航自保，「考之內地，多前通而後塞」，「求之西史，亦古合而今分」。而今時學者，「不識朝菌之晦朔，妄論冥靈之春秋」，是為二弊。人類誠有所謂進化，「然在物質為多，在哲理為少」，即便是物質，「亦或遞相消長，互有得失」。「文野殊趨」之事，即在同一地區，亦或有之，豈可一概而論。而「今以希臘文化，起於晚周」，便說殷商以前，「華人亦獉狉無文」，乃是「是稚子而非耆老，舉暴富以例世家」，是為三弊。更憤而言道：「欲為類彼之螟蛉，先為毀室之鴟鴞，不知非我族類，其心必異，即謂他人父，亦將莫我顧矣。」[19]

　　按：上述論調，尤其是指責考古發掘、甲骨金文研究，誠有憤激過當之處，然而所言並非全無道理。陳寅恪〈楊樹達積微居小學金石論叢續稿序〉云：「群經諸史，乃古史資料多數之所匯集。金文石刻則其少數脫離之片段，未有不瞭解多數匯集之資料，而能考釋少數之片段不誤者。」[20]民國二十四年九月二十三日，寅恪先生在清華大學歷史系「晉至唐史」第一課時，對此問題有更為直捷明白的說明，云：「必須對舊材料很熟悉，纔能利用新材料。因為新材料是零星發現的，是片斷的。舊材料熟，纔能把新材料安置於適宜的地位。正像一幅已殘破的古畫，必須知道這幅畫的大概輪廓，纔能將其一山一水置於適當地位，以復舊觀。在今日能利用新材料的，上古史部分必對經（經史子集的經，也即上古史的舊材料）書很熟，中古以下必須史熟。」[21]從這一角度來看天倪尊經之論，當可有「同情的了解」也。

19　《六藝後論》，頁11-12。

20　《金明館叢稿二編》（上海市：上海古籍出版社，1982年），頁230。

21　卞伯耕（慧新，號僧慧）聽課筆記，引自蔣天樞：《陳寅恪先生編年事輯》（上海市：上海古籍出版社，1997年），頁96-97。

　　揚雄曰:「群言淆亂,必折諸聖。」天倪服膺此言,對當時佔學界主流地位的疑古派大加撻伐。其理由是:孔子當時,關於經的詮釋,紛紛不一,孔子之所以述經,「即為折衷群言之故」,而「今反以群言淆經,可乎?」此理既明,便可知《周官》與《古文尚書》皆非偽物。《周官》非偽,有三條理由。(一)西漢言禮者,首推叔孫通,而其所肄習之禮,僅及朝儀而已,「其他經儒,欲草一明堂封禪之制而不能就」,試問如何「有餘力以造《周禮》」?可見此書漢以前早有。(二)《周禮》六官,既已造其五,「何獨憚於〈冬官〉」而不造,「而欲造〈考工記〉以補之」?須知造〈考工〉之難,過於〈冬官〉,豈有如此笨拙的作偽者?(三)清儒汪中撰〈周官釋文〉,列舉六證,以《周禮》所載諸官,與《逸周書》、《大戴禮記》、《禮記》之〈燕義〉、〈內則〉等相關內容對照,全然相符,可見「凡此諸職,官世守之以食其業,周衰,官失其守,而師儒傳之,繫之於六藝,傳習甚明」。此外,陳澧又自《禮記》注疏中得四條,指出其所贊所釋者,正是《周官》所載之職。天倪於是說:「據此四條,《周禮》若非周室典制,作《禮記》者何必贊之釋之,作〈考工記〉者何必擬之?且呂不韋作〈月令〉,本於《周禮》而猶有失,則《周禮》必遠在呂不韋之前。此皆足證《周禮》是周典制。」至於「其制度間於諸書不協」,天倪取鄭樵之說,以為:「蓋周公之為《周禮》,亦猶唐之《顯慶》、《開元禮》,唐人預為之,以待他日之用,其實未嘗行也。惟其未嘗行,故僅述大略,待其臨事而損益之。」並更進一解,云:「以為匪但未行,而書實亦未完。蓋周公攝政,必因革殷制,草具臨時之法,其後欲整齊畫一,更為一制,〈冬官〉未成而公薨。漢代購之不得者,非民間故匿之,原無此篇也。然由此愈可證其非偽矣。」[22] 按:呂誠之論《周官》,認為既非周公舊典,亦非後世偽書。指出《周官》並不是《儀禮》一類之書,實乃虛擬的官制匯編或行政法典,即後世所謂政書,「與儒家《禮經》,實屬了無干涉」,而與《管子》所述制度,最為相類。然而「此

22　《六藝後論》,頁12-15。

　　書雖屬瀆亂，亦必皆以舊制為據」，其可貴者正在於此。[23]較之天倪所言，
似覺更為合理。

　　至於《古文尚書》，天倪以為確是「出於孔壁」，「而孔安國以今文讀
之，因以起其家，承詔作傳。雖未立學官，然其傳固未嘗絕」。據《漢書·
儒林傳》、《後漢書·孔僖傳》、《孔子家語·世敘》以及《尚書正義·虞書·
題篇》所引《晉書》（「非今行世《晉書》」），可見《古文尚書》之流傳。此
書「外遭焚毀，內經蟬蠹，掇拾補苴，僅存其半，而又一罹巫蠱之厄運，再
遘博士之排擯，至終漢之世，湮沒不彰，可云酷矣。幸而梅仲真上其書，孔
穎達疏其義，遂以大行於世。稍知經術者，應如何保存護惜，而宋以下諸
儒，復從而詆擊之」。至清閻若璩，「強挾朱子之勢，簧鼓天下」，學者紛紛
景從。江藩甚至聲稱：「不知古文之偽者，不入漢學。」天倪對此，痛心疾
首，以為「小人之無忌憚，至是極矣」。以為能「傑然衛經」者，自蕭山毛
奇齡始。嗣之而起者，有會稽茹敦和、巴西王劼、丹徒張崇蘭、丹徒謝庭
蘭、黃岡洪良品、江夏吳光耀、宏農張諧之諸人，「根據經傳，句櫛字比，
邪說詖辭，破除無餘」，其中洪良品、吳光耀二家，掃除之功尤巨，使「遺
經大明，如日月中天矣」。（天倪自注云：「諸家學說，略見〈孔書定讞〉
篇。」此篇今本《六藝後論》未見，當已佚）[24]按：如此大聲疾呼，為《古
文尚書》鳴冤，在現代學者中，實屬罕見。然而正如陳寅恪先生所說，《古
文尚書》「絕非一人可杜撰，大致是根據秦火之後，所傳零星斷簡的典籍，
采取有關《尚書》部分所編纂而成，所以我們要探索偽書的來源，研究其所
用資料的可靠性，方能慎下結論；不可武斷地說，它是全部杜撰的」。[25]近年
來，簡帛古書大量發現，頗有學者主張，對辨偽疑古之風應重作思考，甚至
應重寫學術史（如李學勤、李零諸人）。[26]可見《古文尚書》一案，實遠未

23　《經子解題》，頁47-49。

24　《六藝後論》，頁15-17。

25　見俞大維：〈懷念陳寅恪先生〉，收入中央研究院歷史語言研究所編：《陳寅恪論集》
　　（臺北市：臺灣商務印書館，1971年），頁3-8。

26　如李學勤：《走出疑古時代》（瀋陽市：遼寧大學出版社，1997年）；李零：《簡帛古書

定讞，天倪所論，雖不免出於尊經衛道的苦心，未必全然無理。

　　天倪認為，「今之非聖無法者，一朝成市，悠悠之口，祇以自絕」，君子對此，不屑駁斥。然而其中亦有言之近理者：章學誠認為，周公集先聖之大成，「孔子則不過學周公而已」；章太炎則曰：「孔子沒，名實足以相抗者，漢之劉歆。」總之，「孔子之功，不過整齊故事」而已；此為一說。「自莊存與、劉逢祿倡《公羊》之學，『素王改制』遂為學子所艷稱，吾湘皮錫瑞氏起而張之，謂〈王制〉為改制之書，《六經》皆孔子所作；孔子以前，不得有經。」踵事增華，附益讖緯，孔子於是變而為釋迦、耶穌一類宗教主；此為又一說。天倪則認為，所謂《六經》，本來只是古代典籍，「統紀不明，義例未一」，經孔子修訂以後，方能「成一家言」，「布之天下」，「煥然大明」。就此意義而言，孔子之「述」即是「作」。章學誠於此懵然，且又拘泥於古代學術皆為官學之說，不知孔子之私學實是「愈於官」。「孔子之道，固不外乎《六經》」，然而另有其「精義入神之妙用，參贊化育之功能」，非《六經》的章句所能囿。章太炎於此不知，因而不免井蛙之見。[27]按：呂誠之先生曰：「《六經》皆古籍，而孔子取以立教，則又自有其義。孔子之義，不必盡與古義合，而不能謂其物不本之於古。其物雖本之於古，而孔子自別有其義。儒家所重者，孔子之義，非自古相傳之典籍也。此兩義各不相妨。」[28]與天倪見解略同，而所言更為明白周延。至於第二說，天倪以為，中國上古亦有一個西方人所謂宗教的時代，但是這個時代早已過去（所謂「絕地天通」正是指此）。墨子「敬天明鬼」，猶有上古神教遺風，而「孟子推其流弊，斥為禽獸」，可見神教或宗教，為儒家所「絕惡」。天倪更指出，儒家教人，「始於格致，終於治平，獨善兼善，修己治人，而非藉以求生天之福，免輪迴之苦」。試以《六經》所言與《創世紀》、《涅槃經》相較，「稍識字者皆能判別」。故「利用孔教之徒」，只是「自欺欺人」而已。孔子雖非宗教主，但又不當與「希臘七賢」相提並論。希臘雖有賢哲，卻無聖人。孔子

　　與學術源流》（北京市：三聯書店，2004年）。

27　《六藝後論》，頁17-18。

28　呂思勉：《先秦學術概論》（昆明市：雲南人民出版社，2005年），頁71。

「修道立教，師表萬世」，「神明之胄，所倚以托命」，是為聖人，非古希臘
所有。[29] 此乃天倪對儒家與經學的根本看法。

三　辨章學術

　　天倪曰：「孔子生周之衰，賭王道微缺，禮樂崩壞，深懼家絃戶誦之
朝，復返於汙尊抔飲之列也。（古史不存，則愚人必謂周以前無文化）於是
求書於周〔按：以下天倪自注，略〕，刊定而訓釋之，傳諸其徒，而布之天
下。」[30] 易言之，集以往學術文化之大成，傳之天下後世，使華夏的聲明文
物得以持續且發揚光大；此孔子之所以為聖人也。天倪以為，自己所遭遇的
正是一個「王道微缺，禮樂崩壞」的衰世，不容不以六藝的傳述者自任。故
其治經，不以文字訓詁、制度名物的考訂為究竟，但同時又反對宋儒之「變
古」（《六藝後論》有〈宋儒變古〉一章），對於明儒的師心自用，尤為厭
惡。

　　依天倪之見，孔子對六藝的刊定訓釋，有如下諸方面。一為「傳述」，
「《周禮》、《儀禮》是也」。《儀禮》乃禮經，據《中庸》，惟有天子方能「議
禮」，「孔子有德無位，故於《禮》但傳述而訓釋之，不敢改制，曰『《禮》
記自孔氏』，則謂孔子作《禮經》者誣矣」。[31] 按：此乃駁斥當時今文家以
《六經》為孔子所作之說。

　　一為「編校」，「《尚書》是也」。所謂《書》，本是古來相傳的政治文
獻。然而「《尚書》闊略無年次，不能成為史，意當日必有傳以詳其所略，
《世本》、《年紀》之書，蓋從此出。而古經殘文不能成篇者，亦或存其義於
傳」。所謂「《書》傳自孔氏」，當即指此。「自《書》殘而傳亡，古史遂無有
能明之者矣。」至於「伏生《大傳》所述故事為《尚書》所無者，必古傳

29　《六藝後論》，頁18-20。

30　同前註，頁26。

31　同註29，頁27-28。

文，但與史學無甚裨」。[32] 按：呂誠之以為，《六經》乃「相傳古籍」，「而孔門所重，在於孔子之義」，「與經相輔而行者」，大略有「傳、說、記」三種。[33] 與天倪之說頗相合。

　　一為「訂正」，「《詩》、《樂》是也」。天倪確信《樂經》實有其書，已佚；以為「《詩》之初起，固全為樂歌」。又以為孔子並無刪《詩》之事，所謂三百五篇，乃是「孔子皆絃歌之，以合於《韶》、《武》之音」；孔子所說「吾自衛反魯，然後樂正，〈雅〉、〈頌〉各得其所」，乃指「訂《詩》與正樂並行」。[34] 更進而指出：「古人之為詩，如今人之為詞，按譜而填。其深通音律者可自創體格，如詞人之自度曲然。不協音律者，不得入於樂官之選，逸詩是也。《史記》言，《詩經》三千餘篇，『孔子去其重，取其可施於禮義者為三百五篇』，非也。三百五篇，多重複而不合于禮義，而刪去之逸詩引于傳記者，反多合于禮義。又孔子言誦《詩》三百，墨子非治孔學者，亦言誦《詩》三百，知刪《詩》者為周之太師，取其合于音節，非取其合于禮義也。」[35] 其言甚辯。可見天倪頗有一己的獨立思考，絕非抱殘守缺之輩。因此其論《詩經》，明白揭出「序、傳、箋注之誤」，於《毛傳》及朱子《詩集傳》之說，多有駁難。[36]

　　一為「贊釋」，「《周易》是也」。天倪認為，《周易》與前此的《連山》、《歸藏》同屬一類，「掌於太卜，用備占筮，非有當於性道也」。亦即《周易》只是卜筮之書，並無任何哲學意義。「迨孔子索隱探賾，綴以《十翼》」，此書方始成為「範圍不過」、「曲成不遺」、「與天地準」的經典之作。[37] 更申論說，《周易》之「周」，乃朝代名，非取「至也，徧也，備也」之義。至於「易」字，則不取鄭玄所謂「易有三名」即「易簡、變易、不易」

32　同註29，頁29-30。

33　《先秦學術概論》，頁71-72。

34　《六藝後論》，頁30-31。

35　《詩經別論》，《尊聞室賸稿》上冊，頁518。

36　《詩經別論》第三章題為「序、傳、箋注之誤」，《尊聞室賸稿》，頁530-39。

37　《六藝後論》，頁31-32。

之說，曰：

> 按以「《易》彌綸天地之道」言，則非三義所能盡；以名「易」之本
> 義言，則義愈多而愈紛。天下之事，百變而必有其不變者存。不變者
> 其理也，變者其形也。波斯匿王之觀河，蘇子瞻之論水與月，舉一可
> 以隅反矣。據此知不易、變易二者，相附以行。但不易雖存于變易之
> 中，而其名「易」也，實以變易。如取不易之義，則當名「常」而不
> 名「易」。至緯所列之第一義，音為「難易」之音，義為「簡易」之
> 義。《大傳》言乾以易知，坤以簡能，未嘗以為《易》之本旨。且與
> 變易之義不相應，毋須為此騎牆之見也。[38]

對於所謂「十翼」，亦有獨到的看法。云：「卦辭即爻辭，爻辭即彖辭，統名
『繫辭』。孔子所作『彖、象、繫辭』，為〈彖辭〉、〈象傳〉、〈繫辭傳〉。而
〈象〉又分〈大象〉、〈小象〉，〈大象〉總言全卦之義，以備學者研求，〈小
象〉即釋爻辭者也」。更指出：「《國語》單襄公引《太誓故》，墨子引《書
傳》。《書》在孔子之先，既有故傳，《易》亦不必無。」又引《史記‧孔子
世家》：孔子「讀《易》韋編三絕，曰：『假我數年，若是我於《易》則彬彬
矣。』」就此解釋說，若此處所指乃文王、周公之辭，則「不逮萬言，計日
可待，無俟假年。可知前此故傳甚繁，孔子特刪取其要，以備一家之言」。
總之，《易》之所謂傳，有舊有新；孔子以前歷代相傳者為舊傳，孔子新定
者則為新傳。對於《序卦》，則大表懷疑，以為此乃「〈十翼〉中最不可信
者」，「疑皆卜筮家及經師附益之文」。[39]足證天倪思致精密，其所謂信古，
絕不是凡古來相傳、幾成定論之說，一概遵從，而自有其衡斷取舍的準繩。
　　又一為「著作」，「《春秋》是也」。天倪引孟子、《墨子‧明鬼》篇、《國

38　《周易概要》，《尊聞室賸稿》上冊，頁312-15。
39　同前註，頁316-18。按：錢基博認為，所謂繫辭，「即卦辭、爻辭，乃孔子所作」，而
　　〈象〉、〈象〉所以明繫辭之旨。至於今之〈繫辭〉，則是「〈繫辭〉之傳，孔子弟子所
　　作以述傳」。見所著《周易解題及其讀法》（臺北市：臺灣商務印書館，1965年影印
　　《萬有文庫》本），頁13。

語》、董仲舒諸家之語，斷定孔子以前本有《春秋》一類之書，此即所謂
「不修《春秋》」，陳壽祺所揭諸例，正是孔子「增損改易之驗」。《史記‧孔
子世家》所謂孔子為《春秋》，「筆則筆，削則削，子夏之徒不能贊一詞」，
所謂「作《春秋》以當一王之法」云云，「要在撥亂世反之正，固非諸史所
能擬也」。由此斷定，《春秋》非相傳舊史，實為孔子所自作。[40]

對於《春秋》三傳與《禮記》，則判定為「及門紹述」，亦即孔門後學所
為。對於以《左傳》為偽造，《公羊》《穀梁》出於一人等紛紛之論，一概不
取。以為《禮記》諸篇，「有純有駁，有得有失，要皆為七十子後學者所
述」，斷定其絕非「出於漢」。[41]按：以《禮記》為漢人作品，現代學者持此
說者甚多。揆諸余嘉錫《古書通例》所言以及近年來出土的〈緇衣〉等篇，
足以證明天倪此等「信古」論調之非誣。關於《孝經》，天倪贊同鄭康成之
說，謂：「此經是孔子之言，其筆之於書者，但可謂之述，不可謂之作，故
鄭君以為孔子作也。」[42]剖析相當清楚明白。至於《爾雅》，則引《春秋元
命苞》之言，推斷其「始於周公，孔子以後，遞有增益」。[43]所論亦屬有
據。

戰國時，以儒、墨二家為顯學。天倪引《淮南子‧要略》「墨子學儒者
之業，受孔子之術」，以為即此可知：「墨學之所以顯者，正因其剽竊孔氏，
撦拾六藝也。其他各家皆微，或不久而絕。六藝之術，雖未行於上，固已盛
行於下矣。及李斯以荀卿之學，入秦取顯仕，而其後卒以燔經，則所謂蠹生
於木，而反以害木也。」李斯焚書令有曰：「非博士官所職，天下敢有藏
《詩》《書》百家語者，悉詣守尉雜燒之。」胡三省據此，「謂秦之焚書，焚
天下人所藏之書，其博士所藏者固在」，天倪以為，此言「非也」。須知秦時
「方伎術數，皆立博士，不獨六藝」，而且焚書令既下之後，「六藝博士，當
然廢除」（其證據為：據〈叔孫通傳〉，「秦時以文學徵待詔博士，則非經學

40　《六藝後論》，頁32-33。
41　同前註，頁38-49。
42　同註40，頁50-52。
43　同註40，頁52-55。

博士」)。「廢博士者，即非博士所職，固在焚燒之列矣。」又引劉子駿（歆）
〈移太常博士書〉，以為據此可見「漢儒衛道之心烈矣」。[44]

《六藝後論》專列一章〈漢儒傳授〉，重在「一系相承之家法」（此章題
注云：「凡一系相承者錄之，僅云『治某家學者』不錄。」）。天倪以為，古
文經傳授有自，家法釐然，即此可見《逸禮》、《周官》、《古文尚書》之非
偽。[45]指出關於古文經之出，凡有三說。一為《後漢書・儒林傳》云：「孔
安國所獻。」二為《論衡・佚文》篇云：「魯共王廢孔子宅，得《禮》三
百，上言武帝，武帝遣吏發取。」三為《隋書・經籍志》云：「古經出於淹
中，而河間獻王好古愛學，收集餘燼，得而獻之。」以為由此可知：「西漢
古文學雖微，猶有傳授。惟《逸禮》絕無師承，故存者甚寡，皆由后倉等因
陋就簡，推《士禮》而致於天子，不知於殘斷篇簡，求天子諸侯卿大夫之本
制也。」[46]

對於今古文之爭，天倪首先指出：

> 古無所謂今古文之分，如《左氏》、《穀梁春秋》、《魯》、《毛詩》，皆
> 出於荀卿，韓《詩》亦荀卿別子是也。漢初立學，亦不專今文，如
> 《左氏》先師賈誼，文帝召以為博士，誼弟子貫公，又與毛公同為河
> 間獻王博士是也。今文古文，即今字古字。班《志》所謂古文者，指
> 古字本言。今文者，即用漢代之通行文字也。五經博士立，經文均改
> 用隸書，以便誦習。而古籀經本，內則藏於祕府，外則私行於民間。
> 校讎者欲取區別，於是有今文古文之名。以學官皆今文，私授民間者
> 用古文，於是今文古文，移為官學私學之代名詞。利祿之途既開，則
> 內競之事日甚。恐優者爭立，而劣者無以自存，於是專己守殘之念
> 生，而黨同妒真之謀固。官學欲共排私學，使不得立，遂由文字而牽

及於學說。後遂有古學今學矣。[47]

原原本本，要言不煩，顯然以為私學愈於官學。更引陳澧之說，謂鄭康成注《周禮》，「與先鄭不同者，則云『玄謂』；《尚書大傳注》以《大傳》為非者，則云『玄或疑焉』；駁《五經異義》，每條云『玄之聞也』。蓋說經不可以不辨是非，然辨先儒之說，其辭氣當謙恭，不可囂爭求勝也」。然而辨何邵公（休）《箴膏肓》、《發墨守》、《起廢疾》三書，則不然，因此三書「有害於經學風氣，不得不忿疾也」。[48]可見在天倪心目中，經儒必當淳厚，切不可意氣爭勝。

兩漢學術，頗雜讖緯之說，大為後世古文家所反對。天倪對讖緯之學，則頗有持平而中肯的看法，以為「緯候之書，雖起於哀、平，然實遠源於上古之巫教，近衍於周末以來之陰陽家，其所由來者漸矣」。亦即讖緯怪誕之說，並非漢儒所發明，而是其來有自。《史記·秦本紀》所謂「亡秦者胡也」，「明年祖龍死」，「實為讖之濫觴」。「漢初伏生傳五行，《齊詩》明五際，《公羊春秋》多言災異，孟喜《易》好候陰陽，中惟孟喜東海人，餘皆齊學。」其所以然之故，則在「齊地濱海，有蜃樓海市之異，俗狃於迂怪，而稷下談天者，又為五德終始之言，有以導之也」。[49]陳寅恪〈天師道與濱海地域之關係〉一文，[50]可與此相參證。

緯候之書與陰陽五行之說，盛行於兩漢，如「夏侯始昌明於陰陽」；「夏侯勝諫昌邑王，言天久陰不雨，臣下有謀上者，而果有霍光廢主之事」；董仲舒著《春秋繁露》，「前半多為巫禨小數」。嗣後眭孟、翼奉、焦延壽、京房之徒，皆好言災異，且時有占驗。哀、平時有李尋，「始以六緯與五經並稱」。「迨王莽以符命篡漢，而光武又以圖讖興漢，自是大政多取決於讖緯，而有『內學』之稱矣。」[51]天倪對此等怪異之說，當然是加以擯斥。但又

---

47 同註40，頁94。
48 同註40，頁98。
49 同註40，頁98-99。
50 收入《金明館叢稿初編》（上海市：上海古籍出版社，1980年），頁1-40。
51 《六藝後論》，頁99。

認為：「緯書中亦時有精理名論，可資考鏡者。」如《考靈曜》有「渾天儀之法」，「地動說之始」；《含文嘉》說三綱，乃「名教之源」；《元命苞》揭示「大一統之正義」；《鈎命訣》有「性理之精言」；《援神契》論「文字學之要旨」；皆為其例。其他如《援神契》論「明堂靈臺之制，臨雍養老之規」；《放靈曜》論「日躔月行之度」；《運斗樞》論「三垣列宿之次」；《含文嘉》論「名器錫予之典」；《動聲儀》論「樂律節奏之宜」；「蓋皆出自古書，作緯者掇拾而輯述之，瑕不掩瑜瑜不掩瑕」，盡可「擇善而取」。[52]可見天倪論學，絕不拘執。

在天倪看來，漢代經師之最為可取者，乃在其「通學」，云；「漢立學官，雖主今文，而學子之所趨，實由今文而漸於古文，由今古文而進於通學，斯亦栽培傾覆之公例也。」又引皮鹿門（錫瑞）曰：

> 前漢重師法，後漢重家法。先有師法，而後能成一家之言。師法者溯其源，家法者衍其流也。師法家法所以分者，如《易》有施、孟、梁丘之學是師法；施家有張、彭之學，孟有翟、孟、白之學，梁丘有士孫、鄧衡之學是家法。家法從師法分出，而施、孟、梁丘之師法，又從田王孫一師分出。施、孟、梁丘已不必分，況張、彭、翟、白以下乎？……然師法別出家法，而家法又各分顓家，如幹既分枝，枝又分枝，枝葉繁滋，浸失其本。是末師而非往古，用後說而舍先傳，微言大義之乖，即自源遠末分始矣。[53]

天倪治經，所重正在微言大義，即此說道：「皮氏為今文專家，而其言如此」，正可見「分家之失」。此外，「分家之後，挾恐見破之私意，而無從善服義之心」。其時今文家，不僅於「未立學官之古文家，在所必斥」，即使「同門之內，亦互相排擠」。學術便成了結黨營私的工具，「繁其章條，穿求崖穴，以合一家之說」。一旦「國家有大事，若立辟雍、封禪、巡守之儀」，

---

52 同註51，頁101-102。
53 同註51，頁102-103。

則「又幽冥而莫知其原」。總之，其平時所講習者「膚淺孤陋」，因而「不為時所重」。不僅如此，更欲「張大其學，以震駭世俗」，如《後漢書‧儒林傳贊》所謂，「一經說至百餘萬言，大師眾至千餘人，後進彌以馳逐。故幼童而守一藝，白首而後能言。而所言者又皆便辭巧說，破壞形體，碎義逃難，無裨實用」。「故天下以儒為詬病」，於是「今文替而古文興矣」。[54]

天倪以為，古文勝於今文，不止一端，「而有一通例，即精小學」；唯有精於小學以說經，方能實事求是，不師心自用。「而此唯古文家能之，此其所以軼出今文也。」後漢古文大興，其「盛於前漢者有三事」。一是「前漢大師雖眾，而著錄弟子，皆不甚繁」。後漢大師，則弟子眾多，動輒千人，乃至萬餘人。二是「前漢多專一經，罕能兼通」，而「後漢多兼受五經」，「以博洽聞」。三是「前漢篤守遺經，罕有撰述，章句略備，文采未彰」。後漢則「多能博觀提要，成一家言」。究其原因，則在私學勝於官學：

> 官學之師，國家所命，不必皆精於學，而其教用一定之成式，不足以資造就。求學者多為干祿計，潛修之士不至。故著錄不多，而門戶日分，拘牽益甚，亦不足語夫博雅。東漢大儒，一豁此弊，兼綜並貫，著作自宏。而又有教無類，因材而施，故弟子亦輪運輻集於門牆之下。蓋私學盛則官學自衰，而家法亦由是而進於通學矣。[55]

按：章太炎有〈與王鳴鶴論中國學術書〉，云：

> 中國學術，自下倡之則益善，自上建之則日衰。凡朝廷所閫置，足以干祿，學之則皮傅而止。不研精窮根本者，人之情也。會有賢良樂胥之士，則直去不顧，自窮其學。故科舉行千年，中間典章盛于唐，理學起于宋，天元、四元興宋、元間，小學經訓昉于清世。此皆軼出科舉，能自名家，寧有官吏獎督之哉？[56]

---

54 同註51，頁103-104。

55 同註51，頁105-109。

56 原載《太炎文錄》卷2，茲引自《章太炎學術史論集》，頁110。

與天倪之見,可謂如出一轍。

　　經師中最稱通學大家者,非鄭玄莫屬,天倪大為推崇,引王粲曰:「世謂伊雒以東,淮漢以北,康成一人而已。咸言先儒多聞,鄭氏道備。」以為此語「誠不虛也」。[57]皮錫瑞則認為,漢學之衰正由於鄭氏,曰:「鄭君兼通今古文,溝合為一,於是經生皆從鄭氏,不必更求各家。鄭學之盛在此,漢學之衰亦在此。」又曰:「漢學衰廢,不能盡咎鄭君,而鄭君采今古文,不復分別,使兩漢家法亡不可考,則亦不能無失,故經學至鄭君一變。」[58]較之前一段話,語氣稍有不同,但不滿於鄭君,則無二致。鹿門與天倪,一重家法,一尚通學,於鄭君的評價,於是釐然有異。

　　唐代「通學」的代表作,當為孔穎達《五經正義》。皮鹿門以為,「議孔疏之失者」有三端,即「彼此互異」,「曲徇注文」,「雜引讖緯」。依據「著書之例」,「注不駁經,疏不駁注;不取異義,專宗一家」,故「曲徇注文,未足為病」。「讖緯多存古義,原本今文」,故「雜引釋經,亦非巨謬」。而「彼此互異」使學者「莫知所從」;「即如讖緯之說,經疏並引;而《詩》、《禮》從鄭,則以為是;《書》不從鄭,又以為非;究竟讖緯為是為非,矛盾不已甚歟」。原因在於孔疏為官書,「雜出眾手,未能自成一家」。[59]天倪則曰:「議孔疏之失者,曰棄經用記;曰不用鄭氏《易》、《書》,服氏《左傳》;曰曲徇注文,雜用讖緯,彼此互異。要之皆未足以難孔氏也。」就第一點而言,「禮之所尊」,在「義」而不在「數」。《儀禮》所陳者為「數」,乃「所謂籩豆之事」;而《禮記》所明者為「義」,乃「先王之所據以制禮」者。須知「義為本而數為末」,「數可隨時變易,而義不可移」。而且《禮記》中的〈曲禮〉、〈內則〉為「禮之根基」;〈禮運〉、〈樂記〉為「道之至論」;《大學》、《中庸》則是「內聖外王之宗傳」。因此,「孔氏取《記》以代經,未為無識也」。就第二點而言,鄭玄與孔安國、王肅之優劣,服虔與杜預之得失,暫置勿論,「但南北朝諸儒,皆疏孔《書》、王《易》,及杜氏

57　《六藝後論》,頁112-115。

58　《經學歷史》(北京市:中華書局,1959年),頁142、149。

59　同前註,頁201-203。

《左傳》」，可見「服、鄭之微，自隋已然」，孔穎達「不負去取之責」。最後，「《詩》、《禮》從鄭，則以讖緯為是；《書》不從鄭，則又以為非」，此則「是非在注，與疏無與」；「其餘互異，可由此推」。總之，「疏家之例」本是如此，豈足為病？[60]此處二家說法之異，正出於重家法與尚通學之別。

　　對於中唐以後的說經之作，天倪以為可取者不多。啖助說《春秋》，「離三傳而立言」，且「兼採三傳而自為去取」，為古來所無，其徒趙匡、陸淳，說亦類此，下開了「宋儒變古之風」。[61]宋初說經，尚守前人矩矱，「而好奇尚異，則先自仁宗慶曆時始」。「一曰議經」，如歐陽修之「排〈繫辭〉」，蘇轍之「毀《周禮》」，司馬光之「疑孟子」。「二曰改經」，如二程子之於《大學》乃「移易經文」，朱子《孝經刊誤》為「刊削經文」，朱子之於《大學》則是「增補其文」，皆為前此說經家所鮮有。「三曰毀注」，如劉敞之《七經小傳》，王安石之《三經新義》。「至洛閩諸儒，學與安石異趨，而其好新則一。」以《河圖》、《洛書》為《易》之祖，即為一例。天倪對此，憤而言道：「竊謂毀注之罪小，毀經之禍大。今日荒經篾古，浸至亡種，推原戎首，責固有攸歸也。」[62]

　　天倪以為，經學之盛衰，乃「循環之勢」，曰：「今文之學，主微言大義，行二百餘年，為古文之訓詁所奪。及其久也，則又由訓詁歸於義理。惟心惟物，以時為帝，斯亦循環之勢也。」又指出，宋儒與今文家，雖同主義理，但二者的義理絕不相同。宋學「其勢既宏，遂傑然別樹一幟，與漢學對立矣」。以《易》為例，王弼掃象數，專講義理，但「往往雜以老莊」；程伊川說《易》，則「推本性命之理，以貫事物之情」，乃「粹然儒家言」。以《春秋》為例，孫復作《春秋尊王發微》，「謂《春秋》有貶無褒」，正如常秩所譏，「是未知儒、法之分」。孫覺作《春秋經解》，「以尊王抑霸為主」，推崇《穀梁》，「雜取二傳及諸儒說之長者從之」，「平情定議，多得經意」。劉敞「平三家之得失」，「繼集眾說，斷以己意而為之傳」（按：原文「斷」

60　《六藝後論》，頁149-150。

61　同前註，頁154。

62　同註60，頁155-159。

誤排為「斷」，茲改正），如葉夢得所謂，「知經而不廢傳，據義考例以折衷之，經、傳更相發明，雖間有未然，而淵源已正」。胡安國則「當南渡之時，為進講之學，故多主復讎，以『尊王攘狄』蔽全書，頗失經旨」，而且不知「王非唯諾趨伏之可尊，夷非一身兩臂之可攘」。更有甚者，此說「實啟高宗猜疑諸將之心，致宗社不可復」，是謂「日言復讎，而不知讎之如何復」。然而其說之「精者固不可沒」。[63]即此諸例，可見天倪對於宋儒說經，雖多有批評，然而仍不滅其長處。至於朱子的經學，則贊同陳澧《東塾讀書記》之說，雖不滿其疑古、變古，仍許其為「極博而極通」。[64]

對於元、明儒之說經，則評價甚低，以為下開心學末流疑古蔑經之風者，始自朱子三傳弟子王柏（魯齋）。柏有《書疑》，「動以脫簡為辭，臆為移補」；又有《詩疑》，不僅於本經攻駁不已，且任意刪削，是謂「自六籍以來第一怪變之事」。元人吳澄（草廬），亦其流亞。明人梅鷟，謂出於孔壁之《古文尚書》十六篇乃孔安國所為，孔《傳》增多之二十六篇，則說為皇甫謐作。總之，梅氏「雜取傳記以成文，肆口醜詆，靡所不至，其妄殆又過於柏、澄」。[65]比較而論，經學是唐不及漢，宋不及唐。「而以元、明、清三朝言之，則元不及宋，明又不及元。所以然者，宋儒猶考注疏，學有根柢，故雖異古訓，猶能自成一家。元人則株守宋人之說，致力於注疏者甚淺。明人又抄襲元人之說，而並未研究宋注，所以每況而愈下也。」[66]然而亦有空谷足音，如明劉三吾奉敕撰之《書傳會選》，元人趙汸《春秋集傳》、敖繼公《儀禮集說》、陳澔《禮記集說》（按：澔，原文誤排作「浩」，茲改正。），其尤精者，則為明陳季立（第）之《毛詩古音考》。季立又有《尚書流衍》一書，天倪更為推重，以為「衛道翼聖，於斯為至」。並引焦弱侯（竑）之言，稱其人品甚高，「身為名將，手握重兵，一旦棄去之，缾鉢蕭疏，野衲不若，將帥中有此大經師，是又古所罕見」。天倪更指出，「清初經師，多為

63 同註60，頁159-160。
64 同註60，頁165。
65 同註60，頁174-177。
66 同註60，頁178。

明季遺老」，故「不得謂明無人」。[67]議論相當中肯，而於「衛道翼聖」，尤為致意。

　　《六藝後論》有〈清儒復古〉一章，於清代經學各派的師承源流，學術成就，敘述精詳，時有獨見。如論所謂清初三大儒曰：「顧、王兩公，則張朱學以排王學者也，黃公則名為王學而實為朱學者也。」理由是：「黃氏以尊素為父，劉宗周為師，皆姚江支裔，故所編《明儒學案》不能不尊陽明。然肆力於學，日夕讀《十三經》、《十七史》，及百家九流，天文歷數，佛藏道藏，靡不究心。……又以為南宋以後，講學家空談性命，不論訓詁，故教學者說經則宗漢儒，立身則宗宋學。」又謂黃氏平生長於史學，釋經所得，雖似不及王、顧，然上承東發（黃震）、深寧（王應麟）之緒，下開二萬（斯大、斯同），「以衍浙學之傳」，與顧、王相較，更「為源遠而流長」。[68]評價可謂甚高。「說經宗漢儒，立身宗宋學」二語，正是惠士奇手書楹聯所謂「六經尊服鄭，百行法程朱」，亦可視為天倪的夫子自道。

　　清世漢學之昌明，「有徽、吳兩派」。「吳中元和惠氏，三世傳經」，「迨孫棟定宇而始大著」。天倪以為，棟之為學，有二大成就。一為「扶殖絕業」，如《周易注》，「以荀爽、虞翻為主，參以鄭玄、宋咸、干寶之說，約其旨為注，演其說為疏，使千五百年之墜緒，微而復顯」。一為「申明古訓」，作《九經古義》，「討論古字古音，以博異聞，黜俗學」。吳派學者，天倪最為推崇者，則為錢大昕（曉徵），曰：「大昕博學深思，囊括萬象，其論《六經》之大義，釋《說文》之異字，辨中西曆算之得失，考古今聲紐之變遷，與釋天文地理之賾，訂草木蟲魚之狀，見於《潛研堂文集》、《十駕齋養新錄》者，不下十萬言，皆精切不刊，固不徒以史學著也。」又曰：「大抵惠系之學，好博而尊聞，雜治經史，旁及稗官小說（棟至為《漁洋精華錄》、《太上感應篇》作注）。其網羅散失，富於引申，誠足矜尚，然僅能綴緝舊聞，寡於裁斷，且於小學曆象，考核未精，不能肆應無窮。幸錢曉徵

67　同註60，頁179-181。

68　同註60，頁181-182。

出，補其闕漏，闡歷象之邃密，盡聲紐之正變，自是吳中之學，足以自立，而不待外求矣。」[69]稱頌可謂備至。

　　徽學發於婺源江永（慎修），「婺源朱子故里，故永亦治朱學」。天倪於江氏《禮書綱目》大為讚賞，以為「竟朱子未竟之緒，於三《禮》咸有著述，而於宮室衣服，考訂精詳，旁及地理音律，罔不窮究」，如其弟子戴震所謂，自鄭康成後，「罕其儔匹」。足見天倪對禮的重視。於戴氏之學，則曰：「以實事求是為基，以同條共貫為歸，於古學之淹沒者發揮之，古義之鉤棘者曉釋之。辨章名物，故古義自昭；正名析詞，故疑似悉晰。著書十餘種，極多特識，未完者義理精審，可示來業。聲名震天下，樸學由此大著。然皖學故以朱學為基者，至是始排朱而專於漢，與江氏門戶稍殊矣。」[70]天倪雖崇朱子，但因戴氏尊經復古大有功，故敘述其排朱一事，語氣溫和，不加貶斥。又，天倪既極為重視禮，故於徽派凌廷堪（次仲）的禮學大為讚賞，云：「廷堪博綜載籍，慕其鄉先輩江、戴之學，尤專《禮經》，謂古聖人使人復性者學也，所學者即禮也，禮有節文度數，非空言理者可比。因詳稽升降酬酢之則，飲食衣服之度，辨其同中之異，異中之同，區以八目，為《禮經釋例》。向所苦為難讀之書，得是皆迎刃而解，為《禮經》中絕無僅有之作。」[71]天倪祈嚮所在，亦即此可見。

　　揚州學術以博綜見長，與天倪宗旨密合，故對之亦甚為推重。論焦循（里堂）曰：「博聞強記，識力精卓，每遇一書，無論隱奧平衍，必究其源。以故經史、曆算、聲音、訓詁，無所不精，而於《易》尤深。……又謂古之精通《易》理，深得羲文周孔之旨者，莫如孟子，深知孟子之意者，莫如趙氏。」惜乎後之作疏者，於趙岐之旨「未能發明」，於是「博採諸家，斷以己意，期協於孔孟之正恉，為《孟子正義》」。於寶應劉臺拱（端臨），則謂：「於漢宋諸儒之說，不專一家，惟是之求，精思所到，如與古作者暗

69　同註60，頁184-186。

70　同註60，頁186-188。

71　同註60，頁191。

言一室，而知其意旨之所在。」[72]陳寅恪〈馮友蘭中國哲學史上冊審查報告〉論對古人學說之「真了解」，有云：「所謂真了解者，必神游冥想，與立說之古人，處於同一境界，而對於其持論所以不得不如是之苦心孤詣，表一種之同情，始能批評其學說之是非得失，而無隔閡膚廓之論。」[73]與上述天倪之說，意旨略同。儀徵阮元（芸臺），「為《經籍纂詁》以括義訓之全，為《十三經校勘紀》以會讎校之極」，又「刊《十三經注疏》於贛，以存宋十行本之真；刻《皇清經解》於粵，以集詁學之成」。「其撫浙江也，立詁經精舍；其督兩粵也，立學海堂」，於培植人材，可謂不遺餘力。故天倪稱之為揚州派之「大宗」。[74]

天倪於浙派，頗為推尊定海黃式三（薇香）、以周（元同）父子。於以周平亭漢宋，精研禮書，尤為稱賞，曰：「以周嘗云：『三代下之經學，漢鄭君、宋朱子為最。而漢學宋學之流弊，乖離聖道，尚不合於鄭朱，何論孔孟？』於是本亭林『經學即理學』之旨，以上追孔孟之遺言，於《易》、《春秋》皆有著述，而尤以三《禮》為宗。所著《禮書通故》百卷，列五十目，禮制大備，誠所謂立於百王之前，若端拜而議也。」瑞安孫詒讓（仲容），「好六書古文，以《周禮》為周公致太平之書，秦漢以來，諸儒不能融會貫通，於是以《說文》、《爾雅》正其訓詁，以《禮經》、《大、小戴記》證其制度，研撢廿載，博采漢唐以來迄乾嘉諸儒舊說，參互繹證，以發鄭注之淵奧，裨賈疏之遺闕，而注有牾違，亦輒為匡糾，所發正凡百餘事，為《周禮正義》，古今絕作也。」在天倪心目中，此乃體用兼賅、有本有末的經世之學正宗，讚嘆曰：「永嘉派好談經濟，亦頗治典禮，而勿能深造。乃其後卒產一仲容，極於博大精深之域，殆間氣鬱久而洩歟！」於海寧王國維，雖治學路數不同（王精治甲骨、金文之學），亦頗稱頌，謂其「雖不以博洽名，然當異學爭鳴之時，獨以反經信古為己任，是亦不可及者」。[75]按：近時學

---

72 同註60，頁193。

73 《金明館叢稿二編》，頁247。

74 《六藝後論》，頁195、192。

75 同前註，頁200-202。

者論王氏，大都稱賞其所謂使中國學術現代化之功，而天倪之贊國維，則在
其「以反經信古為己任」，看法迥異。若細讀王氏相關議論，似覺天倪之說
更為近真。

　　近儒中天倪最為推服者，當為陳澧（東塾）。引其語云：「漢儒言義理，
無異於宋儒，宋儒輕蔑漢儒者非也。近儒尊漢儒而不講義理，亦非也。」東
塾因作《漢儒通義》，通漢宋之郵。「晚年專求大義，合經注得失，諸家是
非，暨其源流正變而論贊之，為《東塾讀書記》，於鄭朱兩家道之尤詳，平
實精湛，一字無假。核其學行，當在鄭朱之亞。」尊崇可謂至矣。義烏朱一
新（鼎甫）作《無邪堂答問》，與東塾同調，天倪許為東塾之次。[76]而最為
貶斥者，則是常州今文學派，曰：

> 漢幟既張，非談經不足以動世，而考訂之學，博而寡要，勞而少功，
> 詞章之士，尤不便之。於是思得一簡便之路，歸命《公羊》。略睹
> 《繁露》、《解詁》，參治《白虎通義》，即可博一經儒之名，挾十四博
> 士，以下視許鄭，高名與厚實兼收，計無便於此者。而常州今文派，
> 遂從此出矣。[77]

措辭嚴厲，可謂不稍假借。其中最為天倪所不齒者，乃「好言經世之務」的
邵陽魏源（默深），以及「為文柴驚自喜」的仁和龔自珍（定庵），尤以龔氏
為甚，謂其「學遠不及源，而誕妄過之」。又以為江都淩曙（曉樓），「為
《禮論》三十九篇，多得禮意」。曉樓弟子句容陳立（卓人），「兼師劉文
淇，受《公羊春秋》、許氏《說文》、鄭氏《禮》」，成《公羊義疏》，「專明訓
詁故實，與今文學家虛張微言者殊科，為公羊家絕作」。可見天倪於近世今
文家，並非一概排斥不遺餘力，所最惡者，實在「虛張微言」的不根之談，
故於能樸實說經的曉樓、卓人，頗加表彰。於井研廖平（季平），則曰：「以
《穀梁》為今學正宗，撰《穀梁古義疏證》，用力至勤。小書數十種，或不

能盈卷，獨得者間有之，而荒渺不根者十之七八，蓋以儒為戲也。」至於「猖狂曼衍」的「今文別派」（按：指康有為一流），則直謂之「不得與於儒林之末矣」。[78]天倪的好惡取舍，即此可以了然。

〈清儒復古〉章末節云：「自漢以後，經術遞演遞衰，至於晚明而極，迨清而又復於古。此非偶然而得也。」認為樸學興起，可歸結為三個原因。一是：佛、道之說，原與儒家六藝背道而馳。「至魏而老合於儒，更宋而佛混於孔。然如謝上蔡、陸象山輩，猶嚴自修飭，不為過誕之論。自陽明挾其聰明才辨，逆行橫決，餘波所及，瀰漫東南。李卓吾、何心隱之徒，遂公然藉講學之名，為禽獸盜賊之行，廉恥相貿，神州於以陸沉。」明末清初諸君子，「於是本救世之心，為反經之論」，樸學於是興起。二是：「清以異類入主中原，廣興文字語言之獄，鉗制士類」。「才俊之士」，於是紛紛趨於考證，「盡其力於無用之學」。三是：「瀛海東西，開塞同時。遠西文化，前莫盛於希臘，後則發於十八世紀之復古。一當於我之周秦，一當於清之雍乾，其間似有緘鐍焉。孰綱維是，孰管鐍是，則非人之能知也。」是謂外在之三因，清儒能善用之，有其三長，即「重師承」，「傳家學」，「守專門」。漢儒、清儒，所以能「度越古今」，端在於此。天倪最後指出：「漢學之變有三」，即：「由今文而趨重古文，由古文而進於通學。」而「清學亦有三變」，即由「漢宋雜糅」，進而為「排宋主漢」，終而「於漢學之內，為今古之爭」，亦即先「由分而之合」，後「由合而之分」。「此其張弛因革之異，有非人所能預計者，而實皆循夫天演之公例。」[79]

此所謂天演，「似有緘鐍」，有莫可究詰者在。然而天倪又堅信，運會視人心為轉移，學術則攸關乎天下之人心，因此，學術與國勢「相為因果」，故曰：「漢之絕而復興，宋之弱而不振，南北朝之分裂，唐之統一，觀其學可預測之矣。」至於清世，其初「宋學倡於上，漢學興於下。其繼也，宋衰而漢分為二。其末也，古言宋學，今倡孔教。古流於革命，今湊於變法，而

78　同註74，頁213-216。

79　同註74，頁221-222。

清因以亡」。天倪認為，孔門儒術，乃「學」（學術之「學」）而非「教」（宗教之「教」）。近世今文家之倡「孔教」，有其淵源，即：「今文尚微言，信讖緯，其神怪有似於教」。而革命立憲，與漢學絕無關係，為何「古流於革命」？天倪的解釋是：滿人入主中原，「篤古之儒以訓詁自藏，雖艱貞蒙難，而餘痛未泯」。自王夫之、顧炎武、黃宗羲、萬斯大斯同兄弟，「下逮錢澄之、張爾岐、陳啟源、朱鶴齡、顧祖禹之徒，皆遯世無悶，終老殘編」。魏象樞、魏裔介、李光地、湯斌、張伯行等，雖「奉迎異族以獵大官」，然而「皆以宋學為捭闔者也」。「雍、乾以後，治漢學者雖多舉科第，而皆不任要職，博取微祿，資以治經。」全祖望乃至「不避鉅禍」，將戴名世《南山集》及莊廷鑨《明史稿》二案明白記述於其文集中（載《鮚埼亭集》外編卷二二）。紀昀、畢沅「始膺顯官」，然而並不為清廷「建一謀，畫一策」。阮元「頗抒議論，然與其謂為滿人謀，毋寧謂為漢人謀」。至清末葉，漢學之儒遂以「孤章斷句」為「伏戎之地」。至於今文家「素以致用自命」，及至「清勢已衰，外患頻起」，乃「詭然自異，承宋學之乏，以學阿世」。康有為更是「陳義尤高，以孔子改制，飾其變法之說，腆然以聖人自居，方謂高可為教皇，下亦不失總揆，高名厚實，一舉兩收矣」。詎料戊戌政變，「身敗名裂」。然而「庸妄小兒，反竊其偽經之義，廢經斥孔，教未立而學先亡，是又康氏所不料」。天倪於是感慨說道：「余生丁其時，限於境遇，不能有所匡正，使五千載金匱石室之藏，奄然待盡，余之罪也。有能申經訓，放淫辭，為往聖繼絕學、為來世開泰平者乎。俟之來哲。」[80]「為往聖繼絕學、為來世開泰平」云云，正是天倪自道其治經的志向，亦即重在「儒效」，故《六藝後論》以〈儒效引義〉終焉，是謂卒章言志。

四　儒效引義

　　天倪謂，自漢武帝「罷黜百家，表章《六經》，孔教已定於一尊，至宣

80　同註74，頁272-274。

帝時而學制益備」。武、宣二帝，雖是陽儒陰法，「然其外表固斐然成章
也」。「元、成以後，刑名漸廢」，詔書、奏議，「莫不援經義以為據依」。凡
「國有大疑，輒引經為斷」。「其時公卿大夫士吏，亦罔不通一藝。一時循
吏，多能推明經意，以移易風化，號為『以經術飾吏治』。此漢治之所以為
近古也。」東漢君臣，尤多能身體力行。「建武五年，乃修起太學，稽式古
典」，甚至「匈奴亦遣子入學」，「濟濟洋洋，極千古之盛矣」。[81]天倪又引皮
鹿門曰：「後漢取士，必經明行修，蓋非專重其文，而必深考其行。……國
家尊經重學，非直肅清風化，抑可支持衰微。無識者以為經學無益而欲去
之，觀於後漢之時，當不至如秦王謂儒無益人國矣。」[82]此即天倪心目中的
儒效。然而後漢時的儒效，乃倡之於上而形成者。當長期擾亂之世，儒者在
下，尊經重學，亦能大有益於天下。王船山《讀通鑑論》卷十五曰：「儒者
之統，與帝王之統，並行於天下，而互為興替。其合也天下以道而治，道以
天子而明。及其衰而帝王之統絕，儒者猶保其道以孤行，而無所待，以人存
道，而道可不亡。」永嘉之亂以後，「能守先王之訓典者，皆全身以去，西
依張氏於河西」。「隋之治具」，「唐之文教」，「皆自此昉也」。故曰：「儒者之
統，孤行而無待者也，天下自無統，而儒者有統。」天倪對此，極表贊同，
以為宋儒所謂道統，「頗麗於虛」，而船山所謂儒者之統，「足與帝王之統代
興，實有當於素王之義」。[83]所謂素王之義，正是指獨立於政權之外的儒者
教統。此乃真正的道統，雖「孤行而無待」，社會大群實賴之以有濟。

　　天倪以為，「一切學術，咸出六藝」，所以經籍為儒教之基。學術有形
上、形下之別：「百家眾技，不該不徧」，乃「形以下者」。西人之宗教與哲
學，則為「形而上者」，然一為「教」，一為「學」，「其本體固不同」。就中
國情形而論，「墨子為宗教，老子為哲學，二者與六藝之義，絕不相類」。
「若《六經》所言聖人，不出庸言庸行」，無宗教主的神靈奇跡。「為其學
者，備嘗艱苦，僅得身後微名，非有淨土、天堂之樂，而其居常也，則忍欲

81　同註74，頁115-116。
82　同註74，頁121-122。
83　同註74，頁137-138。

以踐形，臨變也」，則舍生而取義」；舉凡貴富勇辨之輩，「無有能喻此者」，然而此聖學，「越數千年而勿替」。「蓋真理之服人心，百倍於迷信。」足見儒學雖非宗教，卻具有宗教之效力。就哲學而論，「派別至繁」，而經則「無所不包」：「自明誠謂之教」即唯物論，「自誠明謂之性」則是唯心論；「太極太一之體」乃一元論，「五行五德之學」則為多元論；「並育並行之說」為相制論，「不誠無物之義」則並行論也。「其言現象，有原子論，即《易》之陰陽變化，而《中庸》所謂至小莫破也；有超絕神論，即《禮》之郊禘祈報，而《詩》所云出王游衍也。」至於人生哲學，則「莫尚於中國之倫理」。就「認識之法」而言，「《中庸》之博學、審問、慎思、明辨，循次漸進，為至備而當」，舉凡獨斷論、懷疑論、批評論、觀念論、唯理論、經驗論、實在論等「聚訟不休」之各派，皆可一爐而冶之。因此可說，六藝「是非哲學而哲學莫能外也」。總之，在天倪看來，六藝也者，「有宗教之信而無其迷，有哲學之利而無其弊」。[84]

　　「經之為道」，既如是之「博」，然就致用而言，則「莫尚於禮」。天倪因此說：「蓋諸經其體，禮樂其用也。」又曰：「治世之術多端，而語其歸宿，不外法治、禮治二種。」孔子所謂「道之以政，齊之以刑」即是「法治」；「道之以德，齊之以禮」則為禮治。而所謂禮治，並非指古禮可行於今；「師古人者，師其意不必師其法。法當以時變者也，意則百世而不易者也」。具體而言，「如婚姻之禮，但取其慎人倫之始，防淫泆之萌，若其南洗饗婦、三月反馬，可不采也。喪祭之禮，但取其飾稱情之文、敦報本之義，若其主尸雜酬、麻葛遞更，可不拘也。鄉禮之屬於習射者宜刪之，若其賓賢能、尊齒德，不可棄也。朝禮之近於帝制者宜去之，若其明秩敘、正紀綱，不可忽也。」其中最為重要者，當推「貢舉學校」之制，「宜盡本古人制禮之意，而稍異其制，制成通禮，以為治本」。天倪深信，僅憑法律，不足以臻於文明之治；必須全體人民有共同的行為準則（所謂「納民於軌物之中」），方能「躋世於刑措之域，熙熙然型仁講義，一道同風」。此即所謂禮

治，而禮治之養成，非教育莫由。「貢舉學校」所以為「治本」者，以此。[85]

　　按：此一看法，與王國維〈殷周制度論〉之說，頗為相通。觀堂以為：「周之制度典禮，乃道德之器械，而尊尊、親親、賢賢、男女有別四者之結體也。此之謂民彝。」[86]天倪所以如此重禮，尤其是貢舉學校之制，著眼處正在這「民彝」二字。易言之，欲臻於至治的境界，社會更重於政治。所謂禮治的基本精神，即在於此。

　　儒家心目中禮治之極，即孟子所謂王道。自周、孔以下的儒家人物中，天倪最為推尊孟子，以為孟子之說，實有進於孔子《春秋》者，曰：

> 孔子《春秋》，尚有尊周之思，而孟子則匪但不尊周，亦不尊君。曰：「殘賊之人，謂之一夫。聞誅一夫紂矣。」曰：「君有大過則諫，反覆之而不聽，則易位。」曰：「君之視臣如土芥，則臣視君如寇讎。」曰：「君為輕。」萬章云「今之諸侯猶禦」，孟子言「非其有而取者盜」。此其黜君權也。曰：「民為貴。」曰：「得乎丘民為天子。」曰：「得天下有道，得其民斯得天下矣。」此其伸民權也。桃應問：「皋陶為士，瞽瞍殺人，則如之何？」孟子答以「執之而已」，又言「舜不能禁」。此司法獨立之至論也。梁襄王問「天下惡乎定」，孟子言「定於一」，又言「不嗜殺人者能一之」，廢封建為郡縣之先聲也。此等議論，多古所未發，孟子獨能揭而出之，此其所以為亞聖也。[87]

天倪認為，孟子的勝處，在於深明社會學之原理，服膺先儒之義（理想）而不拘泥於其跡（具體制度）。社會學之原理，實不僅是「進化」。中國先哲，多能明進化之理，如《易大傳》、《商君書・開塞》篇、《漢書・刑法志》、柳宗元〈封建論〉等，即為其例。唯有孟子，「本《大易》消長盈虛之理，寓

85　同註74，頁294-295。

86　《觀堂集林》（北京市：中華書局，1959年據商務印書館影印改正本），頁477，原刊本卷十，頁十四上。

87　《孟子概要》，頁508。

進化於循環之中，百變而不能出其範圍，實社會學之正矩也」。[88]天倪治經
之鵠的，殆亦在於此。

〈儒效引義〉篇終曰：

> 周公居封建之時，利及貴族，而未遍平民；孔子生據亂之世，無尺土
> 之階，更無由以盡展其略。是雖為儒之至，而皆未收效之極。爾後兩
> 漢政俗，最為近古，而東都尤盛，有儒治之風。然亦僅小試其一端，
> 不足以蔽全經。降及唐宋，更無足道。今者瀛海大通，殊俗絕踵，西
> 人以物質競爭之故，釀成川血山骸之鉅禍。窮極思返，欲求所謂精神
> 文明者，以救其敝，駸駸有傾向孔學之意。子思之所謂舟車所至，人
> 力所通，日月所照，霜露所墜，凡有血氣莫不尊親者，此其機矣。倘
> 有達者理而董之，闡經學之大用，伸禮治之微言，創制顯庸，傳播中
> 外，……合天下為一家，進小康於大同，沴氣消滅，太和翔洽，更千
> 萬年，罔有紀極，此則儒效之大成也。[89]

是乃天倪治經的結穴。此所謂儒效之大成，不在區區富國強兵，亦不侷限於
赤縣神州之域，而是溥於寰球、延及萬世的大同之境。易言之，乃世界主義
而非國族主義。

古文派大師章太炎有〈春秋平議駁皮錫瑞〉一文，聲稱大同「本非《春
秋》之義」，曰：「縱萬國皆有文化，文化猶各因其舊貫，禮俗風紀及以語
言，互不相入，雖欲大同而無由。」[90]天倪以「信古」自命，雅不取近世今
文家言，而其治經的結穴，卻在「太和翔洽」的大同境界，近於疑古的康長
素而遠於信古的章太炎。學術思想之事，固不可以一端論也。

88　同前註，頁510。

89　《六藝後論》，頁295。

90　《國朝文匯》，丁集，卷17，頁36上。

五　後案[91]

　　天倪言古史，反對「迷信西人之臆測，毀棄故府之策書」；治經學，推重古文經師，貶斥近世今文家；皆與太炎同調。然而以「合天下為一家，進小康於大同」為儒效之大成，則與太炎截然異趣。陳、章二人之異，即世界主義與國族主義之別。

　　《論語・八佾》篇述孔子之言曰：「夷狄之有君，不如諸夏之亡也。」南朝梁人皇侃疏曰：

> 此章為下僭上者發也。諸夏，中國也；亡，無也；言中國所以尊於夷狄者，以其名分定而上下不亂也。周室既衰，諸侯放恣，禮樂征伐之權不復出自天子，反不如夷狄之國，尚有尊長統屬，不至如我中國之無君也。[92]

朱子《論語集註》引程子曰：「夷狄且有君長，不如諸夏之僭亂，反無上下之分也。」與皇疏意同。[93] 北宋人刑昺之疏解，則與此絕異，曰：

> 此章言中國禮義之盛，而夷狄無也。舉夷狄，則戎蠻可知。諸夏，中國也；亡，無也；言夷狄雖有君長而無禮義，中國雖偶無君，若周召共和之年，而禮義不廢。故曰：「夷狄之有君，不如諸夏之亡也。」[94]

91　此「後案」之成，乃承自匿名評審者之啓迪。謹在此鳴謝。

92　皇侃：《論語義疏》，《四部要籍注疏・論語》（北京市：中華書局，1998年影印清同治十三年粵東書局據鮑廷博《知不足齋叢書》本所刻《古經解匯函》本），上冊，頁174（原書，卷二，頁四上）。

93　明末張宗子（岱）所見亦略同，云：「余遭亂世，見夷狄之有君，較之中華更甚，如女直之芟夷宗黨，誅戮功臣，十停去九，而寂不敢動。如吾明建文之稍虐宗藩，而靖難之兵起，有媿於夷狄多矣。」見其：《四書遇》（杭州市：浙江古籍出版社，1985年），頁100。

94　嘉慶二十年南昌府學重刊宋本《論語注疏》影印本，引自《四部要籍注疏叢刊》，上冊，頁328（原書，卷三，頁三下）。

　　異見的關鍵，在於對「如」字的訓釋。皇侃與程子訓為「似」（夷狄且有君，不似中國之無），刑昺則訓為「若」（夷狄雖有君，不若中國之無）。依照前一種解釋，孔子旨在建立一個評判社會與政治的價值標準：不論諸夏還是夷狄，祇要符合此一標準，便值得稱許。背後的理據是何休所謂「著治太平，故夷狄進至於爵，天下遠近大小若一」（《春秋公羊解詁》語）的大同境界。依照後一種解釋，則孔子專注於攘夷：夷狄既無禮義可言，諸夏即使暫時無君而亂，仍較夷狄為勝。背後的理據是夷夏之間不可融通的差別，所謂禮義也者，乃諸夏所獨有，不可語於夷狄。

　　這兩種大不相同的說法，在綿亙二千餘年的經學傳統中都可找到根據。章太炎強調「種姓」，以為諸文化皆有其「舊貫」，「互不相入，雖欲大同而無由」，持國族主義立場甚堅。近儒楊遇夫（樹達）則堅決反對血統與種族之論，以為孔子所謂有君，指的是有賢君，曰：

> 有君謂有賢君也。邲之戰，楚莊王動合乎禮，晉變而為夷狄，楚變而為君子。雞父之戰，中國為新夷狄，而吳少進。柏莒之戰，吳王闔廬憂中國而攘夷狄。黃池之會，吳王夫差藉成周以尊天王。楚與吳，皆《春秋》向所目為夷狄者也。孔子生當昭、定、哀之世，楚莊之事，所聞也。闔廬、夫差之事，所親見也。安得不有夷狄有君而諸夏亡君之歎哉！《春秋》之義，夷狄進於中國，則中國之。中國而為夷狄，則夷狄之。蓋孔子生於夷夏之界，不以血統種族及地理與其它條件為準，而以行為為準。其生在二千數百年以前，恍若豫知數千年後有希特勒、東條英機等敗類將持其民族優越論以禍天下而豫為之防者，此等見解何等卓越！此等智慧何等深遠！[95]

闡發經學傳統中世界主義的大同境界，可謂淋漓盡致。

　　由此可見，經學中「疑古」、「信古」之紛紜，本與論者的思想立場及所處環境有關，究其實，如何解古，如何用古而已，背後皆有現實的關懷、理

---

[95]《論語疏證》（上海市：上海古籍出版社，1986年），卷三，頁67。

想的境界在。信古的天倪與疑古的長素，治經路數全然不同，而心嚮往之
者，皆在所謂大同。個中原因，正當以此意會之。

同途異歸

——錢穆中國上古史的疑古走向

吳銳

中國社會科學院歷史研究所研究員

　　錢穆先生（1895-1990）是著名的疑古健將，他對傳統歷史地理的疑古比古史辨派創始人顧頡剛先生（1893-1980）更激進。錢穆先生與顧頡剛先生年相若，長期共事，錢先生又經常在顧先生創始的《禹貢半月刊》發表歷史地理考證文章，錢先生的觀點當然為顧先生所熟知。雖然顧先生對錢先生《先秦諸子繫年》評價極高，但並不認同錢先生一系列獨特觀點[1]，倒是武漢大學石泉教授（1918-2005）成為錢先生最大的知音。同樣有趣的是，二十世紀三〇年代前期，石泉先生在北平上中學，開始受到《禹貢雜誌》的影響，還接受了顧先生主編的《古史辨》和錢先生《先秦諸子繫年》的影響。但從石泉先生一生的學術觀點來看，他更多地接受了錢先生的影響，接受錢先生的觀點也遠遠多於顧先生的觀點。石泉先生提出一系列驚世駭俗的論點，顧先生尚在世，而且一直關注歷史地理學的發展，並未見顧先生的評論。我們可以說，錢穆、顧頡剛二位先生同具高度疑古精神且同具歷史地理專攻，但「同途異歸」，重建的中國上古史則大不相同。

1　《先秦諸子繫年》已主張洞庭在長江以北。顧先生的學生譚其驤先生專攻歷史地理，
　　在一九六二年還在批評錢穆的「謬論」，因為錢先生認為《楚辭》湘、澧、沅諸水本
　　在江北。見譚其驤：〈鄂君啟節銘文釋地〉，《中華文史論叢》（北京市：中華書局，
　　1962年），第2輯，頁189。

一　疑古的不同支流

伴隨一九一五年以來的新文化運動,「民主」、「科學」兩大口號振聾發
聵,科學精神激發了歷史學領域的理性主義,動搖了「自從盤古開天地,三
皇五帝到如今」的中國上古史框架,疑古辨偽導致古史辨運動風起雲湧,由
此產生了以顧頡剛先生為核心的古史辨派。顧先生的同窗好友傅斯年先生
(1896-1950) 對疑古辨偽理論完全贊同,主持中央研究院歷史語言研究所
之後,提倡「上窮碧落下黃泉,動手動腳找東西」,開闢用考古學重建上古
史的道路,與顧先生用文獻重建上古史並駕齊驅,在戰亂中成就輝煌[2]。

值得指出的是,一九四九年前,先秦史研究受到極端重視[3],先秦史學
家往往被認為高於其他斷代史學家一籌,大家對中古史以及近代史的研究,
反而熱心較差,顧頡剛等先生認為「這種畸形的發展可說是史學界不良的現
象」[4]。當時第一流的學者紛紛就先秦史諸領域施展他們的才華,甚至像胡
適這樣開風氣的學術多面手,也寫出了像〈說儒〉這樣出色的先秦史論文。
史學界對先秦史的這種偏向造就了一大批傑出的先秦史學家,錢穆先生正是
在這種風氣之下嶄露頭角的。

自清代以來,經學的一部分研究領域向史學轉化,到二十世紀二〇年代
興起的古史辨運動,更是自覺地把這一趨勢發展到極致。錢穆先生是古史辨
派的畏友,他將古史辨派作為新文化運動的一支流,代表激進;他自己則是
對中國傳統文化充滿溫情,可以說代表保守。可是具體到學術研究,錢先生
則可以說是勇於疑古。如果從疑古與反疑古兩大陣營區分,錢先生無疑屬於

2　二〇〇七年四月,承臺灣聯經出版公司寄贈該公司新出余英時前輩《未盡的才情》,
　　余先生對顧頡剛、傅斯年各自開創重建古史的路徑有很高的評價,深得我心。

3　一九四九年以後,大陸官方提倡「厚今薄古」。以中國科學院歷史研究所(中國社會
　　科學院歷史研究所前身)為例,资深先秦史專家楊向奎先生(1910-2000)被安排當
　　清史研究室主任,以表示對距離當今最近的古代——清代的重視。

4　顧頡剛:《當代中國史學》(上海市:上海古籍出版社,2002年),頁122。吳銳按:此
　　書係他人代顧先生寫成。

疑古陣營。他們二人在學術觀點有很多相同點，如對於《老子》一書的時代問題，二人都主張較晚，錢先生更激進，認為《老子》尚且在《莊子》之後。錢穆先生晚年回憶說：

> 頡剛史學淵源于崔東壁之《考信錄》，變而過激，乃有《古史辨》之
> 躍起。然考信必有疑，疑古終當考。二者分辨，僅在分數上。……余
> 疑〈堯典〉，疑〈禹貢〉，疑《易傳》，疑老子出莊周後，所疑皆超於
> 頡剛。然竊願以考古名，不願以疑古名。疑與信皆須考，余與頡剛，
> 精神意氣，仍同一線，實無大異[5]。

但是，在一些重大問題上，錢先生又堪稱顧先生的畏友，最著名的是關於劉歆與《左傳》的關係問題，可以稱為「劉歆偽作《左傳》公案」，我以為比較準確的概括應當是「劉歆將《國語》改編為《左傳》公案」。這一公案在清末有康有為（1858-1927）的大力闡述，得到現代學者如錢玄同先生（1887-1939）的大加讚賞，認為鐵案如山。錢玄同先生是古史辨運動的引路人之一，自然要影響到顧先生。顧先生於民國十九年六月在《清華學報》第六卷第一期發表〈五德終始說下的政治和歷史〉，長達十一萬字，後來收入《古史辨》第五冊，民國二十四年一月樸社初版。顧先生終生堅持《左傳》記事可信者十之七八，其記言之可信者不過十之一二，其豫言式之言全不可信[6]；也就是說《左傳》中有後人附益語。「後人」被懷疑是劉歆。他對這點非常自信，說：「此非我之樂於疑經蔑古，乃揭出其欺人之本性耳。」[7]顧先生認為衛宏、劉歆、皇甫謐是中國的造偽三傑[8]。直到晚年，顧先生還說：「魯史之《春秋》尚能秉直筆，劉歆之《左傳》則一味媚莽，處處作曲筆以誣孔子，二書宗旨截然不同。一般儒者隨風而靡，竟都看不出來，正我

5　顧潮：《歷劫終教志不灰》（上海市：華東師範大學出版社，1997年），頁143。

6　顧洪編：《顧頡剛讀書筆記》，卷10（臺北市：聯經出版公司，1990年），頁8077。

7　顧洪編：《顧頡剛讀書筆記》，卷10，頁8077。

8　顧洪編：《顧頡剛讀書筆記》，卷5（上），頁2754。

國學術界之差已。」[9]錢穆先生撰長文〈劉向歆父子年譜〉，民國十九年六月發表於《燕京學報》第七期，長達七萬多字，後來也收入《古史辨》第五冊。顧先生的長文矛頭直指劉歆，比如說：「總之，他實定少暭為黃炎以後，顓頊以前的一代，在這段文字中已明白寫出：這在劉歆之前是沒有人主張過的。至於一大批『鳥官』，以掌曆法的為獨多，且其地位也特高，大概因為劉歆自己通明曆法，且任羲和之官，藉以自重吧？」錢穆先生的長文則為劉歆辨誣。顧、錢二先生為學術論爭樹立了優良典範。

　　有趣的是，顧頡剛先生的學生楊向奎先生對乃師的新見不以為然[10]。他在北京大學上二年級（1932）時開始注意這個問題，到三、四年級時已經寫了好幾篇關於《左傳》的小文章，逐個就「五十凡」、「君子曰」等小問題進行研究，到一九三五年快畢業時匯成〈論《左傳》之性質及其與《國語》之關係〉長文，一九三六年發表在顧頡剛先生主編的《北平研究院史學集刊》第二期，備受好評，後來就拿這篇論文評上了教授。楊先生此文的結論是：書法、凡例、解《經》語及「君子曰」等為《左傳》所原有，非出後人之竄加，故《左傳》本為傳《經》之書。《國語》之文法、體裁、記事、名稱等都與《左傳》不同，故二者決非一書之割裂。學術公案需要正方反方，才能推動問題的解決。「劉歆將《國語》改編為《左傳》公案」至今沒有解決，最新的契機是一九九一年甘肅敦煌懸泉遺址發現的西漢漢哀帝元始五年（5）〈使者和中所督察詔書四時月令五十條〉，是乙太皇太后（成帝之母，哀帝之祖母，王莽之姑）的名義頒佈的，開頭是「太皇太后詔曰」，中間多次出現「羲和臣秀」等語，最後是安漢公王莽奏請及逐級下達文書格語。劉歆和王莽關係之密切，可見一斑。羲和這一官職是根據《尚書・堯典》「乃命羲和，欽若昊天，曆象日月星辰，敬授民時」而設立的，此時王莽已經大權獨攬。鑒於《漢書・王莽傳》說劉歆為王莽「典文章」、《漢書・劉歆傳》說劉歆「典儒林史卜之官」，胡平生先生認為，當時許多重要文誥應當出自劉歆

9　顧洪編：《顧頡剛讀書筆記》，卷10，頁8080。
10　顧先生時任燕京大學教授，又義務擔任北京大學講師。

之手，懸泉〈四時月令詔條〉，也有可能是劉歆所為。劉起釪先生早就指出，今文〈太誓〉是漢代偽造的。胡平生先生舉例指出，〈四時月令詔條〉開頭套用了許多《尚書》的話，如「靡不躬天之曆數，信執厥中」，見於偽古文《尚書・大禹謨》，也見於《論語・堯曰》。胡先生認為劉歆具有偽造《尚書》的作案動機[11]。那麼，劉歆和《左傳》的關係尚待進一步研究。當代學者幾乎都認為錢穆先生〈劉向歆父子年譜〉早已為劉歆洗刷偽作《左傳》的嫌疑，其實未必。

　　錢、顧二先生在學術上的異趣，說明疑古是有不同走向的，因而形成了不同的支流。在我二〇〇七年七月寫這篇論文時，「疑古」在中國大陸基本上還是一個貶義詞。一提到「疑古」似乎就意味著對新出考古材料螳臂擋車。二〇〇七年二月，上海《學術月刊》將發表馮建國、周亭松〈中唐時期的疑古思潮——以柳宗元的疑古思想為中心論起〉，雜誌社請我點評。我寫了如下意見：

　　歷史是一門經驗科學，不僅歷史材料摻雜了記述者的主觀成分（未嘗不可以稱為「偽」），而且人們在解釋歷史的過程中又添加了主觀成分，可以說偽上加偽。在科學的研究中，是不可能避開「偽」的，疑古的合理性在此。有意造假的當然要辨（姑且稱之為第一層辨偽），不自覺的先入之見也要辨（姑且稱之為第二層辨偽）。

　　現在很多人對「偽」字很反感，其實正如楊倞注解《荀子・性惡》「人之性惡，其善者偽也」所說：「凡非天性而人作為之者，皆謂之偽。」可見「偽」即人為，與「天然」相對。這是唐代人對「偽」字的正解，也可見唐代人對辨偽的態度。

　　不僅如此，疑古的天性並不是後腦殼長有反骨的少數派，而是人類普遍的本能。本人在編《古史考》第五卷時特地在扉頁轉載了一幅畫，畫面是人類的祖先亞當和夏娃在伊甸園受到狡猾的蛇「遊說」時的情形，同時引用了

---

11 中國文物研究所、甘肅省文物考古研究所編：《敦煌懸泉月令詔條》（北京市：中華書局，2001年8月），頁41、47。

原作者的話:「進化心理學（一門研究人類起源與本質的學科）的研究結果表明，識破騙局、避免被愚弄是人類最強烈的心理情感之一。」

二　歷史地理研究顯示的古史差異

錢先生認為治古史有四項當分別尋求：一曰氏族，二曰地理，三曰人物，四曰年代。而「愈溯而上，乃惟有氏族、地理兩要項。」在氏族、地理兩要項中，錢先生是由研究地理帶動研究氏族，「考地所得，可資以解說當時各氏族之活動區域及其往來轉徙之跡，與夫各族間離合消長之情勢，則已可為古史描出一粗略之輪廓」[12]。

（一）黃帝

《史記·五帝本紀》以黃帝發端，記述黃帝行蹤：

> 東至於海，登丸山，及岱宗。西至於空桐，登雞頭。南至於江，登熊、湘。北逐葷粥，合符釜山，而邑于涿鹿之阿。遷徙往來無常處。

司馬遷自己說：

> 余嘗西至空桐，北過涿鹿，東漸於海，南浮江淮矣，至長老皆各往往稱黃帝、堯、舜之處，風教固殊焉。

錢穆先生認為黃帝行跡不可能有那麼遠，因此懷疑司馬遷以西漢疆域說上古傳記。顧頡剛先生有相同的發現。他認為對照上述《史記》兩段記載，「知凡黃帝之所至原即史公之所至。史公遊蹤本廣，加以隨武帝巡幸，見聞更擴，著意作史，不第搜集紙上材料，實物、傳說並所取資，既四方所至皆道

---

12 錢穆：《史記地名考》（北京市：商務印書館，2001年），序言，頁8。

黃帝，即信為黃帝真到其地矣，黃帝疆域之廣袤即若是矣。」[13]空桐，歷代認為在甘肅，顧炎武等人指出河南汝州也有空桐山，錢穆先生認為這才是黃帝所至的空桐。黃帝北逐葷粥，錢先生認為葷粥即獫狁異稱，其先居地在河東。黃帝與蚩尤大戰於涿鹿之野，錢先生認為即山西解州之涿澤。黃帝南至江，登熊湘，錢先生認為熊湘是一山而不是兩座山，即河南盧氏縣南的熊耳山。至於稱為「熊湘」，可能山本有「湘」名。

　　結論：黃帝傳說故事起自今之河南西部山地，而北極於黃河北岸今山西之南部[14]。

　　錢先生此說大可商榷。

　　首先看黃帝傳說的西界。《國語・晉語四》說炎帝以姜水成，黃帝以姬水成。姜水即經過現在的陝西岐山、扶風、武功入渭水的那條水，在譚其驤先生主編《中國歷史地圖集》第一冊〈西周時期中心區域圖〉漆水西南。歷代並沒有關於姬水的直接記載，於是有渭水、渭水支流漆水等說，總之不出渭水流域的範圍。炎、黃作為兩個通婚的族系，必然相隔很近。黃帝族系的大本營在西方，其淵源可以追溯到仰韶文化的魚族[15]。仰韶文化的發源地正在渭水。

　　其次看黃帝傳說的北界。《山海經・大荒北經》說蚩尤作兵以伐黃帝，黃帝乃令應龍攻之冀州之野。《逸周書・嘗麥》、《莊子・盜跖》等書說蚩尤與黃帝戰於涿鹿之野，傳統上認為涿鹿即今河北涿鹿。中國上古史的主線是西方族系和東方族系的爭鬥，黃帝是西方族系的代表，蚩尤屬於東方族系。黃帝、蚩尤在河北展開爭鬥是可能的。

　　最後看黃帝傳說的南界。「南至於江」的江，我認為指漢水的可能性大。黃帝、炎帝都沒有過長江。熊、湘已不能確指。

13　見顧頡剛：初編〈黃帝〉，《史林雜識》（北京市：中華書局，1963年），頁183。

14　錢穆：〈黃帝故事地望考〉，收入《古史地理論叢》（北京市：三聯書店，2004年9月）。

15　見拙作：〈從魚族、黿族到夏族〉，《何炳棣先生九十華誕祝壽論文集》（西安市：三秦出版社，2008年5月）。

（二）三苗

　　關於三苗的範圍，《史記》卷六十五〈孫子吳起列傳〉記吳起曰：「昔三苗氏左洞庭，右彭蠡。」洞庭，主流看法指認為今湖南洞庭湖。另外，江蘇太湖也有洞庭之稱。錢穆先生認為，「洞庭」乃地室洞穴之稱，可能即〈禹貢〉之「滎波」。《爾雅・釋木》云：「榮，桐木。」《說文》：「榮，桐木也。」「桐，榮也。」是古音東冬亦與庚青相通轉。「榮」、「庭」則同屬青韻。

　　彭蠡，主流看法認為即江西鄱陽湖。崔述，在清代不甚知名而被民國史學家重新發現的「疑古派」，主張彭蠡在長江以北：

> 《漢書・地理志》豫章郡彭澤縣下注云：「〈禹貢〉彭蠡澤在西」，番陽在彭澤南，而云在西，則彭蠡自別一地，非番陽明矣。又云：「水入湖漢者八，入大江者一」，不以彭蠡稱番陽而稱為湖漢，則番陽自名湖漢，非即彭蠡，又明矣。

　　倪文蔚、魏源諸人，也對傳統說法提出異議。魏源還主張，「彭」者盛大義，「蠡」者旋螺義，與「雷」音近。蓋江水至此成大旋螺，語音轉展呼「蠡」為「雷」，遂以彭蠡為大雷。錢穆先生接受了這一看法，並且進而認為河水湍急莫過於孟津，則彭蠡之名最初在黃河而不在長江，故《呂氏春秋・愛類》篇記禹「疏河決江，為彭蠡之障」，《淮南子・人間訓》也說禹「決江疏河，鑿龍門，辟伊闕，修彭蠡之防」，《北堂書鈔》四引作「鑿昆龍，開呂梁，修彭離」，可見彭蠡指龍門呂梁以下河流而言。

　　最後，錢先生得出古三苗疆域是：今河南魯山嵩縣盧氏一帶山脈之北，今山西南部諸山，自蒲阪安邑以至析城王屋一帶山脈之南，夾黃河為居，西起蒲潼，東達滎鄭，不出今河南北部、山西南部廣運數百里間[16]。

---

16 錢穆：〈古三苗疆域考〉，收入《古史地理論叢》（北京市：三聯書店，2004年9月）。

吳銳謹按：《戰國策・秦策》載張儀說秦王曰：「秦與荊人戰，大破荊，襲郢，取洞庭五都江南」，「五都江南」，《韓非子・初見秦》作「五湖江南」。《史記・蘇秦列傳》載蘇秦遊說楚威王曰：

> 蜀地之甲，乘船浮於汶，乘夏水而下江，五日而至郢。漢中之甲，乘船出於巴，乘夏水而下漢，四日而至五渚。

巴，《索隱》：「巴，水名，與漢水近。」《正義》：巴嶺山在梁州南一百九十里。《周地志》云：『南渡老子水，登巴嶺山。南回（記）大江。此南是古巴國，因以名山。』」

五渚，《集解》：《戰國策》曰「秦與荊人戰，大破荊，襲郢，取洞庭、五渚」，然則五渚在洞庭。《索隱》：「按：五渚，五處洲渚也，劉氏以為宛鄧之間，臨漢水，不得在洞庭。」

可見前人早已認識到五渚在長江以北的漢水流域，因而懷疑不會在長江以南的洞庭，如果加以「疑古」，把五渚、洞庭都置於長江以北，就無疑滯了。錢穆先生堅持洞庭在長江以北，大方向正確。石泉先生指出，春秋戰國時的洞庭尚在今宜城東南境、鐘祥西北境之漢水西岸，朱堡埠西處[17]。

又，《山海經・中山經》：「又東南一百二十里，曰洞庭之山，……澧沅之風，交瀟湘之淵，是在九江之間。」湘水、資水、澧水、沅水是現今湖南西部四大水，錢穆先生已考證湘水、澧水、沅水原來也在長江以北，石泉先生論證轉精[18]。這又可證明洞庭在漢水。

《文選》卷八揚雄〈羽獵賦〉：

> 入洞穴，出蒼梧。乘巨鱗，騎鯨魚，浮彭蠡，目有虞。

洞穴，李善注引晉灼曰：洞穴，禹穴也。李善曰：郭璞《山海經注》

---

17 石泉：《古代荊楚地理新探續集》（武漢市：武漢大學出版社，2004年），頁219-221。

18 石先生的結論：澧水，即今淅河，在今湖北鐘祥市西北境。湘水，漢水中下游。沅水，即淅河之支流象河。資水，淅河之支流楊家沖水。見《古代荊楚地理新探續集》（武漢市：武漢大學出版社，2004年），頁160-228。

曰：吳縣南太湖，中有包山，山下有洞庭道也。言潛行水底，無所不通也。

彭蠡，李善注引應劭曰：彭蠡，大澤，在豫章。

有虞，李善注：有虞，謂舜也。

應劭是東漢人，他說彭蠡在豫章，「豫章」應指豫章大陂，遠古的豫章大陂並不在今天的江西，而在今湖北省襄樊市東北約四十里的唐河與白河之間近白河東岸處，亦即以新野以南、漢水以北的南陽盆地南部較低窪地帶，《方輿紀要》卷五十一〈河南〉六〈南陽府鄧州新野縣‧樊陂〉尚有記載[19]。看來〈羽獵賦〉中的「洞穴」只是普通的入口，不是「洞庭」。陝西東南和湖北西北自古以來就是一條息息相通的大通道，揚雄所描寫的正是從陝西出發東南行，到達鄂西北的襄樊一帶。

三苗疆域還有一個參照點，即章山。這點常受到忽略。《山海經‧大荒北經》：「西北海外，黑水之北，有人有翼，名苗民曰苗民。顓頊生驩頭，驩頭生苗民，苗民厘姓，食肉。有山名曰章山。」這裡的「苗民」應當就是三苗。《山海經‧大荒西經》：「成湯伐夏桀于章山，克之。」〈大荒西經〉記湯伐桀於章山還涉及另外一個地名巫山：

> 有人無首，操戈盾立，名曰夏耕之屍。故成湯伐夏桀于章山，克之，斬耕厥前。耕既立，無首，走厥咎，乃降於巫山。

此巫山大概不會離章山很遠。郭璞注：「自竄於巫山，巫山今在建平巫縣。」歷代都認為即今重慶市最東邊的巫山縣，位於長江三峽中的巫峽，東與湖北省巴東縣接壤，這是極大的誤解。按《漢書‧地理志》云：「南郡巫。」應劭注云：「巫山在西南。」又說：「夷水出巫，東入江。」歷代又以為「江」是「長江」的專稱，導致座標大移位。其實漢水在古代屢被稱為「江」，錢穆先生已經指出[20]。周昭王南巡不復，就是卒於「江」（漢水）上

---

19 石泉：《古代荊楚地理新探續集》（武漢市：武漢大學出版社，2004年），頁360。

20 錢穆：〈再論《楚辭》地理答方君〉，收入《古史地理論叢》（北京市：三聯書店，2004年9月）。

的。石泉先生進一步指出，漢水不僅可以稱「江」，還可稱「長江」[21]。沂水、淮水都曾稱「江」，尤其是他指出今湖北宜城市南境、漢水的支流蠻河古代也稱「江」[22]，石破天驚。錢穆先生還推測，巫山最初可能即湖北隨縣西南百二十里之大洪山。石泉先生也指出，三國吳時的巫縣還在今宜城市西南角、南漳縣東南境，巫山也當在此，不在今巫山山脈[23]。如此，湯伐桀於章山的所在，也應該在今湖北西部。《漢書・地理志》荊州「江夏郡」下列十四縣，班固在其中的竟陵下注云：「章山在東北，古文以為內方山。」即今大洪山脈的中段[24]。

　　《史記・五帝本紀》：「三苗在江淮荊州數為亂」，此「江」未必指長江，可能指漢水。三苗最後被趕到三危，歷代注家認為三危在今甘肅最西之敦煌，錢穆先生認為在今甘肅渭源、岷縣一帶[25]，比較可信。

　　《左傳・昭西元年》「夏有亂政而作禹刑」，舉出的例子是「夏有觀、扈」，與「虞有三苗」、「商有姺、邳」、「周有徐、奄」並舉。可見三苗是虞舜時期的心腹大患。錢穆先生主張唐堯、虞舜都山西，那麼也接近三苗分佈區。

　　堯的兒子叫丹朱，又作「䮅鴂」，「䮅鴂」二字均從「鳥」，丹朱應為鳥夷族。堯的兒子屬鳥夷，則堯的族屬可知。舜則是「東夷之人」[26]。東方是鳥夷的大本營。甲骨文之𡙇，王國維考證為「夋」，也即「舜」。則舜為鳥夷族。《尚書・禹貢》「冀州島夷」，錢穆先生正確指出「島夷」是「鳥夷」之訛[27]。鳥夷的首都必然在東方，錢穆先生認為唐虞都山西，實為千慮一失。

21　石泉：《古代荊楚地理新探續集》（武漢市：武漢大學出版社，2004年），頁109-110。

22　石泉：〈古文獻中的「江」不是長江的專稱〉，《文史》（北京市：中華書局，1979年），第6輯，收入《古代荊楚地理新探》（武漢：武漢大學出版社，1988年）。

23　石泉：〈古巫、巴、黔中故址新探〉，收入《古代荊楚地理新探續集》（武漢市：武漢大學出版社，2004年）。

24　石泉：《古代荊楚地理新探》（武漢市：武漢大學出版社，1988年），頁385-386。

25　錢穆：《史記地名考》（北京市：商務印書館，2001年），卷2，頁67。

26　《孟子・離婁下》。

27　錢穆：《史記地名考》（北京市：商務印書館，2001年），卷1，頁31。

史稱舜崩蒼梧之野，葬於江南九疑，是為零陵。傳統說法是蒼梧在今廣西的梧州，九疑、零陵在今湖南，錢先生則指出都在漢水流域，極為有見。按：《文選》卷八司馬相如〈上林賦〉：

> 獨不聞天子之上林乎？左蒼梧，右西極。丹水更其南，紫淵徑其北。終始灞、滻，出入涇、渭。酆、鎬潦潏，紆餘委蛇，經營乎其內。

　　〈上林賦〉是文學作品，極盡鋪張之能事，或以為這一段出現的地名都是虛指。南宋吳仁傑《兩漢刊誤補遺》卷六具體指出《禮記・檀弓》言舜葬於蒼梧之野，注謂零陵是其地，零陵在長安之南，不得云左。蒼梧，李善注引文穎曰：「蒼梧郡屬交州，在長安東南，故言左」。漢代確有交州，可是〈上林賦〉中提到的幾個地名：

　　西極，李善注引《爾雅》曰：「至於豳國，為西極，在長安西，故言右也。」

　　丹水，李善注引應劭曰：丹水出上洛塚領山，東南至析縣入沟水。

　　紫淵，李善注引文穎曰：河南穀羅縣有紫澤，在縣北，於長安為在北也。

　　灞、滻，李善注引張揖曰：灞、滻二水終始盡於苑中，不復出也。涇、渭二水從苑外來，又出苑去也。

　　酆、鎬潦潏，李善注引張揖曰：酆水出鄠縣南山酆谷，北入渭。鎬在昆明池北。李善曰：潦，即潦水也。《說文》曰：潦水出鄠縣，北入渭。潏水出杜陵，今名沇水，自南山黃子陂西北流經至昆明池入渭。

　　可見這四個地名都在首都長安周圍，則蒼梧不會遠到交州。錢穆先生認為這個「蒼梧」就是蒼野。《左傳・哀公四年》：「楚右師軍於蒼野」，杜預注：「蒼野在上洛縣。」《水經注》：「丹水自蒼野，東歷菟和山。」錢先生推測蒼梧之野亦可稱蒼野，相其地望，當在今陝西商縣東南，菟和山西境[28]。這是很有可能的。

---

28 錢穆：《古史地理論叢》（北京市：三聯書店，2004年），頁280。

　　我主張這個「蒼梧」可以參照《文選》卷八揚雄〈羽獵賦〉：「入洞穴，
出蒼梧。乘巨鱗，騎鯨魚，浮彭蠡，目有虞。」李善注引應劭曰：彭蠡，大
澤，在豫章。「豫章」應指豫章大陂，遠古的豫章大陂並不在今天的江西，
而在今湖北省襄樊市東北約四十里的唐河與白河之間近白河東岸處，亦即以
新野以南、漢水以北的南陽盆地南部較低窪地帶[29]。前引吳起所說「昔三苗
氏左洞庭，右彭蠡」，洞庭在江北。則蒼梧斷不會遠至兩廣交界處。上海博
物館藏戰國竹簡〈容成氏〉[30]記湯伐桀、桀逃亡的路線是：

　　　　傑（桀）乃逃之南菓（巢）是（氏），湯或（又）從而攻之，述
　　　　（遂）逃，达（去）之桑（蒼）虐（梧）之埜（野）。

　　歷來將蒼梧定在今廣西東部、靠近廣東的蒼梧，實際上此時的桀已是驚
弓之鳥，絕不可能逃那麼遠。南巢的地望，從古至今被定為今安徽巢湖，這
也是鳥夷族的腹地，似乎不適合作為避難所。而且安徽與夏文化的關係，多
因附會禹娶於塗山氏而起。值得注意的是《史記・夏本紀・集解》引鄭玄的
注解，說南巢是「南夷地名」。鄭玄是東漢人，另一東漢人班固作《漢書・
地理志》，列入正南的是荊州，則南巢有可能在荊州。南陽郡、南郡、江夏
郡都屬於荊州，其地域大多在今南陽盆地和漢水流域。《荀子・解蔽》：「桀
死於亭山。」楊注：「亭山，南巢之山，或本作『鬲山』」。王先謙《荀子集
解》引王念孫說，認為作「鬲山」者是。我以為還有一種可能，「亭山」可
能為「章山」之訛，章山即南巢。《山海經・大荒西經》：「成湯伐夏桀于章
山，克之。」〈大荒西經〉記湯伐桀於章山還涉及另外一個地名巫山，應依
石泉先生所考，章山即今大洪山脈的中段，巫山在南漳縣東南。可見桀逃亡
的最後兩站南巢和蒼梧，都在今陝西東南、湖北西北的漢水流域。桀逃亡的
意圖是想從東方鳥夷大本營逃脫，進入西北夏人的老根據地[31]。

29　石泉：《古代荊楚地理新探續集》（武漢市：武漢大學出版社，2004年），頁360。

30　馬承源編：《上海博物館藏戰國楚竹書》（二）（上海市：上海古籍出版社，2002年），
　　頁281-282頁。

31　拙作：〈從〈容成氏〉所記桀逃亡路線看夏文化與西部的關係〉，《人文雜誌》2007年

《尚書・堯典》:「舜陟方乃死」,錢先生主張「方」即「房」。今安邑東
北有方山。茅山又名防山,故知防也,方山,房也,皆一山之異名,即近於
安邑鳴條之山[32]。錢先生將「舜陟方乃死」的「方」解釋為「房」,很新
穎,但「方」未必是安邑東北的方山,我主張即房陵。《世本》:「舜封丹朱
于房。」這的「房」應該指今湖北西部之房縣。《山海經・海內南經》:「蒼
梧山,帝舜葬於陽,丹朱葬於陰。」陝西東南和湖北西北自古以來就是一條
息息相通的大通道,陝西東南的蒼梧和湖北西北的房縣相隔正近。

以上就小地名的「蒼梧」而言。按地名演變的規律,小地名經常演變為
大地名,「蒼梧」也不例外。「蒼梧」這一地名變動也經歷了由陝西東南到兩
廣的變動過程。《史記・蘇秦列傳》載蘇秦遊說楚威王曰:

　　楚,……南有洞庭、蒼梧。

洞庭、蒼梧經常作為兩個連帶相及的地名,並且與「巴」相提並論。例
如湖南西部里耶出土的秦簡,洞庭、蒼梧、巴三個地名並提。參照石泉先生
所考——戰國洞庭在楚之「江南」(蠻河以南),則戰國時的蒼梧也不得一味
南推。

堯、舜為東方鳥夷族系,典籍屢言堯、舜與有苗戰於丹水之浦,以服南
蠻,反映出東西族系的鬥爭。

(三)夏禹

按《古本竹書紀年》,我國第一個王朝——夏朝是從西元前一九九四年[33]

第2期。

32 錢穆:《古史地理論叢》(北京市:三聯書店,2004年),頁280。

33 夏商周斷代工程將夏代起始年定為西元前二〇七〇年,筆者認為不可靠。參考《古史
考》第九卷相關討論(海口市:海南出版社,2003年)。《古史考》第九卷節選本以
《後古史辨時代之中國古典學》之名於二〇〇六年十一月由臺灣唐山出版社出版。關
於夏代起始年,可參考該書何炳棣、劉雨:《懷疑真古,相信假古——夏商周斷代工
程基本思路質疑》。

到西元前一五二三年，共四百七十一年。目前還沒有發現夏朝有文字，關於夏族的發源地，豫西或晉南成為當前學術界關注的兩大焦點。錢穆先生早就這麼堅持。他認為夏禹傳說故事起自今之河南西部山地，而北極於黃河北岸今山西之南部，與黃帝傳說故事地望相合[34]。禹娶於塗山，會諸侯於塗山，傳統認為塗山在安徽，錢先生認為即河南嵩縣西南之三塗山[35]。

　　按我的推測，夏族起源於渭水。渭水流域（以今天甘肅、陝西為核心）和漢水上游（陝西省東南和湖北省西北）的仰韶文化居民形成了一支「天魚」部落，經過二千年左右的發展，分化出「玄黿」族，也就是夏族[36]。雖然文獻不足徵，夏族起於西方還有如下旁證：

　　1 夏族的興起，還是要從鯀說起。《國語‧周語上》：「昔夏之興也，融降於崇山」，《國語‧周語下》：「昔在有虞，有崇伯鯀」，這「崇山」真是夏族的龍興之地，難怪鯀稱「有崇伯」。韋昭以今河南嵩山解「崇」。可是據《爾雅‧釋山》：「山大而高，崧。」「崧」即「崇」，可見高大的山都可叫「崇山」。《山海經》西次三經之首叫崇吾之山，在河之南。崇吾，郝懿行注：《博物志》及《史記‧封禪書‧索隱》引此並作崇丘。」《尚書‧堯典》記舜攝位，便「放驩兜於崇山」。《史記‧五帝本紀》：「放驩兜於崇山，以變南蠻。」《集解》引馬融注：「崇山，南裔也。」《御覽》四九引盛宏之《荊州記》：「《書》云『放驩兜於崇山』，崇山在澧陽縣南七十五里。」長期以來，人們相信古籍中的澧水就是現今湖南省境內的澧水，錢穆先生首先提出在漢水流域，石泉先生進一步考證先秦至齊梁以前的澧水即今湖北省鐘祥市西北的利河[37]。陝西關中也有「崇」地。《詩經‧大雅‧文王有聲》歌頌文王的偉大功績：「文王受命，有此武功，既伐於崇，作邑於豐。」崇、豐都在周人發祥地周原附近。「有崇伯鯀」的「崇」可能在這一帶。

---

34 錢穆：〈黃帝故事地望考〉，收入《古史地理論叢》（北京市：三聯書店，2004年9月）。
35 錢穆：〈周初地理考〉，收入《古史地理論叢》（北京市：三聯書店，2004年9月），頁23-24。
36 拙作：〈「禹是一條蟲」再研究〉，《文史哲》2007年第4期。
37 石泉：《古代荊楚地理新探續集》（武漢市：武漢大學出版社，2004年1月），頁160-228。

　　2 在夏族產生之前，炎黃兩大族系融合的時間已經相當長。夏禹的豐功偉績是治水，而姜姓四嶽則是禹的得力輔佐，見《國語‧周語下》。顧頡剛先生考證姜族原居地在四嶽，為西方萃聚之四山，在陝西、甘肅交界一帶[38]。《山海經‧西次四經》有申山，其西有上申之山，其西又有申首之山，都在陝北。《逸周書‧王會》有「西申」，顯然指姜族居住在西部而言。那麼四嶽輔佐的禹必然也在西部。

　　3 《詩經‧大雅‧文王有聲》：「豐水東注，維禹之績。」〈秦公簋〉銘文「鼏宅禹責」，活像〈文王有聲〉的「維禹之績」，責、績即跡。又，《詩經‧小雅‧信南山》：「信彼南山，維禹甸之。」南山在宗周南。隨著禹治水神話的擴散，「禹跡」也無所不在。最初的禹跡何在？一九三七年，顧頡剛先生在《禹貢半月刊》發表的〈九州之戎與戎禹〉一文（後來收入《古史辨》第七冊），是一篇重建夏史的重要文獻。顧先生的基本結論是：九州為「中國」的代稱，夏人的祖先禹與九州有極深的關係，而九州最初是戎族的聚居地，故禹又稱「戎禹」。也就是說，原居住小地名九州（其地有一簇叢山稱「四嶽」）的戎族，逐步發展成文化先進之族，就把原地名帶來，稱天下為「九州」。先把四嶽山名帶到山西境，因字形轉寫成「太嶽」，而四嶽又演化為全境的四嶽、五嶽。總之全境的九州、五嶽，是由小地名九州、四嶽發展而成。吳銳謹按：「戎禹」雖不能證明禹出於戎族，卻能證明禹與戎族關係密切，從而說明禹的地域靠近西部。

　　4 《左傳‧僖公三十二年》：「殽有二陵焉：其南陵，夏后皋之墓也；其北陵，文王之所辟風雨也。」杜預注：在弘農澠池縣西，即今河南澠池縣西。殽山和函穀關是關中通往中原的要道，所以張良等人力勸劉邦以關中為都。顧頡剛先生推測：「殽山一帶，是秦、晉之關隘，其在前代，亦為夏、周之關隘，猶明、清之榆關然。文王辟風雨於是，即其翦商時東出之道。至夏后皋之墓在是，若以夏都陽城或安邑解之，實不可通，以其舍帝都之近而遠葬於山陵峽殽之中也。意者夏本都關中，其後拓土東方，后皋往來兩地，

---

38 見顧頡剛：《史林雜識》初編附「四嶽與五嶽」地圖（北京市：中華書局，1963年）。

中途暴卒，遂葬於斯乎？」[39]據古本《竹書紀年》，夏朝從禹算起，傳十七世，夏后皋是第十五世國王。末代國王「夏桀之居，左河濟，右泰華，伊闕在其南，羊腸在其北。」[40]「泰華」即華山，在今陝西。至少說明遲至夏朝末年，陝西仍然是夏朝的大後方。

　　5 漢代的《說文解字》將「夏」解釋為「中國之人也」，清人朱駿聲主張「夏」字的本義為「大」，同時又說說：「按，就全地言之，中國在西一小隅，故陳公子少西字夏，鄭公孫夏字西。」[41]「中國」本指中原，地方並不大，不能說是「在西一小隅」。按古人名、字相應之理，春秋人的名、字夏、西對應，誠如劉起釪先生所說，「說明春秋時人的心目中也認為夏人原是處於中原以西的西土的」[42]。不僅如此，後世尚以「夏」代表西北。《洛陽伽藍記》：「北有二門：西曰大夏門，漢曰夏門，魏、晉曰大夏門。」《樂府詩集》二十七，〈隴西行〉一曰〈步出夏門行〉。顧頡剛先生據此指出古代即以夏指西北隅。或稱夏，或稱大夏，一也[43]。

　　現在的問題是：春秋時人心目中的夏在西，「西」至何處？我們以為必然包括今陝西，甚至包括今甘肅的一部分。首先是禹有「戎禹」之稱，歷來是將「戎」定在西方的。大禹興於西羌等說法將禹的始興地推得更西。其次，周人以夏自承，屢見《尚書》、《詩經》，現代的研究者往往認為是高攀，實際周與夏除了有族系淵源外（詳下），還有地域上的淵源。《尚書·周誥》及《詩·周頌》，周人皆自稱為夏（「區夏」、「時夏」）。《左傳·襄公二十九年》，吳季劄觀周樂，「為之歌秦，曰：『此之謂夏聲，夫能夏則大，大之至也，其周之舊乎？』」顧頡剛先生解釋說：「夫秦聲而曰『夏聲』，且曰『周舊』，明周與秦所處者皆夏境也。」[44]孫作雲〈說雅〉指出秦人居周故

39 顧洪編：《顧頡剛讀書筆記》第9卷（下），頁7566。
40 《史記》，卷65，〈孫子吳起列傳〉載吳起語。
41 朱駿聲：《說文通訓定聲·豫部第九》。
42 劉起釪：《古史續辨》（北京市：中國社會科學出版社，1991年），頁152。
43 顧洪編：《顧頡剛讀書筆記》，卷5（上），頁2804。
44 顧洪編：《顧頡剛讀書筆記》，卷9（下），頁7567。

地（即夏故地），〈秦風〉得稱為「夏聲」，西周詩也可以稱為「夏聲」，〈小雅·鼓鐘〉篇所說的「以〈雅〉以〈南〉」也就是「以〈夏〉以〈南〉」，這個「〈雅〉」字也指夏地。顧先生補充《墨子·天志下》的一條材料：「于先王之書，〈大夏〉之道之然：『帝謂文王，予懷明德，毋大聲以色……』」所引〈大夏〉在今《詩經·大雅·皇矣》，為夏、雅相通之一證[45]。湖北雲夢睡虎地秦簡〈法律答問〉，規定只有母親是秦人的小孩才能叫「夏子」，也可看出秦的國土曾經是夏境。

6 如上所述，「夏」有大義，有「雅」義，都是褒義。我以為「夏」字的另一意義值得重視。《周禮·天官》有染人一職，「掌染絲帛。凡染：春暴練，夏纁玄，秋染夏，冬獻功。」鄭玄注：「染夏，染五色。」並引《尚書·禹貢》「羽畎夏翟」，這是徐州的貢品，「羽畎夏翟」即羽山所出五色雉羽。而「華」字的基本意思是草木開花，也有彩色之意。朱駿聲《說文通訓定聲·豫部第九》解釋「華」字的多種意義，即引《漢書·五行志》「華者，色也」，又引《尚書·顧命》「華玉仍几」，《傳》：「彩色。」劉起釪先生用更多例子證明華、夏二字意義相通[46]。流行看法認為「夏」的本義為「大」，我以為這是後起義，最初義就是「華」，也就是「花」，可以追溯到仰韶文化的花葉紋，花葉紋是仰韶文化標誌性紋飾，其強大的傳播力可以說駭人聽聞，北至內蒙、遼寧，南至湖北、上海，西至青海，本人曾舉出數十例圖案[47]。

錢穆先生推測：「然則言黃帝夏禹者，其殆為古代比較相近之兩民族所傳述也。」[48]黃帝姬姓，從《國語·周語》「我姬氏出自天黿」，可以看出周人崇拜「天黿」。有一類商周青銅器帶䵎銘文，郭沫若先生已經釋為「天黿」，語焉不詳，楊先生有重要發揮，並認為從褒姒的傳說中可以看出夏人崇拜「玄黿」，首次將青銅器銘文䵎釋為「玄黿」，認為是夏人的圖騰，而玄

45 顧洪編：《顧頡剛讀書筆記》，卷7（上），頁4896-4897。

46 劉起釪：《古史續辨》（北京市：中國社會科學出版社，1991年），頁154-155。

47 吳銳：《中國思想的起源》（濟南市：山東教育出版社，2003年），卷1，頁241-270。

48 錢穆：〈黃帝故事地望考〉，收入《古史地理論叢》（北京市：三聯書店，2004年9月）。

黿、天黿是一回事[49]。這樣從圖騰崇拜上肯定了黃帝與夏族同系。

　　啟建立夏王朝，有扈氏起而抗啟，大戰於甘，現在傳下來的《尚書》中有〈甘誓〉一篇，記載的是啟有扈的誓詞。啟指控有扈氏「威侮五行，怠棄三正」，假借天命用武力消滅了有扈氏，漢代人認為：「昔者有扈氏為義而亡，知義而不知宜也」[50]。有扈氏，《史記·夏本紀》列為夏族支系，漢代馬融、鄭玄諸人都認為是夏的同姓國。錢穆先生認為有扈不在陝西而在今河南原武縣西北[51]。顧頡剛、劉起釪二先生提出新解，據《左傳·昭公十七年》載郯子論少皞氏鳥名官，有「九扈」，為九農正，而「九扈」《說文》作「九雇」，「雇」的篆文作鳸，因古篆中「鳥」、「隹」實是一字。劉起釪先生進而分析，夏后氏這一部落聯盟的活動區域首先當在較西的陝西以東、山西一帶，是逐漸向東發展的。可能在啟以前，其活動區域基本在平陽、安邑、晉陽等今山西省境，再東向就達到河南，因而遇到鄭州附近的有扈氏的阻擋，有扈部落向西抗擊有夏部落，就在洛陽附近的甘水一帶作戰[52]。本人同意將有扈氏解釋為鳥夷族，但不同意將有扈氏和甘之地定在河南鄭州、洛陽一帶。鳥夷族的大本營在東方，擴張的方向是向西。據漢代經師馬融等人的注解，有扈在扶風鄠縣，即今西安西南方不遠的戶縣。甘，馬融注為有扈南郊地名。據東漢許慎《說文解字·邑部》，鄠地還有戶穀、戶亭、甘亭。或以為馬融是扶風人，才把扈和甘說成在扶風鄠縣，其實這種可能性並不比馬融作為本地人更熟悉當地地名的可能性大。

---

49 楊向奎：《宗周社會與禮樂文明》（修訂版）（北京市：人民出版社，1991年），頁22-24。

50 《淮南子·齊俗》。

51 錢穆：〈夏殷地名·扈、甘〉，《史記地名考》（北京市：商務印書館，2001年），卷6，頁244。

52 顧頡剛、劉起釪：《尚書校釋譯論》（北京市：中華書局，2005年），冊2，頁866-867。

（四）《楚辭》地理

　　清初王夫之主張，《楚辭》「或為懷王時作，或為頃襄時作。時異事異，漢北、沅湘之地異[53]」，錢穆先生受「屈原居漢北」等說影響，進一步論證《楚辭》中許多地名應該在漢水而不在長江。

　　《楚辭》之為「楚」辭，當然與楚文化有極大的關係。最初的楚族在何處？《世本》：「楚鬻熊居丹陽。」[54] 鬻熊是楚人心目中的祖先。丹陽的位置，漢唐以來有丹陽郡、枝江縣、巴東縣、秭歸縣四說。丹陽郡的丹陽，在今安徽當塗縣。枝江縣、巴東縣、秭歸縣都在今天的湖北。「丹陽」，顧名思義，應當在丹水的北面，這應當成為確定丹陽地望的出發點，可是歷代學者大多忽略了這一出發點。而且在《史記》就有直接材料：

　　〈秦本紀〉：「惠文王……十三年，庶長章擊楚於丹陽，……又攻楚漢中，置漢中郡。」

　　〈楚世家〉：「懷王……西攻秦，秦亦發兵擊之。十七年春，與秦戰丹陽，秦大敗我軍，……遂取漢中之郡。」《索隱》：「此丹陽在漢中。」

　　〈屈原列傳〉：「懷王怒，大興師伐秦。秦發兵擊之，大破楚於丹、淅。」《索隱》：「二水名，謂于丹水之北，淅水之南。丹水、淅水皆縣名，在弘農，所謂『丹陽』、『淅』是也。」

　　漢弘農郡丹水縣的故城在今河南淅川縣西丹水的北面，這就是楚國最早的「丹陽」。錢穆先生〈楚辭地名考〉開篇引清人宋翔鳳的研究，指出楚人始居丹陽，其地在商州之東，南陽之西，當丹水淅水入漢之處。與錢穆先生同時，當時尚在北京大學讀書的胡厚宣先生發表〈楚民族源於東方考〉[55]，明確指出了楚人從發祥地黃河下游遷徙到丹陽的過程。楚都丹陽可以說是

53　王夫之：《楚辭通釋・序例》，收入《船山全書》（長沙市：嶽麓書社，1996年2月），冊14。

54　《左傳・桓公二年》孔穎達疏引。

55　《史學論叢》（北京市：北京大學潛社，1934年），冊1。

《楚辭》地理的座標之一。楚人後來又從丹水遷往漢水，在今湖北西部之保康縣立國，是為「荊山」。漢水流域與楚文化乃有絕大的關係。

錢穆先生考證三苗疆域時，將洞庭定在黃河流域。考證《楚辭》地理時，將洞庭定在今湖北安陸應山一帶，認為長江流域的「洞庭」地名是從黃河流域帶來的。錢先生進而考證今澧水、沅水、湘水之名最初在長江北，不在今湖南。

先釋澧。《漢書・地理志》：「南陽雉縣有衡山，澧水所出。東至酈，入汝。」《說文》略同。《水經・汝水注》作「醴」，云：「醴水出雉縣，亦云導源雉衡山。」錢先生因此認為澧水乃西起楚之唐葉，東至酈城而會於汝。

次釋沅。湘桂沅江，一名潕水。而南陽之水，固亦有潕。以地名牽連相徙之例說之，則南陽潕水宜得有沅稱。

最後釋湘。《戰國策・楚策》莊辛謂楚襄王：「蔡聖侯南游乎高陂，北陵乎巫山。飲茹溪之流，食湘波之魚。左抱幼妾，右擁嬖女，與之馳騁乎高蔡之中，而不以國家為事。」高注：「高蔡即上蔡。」則湘水必近上蔡。

錢先生進而考證巫山所在。《戰國策・楚策》：「莊辛去之趙，秦果舉鄢郢上蔡陳之地，襄王流掩於城陽。」考其事在襄王二十一年。明年，秦人復拔楚巫黔中郡。則二十一年所舉之巫，在鄢郢上蔡之間，地在郢東北，與二十二年所拔之巫在郢西南者不同。可見楚國本有兩巫。後漢邊讓〈遊章華臺賦〉：「楚王既遊雲夢之澤，息於荊臺之上，前方淮之水，左洞庭之波，右顧彭蠡之陂，南眺巫山之阿。」可見巫山近淮域。其地即近淮域之大洪山。

錢先生的考證還涉及一個至關重要的座標——戰國時期楚國首都郢的位置。主流看法認為郢即江陵，在今湖北荊州市。紀南城的考古發現，加重了這一說法「鐵證如山」的證據。

錢先生則區分了長江上的紀郢和漢水的鄢郢。《荀子・議兵》：「楚人汝潁以為險，江漢以為池，限之一鄧林，緣之以方城，然而秦師至而鄢郢舉，若振槁然。」鄢郢者，在郢，不在江陵。江陵之郢，《公》、《穀》定公四年皆稱南郢，以別於鄢都之郢。白起之入楚都，乃漢域之鄢郢，非江域之紀郢也。〈楚世家〉：「十九年，秦伐楚，楚軍敗，割上庸漢北地予秦。二十年，

秦將白起拔我西陵。二十一年，秦將白起遂拔我郢，燒先王墓夷陵，楚襄王兵衰，遂不復戰，東北保於陳城。二十二年，秦復拔我巫黔中郡。」舊注於西陵皆不得其地望，錢先生指出，西陵、夷陵皆鄢郢附近，楚先王塚墓所在地。《水經注》：「鄢水東南流歷宜城西山，謂之夷谿。」此所謂西陵、夷陵者，殆其在宜城西山一帶。後人乃以今湖北宜昌之夷陵、西陵說之，不知秦拔巫郡黔中尚在後，且係蜀師東下，亦與白起不涉[56]。石泉先生後來居上，考定楚郢都、秦漢江陵城即今宜城南境之楚皇城遺址，而不是江陵紀南城遺址。以此為座標，古代荊楚地區一系列著名的山川城邑，如古荊山、景山、古沮、漳二水，楚鄢都，漢魏晉宋宜城縣、臨沮縣、當陽縣、枝江縣等，也都在漢水中游西面的今蠻河流域及宜城平原上。巫山、秭歸等地名，最初也在漢水流域，後來才轉移到長江三峽。這樣就揭示了：楚國以及此後七百年間直至梁陳之際的荊楚地區重心所在，是漢水中游地帶，而不是長江沿岸和江漢平原。

三　總結與評論

錢穆先生的歷史地理考證，研究對象集中在兩大塊，一是對黃河流域（特別是晉南、豫西），二是漢水流域。

關於第一塊，錢先生認為黃帝、夏禹、三苗均不出晉南、豫西的範圍，我以為不太成功，結論亦不可信。

關於第二塊，錢先生頗多創獲。錢先生本意是考證《楚辭》地理，實際上牽一髮而動全身，上古史的格局必然跟著改動。

錢先生首先破除了古書中的「江」專指長江的說法，明確指出漢水也得稱「江」，「江南」可指漢南。端正了漢水這個座標，才有可能將相關地名聚攏。如依本《國策》、《史記》，援地名遷徙之例，推定戰國洞庭應在江北，

---

56 錢穆：〈再論《楚辭》地理答方君〉，收入《古史地理論叢》（北京市：三聯書店，2004年9月）。

又旁證之於《楚辭》、《山海經》而合，「竊謂可為治古地理者闢一途」[57]。
《世說新語‧言語》「桓征西（桓溫）治江陵城甚麗」，劉孝標注引晉宋時人
盛弘之《荊州記》：「荊州城臨漢江，臨江王所治。」桓征西即東晉大將桓
溫，永和二年（346），率眾西伐蜀，進位征西大將軍，故有「桓征西」之
稱。臨江王是西漢人，《漢書》卷五十三〈景十三王傳〉載：「臨江閔王榮以
孝景前四年為皇太子，四歲廢為臨江王。三歲，坐侵廟壖地為宮，上徵榮。
榮行，祖於江陵北門，既上車，軸折車廢。江陵父老流涕竊言曰：『吾王不
反矣！』榮至，詣中尉府對簿。中尉郅都簿責訊王，王恐，自殺。」可見江
陵即荊州城，是在漢水邊上的，現代研究者對此熟視無睹。「漢，天河
也。」[58]作為長江最大支流，漢水沾溉兩岸人民甚廣，被人們尊為「聖
水」。而且古人視長江為畏途，漢水更多地給人以舟楫之便。

　　其次，錢先生抓住了楚都郢從漢水到長江的地名搬家過程，端正了鄢郢
在漢水這個座標，收到了綱舉目張之效。

　　石泉教授全盤接受上述創見，大加發揮，如：

　　（一）「江」的座標：1.古「四瀆」之「江」不是長江，當是今蘇北、
魯東南之沂河。2.淮水古亦稱「江」。3.漢水及荊楚地區某些河流古亦稱
「江」。特別是他發現湖北宜城市南境蠻河（古沮水）也稱「江」，戰國洞庭
在楚之「江南」（蠻河以南）。湘水、澧水、沅水與洞庭相近。

　　（二）重新樹立楚都郢的座標，認為春秋及戰國前中期的郢即今湖北省
宜城市南的楚皇城遺址，秦漢至齊梁時的江陵也在宜城南。

　　參照上述兩大座標，從而斷定後來大量長江流域的地名都是從漢水流域
搬過去的，如江陵，秭歸，巫山，等等。

　　錢穆、石泉二先生的創見，至今和者寥寥，我以為錢、石二先生的研究
集中在戰國和戰國之後，缺乏戰國以前的史實支持。特別是錢穆在一九四九
年後播遷香港、臺灣，接觸不到第一手材料，而大陸長期視錢穆為反動學

---

57 錢穆：〈《楚辭》地名考〉，收入《古史地理論叢》（北京市：三聯書店，2004年9月），頁
　　124。

58 《史記‧天官書》：「紫宮……後六星絕漢抵營室，曰閣道」，《正義》：「漢，天河也。」

者，反動學者是不可能掌握真理的。我以為其中的是非曲直可以從以下幾個
方面考察：

（一）炎、黃、鳥夷族系

中國人號稱是炎黃子孫，忽略了東部和東南一帶龐大的鳥夷族系。鳥夷
族系無論從分佈之廣、還是人口之眾，都不比炎帝、黃帝兩大族系遜色。鳥
夷族系早在新石器時代就形成了，最明顯的就是在中國東方沿海和東南地
區，鳥形陶器、玉器層出不窮，鳥夷紋飾更是極為普遍[59]。在《尚書‧禹貢》
傳本裏，冀州、揚州都有「島夷」，原本應作「鳥夷」[60]。堯、舜都是鳥夷
族，堯的兒子帝丹朱葬於蒼梧之山之陰、舜道死蒼梧的傳說，我們在前面已
考訂蒼梧在陝西東南。舜「陟方乃死」，「方」可能是房陵，即今湖北省西北
之房縣，離陝西東南很近。《漢書‧地理志》漢中郡房陵縣原注：「淮山，淮
水所出，東至中廬入沔。」「淮水」又作「維水」。淮、維二字都從「隹」，
《說文》：「隹，鳥之短尾總名也」，則維水可能即因鳥夷族在此活動而得
名。據石泉先生所考，古維水即今湖北襄陽西南境漢水以南的鶴子川[61]。
《山海經‧中山經》記有一條向北流入洛水的甘水，同時記發源於讙舉之山
的洛水東北流注於玄扈之水，玄扈之水則出自玄扈之山，讙舉之山和玄扈之
山中間夾的是洛水。在譚其驤先生主編《中國歷史地圖集》第一冊三十五至
三十六〈戰國‧韓魏〉繪有「玄扈水」，在今天的陝西上洛東南流入洛水上
游。玄扈水北方不遠就是華山，在陝西華縣太平莊出土的仰韶文化廟底溝類
型黑陶大鷹鼎，「堪稱原始藝術傑作」[62]，仰韶文化鳥形陶器雖然遠遠少於東

---

59 可參看石興邦：〈我國東方沿海和東南地區古代文化中鳥類圖像與鳥祖崇拜的有關問
　　題〉，《古史考》（海口市：海南出版社，2003年12月），卷6。

60 李學勤先生根據大汶口文化有鳥在山上的圖案，認為即《尚書‧禹貢》冀州、揚州的
　　島夷，本人已作反駁，見〈從「島夷」論談考古與文獻的對應〉，《古史考》（海口
　　市：海南出版社，2003年12月），卷6。

61 石泉：《古代荊楚地理新探》（武漢市：武漢大學出版社，1988年），頁271。

62 圖片見《中國大百科全書‧考古學》（北京市：中國大百科全書，1986年），頁601。

方大汶口文化，但不排除這件大鷹鼎有圖騰崇拜之意。仰韶文化廟底溝類型約在西元前四千五百至三千六百年之間，其末期也比夏初早出約一千六百年。「玄鳥」的意思應當等同於《詩經‧商頌‧長發》「天命玄鳥，降而生商」的玄鳥，也等於天鳥，意思是「聖鳥」。反抗有夏氏的有扈氏也是鳥夷。

　　中國人號稱是龍的傳人，中國人的「始祖龍」，我以為是仰韶文化的魚族。中國的新石器時代到了西元前五千至前三千年，形成了一支主幹新石器文化──仰韶文化。它以渭水、汾水、洛水等黃河支流為中心，向南擴展到長江的最大支流──漢水，向北影響到長城沿線及河套地區，東至豫東一帶，西到甘、青接壤地帶（古河州）。仰韶文化分佈極廣，我們特別注意渭水流域和漢水上游。渭水流域是仰韶文化的發祥地，重要遺址如：甘肅秦安大地灣、陝西寶雞北首嶺、陝西西安半坡、陝西臨潼姜寨。漢中是重要的仰韶文化傳播通道，陝西南鄭龍崗寺、西鄉何家灣，河南淅川下王崗，都有重要的仰韶文化遺址[63]。考古學家至今對下列紋飾沒有提出滿意的解釋（圖一）：

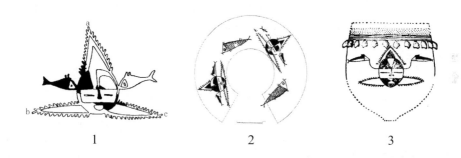

1　　　　　　　　　　2　　　　　　　　　　3

圖一　　渭水流域仰韶文化魚紋

1.寶雞北首嶺[64]　　2.西安半坡[65]　　3.臨潼姜寨[66]

---

63 尤其是龍崗寺、何家灣陶器上的蒙面人紋飾，至今沒有人解釋，我主張是一種神秘主義紋飾。《楚辭》帶有巫文化的特點，似乎可以由此解釋。相關討論見《古史考》，第八卷。

64 中國社會科學院考古研究所：《寶雞北首嶺》（北京市：文物出版社，1983年），頁49。

65 中國科學院考古研究所、陝西省西安半坡博物館：《西安半坡──原始氏族公社聚落遺址》，頁180，圖一二八。

　　我主張這是一種神祕人面和魚紋的組合，表達的是一種「神魚」或者「天魚」觀念，因為當時沒有文字，只好用這種圖畫來表示。到了有文字的時代，就好辦了，例如《甲骨文合集》第二一四七〇片有一個沒有釋讀的字 𦊗，我主張是「天魚」二字的合文（上下組合），也就是說，仰韶文化人面魚紋的人面到了有文字的時代，固定為「天」字，字形還是人站立之形，仰韶文化的魚紋到了有文字的時代，固定為「魚」字，可圖示如下（圖二，1）。甚至到了商周青銅器上，「魚」字經常用象形表示（圖二，3）[67]。直到春秋，仍然有一個族群叫「魚人」。《左傳・文公十六年》記載庸人與楚國交戰，楚軍佯裝敗走，「唯裨、鯈、魚人實逐之」。杜預注：「裨、鯈、魚，庸三邑。」馬宗璉《補注》云：「《水經・江水》『又東逕魚復縣故城南』，酈元曰『故魚國也』，是魚乃群蠻之一，非庸地。劉昭注巴郡魚複云『古庸國』，是猶沿元凱之誤。」楊伯峻先生贊同馬說，認為杜注不可信，魚當在今重慶市奉節縣東五里[68]。吳銳謹按：清人顧棟高《春秋大事表》已正確指出庸在今鄂西北竹山縣。竹山縣在漢水流域南面，漢水流域早在仰韶文化就活躍著一支魚族，春秋時庸地的魚人正是它們的後裔。杜注本是很正確的注解。今重慶的魚復等地名出現較晚。

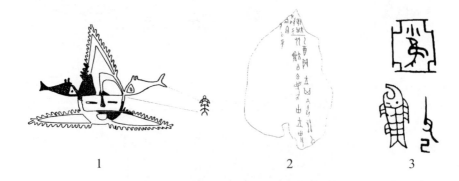

1　　　　　　　　　　　2　　　　　　　　　　　3

圖二　甲骨文「天魚」的釋讀以及與金文的對比

66　《姜寨》（北京市：文物出版社，1988年），上冊，頁255。
67　徐中舒編：《殷周金文集錄》（成都市：四川辭書出版社，1984年2月），201，頁65。
68　楊伯峻：《春秋左傳注》（二）（北京市：中華書局，1990年），頁619。

　　甲骨文中的「天魚」並非孤例，《南明》四七二著錄的一片甲骨（圖
二，2），「白」字（通「伯」）前的那個字，我主張是「天魚」二字的合文
（左右組合），「天魚白」正像周文王在商朝被稱為「西伯」一樣。

　　一九七一年在內蒙赤峰翁牛特旗三星他拉鄉出土的玉龍（圖三，1）[69]，
號稱「中華第一龍」，玉龍為墨綠色，高二十六釐米，豬首蛇身，豬首形器
物似乎是紅山文化的一個特色。遼寧紅山文化的玉雕龍（圖三，2）也享有
盛譽[70]。吉林省農安左家山二期新石器時代晚期文化出土的蜷曲龍形飾（圖
三，3），作首尾相銜之形。這種器形主要見於牛河梁紅山文化[71]。

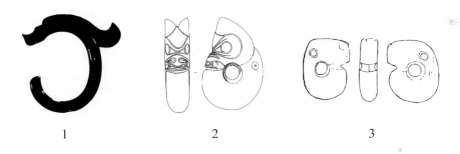

1　　　　　　　　　　　2　　　　　　　　　　　3

圖三　紅山文化及其影響區龍的造型

　　頗有人主張紅山文化龍形玉器或紋飾的原形是豬，我們主張是以魚為原
形的[72]，在仰韶文化魚形紋飾中，魚嘴的表現手法多種多樣（圖四）[73]。

69　圖據佟柱臣：《中國新石器研究》（成都市：巴蜀書社，1998年），彩版一。

70　圖據郭大順：〈紅山文化勾雲形玉佩研究──遼河文明巡禮之四〉，《故宮文物月刊》
　　第164期。

71　圖據佟柱臣：《中國新石器研究》（成都市：巴蜀書社，1998年），頁1585、1586。

72　二〇〇六年十月，石興邦先生來中國社科院歷史研究所開紀念尹達先生會，承先生提
　　示此點。

73　中國科學院考古研究所、陝西省西安半坡博物館：《西安半坡──原始氏族公社聚落
　　遺址》（北京市：文物出版社，1963年），頁168，圖一二二之1-7。

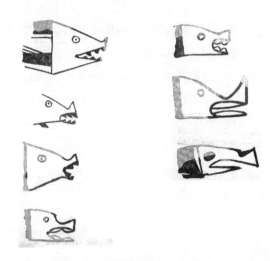

圖四　半坡仰韶文化魚嘴紋

有的魚嘴誇張，很像動物的頭（圖五）[74]。三國時陸璣《詩疏》記東海有一種魚獸似豬，一名魚狸。也許確有已經絕種的遠古「魚獸」。

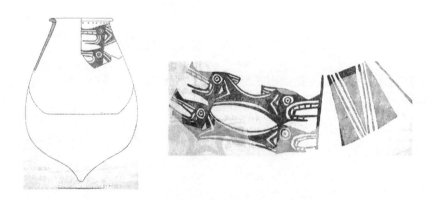

圖五　特殊的半坡仰韶文化魚嘴紋

豬首形器物似乎是紅山文化的一個特色，玉龍作豬首蛇身之形，其原形可能是魚首魚身。現在還有一個成語「魚龍混雜」活在我們嘴上，是魚與龍

---

74 中國科學院考古研究所、陝西省西安半坡博物館：《西安半坡──原始氏族公社聚落遺址》（北京市：文物出版社，1963年），頁188，圖一三三、頁167，圖一二一之8。

易混。西安半坡發現人面與魚形合體花紋一例（圖六），僅留頭部一段。外部輪廓是魚頭形，裡面卻畫著一個人面形的花紋。發掘者指出，這個花紋大概有特殊意義，發掘者指出似有「寓人於魚」或者「魚生人」，或者是「人頭魚」的含義，可以作為圖騰崇拜對象來理解[75]。

圖六　半坡仰韶文化人面與魚形合體花紋

東晉常璩《華陽國志》卷四〈南中志〉記載三國時南中的夷人，顯然沒有文字，諸葛亮為他們作圖譜，「先畫天地、日月、君長、城府，次畫神龍；龍生夷及牛馬羊」。這些夷人雖然沒有文字，但必有人為龍生的觀念，因此諸葛亮因勢利導。這種活生生的民族學資料適足以理解無文字的新石器時代居民的思想觀念。

關於炎帝族系的圖騰，有人主張是羊，有人主張是熊。不管怎樣，炎帝是和黃帝互相通婚的族系，互相依存，必然和黃帝一樣起源於西方，姜水就是明證。

（二）夏族

從地域淵源來看，夏族起源於西方，已如前述。從族系來看，楊向奎先生認為從褒姒的傳說中可以看出夏人崇拜「玄黿」，從《國語・周語》「我姬

---

[75] 中國科學院考古研究所、陝西省西安半坡博物館：《西安半坡——原始氏族公社聚落遺址》（北京市：文物出版社，1963年），頁217-218，圖版壹伍貳之2。

氏出自天黿」可以看出周人崇拜「天黿」，而玄黿、天黿是一回事。「我姬氏出自天黿」之「天黿」為星名，也即軒轅。《史記·天官書》：「南宮朱鳥，權、衡。……權，軒轅。軒轅，黃龍體。前大星，女主象；旁小星，御者後宮屬。」《集解》引孟康曰：「形如騰龍。」《索隱》：「〈援神契〉曰『軒轅十二星，后宮所居』。石氏《星贊》以軒轅龍體，主后妃也。」形如騰龍的軒轅星可稱天黿，可見古人視龍、龜為一。本人進一步主張，對黿的崇拜淵源於對魚的崇拜。黿為龜，龜、蛇長期被古人認為雌雄異體。魚呢？《山海經·海外南經》：「南山在其東南。自此山來，蠱為蛇，蛇號為魚。」郭璞注云：「以蠱為蛇，以蛇為魚。」可見蛇也可稱為魚。不僅如此，蛇還能化為魚。〈大荒西經〉：「有魚偏枯，名曰魚婦。顓頊死即復蘇。風道北來，天乃大水泉，蛇乃化為魚，是為魚婦。顓頊死即復蘇。」又：〈海內北經〉：「蛇巫之山，上有人操杯而東向立。一曰龜山。」可見蛇巫之山可以稱為龜山。是不是因為魚、龜、蛇都是水族動物，所以被古人不加區別？

　　二十世紀三〇年代，傅斯年先生提出著名的「夷夏東西說」，主張商代發跡於東北渤海，古兗州是其建業之地。至於夏，因為禹跡無所不在，傅先生將它排除，以啟以下為限。夏的區域包括今山西省南半（即汾水流域），近河南省之西部中部（即伊洛嵩高一帶），東不過平漢線，西有陝西一部分，即渭水下流。雖然傅先生說「夏為西方之帝國或聯盟」，那是相對東方的殷商說的，傅先生強調夏以河東為土，都洛陽，與周人以岐渭為本不同[76]。可見傅先生「夷夏東西說」實為中部說。

　　傅斯年先生在北京大學課堂上教授「夷夏東西說」，正在聽課的楊向奎先生起而反駁師說，認為夏民族起於東方，夏代在中葉以前之活動中心以山東為主要地區，後來向西邊的山西等地發展。楊先生晚年的傑出著作《宗周社會與禮樂文明》還在發揮這一觀點。

　　在夏、商的起源問題上，顧頡剛先生頗多反覆，在他晚年的手稿上還有這樣的話：「近人為了周人自稱為『夏』（例如《書·康誥》的『肇造我區

---

76 傅斯年：〈夷夏東西說〉，《慶祝蔡元培先生六十五歲論文集》，收入《中央研究院歷史語言研究所集刊》外編，1933年。

夏』，〈立政〉的『乃伻我有夏式商受命』，《詩・周頌・時邁》的『肆于時夏』），《史記・六國表》又說『禹興於西羌』，便以為夏族起源西方，夷和夏是對立的兩族。不知道周人自稱為夏，乃是夏為商滅之後遺族西遷的結果，正和商亡之後，武庚北遷，空桐西北遷，亳王西遷有類同的情形，我們不該倒果為因，而說夏、商都起於西方。」[77]文中的「近人」似指傅斯年。後來顧先生將中國古史中的民族分為東、西兩大族[78]：

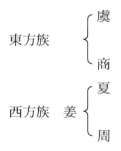

東方族 ⎰ 虞
　　　　⎱ 商

西方族　姜 ⎰ 夏
　　　　　　⎱ 周

　　自注：「夏——在今陝西中部，後遷於東方洛陽，其疆域遠及山東。其宗神為禹。姒姓。」

顧先生這篇讀書筆記似乎寫於一九六八年，明確將夏族的發祥地定在陝西中部。這應當是「夫子晚年定論」了，雖然沒有展開論證。

（三）商族

　　《史記・殷本紀》：「契……封于商，賜姓子氏。」《集解》：「鄭玄曰：『商國在太華之陽。』皇甫謐曰：『今上洛商是也。』」《正義》：「《括地志》云：『商州東八十里商洛縣，本商邑，古之商國，帝嚳之子卨所封也。……故子城在渭州華城縣東北八十里，蓋子姓之別也。』」可見自漢、晉以至唐

---

77 顧頡剛：《鳥夷族的圖騰崇拜及其氏族集團的興亡》，收入《古史考》（海口市：海南出版社，2003年），卷6。據王煦華先生跋語，知此文一九六四年定稿。

78 顧洪編：《顧頡剛讀書筆記》，卷10，頁7716。

代，均以商起於西北，即陝西東南（今商洛市），勢力遠播渭州（今甘肅隴西縣）。《史記・六國表・序》：

> 或曰：「東方物之始生，西方物之成孰。」夫作事者必於東南，收功實者常於西北。故禹興於西羌，湯起於亳，周之王也以豐、鎬伐殷，秦之帝用雍州興，漢之興自蜀、漢。

明顯地將「亳」與西羌、蜀、豐、鎬作為西北地名，《集解》引徐廣曰：「京兆杜縣有亳亭。」杜縣即今陝西長安縣東南。直到清人俞正燮、魏源、皮錫瑞，還在發揮商族起源西北說。疑古大師如顧頡剛先生，早年、中年也如此主張，直到晚年研究《尚書・大誥》，涉及周公東征，頓覺商為東方鳥夷，認為陝西有商縣，為商亡之後，其一部分遺族不忍臣於周而西遷者，猶渭水流域之有蕩社也[79]。錢穆先生不為舊說所動，始終堅持殷人居地在東方，自湯以前，大體皆在今河南省南岸商丘附近，認為陝西商地，其名後起[80]。此說最為明智。因為《詩經・商頌・長發》歌頌武王湯的偉大功績，其戰功是「韋顧既伐　昆吾夏桀」，也就是在滅夏之前，先拔掉韋、顧、昆吾三個據點。韋在今河南滑縣東二十里，顧在今山東范縣，昆吾在今河南許昌。夏朝有一個標誌性地名斟鄩，《水經・巨洋水注》引《汲郡古文》：「太康居斟鄩，羿亦居之，桀又居之。」斟鄩地望應依雷學淇所考，在偃師縣東北，錢穆先生表彰於前[81]，楊伯峻先生取之於後[82]。假如湯興於西方，其出師中原，必然先伐桀都斟鄩，絕不可能繞過桀都先伐韋、顧、昆吾。

史載湯起於亳，帶「亳」的地名很多，從山東、河南到陝西都有。無論如何，「天命玄鳥，降而生商」的商族作為鳥夷族系，首都必然在東方鳥夷

---

79 顧洪編：《顧頡剛讀書筆記》，卷9（上），頁6997。更詳細的討論見顧頡剛：《鳥夷族的圖騰崇拜及其氏族集團的興亡》，《古史考》（海口市：海南出版社，2003年），卷6。

80 錢穆：《國史大綱》（上）（北京市：商務印書館，1994年），頁27。

81 錢穆：〈雷學淇《紀年義證》論夏邑鄩鄻〉，《禹貢》第3卷第3期。收入《古地理論叢》（北京市：三聯書店，2004年）。

82 楊伯峻：《春秋左傳注》（北京：中華書局，1990年），冊3，頁937。

大本營。我以為最能說明問題的就是《左傳・哀公十四年》載宋國權臣桓魋
妄圖拿自己的鄆交換宋公的薄，宋公曰：「不可。薄，宗邑也。」「薄」即
亳。宋為殷商後裔，視亳為宗邑，即因此亳為湯所都，在今山東曹縣南。王
國維《觀堂集林》卷十二〈釋亳〉即死守此點，也非常明智。友人李維明先
生（中國歷史博物館研究館員）在二○○三年發現，出版於一九五九年的
《鄭州二里岡》考古報告收錄的商代牛肋骨刻辭，諸家釋文都漏掉了一個重
要的「亳」字[83]。當然，「亳」名遠播今陝西長安縣，加上古老的殷人起於
商州的說法，可見殷人與陝西關係之密切。這並不奇怪，因為早在商朝以
前，鳥夷族系已經在陝西一帶活動。

（四）周

　　周族興於陝西，自古無異議。后稷封邰在武功，公劉居豳在邠縣，太王
遷岐在岐山，皆在今陝西西部涇、渭上流，至文王、武王乃始邑於畢、程、
豐、鎬，周人勢力自西東漸。錢穆先生一九三一年在《燕京學報》第十期發
表〈周初地理考〉一文，力辯周人蓋起於冀州，在大河之東，而不是雍州。
後稷之封邰，公劉之居豳皆今晉地，及太王避狄居岐山，始渡河而西，然亦
在秦之東境，渭洛下游，自朝邑而至於富平，及於王季、文王廓疆土而南
下，則達畢程豐鎬，乃至於榖洛而止。錢先生以為古人遷徙無常，一族之
人，散而之四方，則每以其故居，移而名其新邑，而有關此一族之故事亦隨
其族人足跡所到而遞播以遞遠，這無疑是正確的方法，運用起來則非易事，
當時就有齊思和先生在《燕京學報》三十期發表〈西周地理考〉，非難錢先
生。現在已經在在陝西岐山發掘出周原遺址，證實了傳統說法，否定了錢先
生的翻案。如果按我們的說法，從《國語・周語》「我姬氏出自天黿」可以
看出周人崇拜「天黿」，天黿崇拜可以追隨到仰韶文化的魚圖騰，而渭水正

83 李維明：〈商代第一都的文字新線索——鄭州出土商代牛肋骨刻辭再發現寫實〉，《尋
　　根》2007年第3期。

是仰韶文化的淵藪，姬姓周人與渭水關係極深。周人以夏自承，而夏族也發祥於渭水。

　　總之，錢穆先生把黃帝、夏禹、周定在山西一帶，偏離了陝西。在中國傳統文化中，二帝三王被認為是中國正統文化的創作者，孔子被認為繼承了二帝三王的道統。二帝者，堯、舜；三王者，夏禹，商湯，周武王[84]。二帝三王中有的是陝西土著（如夏禹、周武王），在渭水流域；有的與陝西有密切關係（如堯、舜、商湯）。早在仰韶時代，漢水流域文化與渭水流域文化一脈相承。如果將我們對渭水流域文化（炎帝、黃帝、夏、周）的考證與錢穆、石泉二先生對漢水歷史地理的考證結合起來，重新認識堯、舜、楚、巴等族與漢水流域的關係，則從渭水流域到漢水流域的文明呈現出連續發展、一氣呵成之勢。

　　我主張將以顧頡剛先生為代表的古史辨派稱為「經典疑古派」，而以錢穆先生為代表的疑古派可以稱為「激進疑古派」。現在一些人熱衷批判顧頡剛等先生是「極端疑古派」，其實這是有眼無珠，錢穆先生以及後來居上的石泉先生才是真正的「極端疑古派」。尤其是石泉先生大大超越了「經典疑古派」的歷史地理研究，筆者願意在學術界首次提出「石泉學派」的概念。淺見以為以疑古著稱的古史辨派的歷史地理研究沿襲了清代學者的基本框架，疑古不夠，從錢穆到石泉更激進的疑古立場反而是今後中國歷史地理研究的正確方向。古史辨派代表了中國古典學先秦兩漢段的高峰，陳寅恪學派代表了中國古典學魏晉南北朝隋唐段的高峰，而石泉學派恰好可以與古史辨派、陳寅恪學派對接，處於正中間的位置，石泉先生的代表作有兩部：《古代荊楚地理新探》（一九八八年武漢大學出版社初版，二〇〇四年臺灣高文出版社修訂版）、《古代荊楚地理新探續集》（二〇〇四年武漢大學出版社初版），我認為是繼《古史辨》之後最偉大的疑古著作。石泉學派則由錢穆導夫先路[85]。一九四九年後，大陸對非馬克思主義學派十分警惕，直到顧頡剛

84　《風俗通義・三王》引《禮號謚記》。文王曾經臣服於商朝，儒家諱言三王中有文王。
85　石泉先生在北平上高中時就受到古史辨派和錢穆的影響，後來跟陳寅恪當過助手。他

先生一九八○年去世，此種大氣候沒有得到根本改觀，顧先生可以說「才未盡」（借用余英時先生的話）。顧先生去世之後，大陸考古發掘突飛猛進，均視「疑古派」為最大敵人（連考古界以外的李學勤都早在一九八二年提出「重新估價中國文明」）。一九八九年春夏之交，大陸發生政治風波，此後保守主義流行，「疑古派」被捆綁在五四新文化運動之上作為激進主義遭批判，李學勤先生在一九九二年與時俱進地提出「走出疑古時代」的口號，逐漸成為官方的口號，影響至今，「疑古派」跌入歷史的最低谷。錢穆先生從大陸到了香港、臺灣，直到顧頡剛先生一九八○年去世，錢先生一直被大陸當作投靠敵對勢力──國民黨政區的幫兇（恰恰錢先生與蔣介石還有私人關係），他的著作在大陸沒有影響。奇怪的是，借一九八九年之後保守主義的東風，錢先生被大陸視為文化保守主義者或「新儒家」，開始走紅。其實就古史觀而言，錢先生比經典疑古派更激進。可是一九四九年以來，大陸視疑古如敝屣，畏激進如蛇蠍，疑古派沒有市場，更何況「激進疑古派」！放眼大陸，激進疑古派似乎只找到石泉先生一個知音。我於一九九四至二○○○年給楊向奎先生當助手，楊先生長期追隨錢穆先生且和錢先生私交甚厚，他私下對我說，錢先生只是三流學者，我因此也忽略了錢先生的古史成就。錢先生晦澀的文風也讓我望而生畏。二○○三至二○○四年，我艱難修訂、校對《古史辨》七冊[86]，每校到錢先生的文章，只覺天旋地轉，不忍卒讀；一校到錢玄同、胡適、顧頡剛等先生的文章，則如撥雲見日。最近幾年，我主張中國文明的起源在渭水流域而非主流認為的伊、洛一帶，深感以前沒有認識到錢穆先生一系列遠見卓識，特撰此文，以志吾陋。

與古史辨派、錢穆、陳寅恪的緣分可以說是現代學術史上的佳話。

86 已於二○○五年由海南出版社出版。

錢穆兩漢經今古學研究

蘇費翔[*]

特里爾大學漢學系教授

一　前言

　　自清末以來，學者談漢代經學史，常提及所謂「今文、古文之爭」。如廖平（1852-1932）在《今古學考》一書中，[1] 假設漢代今文、古文兩派之間有非常顯明的界線。身為今文家的皮錫瑞（1850-1908）撰《經學歷史》也倡此說，[2] 在後世勢力非淺：曾經評注皮氏《經學歷史》的周予同（1898-1981），有可能為最明顯的例子，在《經今古文學》一書中，列舉今、古文兩派異別處之多，不輸給廖平。[3] 當時學者受此概念的影響很深，馬宗霍（1897-1976）《中國經學史》[4]、本田成之（Honda Shigeyuki，1882-1945）《中國經學史》[5] 僅為兩個例子而已。近現代的狀況亦大多相同，如中國大陸的何耿鏞仍闡述皮錫瑞、周予同之說；[6] 以馬克思主義階級鬥爭講解漢代

* Christian Soffel。

1　廖平：《今古學考》，收入《經學叢書》（臺北市：學海出版社，1985年），初編，冊9。

2　皮錫瑞：《經學歷史》（臺北市：河洛圖書公司，1974年），頁84、87-88。

3　周予同：〈經今古文的爭論〉，《經今古文學》，收入《經學史論著選集》（上海市：人民出版社，1983年，第2版1996年），頁9-14。

4　馬宗霍：《中國經學史》（北京市：商務印書館，1936年，再版1998年），頁35-46。

5　本田成之著，孫俍工譯：《中國經學史》（上海市：上海書店，2001年），頁152-161。

6　何耿鏞：《經學簡史》（廈門市：廈門大學出版社，1993年），序頁1，又本文頁93-102。

經學史的章權才自然以今、古文之爭的概念為基礎。[7] 香港與臺灣不少學者也主張今、古之爭一說。[8]

上述幾位經學家，皆不但提倡經今古文之爭一論點，而又以為此乃理所當然之事。他們常以漢代文獻作引證，但總不提到曾經沒有「今古文之爭」的可能性。

鑒於這種現象，或有人會認為，今、古文之爭的存在是諸學者的定論。但近來又有學者否定此說，謂漢代從未有今文、古文之爭論，唯有「今學」、「古學」之分隔，而此現象並非代表漢代學術的主要特色，而僅僅為當時各種辯論之一。對漢代學術此一理解，偶見於臺灣與歐美近代的著作中。[9]

此一觀點雖然在今日的學術著作中纔比較多見，但它早在錢穆（1895-1990）從一九三〇年代以來的著作中屢屢出現。故此，值得研究錢穆攸關今古學的文章，分析各種概念的發展與特色，並且推論此說為何大多被二十世紀學者所忽視的原因。討論諸如此類的問題，乃為拙文的宗旨。

漢代文獻有時出現「今文」、「古文」、「今學」、「古學」等字串，有時還將「今」、「古」一字或「今文」、「古文」兩字放在某經書或學術概念前面。據錢穆及其他學者的看法，其意義究竟何如，乃為核心的問題。「今文」、「古文」每次出現，其本義內涵基本上可找出至少四種解說：[10]

（1）今文或古文字體（假設漢代人對自己用文字有如此的區別）。

（2）用以上假設今文或古文字體所寫之文獻。

7　章權才：《兩漢經學史》（廣州市：廣東人民出版社，1990年），頁179-184、206-211。

8　可以參見徐復觀：《中國經學史的基礎》（臺北市：臺灣學生書局，1982年），頁199，葉國良、夏長樸、李隆獻：《經學通論》（臺北縣：國立空中大學出版社，1997年），頁500-503。

9　林慶彰：〈兩漢章句之學重探〉，收入林慶彰編：《中國經學史論文選集》（臺北市：文史哲出版社，1992-1993年），頁277-297。又有 Michael Nylan, "The Chin Wen/Ku Wen Controversy In Han Times," *T'oung Pao* LXXX（1994）: 83-146.

10　案：類似的區別見於夏長樸：〈王官學與百家言對峙──試論錢穆先生對漢代學術發展的一個看法〉，《紀念錢穆先生逝世十週年國際學術研討會論文集》（臺北市：國立臺灣大學中國文學系編印，2001年），頁45-79。

（3）今代書或古代書，與字體基本上無關。

（4）兩種學術派別或傳統（譬如假設的「今文派／今學派」、「古文派
／古學派」）所研究或撰著之文獻，無論是依所專用的今、古字
體還是其學術思想以今、古文經書而分的。

第一個跟第二個用法混淆比較不成問題；但是假若第二個跟第三、四個解說
之界限弄不清楚，誤會與爭議就很容易發生。

更複雜的是，漢代書籍每出現「今文」、「古文」兩詞之義不一定相同。
即使一本書中，「古文」在不同出處可能有不同之義。此義或可以用前後文
而定；但是我們只讀漢代文獻幾句，即使有豐富讀書經驗，這並不為容易的
事。試舉人人所知之名句來言之。《史記》〈儒林列傳〉有一段云：

> 孔氏有古文尚書，而安國以今文讀之，因以起其家，逸書得十餘篇，蓋
> 尚書滋多於是矣。[11]

此段言孔氏家有一種「古文尚書」，[12]孔安國用「今文」來讀。若是不顧今
代學者背後的一切知識，純從本段字面上的意義來講的話，「古文」上述四
種解說皆可通：

（1）「古文」指「古字體」：孔氏有用古文字體寫之一本《尚書》。

（2）「古文」指「用古字體寫之書」：此義與（1）基本上相同。

（3）「古文」指「古書」：孔氏有一本古書叫作《尚書》。

（4）「古文」指學派：孔氏有一本《尚書》，此書屬「古文學派」，或
用古文字體寫的、或用今文字體寫的，都有可能。

11　〔漢〕司馬遷：《史記》（臺北市：鼎文書局，1987年），卷121〈儒林列傳〉，頁3125。
　　案：「因以起其家逸書得十餘篇」有兩種句讀法：「因以起其家逸書，得十餘篇」與
　　「因以起其家，逸書得十餘篇」。此曾引起學者爭論。與本篇論文無關，故不多
　　談。——又案：「古文尚書」為一書之標題（《古文尚書》），抑或「古文」是指此本
　　《尚書》的特色（古文《尚書》）又可爭議。因此本文姑且不加《……》符號。

12　有學者將此「古文尚書」謂「壁中書」，但此看法皆基於東漢之後之資料。《史記》但
　　云孔氏有此書，不講其來源。在此不多談。

「今文」亦有此四種說法皆可通：

　　（1）「今文」指「今字體」：孔安國用今文字體（頗像一種「今文字
典」，而非「今文尚書」）來研讀其「古文尚書」。
　　（2）「今文」指「用今字體寫之書」：孔安國用一本今文字體寫的
《尚書》研讀其「古文尚書」。
　　（3）「今文」指「今書」：孔安國用當代的「二手資料」解讀「古文
尚書」。
　　（4）「今文」指學派：孔安國用「今文學派」之書（不見得為「今文
尚書」，有可能有其他「今文」書）解讀「古文尚書」。

在此司馬遷用「今文」兩字，上述四種解釋皆可通，其義不盡相同，且單憑
據《史記》本段落而言，都有邏輯性。當然，除《史記》上句外，「今文」、
「古文」等詞若尚於《史記》其他處出現，或許可以幫助我們找出答案。另
外，孔安國的時候不太可能早已有「今文」、「古文」兩個學派。只不過要謹
慎：《史記》雖然另還有約十處提到「古文」，但其中無一句直接給我們「古
文」之定義，而且《史記》他處言「古文」又不一定有與此處相同之意；
「今文」更為困難，《史記》篇幅雖不小，但司馬遷僅於上處引文用「今
文」一詞，其他全無；「今文」為何義，單從《史記》一書固無法考定。
　　因此必須參考他書之說，「今文」、「古文」等詞是否較清楚；又可以研
究漢代社會史、政治史，是否可以補充一些知識，來提供更多證據；可以研
究漢代考古學，是否可以多瞭解漢代各種字體之流傳。但這問題暫且不用多
談，而以定義問題之難處為出發點，要說明據錢穆之講法漢代諸家用「今
文」、「古文」等詞要如何理解？是否有「今古文之爭」？若有的話，何時開
始，何時結束？其範圍又如何？漢朝當代人物自以為有「今古文之爭」，抑
或後人才有這種稱呼？再者，據錢穆之看法，漢代經學自何時而開始？如此
種種問題，錢穆都有答案；且在錢穆不同著作當中，其答案又不見得相同，
有時差距頗大。如下將具體分析。

錢穆著作等身，[13]其中涉及漢代經學之作品良多。林慶彰曾枚舉錢穆經學專著二十餘種，並加以說明。[14]除林慶彰所提著作，尚有更多不是專門講經學之作品對本篇主題很重要：部分是歷史著作涉及到經學問題；部分是錢穆教課記錄，雖不能算是他自己專著，仍提供甚可貴的資料。為了描寫錢穆漢代古今經學之發展，本篇主要將分析下列三種作品：

（1）《國學概論》屬錢穆早期在鄉下學校教課時的作品，橫貫古今，尤詳於漢代經學，可代表錢穆早期想法。

（2）〈兩漢博士家法考〉原為抗日戰爭單一出版的，後來收入《兩漢經學今古文平議》一書中。許多見解與《國學概論》不同，代表錢穆較成熟之時期。

（3）《經學大要》係錢穆晚年講課記錄，其內容大部分未曾經過錢穆親手編輯，但顯露出他許多觀念，與〈兩漢博士家法考〉大同小異，代表錢穆晚期之想法。

另有〈劉向歆父子年譜〉、《中國近三百年學術史》、《秦漢史》、《孔子與春秋》、《經學與史學》等著作也會涉及到本篇主題，可以參考。

一　錢穆早期看法：《國學概論》

《國學概論》一書內有關漢代經今古文之爭部分，一九二六年錢穆在江蘇省立第三師範、蘇州中學授課時「隨講隨錄」，[15]全書到一九二八年方訂稿。再過一世之久，於一九五六年又有新版問世，錢穆自稱：「迄今回視，殆所謂粗識大體，未盡精微者也。」[16]可見他有些看法後來有變更。正因為

---

13 據杜正勝，錢穆為中國歷來著述最多之學者。參見杜正勝：〈錢賓四與二十世紀中國古代史學〉，《當代》第111期（1995年7月），頁81。

14 林慶彰：〈錢穆先生的經學〉，《漢學研究集刊》創刊號（2005年12月），頁1-12。

15 錢穆：《國學概論》，《錢賓四先生全集》（臺北市：聯經出版公司，1994-1998年），冊1，〈弁言〉，頁3。

16 同前註，〈新版附識〉，頁5。

如此，本書對研究錢穆經學思想的轉變特別重要。

《國學概論》雖為錢穆早期之作，但其對經今古文之爭之解釋有相當的突破性。《國學概論》此部分，錢穆多與施之勉（1891-1987）相互辯論。錢穆自己云：

> 本書於編纂第三、第四章秦廷焚書及兩漢經學時，友人施君之勉，通函討論，前後往返十餘通。開悟良多。[17]

施之勉原在常州府中學堂為錢穆低班同學，畢業後任廈門集美學校教務長，於一九二二年推薦錢穆在廈門集美中學教課，此為錢穆教中學之始。[18]基於《國學概論》論秦、漢學術史有詳細之分析與突破性之創見，且施之勉恰為漢代史專家，可推測錢穆受施之勉與其老師柳詒徵（1879-1956）影響不少，值得另行研究。

錢穆在《國學概論》仍因襲皮錫瑞一些看法，尤將所謂「經今古文之爭」視為無需加以證明的事實，云：

> 自漢武黜百家立《五經》博士而經學盛，至劉歆而經學有「今古文」之爭。此昔人之說然也。[19]

之後又引皮氏《經學歷史》一段為之說明。[20]

據錢穆《國學概論》看法，古代文獻用「古文」或「今文」二字，多指「古文字」或「今文字」。他認為，兩種文字早在漢代經學爭論之前在戰國時代已經存在；當時古文為周代傳統之文字，今文乃屬戰國百家之範圍：

> 蓋晚周之際，通行文字，本有二別。一為古文，即宣王以下東周相傳之

---

17 同註15，〈弁言〉，頁4。

18 陳勇：《錢穆傳》（北京市：人民出版社，2001年），頁40。

19 《國學概論》，頁91。

20 《經學歷史》，頁87-88。值得注意，錢穆云「此昔人之說然也」，表示他基本上贊同皮氏的說法。只有皮錫瑞「孔子寫定六經」之說，錢穆不以為然，乃認為孔子時未嘗有經。

文字也。一為今文，則六國以來新興之文字也。²¹

今古文之別，則戰國以前，舊籍相傳，皆「古文」也。戰國以下，百家新興，皆「今文」也。秦一文字，焚《詩》、《書》，古文之傳幾絕。²²

「百家即用今文字目」之說相當新鮮，其主要根據為〈說文序〉：

許慎〈說文序〉：「及宣王太史籀著大篆十五篇，與古文或異。至孔子書
《六經》，左丘明述《春秋傳》，皆以古文，厥意可得而說。其後諸侯力
政，不統於王，〔……〕皆去其典籍〔……〕，言語異聲，文字異形。」
〔……〕許氏說六國新文，變易古體，至秦人同文字，而古體遂絕，
〔……〕其語〔……〕可信據。²³

可見，錢穆此說基於東漢資料。許慎（約 58-約 147）是否真的懂得戰國時期的狀況抑或他自己構造古今文字的歷史，錢穆不加反思，蓋受傳統學風之影響。錢穆另外引用《莊子》一段說：

莊子〈天下〉篇論述古之道術，散於天下，曰：「其明而在數度者，舊法
世傳之史，尚多有之。其在《詩》、《書》、《禮》、《樂》，鄒、魯之士，搢
紳先生，多能明之。其數散於天下，而設於中國者，百家之學，時或稱
而道之。」則周季之學，類別為三：官史為一系。《詩》、《書》、《禮》、
《樂》，即魯人儒書為一系。諸子百家為一系也。《詩》、《書》、《禮》、
《樂》，亦古代官書傳統，與官史同為古文。諸子百家，則多晚出今文。
此先秦書籍。²⁴文字已有古今，而實貴族、平民間一大分野也。²⁵

周季之學要分為三，相當明顯；但《莊子》在此不提文字分為古、今二種，更不會將其使用範圍分別歸於貴族與平民。錢穆比較晚的著作（像〈兩漢博

---

21 《國學概論》，頁83。

22 同前註，頁92。

23 同註21，頁83。

24 此句號「。」疑該作逗號「，」。

25 同註21，頁84。

士家法考〉）論戰國時代不再談到文字今古文之分，可見錢穆後來比較謹慎，不會隨便相信許慎的說法。

在《國學概論》錢穆又批評王國維（1877-1927）〈戰國時秦用籀文六國用古文說〉「籀文為周、秦間西土文字，古文為周、秦間東土文字」一句，[26]曰：

> 蘇秦上書於七國，荀卿遍遊於天下。呂氏著書，集諸侯之士，則七國文字之無大乖違可知。〔……〕六國之文，〔……〕同時相通。〔……〕分戰國文字為東西兩種，殊不可信。[27]

照本人瞭解，錢穆此段說服力比較有限。當代字體即使各國不同，未必不可相通。當然，王國維「西土用籀文、東土用古文」之說也未必屬實。

據錢穆說，其後，古文既與秦始皇的「統一文字」不同，幾於滅絕：

> 《詩》、《書》皆古文，與秦文不合。秦既一天下文書，罷其不與秦文合者，則古文書與新朝官書牴觸，不合時王之制，在無用之列，故盡遭焚滅也。[28]

在此錢穆依靠之證據乃為《史記》〈太史公自序〉「秦撥去古文，焚滅《詩》、《書》」一語、揚雄〈據秦美新〉「始皇剗滅古文，刮語燒書」一說。值得注意，此二處原則上也可以將「古文」解為「古代書籍」，不見得是對文字而言。[29]當然，純粹從《國學概論》的觀度來看，這並不算矛盾。

論周代末期，錢穆將「古文」、「今文」分解為東周相傳、百家新興之文字或文獻；而且漢初「古文」、「今文」依然代表儒術之於百家之差異，並無提及任何「今文經」：

---

26 同註21，頁85。
27 同註21，頁85。
28 同註21，頁82。
29 錢穆於《兩漢博士家法考》也認為，《史記》除「孔氏有古文《尚書》」一段外，其他處「古文」都有《六藝》古書之義。詳見後文。

〔漢〕文帝〔……〕為《論語》、《孝經》、《孟子》、《爾雅》置博士〔……，〕則古文儒學亦稍稍茁。[30]

如蕭何律令，韓信兵法，張蒼章程，叔孫禮儀，其率為今文無論矣。即如蒯通作《雋永》，陸賈造《新論》，鼂錯學申商，張叔習刑銘，賈山涉獵書記，鄒陽、嚴忌、枚乘以文辨著，韓安國受《韓子》雜說，主父偃學長短縱橫；其人苟以學名，大抵皆百家今文書也。惟田蚡學盤盂諸書，則為古文，故蚡亦推隆儒術矣。[31]

此論西漢儒家研修古文書，百家即用今文書，乃繼承他上述戰國時代今古文之說。錢穆用自己的說法當出發點，繼續應用於西漢學術，固不足怪。但是仔細讀他在《國學概論》分析西漢學術，就可以感覺到他未曾提出具體的古書引文來證明西漢學術真的可以按照今文、古文來分辨諸子與官學。試舉例來說之：

〔漢景帝〕時有河間王好古籍，亦為立博士。古文書遂益見重。
〔錢穆自註：〕《漢書》〈景十三王傳〉：「河間獻王〔……〕修學好古，〔……〕四方道術之人，不遠千里，或有先祖舊書，多奉以奏獻王者。〔……〕是時淮南王安亦好書，所招致率多浮辯。獻王所得書，皆古文先秦舊書，《周官》、《尚書》、《禮》、《禮記》、《孟子》、《老子》之屬。」
〔……〕　　　今按：其時淮南、河間，同以宗室好書，而淮南重黃、老百家，多「今文」，河間重《詩》、《書》儒學，多「古文」。[32]

在此，河間獻王得「古文」書，雖多為儒家經典，但又包括《老子》。淮南王安所收集之資料與古文書相異，相當確定，但其多為今文字資料，無直接證據可言。蓋錢穆以其對戰國今古文的解說來推論。

錢穆又創新論，以為漢景帝時早已有一種「今古文之爭」，即為百家與

30　《國學概論》，頁94。
31　同前註，頁93。
32　同註30，頁95-96。

儒學之紛爭，頗為有趣：

> 逮孝景時，轅固為博士，遂明白以古文書開爭議。
>
> 〔註：〕《漢書・儒林傳》〔……〕：「竇太后好《老子》書，召問固，固曰：『此家人言耳。』太后怒曰：『安得司空城旦書乎？』乃使固入圈擊豕。」　　　今按：「家人言」者，謂百家言也。諸子皆民間尺書，晚出今文，而《詩》、《書》則古代官書，〔……〕傳統相承〔……〕；太后欲罪轅固，故以轅治古文，謂於何處得此城旦書也。此為漢初今古文相爭一極顯明之例。[33]

方曉河間獻王所得《老子》為古文書，在此又以《老子》屬今文，似有自相矛盾之處。錢穆或許認為，河間獻王所收集的古文《老子》屬官學範圍，竇太后的《老子》乃為百家今文之說。

另外，一般學者所謂「今古文之爭」者，是指儒家內部之爭，與諸子百家無關。但錢穆在此用「今古文之爭」一名，應用於家人與官學之鬥爭，超越儒家經學範疇，相當有特色。錢穆當然不認為此西漢「今古文之爭」與東漢著名的「經今古文之爭」相同，但是他既然有同樣的名稱來稱呼它，他至少認為有一些相似之處。

至於漢武帝時，儒學升為官學；錢穆未再提證據，乃以「古文」稱之：

> 武帝立，〔……〕董仲舒、公孫弘以《春秋》對策見信，古文《六藝》卒以得勢。[34]

此完全符合錢穆上述今古文之概念。

又謂當時「晚世『今文』，〔……〕使人難信。故學者考索古先文物，必取信於《六藝》」，[35] 而司馬遷《史記》著重「古文」為其一例。錢穆早在

33　同註30，頁94-95。
34　同註30，頁96-97。
35　同註30，頁98。

《國學概論》以為《史記》用「古文」二字，專指《六藝》，[36]與其他學者謂自劉歆始今古文之爭之「古文」相異。

據錢穆，不但轅固與竇太后之衝突為一種「今古文之爭」，而漢武帝立五經博士又為「今古文之爭」，但其範圍當然不同：

> 漢儒說經，類無弗主陰陽者。故漢儒之經則本「古文」，其所以說經者，則盡本於戰國晚起「今文」之說也。漢武之表彰《六經》，罷黜百家，亦僅僅為今文書與古文書之爭耳。[37]

> 逮博士既立，經學得志，利祿之途，大啟爭端。〔……〕當時博士經生之爭今古文者，其實則爭利祿，爭立官與置博士弟子，非真學術之爭也。故漢武以上，「古文」書派之復興也。漢武以下，「古文」書派之分裂也。而其機撥皆在於政治之權勢，在上者之意旨，不脫秦人政學合一之遺毒，非學術思想本身之進化。雖謂兩漢經學僅為秦人焚書後之一反動亦可也。[38]

可見，在《國學概論》論及各種「今古文之爭」之處甚多，與錢穆後來著作盡力否定「今古文之爭」存在，乃迥然不同。

據錢穆看法，在漢武帝立五經博士之前，「今古文之爭」皆為百家與儒士或官學之爭。立博士之後，「今古文之爭」專指儒學內部之爭論；換言之，從漢武復興儒術始，「古文」、「今文」方才是指《五經》兩種版本；其文字原有古今之別，之後部分經書漸漸轉寫成今文字：

> 漢武之立《五經》博士，可以謂之古文書之復興，非真儒學之復興也。〔……〕推言其本，則《五經》皆「古文」，由轉寫而為「今文」；其未經轉寫者，仍為「古文」。[39]

36　同註30，頁99。
37　同註30，頁113。
38　同註30，頁92。
39　同註30，頁92。

此「今文」、「古文」之範圍轉變雖甚大，特別引讀者注意。此原來不一定為漢代學術之巨變，只是錢穆用「今古文之爭」之概念於不同領域的結果。

漢武以來儒學內部今古文之爭，其過程錢穆敘述如下：

> 劉歆求立《毛詩》、《古文尚書》、《逸禮》、《左氏春秋》之爭〔，⋯〕則後儒所謂今古文相爭之第一案也。然在當時，亦未嘗有今古文相爭之名。〔⋯⋯〕光武時，有范升與陳元爭立《費氏易》及《左氏春秋》，〔⋯⋯〕章帝時，有賈逵、李育爭《公羊》及《左氏》優劣，〔⋯⋯〕桓帝、靈帝時，有何休與鄭玄爭《公羊》及《穀梁》、《左氏》優劣，〔⋯⋯〕此皆當時所謂今古文之爭也。[40]

可見，據錢穆西漢末期雖有「今古文之爭」，但當時未曾有人將此爭論如此而稱之；至後漢，當時學者方才自己別經書為「今文」與「古文」經。[41]以上引用此段，錢穆又在小註中提出不少資料。此爭論存在雖然甚明，但不太清楚其所爭者之內容乃為「今古文」經書與否：唯有《後漢書》〈鄭玄傳〉提「中興之後，范升、陳元、李育、賈逵之徒，爭論古今學」，[42]稱之「古今學」，而非「古今文」，值得注意。[43]

不過錢穆強調，後漢諸經，無論稱「古文」或稱「今文」，實皆用今文字體：

> 〔東漢〕時所謂今古文者，考其實，亦均為「今文」而非「古文」。故前漢有「今文」之實，而未嘗有「今文」之名。後漢則有「古文」之名，而無「古文」之實者也。[44]

---

40 同註30，頁120-123。

41 此種看法與錢穆後來之著作不同。

42 同前註，頁122。

43 按：東漢無疑有所謂「古文經」、「今文經」（參見《國學概論》，頁127-133）。但其爭論範圍真為「古文經」、「今文經」之爭，務必分別證明；錢穆在此不太注意此問題。其後〈兩漢博士家法考〉卻不然（詳見後文）。

44 同註30，頁125。

其證據為顧炎武《日知錄》、龔自珍〈總論漢代今文古文名實〉、吳汝綸〈寫定今文尚書二十八篇敘〉三文。[45]《日知錄》此段大約云《漢書藝文志》唯有《尚書》稱為「古文經」，其餘《孝經》、《易經》、《禮》、《春秋》、《論語》僅稱「古」，不稱「古文」；可見除《尚書》外，古文字經書皆轉寫成今文字。龔自珍、吳汝綸又謂伏勝、孔安國《尚書》壁中書，原為古文，但其學人早以「今文」讀之，轉寫為今文字。因此錢穆說：

> 當時所謂爭者，豈不在於文字之異本、篇章之多寡而已哉？豈不在於立官置博士而已哉？[46]

謂既然經書均已轉寫為今文，其爭端不可能在於文字，而實際上在於利祿。

　　在上面本人曾提到，錢穆瞭解「今古文之爭」用詞範圍之巨變：未到漢武之前，是指百家與儒家之爭；漢武以降，便是指儒家內部之爭。《國學概論》此章末段，錢穆又將此兩種「今文派」符合為一：

> 大抵今文諸家，上承諸子遺緒，用世之意為多。古文諸家，下開樸學先河，求是之心為切。無今文之啟行，則經學無向榮之望。無古文之後殿，則學經無堅久之效。[47]

之後又繼續提出許多自孔子以至於康有為（1858-1927）、梁啟超（1873-1929）歷來以「古」爭「今」或以「今」爭「古」之例。可見，錢穆在《國學概論》將「今古文之爭」視為自古至今世世代代之主要特徵，特別值得注意。

　　有關錢穆《國學概論》對今文、古文的看法，大陸年輕學者李桂花發表簡短的文章。[48]她解發錢穆說法一些罅隙，粗歸為四類：

45　同註30，頁125-126。

46　同註30，頁127。

47　同註30，頁135。

48　李桂花：〈錢穆《國學概論》一書「今文」、「古文」觀質疑〉，《東方論壇》2001年第3
　　期，頁64-66。

（1）錢穆認為，秦朝以前早就有今古文之分。戰國前舊籍為古文，當時百家書係今文。李桂花謂王國維「戰國時秦用籀文六國用古文」較為可信。

（2）錢穆認為，自戰國晚期「黃、老、申、商之徒，專治今文」，又謂「太后欲罪轅固，故以轅治古文，謂以何處得此城旦書也。此為漢初今古文相爭一極明顯之例。」只是漢武帝立五經博士之前，並不可能有「今古文之爭」者。

（3）在上文已提及，錢穆認為漢代「所謂今古文者，考其實，亦均為「今文」而非「古文」。故前漢有「今文」之實，而未嘗有「今文」之名。後漢則有「古文」之名，而無古文之實者也。」李桂花引《史記》言孔氏以今文讀古文尚書，明明有今文之名，與錢穆此說相悖逆。

（4）錢穆認為董仲舒思想源於黃老陰陽之論，其儒學思想僅為外貌而已。李桂花雖然承認董仲舒思想受黃老、刑名、陰陽雜家影響，但主要仍歸儒術一派；由於董仲舒為今文家，據錢穆意今文又代表百家言，故錢穆屬之陰陽家，為牽強之論。

就第一點，本人於上已提及，此為錢穆特殊說法，據〈說文序〉而成，不見得屬歷史事實，但王國維說亦然。

就第二點，據上面分析，以「今古文之爭」稱漢初黃老、儒術之爭，相當有奇趣。其於一般人「今古文之爭始於漢武帝表彰儒術後」之說相背，雖然有可能難以適應，但不能因自己不習慣，憑空加以批評。雖然如此，錢穆此論源於其對戰國以來學術的看法，所舉的直接證據不多，是故錢穆此說法的可靠性不如其他處一樣。錢穆在較晚的著作不再多提「今古文之爭」，原因恐怕真在於此。

就第三點，《史記》談《古文尚書》來歷的確提「今文」兩字，只她沒注意到，錢穆此說並不忽視《史記》此言。錢穆『故前漢有「今文」之實，而未嘗有「今文」之名』一句，其實縮短皮錫瑞《經學歷史》一段：

漢〔……〕當古文未興之前，未嘗別立今文之名。《史記》〈儒林傳〉
云：『孔氏有《古文尚書》，安國以今文讀之。』乃就《尚書》之今古文
字而言。而魯、齊、韓《詩》，《公羊春秋》，《史記》不云今文家也。[49]

可知，錢穆「未嘗有『今文』之名」一語，意指「未嘗有『今文家』或『今
文經書』之名」。李桂花駁之未恰；頂多能指責錢穆說法模糊不清，容易造
成誤會。

　　就第四點，董仲舒兼用儒家、雜家之說，無容置疑。他究竟以儒術為
主、陰陽為附，抑或以陰陽為主、儒術為附，若尚未定下何為「主要」、何
謂「邊緣」之具體標準以前，實在難以捉摸，恐怕無法下定論。[50]大多學者
因董仲舒推動復興儒學之功勞甚大，因以屬之儒學一派，與錢穆之說相反。
故以錢穆想法為奇特則可，但無法嚴厲非之。不過李桂花此論點亦不錯。

　　李桂花可惜又忽略錢穆較晚期的說法（像〈兩漢博士家法考〉一文）。
錢穆許多見解後來有改變，便可以錢穆自己之說改正錢穆之錯。

　　總之，錢穆《國學概論》雖然主要目的仍為當教科之用，但不缺考證內
容。因此，錢氏常引用前輩（皮錫瑞、王國維等）說法，但自己多加思考。
因當代多與同學施之勉等人往來討論，疑受此人啟發不少。

　　錢穆多引用《史記》、《漢書》、《後漢書》、《說文》等傳統歷史與文字學
資料，不顧其現存版本大多出自宋代之後，而仍以為甚可靠，又完全忽略考
古學資料，大約代表其年輕讀書時之經驗；但錢穆仍多加以新說。不過，錢
穆極少用到另一些明顯言「今古文之爭」之資料，如許慎《五經異義》之
類，蓋亦由於其學術著重流通比較普遍的資料。

　　有關「今古文之爭」之說，錢穆一則將百家言與今文學聯合在一起，二
則言世世代代均有一種「今古文之爭」，此二論為《國學概論》最奇特之

49　皮錫瑞此段引用於《國學概論》，頁91。

50　其實，西漢儒術多雜有黃老、陰陽思想。據傳統課本的看法，戰國以前儒家、道家、
　　陰陽家皆分得甚明；但目前鮮有出土周朝當代思想家文獻，而有所出土者，又難以證
　　明春秋、戰國各思想派之相分隔之狀態。

處。第一種概念於錢穆後來的著作繼續發展。但錢穆不再用「今古文之爭」
一名，雖然錢穆不會直接批評《國學概論》此書，但他後來強烈反對這種說
法，以「今古學之爭」來代替之。本人接續而論之。

在此附簡單的表格，以方便讀者瞭解錢穆《國學概論》之基本論點：

時代	今古文範疇		所用字體		錢穆謂之「今古文之爭」	據錢穆，當時人謂之「今古文之爭」
	今文	古文	今文	古文		
戰國時代	百家	六藝（官學）	今文字體	古文字體	否	否
秦	百家，執政者	六藝（禁書）	今文字體	古文字體	（不提及）	否
漢初（武帝立五經博士前）	百家	六藝（初為禁書）	今文字體	古文字體	是	否
西漢（武帝立五經博士後）	儒家今文經	儒家古文經	今文字體	原為古文，轉寫為今文	是	否
東漢	儒家今文經	儒家古文經	今文字體	今文字體	是	是

表格一　據錢穆《國學概論》戰國至漢末各種今古文爭論與分辨

二　錢穆較有進展之說：《兩漢經學今古文平議》四文

錢穆在香港時，於一九五八年發表《兩漢經學今古文平議》一書，收納早已分別發表的四篇文章：〈劉向歆父子年譜〉、〈兩漢博士家法考〉、〈孔子與春秋〉、〈周官著作時代考〉。此四部原發表於一九三〇、一九四四、一九五四、一九三二等年。[51]

其總序有云：

> 此四文皆為兩漢經學之今、古文問題而發。其實此問題僅起於晚清道、咸以下，而百年來掩脅學術界，幾乎不主楊，則主墨，各持門戶，互爭是非，渺不得定論所在，而夷求之於兩漢經學之實況，則並無如此所云云也。[52]

可見，錢穆總題目雖謂《兩漢經學今古文平議》，但是他不認為「經今古文學」爭論為漢代經學史重點，僅為晚清以來學術界之假設，不符合事實。錢穆乃注重其「平議」，而非其運用於當時學術。

此四篇當中，〈孔子與春秋〉、〈周官著作時代考〉與「今古文之爭」或今古文定義問題比較無關，姑且不多加以分析。本人主要著眼於他兩篇。

（一）〈劉向歆父子年譜〉

此篇與〈周官著作時代考〉一樣，為錢穆一九三〇年代初所編寫，代表其剛到北平任教之時。與《國學概論》相比，具有相當濃厚的研究風格，引用資料甚豐富，每一細節儘量研討，不像教科書那樣。

其實，此書主要目標並不在於評估所謂「今古文之爭」，而為攻擊康有

---

51 錢穆：《兩漢經學今古文平議・自序》，收入《錢賓四先生全集》，冊8，頁3。
52 同前註，頁1。

為《新學偽經考》劉歆偽造古文經以協助王莽篡漢之說。因此書中就「今古文之爭」或「今文」、「古文」定義之論述篇幅較少。

　　錢穆認為，《劉向歆父子年譜》對於當時學術界影響至大。起初，北大有「經學」一門課，以康有為《新學偽經考》為本。據錢穆自述，《劉向歆父子年譜》一出，康有為說之謬處極其明顯，「經學」一門課即停擺。[53]〈劉向歆父子年譜〉當時影響力甚大，大抵無可疑，但並不表示從此後學者皆必從錢穆說法。

　　〈劉向歆父子年譜〉，用系年方式列出自西元前七十九年（據錢穆為劉向出生年）至西元後二十三年（王莽死）之時代。可見，本書表面上雖為劉向、劉歆之年譜，實際上王莽又為其重點之一。而且，自從公前二年始，錢穆多云「某某年，甲子，莽年幾何歲」，並不稱劉歆年齡，[54]可見本書王莽重要性不輸給劉歆。[55]此外，本書多談與劉向、劉歆、王莽無直接關係之事；可用來駁斥康有為說法之典故，錢穆必一一收錄。故此書標題與實際內容少有差異。[56]

　　雖然本書重點為批評康有為，錢穆偶爾仍會論及「今古文之爭」話題，而且否定西漢有如此爭論，以為當世學者大多今古文並重。試舉例來說明。

---

53 錢穆云：「〈劉向歆父子年譜〉，初次發表時，我在中學教書。我的《先秦諸子繫年》，也是在中學任教時寫定。當時我這篇文章登在《燕京學報》。〔……〕我一到燕大，別人便告訴我，北平各大學的經學課程都停開了。〔……〕但是經學還該有人講，復興中華文化，不能沒有經學。」錢穆：《經學大要》《講堂遺錄》，收入《錢賓四先生全集》，冊52，頁255-943。第八講之二，頁413。可見錢穆本身很推崇經學，後來為了經學課程停擺而感到相當遺憾。

54 《兩漢經學今古文平議》，頁88。

55 另外，錢穆對王莽某些作法表示贊同，如《兩漢經學今古文平議》云：「誦莽〔禁買賣田宅奴婢〕此詔，可謂靄然仁者之言。今世所唱土地國有、均產、廢奴諸說，莽已及之，後世以成敗論人，故不之重耳。」，〈自序〉頁132。但他又批評王莽不近人情：「莽性嚴而執，三子皆見殺，其不近人情可知。凡其為政，亦多以嚴性執意、不近人情致敗。」（頁168）。

56 其實本書原來標題為《劉向劉歆王莽年譜》，但刊發時經顧頡剛改名。參見《錢穆傳》，頁68。

本書〈自序〉云：

> 謂古文、今文如冰炭之不相竝。然莽朝立制，〈王制〉、《周禮》兼舉；
> 歆之議禮，亦折衷於今文。〔……〕
> 師丹、公孫祿，下及東漢范升，諫立《左氏》諸經，並不為今古分家，
> 又不言古文出歆偽。自西漢之季，以逮夫東漢之初，求所謂今古文鴻溝
> 之限，不可得也。[57]

謂西漢古文今文學術並無固定界限。此書本文又云：

> 〔《漢書》〕〈張敞傳〉：「敞上封事曰：『臣聞公子季友有功於魯，大夫趙
> 衰有功於晉，大夫田完有功於齊，皆疇其官邑，延及子孫。終後田氏篡
> 齊，趙氏分晉，季氏顓魯。故仲尼作《春秋》，迹盛衰，譏世卿最
> 甚。……』」《傳》又云：「敞本治《春秋》，以經術自輔。」
> 按：〈儒林傳〉：「漢興，北平侯張蒼，及梁太傅賈誼，京兆尹張敞，皆修
> 《春秋左氏傳》。」季友、趙衰、田完受封事，《公》、《穀》皆不著，敞
> 治《春秋》，及見《左氏》審矣。敞又名能識古文字，《左氏》多古字，與
> 其學合。譏世卿乃《公羊》義，敞引為說，當時通學本不分今古也。[58]

此段論張敞兼重今古文一說有道理。

另外，錢穆舉出資料，證明號為古文家之劉歆偶爾仍用今文說：

> 按：〔《漢書》〕〈翟義傳〉，王莽〈大誥〉「尊中宗、高宗之號」，與王
> 舜、劉歆奏勿毀武帝世宗廟書所引殷王三宗太宗、中宗、高宗之次相
> 符，皆用今文說。[59]

是否要拆掉武帝世宗廟，乃為西漢末期大爭端。劉歆保持反對之態，其奏有
云：

---

57 《兩漢經學今古文平議》，頁5。

58 同前註，頁13-14。

59 同註57，頁101。

> 宗,變也,苟有功德則宗之,不可預為設數。故於殷,太甲為太宗,太
> 戊曰中宗,武丁曰高宗。周公為〈毋逸〉之戒,舉殷三宗以勸成王。繇
> 是言之,宗無數也。[60]

劉歆在此用今文《尚書》〈毋逸〉篇一段以陳其說。此乃錢穆言「劉歆
〔……〕用今文說」之義,據以證明劉歆不是單憑古文經而陳述其說的。

　　錢穆反對近世經學家將自己之爭論托於漢代經學史,又有明說:

> 凡近世經生紛紛為今古文分家,又伸今文,抑古文,甚斥歆、莽,徧疑
> 史實,皆可以返。循是而上溯之晚周先秦,知今古分家之不實,十四博
> 士之無根,《六籍》之不盡傳於孔門而多殘於秦火,庶乎可以脫經學之樊
> 籠,發古人之真態矣;而此書其嚆矢也。[61]

但可見其主要對象似乎仍為「伸今文,抑古文」之今文家,又歸罪這些今文
家「為今古文分家」。[62]

　　再過二十幾年後,在《兩漢經學今古文平議》〈自序〉錢穆方云:

> 晚清經師,有主今文者,亦有主古文者。主張今文經師之所說,既多不
> 可信。而主張古文諸經師,其說亦同樣不可信,且更見其為疲軟而無
> 力。此何故?蓋今文古今之分,本出晚清今文學者門戶之偏見,彼輩主
> 張今文,遂為今文諸經建立門戶,而排斥古文諸經於此門戶之外。而主
> 張古文諸經者,亦即以今文學家之門戶為門戶,而不過入主出奴之意見
> 之相異而已。[63]

值得注意,此為錢穆一九五八年較晚之說。因此,陳勇用此段要來證明「顯

60　〔漢〕班固:〈韋賢傳〉,《漢書》(臺北市:鼎文書局,1986年),卷73,頁3127。

61　《兩漢經學今古文平議》,頁7。

62　又值得注意,錢穆在此希望可以脫離經學範圍,將歷史事實研究出來,可見錢穆把經
　　學「史學化」之趨向。

63　《兩漢經學今古文平議‧自序》,頁5-6。

然，錢穆撰〈〔劉向歆父子〕年譜〉的目的就是要『撤藩籬而破壁壘』，破除學術界漢宋藩籬、今古門戶的成見」[64]恐怕沒有完全恰當。〈劉向歆父子年譜〉主要目標為打破康有為之說而已，於破除今古文門戶僅有間接的貢獻。

（二）〈兩漢博士家法考〉

　　〈兩漢博士家法考〉以《國學概論》之說為基礎，其大略雖有許多共同之處，但又有相當重大之變：最為明顯者，乃所謂「今古文之爭」。據上面分析，《國學概論》謂自戰國以降，百家之於儒士，儒士內部兩派，時時有「今古文之爭」，此為錢穆早期著作引人注目之用詞。〈兩漢博士家法考〉強烈否定此說，以為所爭者僅有「今學」與「古學」，連東漢時未嘗有「今文」與「古文」之分爭，又放棄「百家即今文」之奇論，總成為更穩固之說法。

　　若〈劉向歆父子年譜〉為針對康有為《新學偽經考》而寫，《兩漢博士家法考》此書對象乃為王國維〈漢魏博士考〉一文。錢穆自稱：「〔王國維〕《觀堂集林》卷七諸篇，分析今古文甚精密矣，然於漢代師說家法之淵源流變，尚未有透宗之見。其為〈漢魏博士考〉，捃摭綦詳，而發明殊尠。」[65]雖基本上肯定王國維蒐集資料之功，但對其發揮新意相當不滿。

　　在此，本人著重「今古文」問題，故不多談錢穆對博士來源之看法。簡單而言，博士傳統始於戰國時代魯博士公儀休、魏博士賈祛。至於秦朝，仍保持此博士脈絡，但與史官有別：

　　　博士官與史官分立，即古者「王官學」與後世「百家言」對峙一象徵也。《漢書》〈藝文志〉以《六藝》與諸子分類，《六藝》即古學，其先掌於史官，〔……〕諸子則今學，所謂「家人言」是也。戰國博士立官源本儒術，然《漢志》儒家固儼然為九流百家之冠冕，列諸子不列《六藝》，

64　《錢穆傳》，頁71。

65　《兩漢經學今古文平議》，頁183。

則明屬家言（即新興之平民學），非官學（即傳統之王官學）矣。[66]

在此可見，錢穆提出「今學」與「古學」二種概念；雖在《漢書》〈藝文志〉才找出「今學」、「古學」之分辨，但早在戰國時，錢穆便以百家言、家人言、博士、諸子（包括儒家）為「今學」代表，以《六藝》、史官、王官學為「古學」代表。略似《國學概論》今文為百家、古文為六藝之說，但在此僅言今學、古學，未曾提今文、古文。

錢穆又強調，博士兼通古今二學：

> 後世〔……〕謂博士官專掌《六藝》，此無證臆說也。〔……〕秦博士掌通古今，若專掌《六藝》，是知古不知今，近于陸沈矣。博士即家學之上映，若專掌《六藝》，又何以自別於王官之史哉？〔……〕今謂博士專掌《六藝》，是誤以武帝後事說秦、漢初年也。然博士不專掌《六藝》，亦非不掌《六藝》，此如百家非專據《詩》《書》，亦非全不據《詩》《書》也。[67]

秦始皇焚書一案，主要對象為古代王官學，而百家語「似是牽連及之，並不重視」。[68]

據錢穆，自漢初至於文、景帝時，博士系統基本上仍因襲秦代制度；[69]在此，錢穆未曾提「今學」、「古學」二詞。但錢穆提到當時「王官學」與「家人言」之對峙。[70]

漢武帝立五經博士，與原先係百家諸子、貫通古今之博士範圍不同；武帝限之於儒生經師，而且董仲舒為其主要發動力：

> 文、景兩朝〔，……〕博士決不限於《五經》傳記〔。……〕博士之限

---

66 同前註，頁187。
67 同註65，頁191。
68 同註65，頁188。
69 同註65，頁192-194。
70 猶顯於轅固生、竇太后之衝突（參見同註65，頁201）。

於儒生經師，其事始武帝，而其議則創自董仲舒。[71]

繼而，錢穆又考訂《史記》用「古文」兩字之意。王國維在〈《史記》所謂古文說〉一文中，早已說明古文自從秦一統天下而被廢除，但是西漢學者仍然有能力研讀古文經書。[72]錢穆之說不然：

蓋《史記》之所謂「古文」，正詣《六藝》，凡所以示異於後起之家言也。[73]

乃古文與《六藝》恰好相同。錢穆之依據頗多：

（1）《史記》〈五帝本紀贊〉云：「百家言黃帝，其文不雅馴，薦紳先生難言之。〔孔子所傳《宰予問》、《五帝德》及《帝系姓》，儒者或不傳。余嘗西至空桐，北過涿鹿，東漸於海，南浮江淮矣，至長老皆各往往稱黃帝、堯、舜之處，風教固殊焉，〕總之不離古文者近是。」[74]在此明以百家言「不雅馴」之文與「近是」之古文對比。根據錢穆代表百家言、六藝之分。[75]

（2）〈伯夷列傳〉云：「學者載籍極博，猶考信於《六藝》。」[76]〈吳太伯世家〉又云：「余讀《春秋》古文，乃知中國之虞與荊蠻句吳兄弟也。」[77]錢穆按，此兩段位於列傳、世家之首；第一段言《六藝》之重要性，第二段言其信《春秋》古文（指《左傳》）。錢穆又強調：「在史公時，《五經》博士家法未起，後世所謂今文、古文之藩籬未築，史公並不指《左傳》為

---

71 同註65，頁194。

72 見王國維：《觀堂集林》（香港：中華書局，1973年），卷7，頁309。

73 《兩漢經學今古文平議》，頁202-203。

74 《史記》，卷1〈五帝本紀〉，頁46。按：方括弧〔……〕之間文字，錢穆在《兩漢博士家法考》未引出，今依《史記》補之，以便瞭解前後文。後仿之。

75 《兩漢經學今古文平議》，頁203。

76 〈伯夷列傳〉，《史記》，卷61，頁2121。

77 同前註，〈吳太伯世家〉，卷31，頁1475。

古文以示異於《公羊》之為今文。」[78]提醒讀者，司馬遷時無今、古文之分。

（3）〈太史公自序〉云：「〔遷生龍門，耕牧河山之陽。〕年十歲則誦古文。」[79]——可見司馬遷以誦古文自豪。錢穆云：「在史公之意，凡《詩》《書》《六藝》，皆古文也。」[80]《史記》此段並沒有具體這樣說；此乃錢穆憑《史記》上述引文之推論。

（4）〈十二諸侯年表序〉云：「〔於是譜十二諸侯，自共和訖孔子，表見《春秋》、《國語》學者所譏盛衰大指著於篇，〕為成學治古文者要刪〔焉〕。」[81]據錢穆證明「古文」對司馬遷重要性：「不治古文，則不得謂『成學』。」[82]

（5）〈三代世表序〉云：「余讀諜記，黃帝以來皆有年數。稽其曆譜諜終始五德之傳，古文咸不同，乖異。夫子之弗論次其年月，豈虛哉！於是以《五帝繫諜》、《尚書》集世紀黃帝以來訖共和為《世表》。」[83]據錢穆，此段證明，司馬遷讀過之「諜記」起百家言，於古代人物記載均加上年數，孔子在古文卻不然，而且必有原因。後來，司馬遷按照孔子之作法，不次其年月。世傳《史記》於五帝部分果然未加年數。

（6）〈七十二弟子列傳〉云：「弟子籍，出孔氏古文近是。」[84]據錢穆又為司馬遷推崇古文而歸之於孔子傳統之一例。

《史記》出現「古文」一詞凡十處，錢穆在此大多加以解釋，其說服力相當大。據上處引文，司馬遷「古文」與「百家言」對照無可置疑；其重視「古

78　《兩漢經學今古文平議》，頁203。

79　〈太史公自序〉，《史記》，卷130，頁3293。

80　《兩漢經學今古文平議》，頁203。

81　〈十二諸侯年表〉，《史記》，卷14，頁511。

82　《兩漢經學今古文平議》，頁203。

83　〈三代世表〉，《史記》，卷13，頁488。

84　同前註，〈仲尼弟子列傳〉，卷67，頁2226。

文」，以為勝於「諜記」一類資料，亦甚明。又〈伯夷列傳〉一段稱《六藝》比一般載籍可信，藉以推測「古文」等於《六藝》；假如《六藝》僅為「古文」之一部分，司馬遷說法亦有道理。

唯有「孔氏有古文《尚書》」之「古文」，錢穆解為「古文字」；[85]由於司馬遷在此「古文」與「今文」並論，大抵無法作其他解釋。

可見，錢穆對《史記》一書中「古文」有不同解釋，具體「古文」二字如何理解，依前後文而定。如此作法值得贊同：古人未曾講究語義學，字詞意義常分殊不定。勿要因孔安國以今文讀古文《尚書》便推論《史記》所言「古文」處處是指「古文字」或以古文字寫之書。

另外，錢穆自己未提，《史記》「今文」一詞，僅出現一次，此處是指「今文字目」；所以，無法勉強將《史記》言「今文」等同於「百家言」。是故〈兩漢博士家法考〉言「古文」與《六藝》關係密切而與字體比較無關，將今古文字、今古學概念區分的很清楚；《國學概論》未脫離以所用文字來分辨不同學派，此說勝之。[86]

《史記》今古文錢穆之說已備，可以繼而論劉歆。錢穆稱：

> 哀帝元年〔，……〕有劉歆請建《左氏春秋》、《毛詩》、《逸禮》、《古文尚書》一案。後人率目歆所爭立者為「古文經」，而謂宣帝以來所立諸博士經為「今文」，經學有今古文界劃全本於此，而夷考當時情實，則頗不然。[87]
> 漢、新之際的《左氏》與《公羊》之爭，後來所稱當時的「今文」、「古文」之爭，其間當然決不是僅爭的幾本古經典，更不是在幾本古經典裏僅爭些文字的今古之不同。[88]

此說劉歆要立諸經非屬「今古文之爭」，與《國學概論》之意不同，又與諸

---

85 《兩漢經學今古文平議》，頁204。

86 見《國學概論》，頁92-93。

87 《兩漢經學今古文平議》，頁231-232。

88 同前註，頁285（此段出《孔子與春秋》）。

儒傳統說法相背。劉歆於〈移讓太常博士書〉強烈倡導古文價值之彌高：

> 今上所考視，其為古文舊書，皆有徵驗，內外相應，豈苟而已哉！夫禮
> 失求之於野，古文不猶愈於野乎！[89]

或謂劉歆在此欲弘揚古文書，以與當代通用之今文經作對比，依此推論劉歆
古文派與朝廷今文派有爭論。錢穆卻不以為然，謂劉歆強調《左傳》、《逸
禮》、《古文尚書》為古文經，適逢當時朝廷也很重視古文書。劉歆以補充朝
代的經學書籍為目的，而並不是取而代之：

> 此歆力言三者之為古文舊書，蓋明其與朝廷所立博士諸經同類，此歆爭
> 立諸經之最大理由也。是知當時尚以《詩》、《書》、《六藝》為「古文」，
> 取與百家後出書相異〔……〕決無統目朝廷博士諸經為「今文」者。
> 若當時漢廷博士諸經，全如後世云云，目之為「今文」，而劉歆爭立三
> 書，顧曰「其為古文舊書，皆有徵驗」，豈不南轅而北轍哉？[90]

另外，錢穆說：

> 歆之責斥漢廷諸博士者則曰：
> 往者綴學之士，不思廢絕之闕，苟因陋就寡，分文析字，煩言碎辭，學
> 者罷老且不能究其一藝。信口說而背傳記，是末師而非往古。
> 此皆譏切章句之學也。凡所謂「分文析字，煩言碎辭，末師口說」者，
> 皆指諸經章句言。〔……〕自歆言之，《公》、《穀》、《左氏》，其為《春
> 秋》一經之傳則一也。孔壁《尚書》之與伏生《尚書》，其為往古舊書亦
> 一也。烏嘗以己所爭立者為「古文」，而排詆先所立者為「今文」乎？蓋
> 其時博士經學本無今文、古文之爭。[91]

可見，據錢穆說，劉歆攻擊之對象不為「今文學經」，乃為章句之學（錢穆

89　〈楚元王傳〉，《漢書》，卷36，頁1971。
90　《兩漢經學今古文平議》，頁232-233。
91　同前註，頁233。

謂章句為東漢末流行「分章逐句」、[92]「具文為說，而成支離」[93]解經之
法）。[94]果然，劉歆未曾提任何「今文」問題，僅以其言論瑣碎而罪之。

　　至今不少學者，以劉歆此案剛好為「今古文之爭」之肇端，[95]與錢穆此
論有天壤之別，特別值得注意。

　　筆者竊謂錢穆說法雖並不無可能，仍有些不順之處。若細讀劉歆〈移讓
太常博士書〉全文，可以感覺到劉歆之對象無疑為「分文析字，煩言碎辭」
之徒；一律稱之為「往者綴學之士」，彷彿代表當時朝廷普遍之學風。其又
「信口說而背傳記，是末師而非往古」，可見此派學者較不注重傳統。

　　劉歆此奏，提倡「古文舊書」，據本人觀察並不表示與當時朝廷所立經
書同樣都為「古文」：劉歆強調古文書籍「皆有徵驗」而且「愈於野」，很明
顯地都是用來說服一些輕視「古文舊書」的人。若當時諸儒大多推崇古文
書，劉歆不需要特別證明古文書為何要立博士、為何有著特別的價值。「分
文析字，煩言碎辭」之徒，是否能從「博士經學」分隔出來，無法證明，又
無法否定。

　　雖然如此，錢穆又提出「當時博士經學無今文、古文之爭」，至少提醒
我們，別要以為「今古文之爭從劉歆始」為自然之理，又別以為當時經書一
定有今文、古文之分。[96]如此理論，皆需分別證明，才為可信。

　　至於東漢時，錢穆認為仍無今文、古文分爭，僅有今學、古學爭辯：

> 東漢經學，仍無今文、古文之分，〔……〕然其時固有「今學」、「古學」

92　同註90，頁225。

93　同註90，頁226。

94　在《劉向歆父子年譜》已有類似之說。見同前註，頁80。

95　參見《經學通論》，頁501。

96　像《經學通論》，頁501-502。雖曰「今古文的名稱、今古文的爭議，全自劉歆爭立古
　　文經的博士而起」，「劉歆〔……〕向皇帝提出將古文經立於學官的建議，〔……〕就
　　是今古文之間的第一次爭論」，未曾提供足夠證具是否當時實有「今文經」與「今文
　　儒士」。

之辨，此乃東漢經學界一大分野，亦不可不知也。[97]

據錢穆，「今學」幾可視為「章句」之別稱；其意義與圖讖之學雖有分，但
當時學者修今學難免修圖讖：

> 治章句者為「今學」，此即博士立官各家有師說之學也。其時光武方好圖
> 讖，故官學博士亦不得不言圖讖，圖讖與章句本非一業，而在東漢初葉
> 則同為隨時干祿所需，故合稱之曰「章句內學」，其不治章句者則為「古
> 義」，「古義」即「古學」也。[98]

可見，所謂「圖讖」僅東漢初期時髦，學者必修之纔能得志。古學專為傳統
官學，與圖讖較無相干：

> 其有不樂守章句師法者，當時稱之曰「古學」。古學必尚兼通〔。…〕好
> 古學者，常治訓詁，不為章句〔……〕。然則東京所謂「古學」者，其實
> 乃西漢初期經師之遺風，其視宣帝以後，乃若有古今之分；此僅在其治
> 經之為章句與訓詁，不謂其所治經文之有古今也。[99]

古學尚兼通、今學偏重章句，此論好似回應錢穆解說劉歆〈移讓太常博士
書〉之義：據錢穆，劉歆推崇《左氏》等經書，欲與當時朝廷立博士諸經合
併論說，即可謂「兼通」；其對象乃為偏頗之章句學，可與東漢「今學」相
比。

　　果然，據錢穆之說，不但古學為尚兼通、貴守真之學，且今學乃係守家
法、趨時髦之論：

> 家法之不如古學，則以家法偏守而古學兼通也。[100]
> 今學守家法，古學尚兼通，此一義也。今學務趨時，古學貴守真，此又

97　《兩漢經學今古文平議》，頁235。
98　同前註，頁236。
99　同註97，頁238-239。
100　同註97，頁246。

一義也。[101]

至今，有課本稱今古文之爭始於劉歆爭古經，終於鄭玄（127-200）之和合今文、古文學異同；[102]錢穆卻謂鄭玄未曾兼通古今，乃純為古學家而已；[103]其尚好《公羊》等今學經書，固為古學家之特色。

> 鄭玄〔……〕之為學，先始通《京氏易》、《公羊春秋》、《三統曆》、《九章算術》，又學《周官》、《禮記》、《左氏春秋》、《韓詩》、《古文尚書》。〔……〕此其為學，尚博通，不守一家章句，洵可謂古學之模楷矣。史稱「盧植與鄭玄俱事馬融，能通古今學，好研精而不守章句」，此亦古學規模也。故所謂古學者，非謂其不治博士諸經。若博士專守一經，則如《京氏易》、《公羊春秋》、《韓詩》，皆今學也；苟能兼通此諸經，不專守一家之師法章句，則即今學而為古學矣。後世乃謂《公羊》為今學，《左氏》為古學；又謂經學至鄭玄而今古家法始混，則皆無據之談也。[104]

何休（129-182）、許慎與鄭玄相類：

> 何休之所治者為《公羊》，《公羊》之在當時，固屬今學，然休之所以治《公羊》者，則確然為古學也。[105]
> 〔許慎〕為《五經異義》，亦調和今古而斟酌之，此即古學也。「今學」則嚴守一家章句，更不相融。[106]

101　同註97，頁247。

102　參見《經學通論》，頁506。

103　錢穆此說又影響到當代學者。如林慶彰〈兩漢章句之學重探〉：「西漢初至昭帝時代，古學盛行，治經訓詁舉大義而已；〔……〕西漢宣、元至東漢明、章時代，今學盛行，用章句的方式來詮釋經書；〔……〕東漢和帝至獻帝時代，古學復興，治經倡行訓詁通大義而已。」（頁292）其將「今文」與「章句」並稱，有以「古學」為「通大義」，再者不論今文、古文學，有緣於錢穆之論而有進一步發展。

104　《兩漢經學今古文平議》，頁245。

105　同前註，頁245。

106　同註104，頁257。

可惜，錢穆在此並不說明，許慎為何在《五經異義》中將經書分為「古」、
「今」二類。此與「古學為兼通之學」不太相容。

　　雖然錢穆一再強調漢代始終並無今文、古文之分，但此特指學派而言。
文本有差異，但是並不為當時學術界所重視：

> 文之今古，本不為當時所重，當時辨學術分野，則必曰「古學」、「今
> 學」，不稱「古文」、「今文」，大略率如是。[107]

今文學派與古文學派既不可分，但東漢學者屢用「古文」一詞，其意仍需說
明。錢穆乃曰：

> 「古學」者，乃指兼通數經大義，不守博士一家章句；「古文」則指文字
> 形制義訓之異於俗隸而言。此二者，在漢儒無勿知，其誤實起於後世，
> 至晚清之經師而益甚也。[108]

可見東漢「古文」與「古學」無關。而且東漢以降，「古文」之意有變：

> 當謂「古文」在漢時乃《五經》之通稱，至後乃惟《尚書》獨得有古文
> 之稱，則較近矣。[109]
> 至東漢則家言已微，《六藝》特盛，故東漢之所謂「古文」，則僅指文
> 字，不僅無關學派，亦非指本經。經本之特以古文稱者獨《尚書》耳。[110]

錢穆云「當謂『古文』在漢時乃《五經》之通稱」，蓋是指西漢而言，否則
與「東漢之所謂『古文』，則僅指文字」一句，互相矛盾。

　　如此言，「古文」原來是指《六藝》，後來惟有《尚書》之一版本特有
「古文《尚書》」之稱，以分明其二種來源。

　　錢穆又認為，東漢不分今古文文字：

107　同註104，頁254。
108　同註104，頁257。
109　同註104，頁251。
110　同註104，頁256。

〔《漢書》〈藝文志〉〕列小學於《六藝》後〔。……〕《六藝》羣字皆在《蒼頡》、《訓纂》中，無所謂今文、古文之別也。惟《蒼頡》原本秦篆，自有隸書以來，篆體已見為古，俗師失讀，故張敞、杜林乃以小學名家耳。此羣經文字本不分今古之說也。[111]

總言之，錢穆於〈兩漢博士家法考〉較之《國學概論》，放棄勉強將「今古文之爭」之名加於戰國以來所有學術辯論之上，乃以今學與古學之爭、兼通與章句之分代替而總括之，又提供豐富證據，真可謂有莫大之進步，學術價值更加提高。雖然差異頗大，但結構上與《國學概論》類似，仍保持從戰國以至於東漢末一大爭論之連續性。照《國學概論》原先有百家與六藝之爭，漢武帝後轉移為儒家今文與古文之內爭；照〈兩漢博士家法考〉初期一樣有百家與六藝之爭，漢武帝後轉移為儒家章句與博士之內爭；總可說無太大差別。《國學概論》「《六藝》即古文」之說，在〈兩漢博士家法考〉重覆發揮，但已超脫文字範疇，成為「《六藝》即古學」較成熟之論；不多談「百家即今文」，而更改為「百家即今學」較清楚之論點。

　　此二書論學術派別，均在漢武帝時有類似轉變：據《國學概論》「今文學」從百家學移到儒家經今文學，據〈兩漢博士家法考〉「今學」從在野博士移到儒家章句之學。他自己也並未多加以說明，乃值得惋惜。

---

111 同註104，頁251。

時代	「今學」範疇	「古學」範疇	兼通之學	「古文」之意義	錢穆謂之「今古學之爭」	據錢穆,當時人謂之「今學與古學之爭」
戰國時代	百家言、博士官、諸子	六藝、王官學、史學官	今學		與之相類	否
秦	博士,焚書時牽連被壓抑	六藝、王官學、史學官,焚書時全滅	今學（但被壓抑）		否	否
漢初（武帝立五經博士前）	家人言,博士	王官學	今學		否	否
西漢（武帝立五經博士後）	博士（限為儒術、轉移為王官學→）	博士、六藝		「古文尚書」：指文字。他處：指六藝	否	否
劉歆時	章句	六藝、博士	古學	六藝	否	否
東漢	章句、私家言	六藝、博士、王官學	古學	僅有古文尚書	是	是

圖二　據錢穆《兩漢博士家法考》戰國至漢末今古學爭論

上面所述〈兩漢博士家法考〉有關「今學」、「古學」、「今文」、「古文」各種論述,可視為錢穆個人的定論。他比更晚出的著作當中,說法幾乎都相同。這一點可以用《經學大要》來證明。此書為錢穆一九七四至一九七五年在中國文化學院教授「經學大要」一門課之講課記錄。二十年後,《錢賓四先生全集》編集者據當時錄音成書。[112]

112　參見錢穆：出版說明,《講堂遺錄》,頁2-4。

此篇中與〈兩漢博士家法考〉相同之處甚多，不需要逐一提及。但偶爾可以感覺到錢穆將〈兩漢博士家法考〉的說法講得更順暢：

> 太史公在〈太史公自序〉中講到他自己：「年十歲則誦古文。」這裏所謂「古文」，當然不是說他小時候只讀古文經學，不讀今文經學。所謂「古文」便是經學。〔……〕所謂「古文」者，便如同說「舊書」，是孔子以前傳下來的一套。[113]

此說與〈兩漢博士家法考〉無異，描述古文為《六藝》、與百家學相對峙的狀態。但在《經學大要》又稱西漢「古文」便是「經學」，較之《兩漢博士家法考》論古文便是《六藝》，更為顯著。

《國學概論》談漢代今古文問題遠不如錢穆一九三〇年代以後之著作。因此錢穆在《經學大要》未曾叫學生讀《國學概論》有關篇章，但亦不提醒學生讀《國學概論》要因其內容未成熟而務必小心。

三　錢穆研究結果及其對近代西方漢學研究之影響

錢穆上述意見，自然有長處可贊同，亦有短處可批評，無足怪矣。前言已經提及，華人學術界大多忽視錢穆此見解。西方至一九九〇年代初亦不例外，雖然自己有不少新發現，但是大抵以康有為、馮友蘭（1895-1990）等說法為基礎；即使多非議此二位學者，但仍當作出發點。另外，學者皆以為漢代自然有「今古文之爭」（old text / new text controversy），並不需要證明其存在與否。於一九九〇年代卻發生相當可觀的有關「今古文之爭」概念之爭論，在此特加以說明。

先舉例德國葉翰教授一九九三年之博士論文《漢代政治與學術－古文今文之爭》，[114]其分析許慎《五經異義》甚妙，與兩漢政治與歷史過程一併而

113　《經學大要》，第九講之二，頁432-433。
114　Hans van Ess, *Politik und Gelehrsamkeit in der Zeit der Han (202 v. Chr. - 220 n. Chr.) Die*

論之;其書在初頁立即提出所謂「今文古文之爭」一名,不多加解釋與反思,並且整書中從未討論「今文古文之爭」一概念是否有助於瞭解漢代思想史。其導論又云:

> 根據目前二手資料[115]〔今文、古文〕兩派大約有五種特徵:
> (1)古文派有理性主義的立場、今文派有反理性主義的立場,此為馮友蘭說。
> (2)古文派較之今文派更接近原始儒學,此又為馮友蘭說。
> (3)古文派提倡專制,此為傑克‧杜爾(J. Dull)說。
> (4)欲篡位的王莽為了政治改造而進行古文改革,來證明自己的正統性,此為康有為說。
> (5)鄭玄修經書已經沒有政治作用,而純為文獻學,此為日本學者重澤俊郎說。[116]

眾說列舉分明甚佳,但在此卻不提錢穆一言。於後文談論中國評註傳統時,順便云:

> 「章句」大部分係今文經註釋,而漢人慣駁斥之,導致二十世紀有二手資料將「章句」視為區別古文派與今文派之主要特徵。[117]

而舉錢穆〈兩漢博士家法考〉為一例,但不多加說明,又不提出錢穆根本不認為有今文、古文派別之分。其未曾將錢穆歸納於上述五條內,更可見作者不認為錢穆此論很重要。

Alttext /Neutext-Kontroverse (Wiesbaden: Harrassowitz, 1993). 按:照西方語言之用法,若「古、今」對比皆以時間前後排序,必言「old text / new text」(古文、今文),而總不言「new text / old text」。中文反之,雖「古今」、「今古」皆可,但慣曰「今文、古文」而非「古文、今文」。

115 案:指近代人有關漢代思想史著作。

116 *Politik und Gelehrsamkeit in der Zeit der Han*, p. 6.

117 Ibid., p. 58.

　　葉翰於是又假設揚雄、劉歆組成一「古文家組合」，[118]而且似乎以此為定論。雖然於後文稱「無法確認劉歆時早已有特殊的古文學意識形態」，[119]但並不提古文、今文派之區分有任何爭議性，更何況論錢穆「從未無今古文之爭」之說。

　　葉翰後來經《五經異義》之分析，整理不少資料，推論今文派係「革新派」，企圖制度改革，減輕朝廷經費，廢除繁瑣之禮儀；古文派卻提倡保守秦漢傳統制度。[120]此無疑為壯偉之創論。但葉翰又因「古文派」為保守派，便非議錢穆將「劉歆奏勿毀武帝世宗廟書」屬於今文派[121]為不當；[122]此恐略失其意：錢穆僅論劉歆用《今文尚書》一段來奏議，證明劉歆跨越後代所謂「今文經」、「古文經」之分野，因而康有為將劉歆屬古文派非是。依東漢中葉所成《五經異義》今古學之分，討論西漢末期之劉歆，恐必需特別謹慎，最起碼必多加說明。[123]

　　總之，葉翰之分析《五經異義》，推論其政治涵義，脫離純文獻學範圍，乃甚可嘉，可謂突破性。其採用錢穆之意見，似仍存一些誤會；且似無所識於錢穆否定「今古文之爭」之創論。不過，不僅葉翰如此，其他學者亦然。

　　未經幾年，葉翰又於同樣雜誌發表〈今古文之爭：第二十世紀〔學者〕是否有誤解？〉[124]一文。基本上謂二十世紀西方學者多從梁啟超、顧頡剛、馮友蘭、湯用彤等學者說法，但因諸位中國學者皆受時髦影響太深，不

118　Ibid., p. 67, "Alttextzirkel".

119　Ibid., p. 70.

120　Ibid., p. 280.

121　見《兩漢經學今古文平議》，頁101。

122　*Politik und Gelehrsamkeit in der Zeit der Han*, p. 212, footnote 26.

123　葉翰於晚出論文又提出相同之意。見 Hans van Ess, "The Apocryphal Texts of the Han Dynasty and the Old Text/New Text Controversy," *T'oung Pao* LXXXV (1999): 29-64, pp. 37-38, footnote 25。

124　Hans van Ess, "The Old Text/New Text Controversy: Has The 20th Century Got It Wrong?", *T'oung Pao* LXXX (1994): 146-170.

免因政治方面有其他的目的而顯其學術太片面。[125]葉翰此說甚當。但此文
未曾論及錢穆主要說法，似乎未鑑於其打破今古文門戶之論，僅僅引用錢穆
〈崔東壁遺書序〉一段，論其復興中國文化之希望；不提錢穆〈兩漢博士家
法考〉有異於梁、顧、馮、湯諸君之「今學、古學」說，相當可惜。

唯《通報》同一輯，美國戴梅可教授發表〈漢代今文古文之爭〉[126]一
文。在她之前西方學術界的文章將「古文、今文」統統翻譯成「old text、
new text」（古文獻、今文獻），強調其為「文獻」或「文章」。戴梅可在本篇
首次避免此種翻譯，直用拼音稱之「*chin wen*、*ku wen*」，來避免因翻譯而造
成之假設。而且，他首次重用錢穆之說，謂：

> 今文、古文之爭，是否真的非常激烈，甚至致於漢末思想家開始排斥儒
> 學嗎？據大部分研究漢史之學者，答案為「是」，包括曾珠森（Tjan Tjoe
> Som）、重澤俊郎（Shigezawa Toshirô）、李偉泰、傑克・杜爾（Jack
> Dull）。上述學者（另可多提有許多位）認為有幾種學派為不共戴天之
> 敵，爭論何種經書可進入正統經典範圍，又謂此種敵情代表漢朝學術界
> 之主要特色。最近程艾蘭（Anne Cheng）、胡念貽、梅約翰（John T.
> Makeham）、葉翰（Hans van Ess）、蔡彥仁（Yen-zen Tsai）等學者，撰
> 寫印象深刻有關漢代經學之著作，皆以為當時有分明的今文與古文之
> 爭。唯有錢穆指出清末學者對漢代經學之看法為當代學術爭論之反射，
> 而此必然至於歪曲。清末學術甚分明；若東西學者與之接觸而造成皆將
> 清末爭論介入漢代而開始討論漢儒有類似之爭論，乃為頗可笑。〔……〕
> 其實有不少證據揭示出漢代知識份子並未不斷地爭論此類問題，換言
> 之，清末熱烈話題在漢代找不出相同之對比。漢代當然有今文、古文
> 書。但此分別一則很普遍，二則比一般人所認為較不重要。幾乎沒有證
> 據表示漢代學者將自己分為今文、古文兩家。[127]

---

125 Ibid., p. 170.
126 "The Chin Wen/Ku Wen Controversy In Han Times".
127 Ibid., p. 85-86.

之後，此文多用錢穆說，又加上自己發揮，證明實無「今古文之爭」，又立新論，不認為「章句」為今文、古文（或今學、古學）之界線，實無確定之界線可言。[128]

葉翰於一九九四年又發表〈漢代讖緯與今文古文之爭〉一文，[129]雖有少許地方與戴梅可意見不同，但大多贊同她論說，謂：

> 經戴梅可於歷史資料細緻之研究，如今相當確定漢代學者討論之重點並不在於今文、古文之詞源學。此新論點固為有趣，而且至少在西方目前無人有明確指出這一點。[130]

曰西人皆無指出漢代未曾爭論今古文詞學，但錢穆於一九四〇年代於〈兩漢博士家法考〉早有如此說；錢穆於《經學大要》抱怨鮮少人看他的書，[131]豈非屬實乎？

結論

「漢代經今古文之爭」自十九世紀以來為學術界一大話題。當初，有一些清儒自己分為今、古文派，以對漢代經學不同解釋來比擬當代政治要事，提倡不同政策以拯救祖國。自民國以來，經學時勢已漸漸開始脫離政治領域，但學者仍愛好強調漢代學術之二元性。尤其將東漢儒術分為今文派、古文派，並且假設其間有激烈之鬥爭而以今文、古文經典為其主要內容；乃至二十世紀末幾為定論，影響力甚大。

錢穆於一九二〇至一九四〇年代研究本問題，發展其與眾不同的解說，當初將「今古文之爭」一概念應用於戰國即漢初時期各種學術論爭，謂自從

128　Ibid., p. 117 and p. 135.

129　"The Apocryphal Texts of the Han Dynasty and the Old Text/New Text Controversy"，已見上文。

130　Ibid., p. 44.

131　《經學大要》，第八講之一，頁412。

當時百家與《六藝》之爭,經漢代數種學術分歧,直至於清代,均為「今古文之爭」之流變。

之後,錢穆否認「今古文之爭」之存在,建立自己解說,單論「今學、古學之爭」,超越純文字之爭論。此說甚有創意,又有根據,但其核心仍為二元論,唯其範圍有所不同。錢穆蒐羅資料甚多,但其著重於二元論尤於漢武帝之轉變甚為明顯:錢穆於前後漢代皆論百家言與王官學之對峙,但武帝之前他論百家言會多談黃老之類學說,武帝後卻多談儒術章句之學,原因蓋為與二元論不符合。

在一九三〇之後,錢穆又愛講另外一種對照,有一種有包容性的、廣博的、無所不包之學派與一種分裂性的、僅使用部分經典之學派相競爭:與戰國則有廣泛的百家諸子,無書不讀,與專研究《六藝》之王官學相對;自劉歆以來,則有兼通古今之「古學」與僅守家法之「今學」之別。錢穆此類意見雖然有良好之根基,但仍係二元性之格式。其實,漢代經學也可以從比較多元化的角度來討論。漢代經學應不可僅分為兩派而已,必有很多種因素互相接觸。

與當代其他論說相比,錢穆之目的多在於破門戶:其斥漢代「經今古文之爭」一說,其毀清末今文、古文之壁壘,又企圖調和經學、史學、文學之間之差異,均於此有功績。但錢穆在教學時,批評當代學者相當嚴厲,誇獎自己讀書比別人多、用功的程度比別人高,[132]一再強調自己著作不可不讀,[133]要求學生尊重老師的話[134]等等。蓋錢穆一則不缺乏自信,而其見解又被同時代學術界所忽視。

錢穆研究漢代經今古文問題真切,為何未曾被當代學者所重視?可以推想的原因甚多,試列於下:

(1)錢穆以史學家而非以經學家稱名,故學者研究史學問題多用其資料,而於經學則看別人的書。

---

132 《經學大要》,第八講之五,頁425。
133 同前註,第八講之一,頁412,第八講之三,頁417、420。
134 同註132,第八講之四,頁421。

（2）錢穆之說雖然仍屬二元論，但比起單獨「經今古文之爭」複雜，轉折頗多；其外表雖相類似，然深意卻頗不同，易於誤會。

（3）錢穆主要相關著作為篇幅丕大之巨著，其主要論典卻深藏在內部，難以找出。再者，標題不指出其懷疑漢代「經今古文之爭」一說：曰「博士家法考」似與經典無關，曰「經學今古文平議」又用「經今古文」一詞，若讀者僅略翻閱，恐不會發現錢穆根本不支持「經今古文」此說。錢穆當然要求，讀者必仔細讀其書，花三年也不為多，[135]此僅為理想；現代著述之眾多，沒有學者有能力下此功夫，是故著書不得不慮及讀者方便。此或為今世讀書風氣衰落之一特徵，但又不得不留心於此。

（4）論到西方學術大多忽視錢穆之見解，又與在西方普遍的教材有關。西方學者較熟悉馮友蘭等學者翻譯之著作，雖然不見得都會贊同其說，但當作自己研究之基礎；錢穆著作未曾翻為西方語言，故未為人所熟知。

將來研究漢代經今古問題者，盡量不要被上述原因所束縛，必多仔細玩味錢穆之立場。不見得要模仿其二元論思想，另外必注意錢穆著作中思想之轉變。但其於折衷經今古問題之功，斷然值得弘揚。其書中許多看法具有爭議性，但今代學者必須加以探討，最起碼提出實例來否定，不可置之而不顧。錢穆探討兩漢經學之書，自謂是為將來的學術界而寫的，庶幾落實。[136]

135　同註132，第八講之三，頁420。

136　同註132，第八講之六，頁427。

附錄

變動時代的經學和經學家
（1912-1949）
第一次學術研討會
議　　程[*]

2007 年 7 月 12 日（星期四）		
09:30 ｜ 10:00	報　　到	
10:00 ｜ 12:00	第一場	主持兼評論人：林慶彰（中央研究院中國文哲研究所）
		報　告　人：程克雅（東華大學中國語文學系）
		講　　　題：由語文學到語言學——論民國以來經注與樸學考據方法的嬗變
		報　告　人：車行健（政治大學中國文學系）
		講　　　題：田野中的經史學家——顧頡剛學術考察事業中的古蹟文物調查活動
12:00 ｜ 13:30	午　餐　時　間	
13:30 ｜ 15:30	第二場	主持兼評論人：楊晉龍（中央研究院中國文哲研究所）
		報　告　人：陳金木（明道管理學院中國文學系）
		講　　　題：楊守敬對經學文獻蒐集的貢獻
		報　告　人：孫致文（中央大學中國文學系）
		講　　　題：試論「二重證據法」與民國以來經學的轉向——以王國維、于省吾「新證」著作為中心的考察
15:30 ｜ 15:40	茶　敘　時　間	
15:40 ｜ 18:30	第三場	主持兼評論人：賴貴三（臺灣師範大學國際漢學研究所、國文學系）
		報　告　人：Christian Soffel 蘇費翔（慕尼黑大學亞洲學院漢學系、中央研究院中國文哲研究所博士後研究）

[*] 本附錄所收之議程，乃照錄當時發表人之任職單位及宣讀題目。

		講　　題：錢穆兩漢經今古（文）學研究
		報　告　人：趙中偉（輔仁大學中國文學系）
		講　　題：熊十力易學創造性詮釋探析——以《乾坤衍》為例
		報　告　人：許振興（香港大學中文學院）
		題　　目：民國時期香港的經學：1912-1941 年間的發展
2007 年 7 月 13 日（星期五）		
10:00 ｜ 12:00	第四場	主持兼評論人：孫劍秋（臺北教育大學語文與創作學系）
		報　告　人：陳進益（清雲科技大學通識教育中心）
		講　　題：關於《古史辨》中討論《易經》相關問題之省思
		報　告　人：許朝陽（輔仁大學中國文學系）
		講　　題：經學與哲學——學術型態變遷中的易學定位
12:00 ｜ 13:30		午　餐　時　間
13:30 ｜ 15:30	第五場	主持兼評論人：賀廣如（中央大學中國文學系）
		報　告　人：李雄溪（嶺南大學中文系）
		講　　題：讀黃節《詩旨纂辭》小識
		報　告　人：朱孟庭（東吳大學中國文學系）
		講　　題：民國時期詩經的民俗文化闡釋——以聞一多詩經研究為主
15:30 ｜ 15:40		茶　敘　時　間
15:40 ｜ 18:30	第六場	主持兼評論人：蔣秋華（中央研究院中國文哲研究所）
		報　告　人：許子濱（嶺南大學中文系）
		講　　題：楊樹達《讀左傳》論
		報　告　人：盧鳴東（香港浸會大學中國語言文學系）
		講　　題：陳柱的公羊思想——民國初年經學變動的兩個分水嶺
		報　告　人：蔡長林（中央研究院中國文哲研究所）
		講　　題：公羊學的近代轉型——讀張爾田《史微》

＊ 論文發表 20 分鐘，自由討論每人發言 5 分鐘　　　＊ 不需報名

變動時代的經學與經學家
（1912-1949）
第二次學術研討會
議　　程

2007 年 11 月 19 日（星期一）		
08:30｜09:20	報　　到	
09:20｜09:30	開幕儀式	
	主持人：林慶彰（中央研究院中國文哲研究所）	
09:30｜10:40	第一場	主主持兼評論人：張壽安（中央研究院近代史研究所）
		報　告　人：曾聖益（亞東技術學院通識教育中心）
		講　　題：變儀而復禮──曹元弼與民初禮學
		報　告　人：陳　韻（中正大學中國文學系）
		講　　題：黃侃禮學研究（一）──時代篇
10:40｜11:00	茶　敘　時　間	
11:00｜12:10	第二場	主持兼評論人：賀照田（中國社會科學院文學研究所）
		報　告　人：梁秉賦（新加坡國立大學中文系）
		講　　題：變動時代的經學──從讖緯研究的視角考察
		報　告　人：鄭月梅（嘉義大學中國文學系）
		講　　題：朱東潤《詩三百篇探故》的特色
12:10｜14:00	午　餐　時　間	

14:00 ｜ 15:40	第三場	主持兼評論人：黃復山（淡江大學中國文學系）
		報　告　人：鄧國光（澳門大學中國語文系）
		講　　　題：唐文治（1865-1954）經學研究——二十世紀前期朱子學視野下的經義詮釋與重構
		報　告　人：舒大剛（四川大學古籍整理研究所）
		代 宣 讀 人：袁明嶸（臺北大學古典文獻學研究所碩士生）
		講　　　題：一位不該被遺忘的經學家——略論龔道耕先生的生平與學術
		報　告　人：張善文（福建師範大學易學研究所）
		講　　　題：吳檢齋先生經學成就述要
15:40 ｜ 16:00		茶　敍　時　間
16:00 ｜ 17:40	第四場	主持兼評論人：張寶三（臺灣大學中國文學系）
		報　告　人：黃忠慎（彰化師範大學國文學系）
		講　　　題：學術史上的典範塑造——以民國學者評論王夫之等人的《詩經》學為例
		報　告　人：邱惠芬（長庚技術學院通識教育中心）
		講　　　題：林義光《詩經通解》研究
		報　告　人：郭　丹（福建師範大學文學院）
		代 宣 讀 人：陳水福（臺北市立教育大學中國語文學系碩士生）
		講　　　題：張西堂的《詩經》研究
		2007 年 11 月 20 日（星期二）
08:30 ｜ 09:00		報　　　到
09:00 ｜ 10:40	第五場	主持兼評論人：虞萬里（上海社會科學院歷史研究所）
		報　告　人：張政偉（東華大學中國語文學系）
		講　　　題：經學邊緣化的啟動
		報　告　人：劉　巍（中國社會科學院近代史研究所）
		代 宣 讀 人：張晏瑞（臺北市立教育大學中國語文學系碩士生）

	講　　　題：	經典的沒落與章學誠「六經皆史」說的提升
	報　告　人：	程克雅（東華大學中國語文學系）
	講　　　題：	民國初年學報所刊載經學論文及其議題之轉變（1912-1949）
10:40|11:00		茶　敘　時　間
11:00|12:10 第六場	主持兼評論人：陳麗桂（臺灣師範大學國文學系）	
	報　告　人：	張麗珠（彰化師範大學國文學系）
	講　　　題：	詆古與證古——從康有為到王國維
	報　告　人：	吳　銳（中國社會科學院歷史研究所）
	講　　　題：	同途異歸——錢穆中國上古史的疑古走向
12:10|14:00		午　餐　時　間
14:00|15:40 第七場	主持兼評論人：詹海雲（元智大學中國語文學系）	
	報　告　人：	林登昱（文听閣圖書有限公司）
	講　　　題：	從辨偽到校釋——論民國《尚書》學的變遷
	報　告　人：	許華峰（臺灣師範大學國文學系）
	講　　　題：	顧頡剛的〈堯典〉研究及其意義
	報　告　人：	嚴壽澂（新加坡南洋理工大學國立教育學院）
	代 宣 讀 人：	簡逸光（佛光大學中國文學研究所博士生）
	講　　　題：	今文學之轉化——呂思勉經學述論
15:40|16:00		茶　敘　時　間
16:00|17:10 第八場	主持兼評論人：林啟屏（政治大學中國文學系）	
	報　告　人：	劉德明（中臺科技大學通識教育中心）
	講　　　題：	《古史辨》中對《春秋》看法的方法學反省
	報　告　人：	王淑蕙（南臺科技大學通識教育中心）
	講　　　題：	日治中晚期臺灣文人的「孔教」觀探究——以《臺灣文藝叢誌》第壹期徵文〈孔教論〉為例

* 每篇論文發表 20 分鐘，講評 10-15 分鐘，自由討論每人發言 3 分鐘。

變動時代的經學與經學家
（1912-1949）
第三次學術研討會
議　程

2008 年 7 月 17 日（星期四）		
08:30 ｜ 09:20	報　　到	
09:20 ｜ 09:30	開幕儀式	
	主持人：林慶彰（中央研究院中國文哲研究所）	
09:30 ｜ 10:40	第一場	主持兼評論人：賀廣如（中央大學中國文學系）
		報　告　人：程克雅（東華大學中國語文學系）
		講　　題：民國初年經學工具書「引得」、「索引」、「通檢」、「辭典」編纂與體例探究——以洪業、聶崇岐為主的討論
		報　告　人：車行健（政治大學中國文學系）
		講　　題：近代大學中的經學教育
10:40 ｜ 11:00	茶　敘　時　間	
11:00 ｜ 12:10	第二場	主持兼評論人：蔣秋華（中央研究院中國文哲研究所）
		報　告　人：曾聖益（亞東技術學院通識教育中心）
		講　　題：劉師培之校讎思想要義
		報　告　人：周德良（淡江大學中國文學系）
		講　　題：劉師培〈白虎通義源流考〉辨
12:10 ｜ 14:00	午　餐　時　間	

14:00 ｜ 15:40	第 三 場	主持兼評論人：陳恆嵩（東吳大學中國文學系）
		報　告　人：嚴壽澂（新加坡南洋理工大學國立教育學院）
		講　　題：經通於史而經非史——蒙文通經學研究述評
		報　告　人：宋惠如（蘭陽技術學院通識教育中心）
		講　　題：從經學到經史學——論章太炎（1869-1936）六經皆史說
		報　告　人：陳金木（明道大學國學研究所）
		題　　目：從《黃侃日記》看黃季剛先生治經學法
15:40 ｜ 16:00		茶　敘　時　間
16:00 ｜ 17:10	第 四 場	主持兼評論人：陳逢源（政治大學中國文學系）
		報　告　人：盧鳴東（香港浸會大學中國語言文學系）
		講　　題：「進化」視野下的經學闡釋——陳柱經學研究
		報　告　人：蘇費翔 Christian Soffel（中央研究院中國文哲研究所）
		講　　題：錢穆早期的四書學（1918-1928）
		2008 年 7 月 18 日（星期五）
09:00 ｜ 09:30		報　　到
09:30 ｜ 10:40	第 五 場	主持兼評論人：陳廖安（臺灣師範大學國文學系）
		報　告　人：陳進益（清雲科技大學通識教育中心）
		講　　題：以象解《易》——尚秉和的《周易尚氏學》研究
		報　告　人：許振興（香港大學中文學院）
		代宣讀人：簡逸光（佛光大學中國文學系）
		講　　題：民國時期香港的經學——陳伯陶《孝經說》的啟示
10:40 ｜ 11:00		茶　敘　時　間
11:00 ｜ 12:10	第 六 場	主持兼評論人：張曉生（臺北市立教育大學中國語文學系）
		報　告　人：許子濱（嶺南大學中文系）
		講　　題：陳漢章〈《周禮》行於春秋時證〉析論

		報　告　人：鄭憲仁（臺南大學國語文學系）
		講　　　題：郭沫若《周禮》職官研究之探討
12:10 │ 14:00		午　餐　時　間
14:00 │ 15:40	第 七 場	主持兼評論人：楊晉龍（中央研究院中國文哲研究所）
		報　告　人：李雄溪（嶺南大學中文系）
		講　　　題：讀劉師培（1884-1919）《毛詩詞例舉要》小識
		報　告　人：呂珍玉（東海大學中國文學系）
		講　　　題：吳闓生《詩義會通》研究
		報　告　人：陳文采（臺南科技大學通識教育中心）
		講　　　題：張壽林《詩經》學研究
15:40 │ 16:00		茶　敘　時　間
16:00 │ 17:40	第 八 場	主持兼評論人：張素卿（臺灣大學中國文學系）
		報　告　人：蔡妙真（中興大學中國文學系）
		講　　　題：世變與經學──《國粹學報》、《國故月刊》及《學衡》裡的 《左傳》論述
		報　告　人：郭鵬飛（香港城市大學中文、翻譯及語言學系）
		講　　　題：讀章太炎《春秋左傳讀》記
		報　告　人：蔡長林（中央研究院中國文哲研究所）
		講　　　題：經學視野下的國史論述──讀柳詒徵《國史要義》

* 每篇論文發表 20 分鐘，講評 10-15 分鐘，自由討論每人發言 5 分鐘。

變動時代的經學與經學家
（1912-1949）
第四次學術研討會
議　　程

2008 年 11 月 6 日（星期四）		
09:00 ｜ 09:20	報　　　　到	
09:20 ｜ 09:30	開幕儀式	
	主持人：林慶彰（中央研究院中國文哲研究所）	
09:30 ｜ 10:40	第 一 場	主持兼評論人：金培懿（臺灣師範大學國文學系）
		報　告　人：張高評（成功大學中國文學系）
		講　　題：章太炎之《春秋左傳》學——以《春秋左傳讀敍錄》為核心
		報　告　人：張政偉（慈濟大學東方語文學系）
		講　　題：梁啟超清代學術史研究述評
10:40 ｜ 11:00	茶　敍　時　間	
11:00 ｜ 12:10	第 二 場	主持兼評論人：車行健（政治大學中國文學系）
		報　告　人：魏　泉（華東師範大學中國語言文學系）
		講　　題：哈佛燕京學社與民國時期之學術轉型——以洪業為中心
		報　告　人：嚴壽澂（新加坡南洋理工大學國立教育學院）
		代宣讀人：陳水福（臺北市立教育大學中國語文學系碩士生）
		講　　題：「信古天倪」——陳鼎忠經學略述
12:10 ｜ 14:00	午　餐　時　間	

		主持兼評論人：蔣秋華（中央研究院中國文哲研究所）
14:00 | 15:40	第三場	報　告　人：王　亮（復旦大學圖書館古籍部）
		講　　題：《續修四庫全書總目提要》與民國經學
		報　告　人：許振興（香港大學中文學院）
		代 宣 讀 人：張晏瑞（臺北市立教育大學中國語文學系碩士生）
		講　　題：民國時期香港的經學——兩種《大學中文哲學課本》的啟示
		報　告　人：陳　韻（中正大學中國文學系）
		講　　題：黃侃禮學研究（二）——論著篇
15:40 | 16:00		茶　敘　時　間
16:00 | 17:10	第四場	主持兼評論人：詹海雲（元智大學中國語文學系）
		報　告　人：魏怡昱（臺灣師範大學歷史學系）
		講　　題：文質彬彬——廖平大統理想的實踐進路
		報　告　人：張素卿（臺灣大學中國文學系）
		講　　題：詮釋與辨疑——章太炎《春秋左氏疑義答問》研究
		2008 年 11 月 7 日（星期五）
09:00 | 09:30		報　　到
09:30 | 10:40	第五場	主持兼評論人：陳恆嵩（東吳大學中國文學系）
		報　告　人：陳東輝（浙江大學中國語言文學系）
		講　　題：蔣伯潛經學成就初探
		報　告　人：鄧國光（澳門大學中國語文系）
		講　　題：唐文治的經學研究——二十世紀前期朱子學視野下的經義詮釋與重構（二）
10:40 | 11:00		茶　敘　時　間

11:00 ⏐ 12:10	第六場	主持兼評論人：張曉生（臺北市立教育大學中國語文學系）
		報　告　人：馮曉庭（嘉義大學中國文學系）
		講　　　題：北平「明經學會」講著《春秋正議證釋》初探
		報　告　人：許華峰（臺灣師範大學國文學系）
		講　　　題：吳闓生《定本尚書大義》對〈堯典〉、〈金縢〉篇的解釋
12:10 ⏐ 14:00		午　餐　時　間
14:00 ⏐ 15:40	第七場	主持兼評論人：陳廖安（臺灣師範大學國文學系）
		報　告　人：何廣棪（華梵大學東方人文思想研究所）
		講　　　題：經史學家楊筠如事迹繫年
		報　告　人：楊逢彬（上海大學中國語言文學系）
		講　　　題：楊樹達先生的經學研究及其《春秋大義述》
		報　告　人：劉德明（中臺科技大學通識教育中心）
		講　　　題：楊樹達《春秋大義述》研究
15:40 ⏐ 16:00		茶　敘　時　間
16:00 ⏐ 17:10	第八場	主持兼評論人：楊晉龍（中央研究院中國文哲研究所）
		報　告　人：邱惠芬（長庚技術學院通識中心）
		講　　　題：民初古文字學在《詩經》訓詁的實踐
		報　告　人：鄭月梅（嘉義大學中國文學系）
		講　　　題：從《詩經六論》看張西堂對《詩經》的見解

* 每篇論文發表 20 分鐘，講評 10-15 分鐘，自由討論每人發言 5 分鐘。

變動時代的經學與經學家
（1912-1949）
第五次學術研討會
議　程

2009 年 7 月 13 日（星期一）		
09:00 ｜ 09:20	報　　　到	
09:20 ｜ 09:30	開幕儀式	
	主持人：林慶彰（中央研究院中國文哲研究所）	
09:30 ｜ 10:40	第一場	主持兼評論人：張壽安（中央研究院近代史研究所）
		報　告　人：梁煌儀（逢甲大學中國文學系）
		講　　　題：變動時代的經學和經學家（1912－1949）──讀經問題之歷時性
		報　告　人：曾聖益（亞東技術學院通識教育中心）
		講　　　題：徐世昌與《清儒學案》的編纂人員
10:40 ｜ 11:00	茶　敘　時　間	
11:00 ｜ 12:10	第二場	主持兼評論人：馮曉庭（嘉義大學中國文學系）
		報　告　人：諸葛俊元（靜宜大學中國文學系）
		講　　　題：民國經學家對漢代經今古文學之爭的研究成果辨析
		報　告　人：張政偉（慈濟大學東方語文學系）
		講　　　題：梁啟超與國故整理運動
12:10 ｜ 14:00	午　餐　時　間	

14:00 ― 15:10	第三場	主持兼評論人：詹海雲（元智大學中國語文學系）
		報　告　人：陳金木（明道大學中國文學系）
		講　　題：從《黃侃日記》看黃季剛先生對經學典籍的閱讀
		報　告　人：車行健（政治大學中國文學系）
		講　　題：胡適、許地山與香港大學經學教育的變革
15:10 ― 15:40		茶　敘　時　間
15:40 ― 16:50	第四場	主持兼評論人：車行健（政治大學中國文學系）
		報　告　人：陳進益（清雲科技大學通識教育中心）
		講　　題：錢穆先生與《易經》
		報　告　人：陳恆嵩（東吳大學中國文學系）
		講　　題：張西堂的《尚書》學
	2009 年 7 月 14 日（星期二）	
09:00 ― 09:30		報　　到
09:30 ― 10:40	第五場	主持兼評論人：楊晉龍（中央研究院中國文哲研究所）
		報　告　人：陳文采（臺南科技大學通識教育中心）
		講　　題：從析分禮制到孔經天學──試論廖平《詩經》研究的轉折
		報　告　人：邱惠芬（長庚技術學院通識教育中心）
		講　　題：蔣善國《三百篇演論》研究
10:40 ― 11:00		茶　敘　時　間
11:00 ― 12:10	第六場	主持兼評論人：張曉生（臺北市立教育大學中國語文學系）
		報　告　人：張厚齊（東吳大學中國文學系博士候選人）
		講　　題：王樹榮《紹邵軒叢書》評介
		報　告　人：孫致文（中央大學中國文學系）
		講　　題：試探朱子《四書》學在 1949 年以前白話經注中的地位

12:10 ｜ 14:00		午　餐　時　間		
14:00 ｜ 15:10	第 七 場	主持兼評論人：蔣秋華（中央研究院中國文哲研究所）		
		報　告　人：程克雅（東華大學中國語文學系）		
		講　　　題：張國淦（1876-1959）與民國初年石經研究		
		報　告　人：王祥齡（逢甲大學中國文學系）		
		講　　　題：論郭沫若〈荀子的批判〉的批判		
15:10 ｜ 15:40		茶　敘　時　間		
15:40 ｜ 16:50	第 八 場	主持兼評論人：陳恆嵩（東吳大學中國文學系）		
		報　告　人：黃偉豪（香港浸會大學文學院語文中心）		
		講　　　題：香港南來學者的經學思想——以陳湛銓及其交遊圈為中心		
		報　告　人：許振興（香港大學中文學院）		
		代　宣　讀：陳水福（臺北市立教育大學中國語文學系碩士）		
		講　　　題：民國時期香港的經學——李景康《儒家學說提要》的啟示		

＊ 每篇論文發表 20 分鐘，講評 10-15 分鐘，自由討論每人發言 5 分鐘。

變動時代的經學與經學家
（1912-1949）
第六次學術研討會
議　　程

	2009 年 11 月 19 日（星期四）
09:00 | 09:20	報　　到
09:20 | 09:30	開幕儀式
	主持人：林慶彰（中央研究院中國文哲研究所）
09:30 | 10:40　第一場	主持兼評論人：黃復山（淡江大學中國文學系）
	報　告　人：王祥齡（逢甲大學中國文學系）
	講　　題：荀子禮法之法理論
	報　告　人：陳恆嵩（東吳大學中國文學系）
	講　　題：陳柱《尚書論略》述論
10:40 | 11:00	茶　敘　時　間
11:00 | 12:10　第二場	主持兼評論人：蔣秋華（中央研究院中國文哲研究所）
	報　告　人：陳金木（慈濟大學東方語文學系）
	講　　題：以史證經——楊樹達《論語疏證》析論
	報　告　人：程克雅（東華大學中國語文學系）
	講　　題：晚清民初學者曹元弼（1867-1953）之禮學詮釋
12:10 | 14:00	午　餐　時　間

14:00 | 15:40	第 三 場	主持兼評論人：蔡長林（中央研究院中國文哲研究所）
		報　告　人：曾志雄（香港城市大學中文、翻譯及語言學系）
		講　　　題：《左傳》盟誓考
		報　告　人：蔡妙真（中興大學中國文學系）
		講　　　題：《左傳微》裡的「微詞眇旨」
		報　告　人：梁煌儀（逢甲大學中國文學系）
		講　　　題：民初學者論經史關係
15:40 | 16:00		茶　敘　時　間
16:00 | 17:40	第 四 場	主持兼評論人：楊晉龍（中央研究院中國文哲研究所）
		報　告　人：何志華（香港中文大學中國語言及文學系）
		講　　　題：《論語》、五經文義互證——兼論楊樹達《論語疏證》體例問題
		報　告　人：鄭傑文（山東大學古典文獻研究所）
		講　　　題：西學衝擊下經學方法的改良——以二十世紀前期《詩經》研究為例
		報　告　人：武才娃（北京建築工程學院文法學院）
		講　　　題：錢穆對朱熹《大學》格物補傳的研究
	2009 年 11 月 20 日（星期五）	
09:00 | 09:30		報　　　到
09:30 | 10:40	第 五 場	主持兼評論人：賴貴三（臺灣師範大學國文學系）
		報　告　人：許朝陽（輔仁大學中國文學系）
		講　　　題：京房易學與徐昂的《京氏易傳箋》
		報　告　人：汪學群（中國社會科學院歷史研究所）
		講　　　題：胡樸安的《周易人生觀》
10:40 | 11:00		茶　敘　時　間

11:00	一	12:10	第六場	主持兼評論人：張曉生（臺北市立教育大學中國語文學系）
				報　告　人：曾聖益（輔仁大學中國文學系）
				講　　　題：《清儒學案》呈現的清代學術
				報　告　人：謝淑熙（臺北市立教育大學中國語文學系）
				講　　　題：李源澄禮學思想析論

12:10 一 14:00	午　餐　時　間

14:00 一 15:40	第七場	主持兼評論人：林啟屏（政治大學中國文學系）
		報　告　人：姬秀珠（空軍官校通識中心）
		講　　　題：劉申叔《禮經舊說》冠昏禮今議
		報　告　人：陳　韻（中正大學中國文學系）
		講　　　題：黃侃禮學研究（三）——經典詮釋篇之一：《禮學略說》版本 及其校勘
		報　告　人：鄭月梅（嘉義大學中國文學系）
		講　　　題：論傅斯年《詩經》研究的特色

15:40 一 16:00	茶　敘　時　間

16:00 一 17:40	第八場	主持兼評論人：陳廖安（臺灣師範大學國文學系）
		報　告　人：邱秀春（萬能科技大學通識中心）
		講　　　題：從《經學通誥》看葉德輝之治經方法與態度
		報　告　人：嚴壽澂（新加坡南洋理工大學國立教育學院）
		代　宣　讀：劉柏宏（政治大學中國文學系博士生）
		講　　　題：劉咸炘經學觀述略
		報　告　人：楊靜剛（香港公開大學人文社會科學院）
		講　　　題：論蒙文通的經學及其他

* 每篇論文發表 20 分鐘，講評 10-15 分鐘，自由討論每人發言 5 分鐘。

變動時代的經學與經學家
（1912-1949）
第七次學術研討會
議　　程

2010 年 6 月 10 日（星期四）		
09:00 ｜ 09:20	報　　　到	
09:20 ｜ 09:30	開幕儀式	
主持人：林慶彰（中央研究院中國文哲研究所）		
09:30 ｜ 10:40	第 一 場	主持兼評論人：張壽安（中央研究院近代史研究所）
		報　告　人：姬秀珠（空軍官校通識中心）
		講　　題：《禮經舊說》喪服今議
		報　告　人：程克雅（東華大學中國語文學系）
		講　　題：晚清民初學者曹元忠（1865-1923）之禮學研探
10:40 ｜ 11:00	茶　敘　時　間	
11:00 ｜ 12:10	第 二 場	主持兼評論人：黃復山（淡江大學中國文學系）
		報　告　人：嚴壽澂（新加坡南洋理工大學國立教育學院）
		講　　題：讀楊樹達《春秋大義述》
		報　告　人：周德良（淡江大學中國文學系）
		講　　題：洪業〈白虎通引得序〉辨
12:10 ｜ 14:00	午　餐　時　間	

14:00 ︱ 15:10	第 三 場	主持兼評論人：張素卿（臺灣大學中國文學系）
		報　告　人：陳進益（清雲科技大學通識教育中心）
		講　　題：從《續修四庫全書總目提要·易類》看尚秉和易學
		報　告　人：陳榮開（香港科技大學人文學部）
		講　　題：變動時代經學家對《中庸》義理的探索與發揮
15:10 ︱ 15:40		茶　敘　時　間
15:40 ︱ 17:30	第 四 場	主持兼評論人：詹海雲（元智大學中國文學系）
		報　告　人：何廣棪（香港樹仁大學中國語言文學系）
		講　　題：讀章太炎先生〈原儒〉札記
		報　告　人：江勇振（美國印第安那州德堡大學歷史系）
		講　　題：作聖與宗教情懷——胡適留美時期的孔教觀
		報　告　人：王祥齡（逢甲大學中國文學系）
		講　　題：荀子禮、義之義
		2010 年 6 月 11 日（星期五）
09:00 ︱ 09:30		報　　到
09:30 ︱ 10:40	第 五 場	主持兼評論人：張曉生（臺北市立教育大學中國語文學系）
		報　告　人：陳金木（慈濟大學東方語文學系）
		講　　題：注疏傳統與經典詮釋——《論語集釋·學而首章》的文獻檢視
		報　告　人：曾聖益（輔仁大學中國文學系）
		講　　題：《清儒學案》案主傳記資料考論
10:40 ︱ 11:00		茶　敘　時　間
11:00 ︱ 12:10	第 六 場	主持兼評論人：楊晉龍（中央研究院中國文哲研究所）
		報　告　人：林素娟（成功大學中國文學系）
		講　　題：由始祖神話及豐產儀典角度探討聞一多的古籍詮釋
		報　告　人：邱惠芬（長庚技術學院通識教育中心）

		講　　　題：郭沫若的《詩經》研究
12:10 | 14:00		午　餐　時　間
14:00 | 15:10	第 七 場	主持兼評論人：范麗梅（中央研究院中國文哲研究所）
		報　告　人：李麗文（臺北市立教育大學中國語文學系博士生）
		講　　　題：江蔭香《詩經譯注》研究
		報　告　人：謝淑熙（臺北市立教育大學中國語文學系博士生）
		講　　　題：羅倬漢《詩樂論》析論
15:10 | 15:40		茶　敘　時　間
15:40 | 17:30	第 八 場	主持兼評論人：蔣秋華（中央研究院中國文哲研究所）
		報　告　人：呂珍玉（東海大學中國文學系）
		講　　　題：聞一多說《詩》中的原始社會與生殖文化
		報　告　人：陳文采（臺南科技大學通識教育中心）
		講　　　題：《續修四庫全書總目提要（稿本)》「詩經類」之分析研究
		報　告　人：黃偉豪（香港浸會大學文學院語文中心）
		講　　　題：鄭振鐸的經學思想

＊ 每篇論文發表 20 分鐘，講評 10-15 分鐘，自由討論每人發言 5 分鐘。

變動時代的經學與經學家

（1912-1949）

第八次學術研討會
議　　程

2010 年 11 月 4 日（星期四）		
08:30 ｜ 08:50	報　　　到	
08:50 ｜ 09:00	開幕儀式	
	主持人：林慶彰（中央研究院中國文哲研究所）	
09:00 ｜ 10:30	第一場	主持兼評論人：楊晉龍（中央研究院中國文哲研究所）
		報　告　人：曾聖益（輔仁大學中國文學系）
		講　　　題：《清儒學案》之論著選輯與案主學術成就簡論
		報　告　人：陳進益（清雲科技大學通識教育中心）
		講　　　題：技進於道，從術到學——數、象、理、圖兼重的杭辛齋《易》學
		報　告　人：程克雅（東華大學中國語文學系）
		講　　　題：民國初年《三禮》版本刊刻考述及相關研究評議
10:30 ｜ 10:50	茶　敘　時　間	
10:50 ｜ 12:20	第二場	主持兼評論人：蔡長林（中央研究院中國文哲研究所）
		報　告　人：周少川（北京師範大學古籍與傳統文化研究院）
		講　　　題：吳承仕的經學史研究——以《經典釋文序錄疏證》為中心
		報　告　人：許振興（香港大學中文學院）
		代　宣　讀：洪楷萱（臺北市立教育大學中國語文學系碩士）

		講　　　題：清遺民經學家寓居香港時期的史學視野——區大典《史略》考索
		報　告　人：梁秉賦（新加坡南洋理工大學國立教育學院）
		講　　　題：變動時代的經學——從顧頡剛的讖緯研究考察
12:20 ｜ 13:30		午　餐　時　間
13:30 ｜ 14:40	第三場	主持兼評論人：馮曉庭（嘉義大學中國文學系）
		報　告　人：邱秀春（萬能科技大學通識中心）
		講　　　題：從《經學通誥》看葉德輝之經學思想
		報　告　人：朱孟庭（臺北大學中國文學系）
		講　　　題：民初《詩經》白話註譯的形成與發展——以疑古思潮的影響為論
14:40 ｜ 15:00		茶　敘　時　間
15:00 ｜ 16:30	第四場	主持兼評論人：蔣秋華（中央研究院中國文哲研究所）
		報　告　人：陳恆嵩（東吳大學中國文學系）
		講　　　題：曾運乾《尚書正讀》述論
		報　告　人：魏怡昱（臺灣師範大學歷史學研究所博士候選人）
		講　　　題：面向世界的經學——廖平《尚書》學中的「周公」論述與意義
		報　告　人：徐其寧（清華大學中國文學研究所博士候選人）
		講　　　題：民國時期的科學治學爭議——以何定生教授編撰之《治學的方法與材料及其他》為討論中心
16:30 ｜ 18:00		第一場座談會
		「民國時期經學家後代談親人」
		主　持　人：林慶彰（中央研究院中國文哲研究所）
		引　言　人：張銘洽（張西堂之子）、童教英（童書業之女）
		聞黎明（聞一多之孫）、顧　潮（顧頡剛之女）

		2010 年 11 月 5 日（星期五）
08:40 | 09:00		報　　　　到
09:00 | 10:30	第 五 場	主持兼評論人：張曉生（臺北市立教育大學中國語文學系）
		報　告　人：陳　韻（中正大學中國文學系）
		講　　　題：黃侃禮學研究（四）——經典詮釋篇之二：《禮學略說》箋釋
		報　告　人：商　珱（中央研究院中國文哲研究所訪問學員）
		講　　　題：南菁書院與張錫恭的禮學
		報　告　人：張政偉（慈濟大學東方語文學系）
		講　　　題：梁啟超對經學文獻整理之理論與實踐
10:30 | 10:50		茶　敘　時　間
10:50 | 12:20	第 六 場	主持兼評論人：張素卿（臺灣大學中國文學系）
		報　告　人：陳金木（慈濟大學東方語文學系）
		講　　　題：《論語集釋》對朱子《論語》論著的輯錄與評論
		報　告　人：何志華（香港中文大學中國語言及文學系）
		代　宣　讀：吳怡青（臺北大學古典文獻學研究所碩士）
		講　　　題：《周易》、諸子文義互補——兼論楊樹達《周易古義》體例問題
		報　告　人：鄭月梅（嘉義大學中國文學系）
		講　　　題：顧頡剛對崔東壁辨偽學的接受
12:20 | 13:30		午　餐　時　間
13:30 | 14:40	第 七 場	主持兼評論人：張壽安（中央研究院近代史研究所）
		報　告　人：嚴壽澂（新加坡南洋理工大學國立教育學院）
		講　　　題：經術與救國淑世——唐蔚芝與馬一浮
		報　告　人：聞黎明（中國社會科學院近代史研究所）
		講　　　題：聞一多的詩經學研究軌跡——以《詩經》為例

14:40 ｜ 15:00		茶　敘　時　間
15:00 ｜ 16:10	第 八 場	主持兼評論人：范麗梅（中央研究院中國文哲研究所）
		報　告　人：許華峰（臺灣師範大學國文學系）
		講　　題：馬宗霍的《國學摭談》與《中國經學史》
		報　告　人：蔡妙真（中興大學中國文學系）
		講　　題：憤懣書寫──馮玉祥《讀春秋左傳札記》
16:10 ｜ 17:40		第二場座談會
		「顧頡剛先生逝世三十週年紀念座談會」
		主　持　人：王汎森（中央研究院副院長）
		引　言　人：丁亞傑、林慶彰、車行健、蔡長林、劉德明、顧　潮

　　* 每篇論文發表 20 分鐘，講評 10-15 分鐘，自由討論每人發言 5 分鐘。

編者簡介

總策畫

林慶彰

　　臺灣臺南人，一九四八年生。東吳大學中國文學研究所碩士、國家文學博士。現任中央研究院中國文哲研究所研究員、東吳大學中國文學系兼任教授。專研經學、日本漢學、圖書文獻學。著有《明代考據學研究》、《明代經學研究論集》、《清初的群經辨偽學》、《學術論文寫作指引》、《中國經學研究的新視野》、《偽書與禁書》等十餘種。主編有《經學研究論著目錄》、《日本研究經學論著目錄》、《清領時期臺灣儒學參考文獻》、《日據時期臺灣儒學參考文獻》、《民國時期經學叢書》、《經學研究論叢》、《國際漢學論叢》等五十餘種。另有學術論文兩百餘篇。

蔣秋華

　　四川省遂寧縣人，一九五六年生。國立臺灣大學中國文學研究所碩士、博士。現任中央研究院中國文哲研究所副研究員，國立臺灣大學中國文學系、淡江大學中國文學系兼任副教授。專研《尚書》學、《詩經》學。著有《二程詩書義理求》、《宋人洪範學》、《沈括——中國科學史上的座標》等書。主編有《晚清經學研究目錄》、《李源澄著作集》、《張壽林著作集》等書。另有〈焦廷琥《尚書申孔篇》初探〉、〈韓愈詩之序議考〉、〈劉克莊商書講義析論〉、〈顧棟高《尚書質疑》撰作小考〉等學術論文數十篇。

分冊主編

張文朝

　　臺灣宜蘭人，一九六〇年生，日本國立九州大學文學博士。現任中央研究院國文哲研究所助研究員。專研中日經學比較。著有《江戶時代經學者傳略及其著作》、《日本における『詩經』學史》、《最新修訂日文動詞大全》等著。編有《小倉百人一首》、《國家圖書館日文臺灣資料目錄》、《國立中央圖書館日文期刊目錄》。譯有《古事記》。

臺灣高等經學研討論集叢刊　　0502005

變動時代的經學與經學家──民國時期（1912-1949）經學研究

總 策 畫　林慶彰、蔣秋華

主　　編　張文朝

責任編輯　蔡雅如

發 行 人　陳滿銘

總 經 理　梁錦興

總 編 輯　陳滿銘

副總編輯　張晏瑞

編 輯 所　萬卷樓圖書股份有限公司

排　　版　浩瀚電腦排版股份有限公司

印　　刷　百通科技股份有限公司

封面設計　斐類設計工作室

發　　行　萬卷樓圖書股份有限公司

　　　　　臺北市羅斯福路二段 41 號 6 樓之 3

　　　　　電話 (02)23216565

　　　　　傳真 (02)23218698

　　　　　電郵 SERVICE@WANJUAN.COM.TW

大陸經銷　廈門外圖臺灣書店有限公司

　　　　　電郵 JKB188@188.COM

ISBN 978-957-739-871-0

2014 年 12 月初版

定價：22000 元（全七冊不分售）

如何購買本書：

1. 劃撥購書，請透過以下郵政劃撥帳號：

　　帳號：15624015

　　戶名：萬卷樓圖書股份有限公司

2. 轉帳購書，請透過以下帳戶

　　合作金庫銀行　古亭分行

　　戶名：萬卷樓圖書股份有限公司

　　帳號：0877717092596

3. 網路購書，請透過萬卷樓網站

　　網址　WWW.WANJUAN.COM.TW

大量購書，請直接聯繫我們，將有專人為您
服務。客服：(02)23216565 分機 10

國家圖書館出版品預行編目資料

變動時代的經學與經學家 ：民國時期
（1912-1949）經學研究 / 林慶彰, 蔣秋華總
策畫. -- 初版. -- 臺北市 ：萬卷樓,
2014.12

　　冊 ；　公分. --（經學研究叢書. 臺灣高等
經學研討論集叢刊）

ISBN 978-957-739-871-0(全套 ：精裝)

1. 經學 2. 文集

090.7　　　　　　　　　　　103008278